여러분의 합격을 응원하는

해커스경찰 특별혜택

해커스경찰 온라인 단과강의 20% 할인쿠폰

68FA65ADBD773G4J

해커스경찰(police.Hackers.com) 접속 후 로그인 ▶ 상단의 [내 강의실] 클릭 ▶
중앙의 [쿠폰/포인트] 클릭 ▶ 쿠폰번호 입력 후 이용 가능

* 쿠폰 이용 기한 : 2021년 12월 31일까지 * 등록 후 7일간 사용 가능 * 쿠폰 이용 관련 문의 : 1588-4055

무료 해커스경찰 합격예측 모의고사 응시권

A55C6537C2EBE5GC

해커스경찰(police.Hackers.com) 접속 후 로그인 ▶ 상단의 [내 강의실] 클릭 ▶
중앙의 [쿠폰/포인트] 클릭 ▶ 쿠폰번호 입력 후 이용 가능

*쿠폰 이용 기한 : 2021년 12월 31일까지 *등록 후 7일간 사용 가능 *쿠폰 이용 관련 문의 : 1588-4055

무료 경찰 형사소송법 동영상강의

해커스경찰(police.Hackers.com) 접속 후 로그인 ▶ 상단의 [무료강좌-경찰 무료강의] 클릭

해커스경찰

갓대환

형사소송법 刑事訴訟法

1권

해커스경찰

김대환

약력

현 | 해커스 경찰학원 형법·형사소송법 강의
경찰공제회 경찰 채용 형법·형사소송법 강의

전 | 김대환 경찰학원 형법·형사소송법 강의
아모르이그잼경찰 / 메가CST 형사소송법 대표교수
경찰대학교 행정학과 졸업(16기)
용인대학교 경찰행정학과 석사 수료
사법시험 최종합격(제46회, 2004)
사법연수원 수료(제36기)

저서

갓대환 형사소송법 기본서, 해커스패스
갓대환 핵심 요약집 형사소송법, 해커스패스
갓대환 형사소송법 기출 1000제, 멘토링
갓대환 형사소송법 기적의 특강 with 7개년 최신판례, 멘토링
갓대환 형사소송법 진도별 문제풀이, 멘토링
갓대환 형사소송법 기적의 문풀, 멘토링
갓대환 형법 기본서, 해커스패스
갓대환 핵심 요약집 형법, 해커스패스

개정3판 2쇄 발행 **2021년 3월 31일**

개정3판 1쇄 발행 2021년 2월 5일

지은이 김대환
펴낸곳 해커스패스
펴낸이 해커스경찰 출판팀

주소 서울특별시 강남구 강남대로 428 해커스경찰
고객센터 02-598-5000
교재 관련 문의 gosi@hackerspass.com
해커스경찰 사이트(police.Hackers.com) 교재 Q&A
카카오톡 플러스 친구 [해커스경찰]
학원강의 police.Hackers.com
동영상강의 epolice.Hackers.com

ISBN 1권 979-11-6662-087-4(14360)
세트 979-11-6662-086-7(14360)
Serial Number 03-02-01

기적의 적중률로 합격을 이끌어 내라!

이 책은 경찰공무원 및 9급 공무원 시험을 대비하기 위한 교재입니다. 대학교의 교재나 주관식 시험을 위한 교재는 아닙니다.

경찰공무원 및 9급 공무원 시험은 행정실무가로서의 자질을 평가하는 것을 중시합니다. 따라서 학설의 대립을 묻는 것이 아니라 판례의 태도를 묻는 시험으로 실제 채용시험에서도 이론과 학설은 단 한 문제도 출제되지 않습니다. 대신 조문과 판례 문제 위주로 출제되고 있어 교재 집필의 방향도 조문과 판례의 태도에 중점을 두고 집필하였습니다.

본 교재는 특히 가독성을 중시하였습니다. 판례 지문 중에 자주 틀리게 하는 부분은 볼드 처리하거나 다른 색자로 표시하여 구분하였고, 언제 출제되었는지 확인할 수 있도록 최신 5개년도 기출을 표시하였습니다. 또한 지문 중에 틀리기 쉬운 부분은 《주의 표시로 강조하여 오답지문도 예상할 수 있도록 구성하였습니다.

이 책은 최신판례와 개정 형사소송법, 개정 형사소송규칙을 충실히 반영하여 구성하였습니다. 한 권의 책만 보더라도 경찰공무원 및 9급 공무원 시험을 완벽히 대비할 수 있을 것입니다.

더불어 교재와 함께 경찰공무원 시험 전문 해커스경찰(police.Hackers.com)에서 학원강의나 인터넷 동영상강의를 함께 활용하여 수강한다면 학습효과를 극대화할 수 있을 것입니다.

이 교재가 출간되도록 원고작업을 도와주신 윤경근 교수님과 해커스 출판사 임직원을 비롯하여 저를 아껴주시는 모든 분께 고마움을 전합니다.

2021년 2월

김대환

목차

1권

제1편 서론

제2편 수사

제3편 증거

2권

해커스경찰
police.Hackers.com

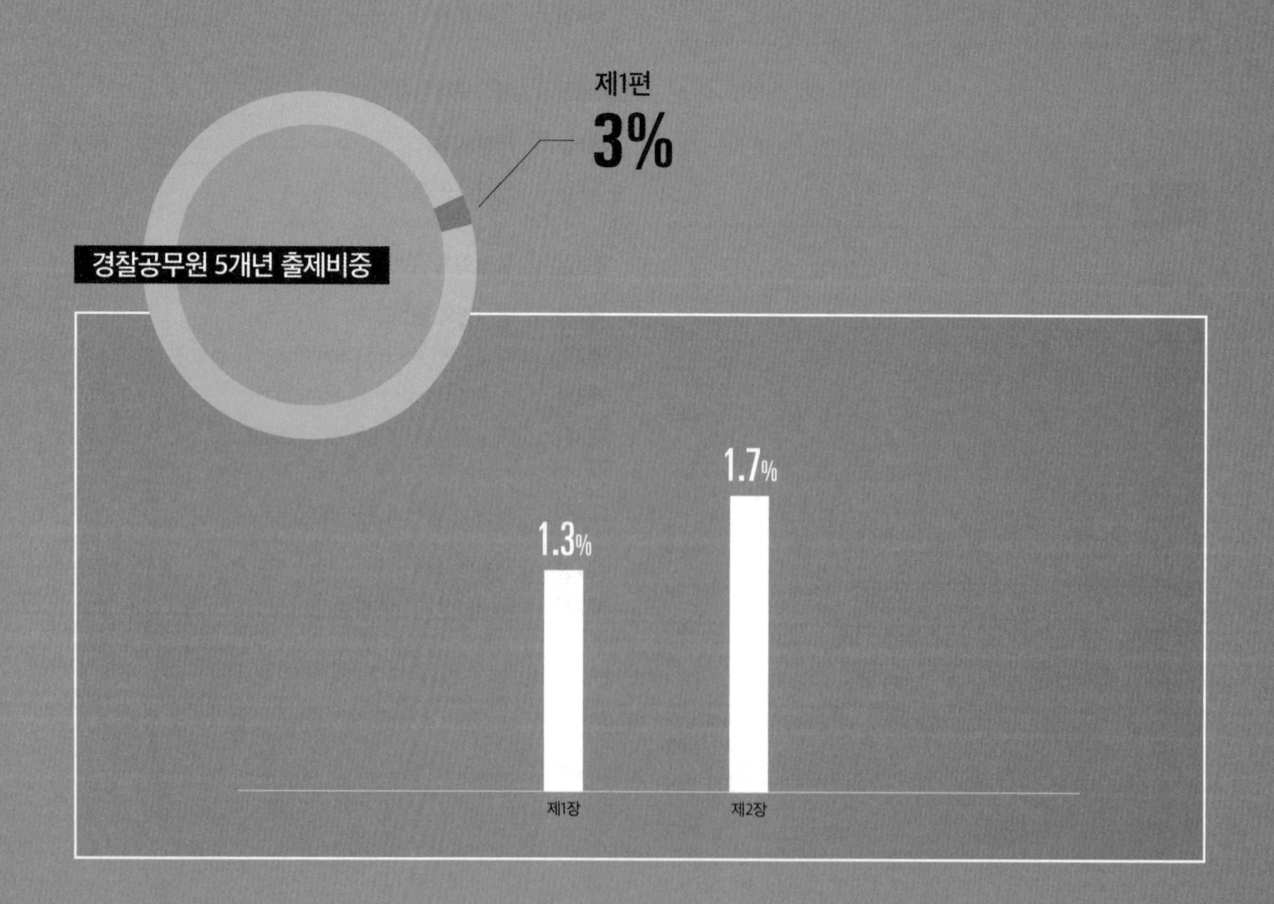

제1편 서론

제1장 형사소송법의 기초

제1절 형사소송법의 의의와 성격

01 형사소송법의 의의

1. 형사소송법의 개념

범죄가 발생한 경우 이를 수사 · 소추 · 심판하고 형벌을 집행하는 절차를 형사절차라고 하는데 형사소송법은 이러한 형사절차를 규율하는 법률체계를 말한다. 형사소송법은 형사절차법(刑事節次法)이라고도 한다. 형사소송 또는 형사절차는 협의로는 공판절차만을 의미하지만 광의로는 수사절차 · 공판절차 · 형집행절차까지를 포괄한다.

2. 형법과 형사소송법의 관계

형사소송법은 형법과 함께 형사법(刑事法)에 속한다. 형법은 국가형벌권의 발생요건과 법률효과를 규율하는 실체법이라면 형사소송법은 형법에 기초하여 발생한 국가형벌권을 구체적으로 실현하기 위한 법적절차를 규율하는 절차법이다.

3. 형사절차법정주의

형사절차법정주의(刑事節次法定主義)란 수사 · 공판 · 형집행의 형사절차는 '국회에서 제정한 법률(형식적 의미의 법률)'로써 규정하여야 한다는 원칙을 말한다. 형사절차를 통해 국가형벌권을 실현함에 있어서 필연적으로 국민의 기본권(자유권, 재산권 등)을 침해하지 않을 수 없는데, 이러한 기본권 침해를 억제하여 피의자 · 피고인의 인권을 보장하기 위한 기본원칙이 바로 **형사절차법정주의**이다.

02 형사소송법의 성격

1. 형사법(刑事法)

형사소송법은 형사법(刑事法)이며 그 시대의 정치적 상황을 반영하므로 민사법(民事法)에 비하여 특히 **정치적 성격**이 강하다.

2. 절차법(節次法)

형사소송법은 절차법으로 **기술적(技術的) 성격**이 강하다. 이에 비하여 실체법인 형법은 도덕적 · 윤리적 성격이 강하다. 또한 절차법인 형사소송법은 **동적 · 발전적(動的 · 發展的)인 성격**을 가지고, 실체법인 형법은 정적(靜的)인 성격을 가진다. 16. 경찰간부

3. 공법(公法)

형사소송법은 국가와 국민 사이의 법률관계를 규율하는 공법에 해당하고 국가와 국민, 전체와 부분 사이의 **배분적(配分的) 정의**실현을 목적으로 한다. 이에 비하여 민법 등 사법(私法)은 사인 사이의 평균적(平均的) 정의실현을 목적으로 한다(«주의 형사소송법은 평균적 정의실현을 목적으로 한다. ×).

4. 사법법(司法法)

형사소송법은 국가의 사법작용의 행사방법을 규율하는 사법법(司法法)에 해당하고 상대적으로 합법성 또는 법적 안정성이 중시된다. 형사절차를 법률로 명확히 정하고 이러한 법이 정한 절차에 따라 확정된 재판에 대하여 다시 다툴 수 없도록 하는 것은 바로 이러한 사법법적 성격에서 비롯된다. 이에 비하여 행정법(行政法)과 입법법(立法法)은 상대적으로 합목적성이 중시된다.

제2절 형사소송법의 법원(法源)과 적용범위

01 형사소송법의 법원(法源)

형사소송법의 법원(法源)이란 형사소송법의 존재형식 내지는 인식근거를 말한다. 형사절차법정주의원칙상 형사소송법의 법원은 '법률'로 제한됨이 원칙이지만 '헌법'은 법률보다 상위규범이므로 당연히 형사소송법의 법원이 될 수 있고, 이외에 헌법과 법률의 위임에 따라 제정된 '대법원규칙'도 형사소송법의 법원이 된다.

1. 헌법

헌법은 대한민국의 최고 근본규범으로 헌법에 규정된 다음의 형사절차에 관한 사항은 형사소송법의 법원이 된다. 14 · 16 · 17. 경찰승진, 15 · 17 · 19. 경찰간부, 16 · 18. 경찰채용

① 형사절차법정주의와 적법절차원칙(제12조 제1항)
② **고문금지와 진술거부권**(제12조 제2항)
③ **영장주의와 영장주의의 예외**(제12조 제3항, 제16조)
④ 변호인의 조력을 받을 권리와 국선변호인제도(제12조 제4항)
⑤ 체포 · 구속의 이유와 변호인선임권을 고지받을 권리 및 가족 등이 체포 · 구속의 이유 · 일시 · 장소를 통지받을 권리(제12조 제5항)
⑥ **체포 · 구속적부심사청구권**(제12조 제6항)
⑦ **자백배제법칙과 자백의 보강법칙**(제12조 제7항)
⑧ 일사부재리의 원칙(제13조 제1항)
⑨ 재판을 받을 권리와 신속한 공개재판을 받을 권리(제27조 제1항 · 제3항)
⑩ **무죄추정의 원칙**(제27조 제4항)
⑪ **범죄피해자의 재판절차진술권**(제27조 제5항)과 범죄피해자 구조제도(제30조)
⑫ 형사보상청구권(제28조)
⑬ 국회의원의 불체포특권과 면책특권(제44조, 제45조)
⑭ 대통령의 불소추특권(제84조)
⑮ 법원의 조직과 권한에 관한 규정(제101조 내지 제110조)
⑯ 헌법재판소의 조직과 권한(헌법소원 등)에 관한 규정(제111조 내지 제113조)
⑰ 군사법원(제10조)

⑱ 과잉금지의 원칙(제37조 제2항) 등
[«주의 형사소송법상 증거보전청구권(제184조), 증거신청권(제294조), 기피신청권(제18조), 보석청구권(제94조), 피고인의 공판기일출석권(제276조), 이의신청권(제296조), 증인신문권(제161조의2), 최후진술권(제303조), 변론재개신청권(제305조), 상소권(제338조), 간이공판절차(제286조의2), 위법수집증거배제법칙(제380조의2), 증거재판주의(제307조), 불이익변경금지(제368조), 영장실질심사청구권(제201조), 구속취소청구권(제93조), 전문법칙(제310조의2)과 배상명령제도(소송촉진법) 등은 헌법에 규정이 없는 형사절차이다]

2. 법률(형사소송법)

형사절차법정주의원칙상 법률은 가장 중요한 형사소송법의 법원이 된다.

(1) 형식적 의미의 형사소송법

'형사소송법'이란 명칭을 가진 법률을 말한다.

(2) 실질적 의미의 형사소송법

명칭은 형사소송법이 아니지만 그 실질적 내용이 형사절차를 규율하는 법률을 말한다. 19. 경찰채용

① **조직에 관한 법률**: 법원조직법, 각급법원의 설치와 관할구역에 관한 법률, 검찰청법, 고위공직자 범죄수사처 설치 및 운영에 관한 법률, **경찰관 직무집행법, 사법경찰관리의 직무를 행할 자와 그 직무범위에 관한 법률,** 변호사법 등이 이에 해당한다.

② **특별절차에 관한 법률**: 국민참여재판법, 소년법, 군사법원법, **즉결심판에 관한 절차법, 소송촉진 등에 관한 특례법**, 조세범 처벌절차법 등이 이에 해당한다.

③ **소송비용법률**: 형사소송비용 등에 관한 법률이 이에 해당한다.

④ **기타**: 형의 집행 및 수용자의 처우에 관한 법률, 형의 실효에 관한 법률, 형사보상 및 명예회복에 관한 법률 등이 이에 해당한다.

3. 대법원규칙

대법원은 법률에 저촉하지 아니하는 범위 안에서 소송에 관한 절차, 법원의 내부규율과 사무처리에 관한 규칙을 제정할 수 있다(헌법 제108조). 이에 의해서 제정된 대법원규칙은 형사소송법의 법원이 된다. 19. 경찰채용 형사소송규칙, 법정 좌석에 관한 규칙, 법정방청 및 촬영 등에 관한 규칙, 소년심판규칙 등이 이에 해당한다.

4. 기타

(1) 대통령령

형사소송법 제195조에 따라 제정된 대통령령인 '상호협력 · 수사준칙규정'은 검사와 사법경찰관의 상호협력과 일반적 수사준칙에 관한 사항을 규정한 것으로 형사소송법의 법원이 될 수 있다고 해석이 된다.

(2) 법무부령

판례는 재기수사의 명령이 있는 사건에 관하여 지방검찰청검사가 다시 불기소처분을 하고자 하는 경우에는 미리 그 명령청의 장의 승인을 얻도록 한 **검찰사건사무규칙의 규정은 법규적 효력을 가진 것이 아니며**(헌재 1991.7.8, 91헌마42), **검찰징수사무규칙**은 벌금형 등의 집행에 관한 사항을 정한 것으로서 그 근거나 입법형식 및 내용에 비추어 대외적으로 구속력을 갖는 법규명령이라고 할 것이고 이를 검찰청 내부의 사무처리준칙에 불과하다고 볼 수는 없어 **법규적 효력을 인정하였다**(대판 2005.4.28, 2003다58850). 19. 경찰채용

02 형사소송법의 적용범위

형법

제2조 【국내범】 본법은 대한민국영역 내에서 죄를 범한 내국인과 외국인에게 적용한다.

제3조 【내국인의 국외범】 본법은 대한민국영역 외에서 죄를 범한 내국인에게 적용한다.

제4조 【국외에 있는 내국선박 등에서 외국인이 범한 죄】 본법은 대한민국영역 외에 있는 대한민국의 선박 또는 항공기내에서 죄를 범한 외국인에게 적용한다.

제5조 【외국인의 국외범】 본법은 대한민국영역 외에서 다음에 기재한 죄를 범한 외국인에게 적용한다.

1. 내란의 죄
2. 외환의 죄
3. 국기에 관한 죄
4. 통화에 관한 죄
5. 유가증권, 우표와 인지에 관한 죄
6. 문서에 관한 죄 중 제225조 내지 제230조
7. 인장에 관한 죄 중 제238조

제6조 【대한민국과 대한민국 국민에 대한 국외범】 본법은 대한민국영역 외에서 대한민국 또는 대한민국 국민에 대하여 전조에 기재한 이외의 죄를 범한 외국인에게 적용한다. 단, 행위지의 법률에 의하여 범죄를 구성하지 아니하거나 소추 또는 형의 집행을 면제할 경우에는 예외로 한다.

1. 인적 · 장소적 적용범위

형사소송법은 형법을 실현하는 절차법이므로 형사소송법의 인적 · 장소적 적용범위는 형법의 인적 · 장소적 적용범위와 일치한다. 속지주의, 속인주의, 보호주의 원칙에 따라 대한민국 형법 · 형사소송법이 적용된다.

판례 |

1 대한민국 법원이 재판권을 행사할 수 있는 경우

① 외국인이 대한민국 공무원에게 알선한다는 명목으로 **금품을 수수하는 행위가 대한민국 영역 내에서 이루어진 이상** 비록 금품수수의 명목이 된 알선행위를 하는 장소가 대한민국 영역 외라 하더라도 형법 제2조에 의하여 대한민국의 형벌법규인 구 변호사법 제90조 제1호가 적용되어야 한다(대판 2000.4.21, 99도3403). 14. 경찰간부 · 경찰채용

② **대한민국 내에 있는 미국문화원**이 치외법권지역이고 그 곳을 미국영토의 연장으로 본다 하더라도 **그 곳에서 죄를 범한 대한민국 국민**에 대하여 우리 법원에 먼저 공소가 제기되고 미국이 자국의 재판권을 주장하지 않고 있는 이상 속인주의를 함께 채택하고 있는 우리나라의 재판권은 동인들에게도 당연히 미친다(대판 1986.6.24, 86도403). 16 · 18. 경찰간부, 17. 경찰승진

③ 필리핀국에서 카지노의 외국인 출입이 허용되어 있다 하여도 형법 제3조에 따라 **(내국인인) 피고인**에게 우리나라 형법이 당연히 적용된다(대판 2001.9.25, 99도3337). 14. 경찰간부 · 경찰채용

④ 내국 법인의 대표자인 외국인이 내국 법인이 외국에 설립한 특수목적법인에 위탁해 둔 자금을 정해진 목적과 용도 외에 임의로 사용한 데 따른 **횡령죄의 피해자는 당해 금전을 위탁한 내국 법인이므로,** 그 행위가 외국에서 이루어진 경우에도 행위지의 법률에 의하여 범죄를 구성하지 아니하거나 소추 또는 형의 집행을 면제할 경우가 아니라면 그 외국인에 대해서도 우리 형법이 적용되어(형법 제6조), 우리 법원에 재판권이 있다(대판 2017.3.22, 2016도17465). 17 · 18. 국가직 7급, 18. 법원행시, 19 · 20. 경찰채용

⑤ 소말리아 해적인 피고인들이 아덴만 해역을 항해 중이던 몰타 선적의 삼호 주얼리(SAMHO JEWELRY)호를 강취한 후 **한국인 선원 8명과 외국인 선원 13명에 대하여 해상강도살인미수 등의 죄를 범한 경우** 대한민국 국민에 대한 외국인의 범죄이므로 **형법 제6조에 의하여 우리 형법이 적용된다**(대판 2011.12.22, 2011도12927).

⑥ 조선족 중국인인 피고인들이 온두라스 국적의 참치잡이 원양어선 페스카마(PESCA MAR) 15호에 승선하여 근무하던 중 선상반란을 일으켜 **한국인 선원 7명, 조선족 중국인 선원 1명, 인도네시아인 선원 3명을 살해한 경우** 우리 형법이 적용된다(대판 1997.7.25, 97도1142).

2 대한민국 법원이 재판권을 행사할 수 없는 경우

① **캐나다 시민권자인 피고인이 캐나다에서 위조사문서를 행사**하였다는 내용으로 기소된 경우, 위조사문서행사죄는 형법 제5조 제1호 내지 제7호에 열거된 죄에 해당하지 않고, 위조사문서행사를 형법 제6조의 대한민국 또는 대한민국 국민의 법익을 직접적으로 침해하는 행위라고 볼 수도 없으므로 피고인의 행위에 대하여는 우리나라에 재판권이 없다(대판 2011.8.25, 2011도6507). 14·16·18. 경찰간부, 16. 경찰채용, 17. 경찰승진

② [1] **중국 북경시에 소재한 대한민국 영사관 내부**는 여전히 **중국의 영토**에 속할 뿐 이를 대한민국의 영토로서 그 영역에 해당한다고 볼 수 없을 뿐 아니라 **사문서위조죄**가 형법 제6조의 대한민국 또는 대한민국 국민에 대하여 범한 죄에 해당하지 아니함은 명백하다. [2] 따라서 원심이 **내국인이 아닌 피고인**이 위 영사관 내에서 A 명의의 여권발급신청서 1장을 위조하였다는 취지의 공소사실에 대하여 외국인의 국외범에 해당한다는 이유로 **피고인에 대한 재판권이 없다**고 판단한 것은 옳다(대판 2006.9.22, 2006도5010). 15. 변호사·법원행시·경찰간부, 17. 국가직 7급

③ 형법 제239조 제1항의 **사인위조죄**는 형법 제6조의 대한민국 또는 대한민국 국민에 대하여 범한 죄에 해당하지 아니하므로 **중국 국적자가 중국에서** 대한민국 국적 주식회사의 인장을 위조한 경우에는 외국인의 국외범으로서 그에 대하여 재판권이 없다(대판 2002.11.26, 2002도4929). 14. 경찰채용, 18. 법원행시

그러나 이에 대하여 다음과 같은 국내법상 그리고 국제법상 예외가 있다.

(1) 국내법상 예외

① **대통령의 불소추특권**: 대통령은 내란 또는 외환의 죄를 범한 경우를 제외하고는 재직 중 형사상의 소추를 받지 아니한다(헌법 제84조).

② **국회의원의 불체포특권**: **국회의원은 현행범인인 경우를 제외하고는 회기 중 국회의 동의 없이 체포 또는 구금되지 아니한다**(헌법 제44조 제1항). 15. 경찰간부, 17. 경찰승진 국회의원이 회기 전에 체포 또는 구금된 때에는 현행범인이 아닌 한 국회의 요구가 있으면 회기 중 석방된다(동조 제2항). 헌법 제44조에 의하여 구속된 국회의원에 대한 석방요구가 있으면 당연히 구속영장의 집행이 정지된다(형사소송법 제101조 제4항).

③ **국회의원의 면책특권**: 국회의원은 국회에서 직무상 행한 발언과 표결에 관하여 국회 외에서 책임을 지지 아니한다(헌법 제45조).

판례 |

1 면책특권의 취지 및 인정범위

① **국회의원의 면책특권**을 인정한 취지는 **국회의원이 국민의 대표자로서 국회 내에서 자유롭게 발언하고 표결할 수 있도록 보장**함으로써 국회가 입법 및 국정통제 등 헌법에 의하여 부여된 권한을 적정하게 행사하고 그 기능을 원활하게 수행할 수 있도록 보장하는 데에 있다(대판 2011.5.13, 2009도14442).

② **면책특권의 대상이 되는 행위**는 국회의 직무수행에 필수적인 국회의원의 **국회 내에서의 직무상 발언과 표결**이라는 의사표현행위 자체에만 국한되지 아니하고 **이에 통상적으로 부수하여 행하여지는 행위까지 포함**하며, 그와 같은 부수행위인지 여부는 구체적인 행위의 목적 · 장소 · 태양 등을 종합하여 개별적으로 판단하여야 한다(대판 2011.5.13, 2009도14442). 16. 변호사 · 경찰채용, 16 · 18. 경찰간부

2 면책특권의 대상이 되는 행위

① '구 국가안전기획부의 불법 녹음 내용'과 '검사들이 삼성그룹으로부터 떡값 명목의 금품을 수수하였다'는 내용이 게재된 **보도자료를** 국회 법제사법위원회 개의 당일 국회 의원회관에서 **기자들에게 배포**한 경우(대판 2011.5.13, 2009도14442) (**그러나** 구 국가안전기획부 내 정보수집팀이 대기업 고위관계자와 중앙일간지 사주간의 사적 대화를 불법 녹음한 자료를 입수한 후 그 대화내용과, 위 대기업으로부터 이른바 떡값 명목의 금품을 수수하였다는 검사들의 실명이 게재된 보도자료를 작성하여 **자신의 인터넷 홈페이지에 게재한 행위는 면책특권의 범위에도 해당하지 않고, 정당행위에도 해당하지 않는다**하여 징역 4월에 집행유예 1년 자격정지 1년이 확정되어 국회의원 자격을 상실하였다) 14. 변호사

② 국회 예산결산위원회 회의장에서 법무부장관을 상대로 대정부질의를 하던 중 대통령 측근에 대한 대선자금 제공 의혹과 관련하여 이에 대한 수사를 촉구하는 과정에서 **발언**을 한 경우(대판 2007.1.12, 2005다57752)

③ 국회의 위원회나 국정감사장에서 국무위원 · 정부위원 등에 대하여 **질문이나 질의**를 하거나 직무상 질문이나 질의를 준비하기 위하여 국회 내에서 정부 · 행정기관에 대하여 **자료제출을 요구**한 경우(대판 1996.11.8, 96도1742) 16. 변호사

④ 국회 본회의에서 질문할 **원고를 사전에 배포**한 경우(대판 1992.9.22, 91도3317)

3 면책특권의 효과

국회의원의 면책특권에 속하는 행위에 대하여는 공소를 제기할 수 없으며 이에 반하여 공소가 제기된 것은 결국 공소권이 없음에도 공소가 제기된 것이 되어 형사소송법 제327조 제2호의 **공소제기의 절차가 법률의 규정에 위반하여 무효**인 때에 해당되므로 공소를 기각하여야 한다(대판 1992.9.22, 91도3317). 14. 경찰간부, 14 · 17. 경찰승진 · 국가직 7급, 16. 변호사, 20. 해경채용

(2) 국제법상 예외

① **외교관계에 의한 재판권 면제**: 외교관계 면제권이 있는 ㉠ 외국의 원수, 그 가족 및 대한민국 국민이 아닌 수행자, ㉡ 신임받은 외국의 사절, 그 직원 및 가족에게는 형사소송법이 적용되지 아니한다(외교관계에 관한 비엔나협약 제31조). 따라서 대한민국에 주재하는 외국의 대사(大使) · 공사(公事)에 대해서는 형사소송법이 적용되지 않으므로 대한민국이 재판권을 행사할 수 없다.

② **한미주둔군지위협정에 의한 재판권 제한**: 한미주둔군지위협정에 의하여 합중국(미국) 군대의 구성원, 군속 및 그들의 가족에 대해서는 대한민국 당국의 형사재판권 행사가 제한된다. '한미주둔군지위협정'의 정식명칭은 '대한민국과 아메리카합중국간의 상호방위조약 제4조에 의한 시설과 구역 및 대한민국에서의 합중국 군대의 지위에 관한 협정'이고 일명 SOFA(Status Of Forces Agreement)라고 하고, 이는 본문과 후속문서인 합의의사록, 양해사항 등으로 구성되어 있다.

판례 | 미국 군인, 군속 등에 대한 재판권

1 [1] 미군범죄에 관하여는 원칙적으로 오로지 합중국의 재산이나 안전에 대한 범죄 또는 오로지 합중국 군대의 타 구성원이나 군속 또는 그들의 가족의 신체나 재산에 대한 범죄, 공무집행 중의 작위 또는 부작위에 의한 범죄인 경우에는 합중국 군당국이 재판권을 행사할 1차적 권리를 가지며, **기타의 범죄인 경우에는 대한민국 당국이 재판권을 행사할 1차적 권리를 가진다**. [2] 그러나 협정 제22조 제1항 (나)호는 "계엄령하에 있는 대한민국의 지역에 있어서는 합중국 군당국은 계엄령이 해제될 때까지 합중국 군대의 구성원에 대하여 전속적 재판권을 행사할 권리를 가진다."고 규정하고 있으므로, **계엄령이 선포된 경우에는 대한민국 법원은 계엄령이 해제될 때까지 미합중국 군대의 구성원을 재판할 권한이 없게 되는 것이다**(대판 1980.9.9, 79도2062)

2 [1] 협정 제22조(형사재판권) 제4항은 "본조의 전기 제 규정은 합중국 군당국이 대한민국의 국민인 자 또는 대한민국에 통상적으로 거주하고 있는 자에 대하여 재판권을 행사할 권리를 가진다는 것을 뜻하지 아니한다."고 규정하고 있다. 위 조항들에 의하면, **미합중국 군대의 군속 중 통상적으로 대한민국에 거주하고 있는 자는 협정이 적용되는 군속의 개념에서 배제되므로** 그에 대하여는 대한민국의 형사재판권 등에 관하여 협정에서 정한 조항이 적용될 여지가 없다(**협정에서 정한 미합중국 군대의 군속에 관한 형사재판권 관련 조항이 적용될 수 없다**). [2] 협정 제22조 제1항에 관한 합의의사록에서는 "합중국 법률의 현 상태에서 합중국 군당국은 평화시에는 군속 및 가족에 대하여 유효한 형사재판권을 가지지 아니한다."고 정하고 있다. 위 조항들을 종합하면, **한반도의 평시상태에서 미합중국 군당국은 미합중국 군대의 군속에 대하여 형사재판권을 가지지 않으므로 대한민국은** 협정 제22조 제1항 (나)에 따라 미합중국 군대의 군속이 대한민국 영역 안에서 저지른 범죄로서 대한민국 법령에 의하여 처벌할 수 있는 범죄에 대한 **형사재판권을 바로 행사할 수 있다**(대판 2006.5.11, 2005도798). 15·16. 경찰간부, 16. 국가직 9급·경찰채용

2. 시간적 적용범위

형사소송법은 시행시부터 폐지시까지 효력을 가지는 것이 원칙이다. **형사소송법**은 절차법이기 때문에 형법과 같은 **엄격한 소급효 금지의 원칙이 적용되지 아니한다**. 법률의 변경이 있는 경우에 **신법·구법의 적용여부는 입법정책의 문제**이다. 14. 경찰채용

형사소송법 부칙 <법률 제8496호>

제1조【시행일】 이 법은 2008년 1월 1일부터 시행한다.

제2조【일반적 경과조치】 이 법은 이 법 시행 당시 수사 중이거나 법원에 계속 중인 사건에도 적용한다. 다만, 이 법 시행 전에 종전의 규정에 따라 행한 행위의 효력에는 영향을 미치지 아니한다.

판례 | 형사소송법 부칙 제2조의 규정 취지 등

[1] **형사소송법 부칙 제2조**는 형사절차가 개시된 후 종결되기 전에 형사소송법이 개정된 경우 신법과 구법 중 어느 법을 적용할 것인지에 관한 입법례 중 이른바 혼합주의를 채택하여 구법 당시 진행된 소송행위의 효력은 그대로 인정하되 신법 시행 후의 소송절차에 대하여는 신법을 적용한다는 취지에서 규정된 것이다. [2] 따라서 **항소심이** 신법 시행을 이유로 **구법이 정한 바에 따라 적법하게 진행된 제1심의 증거조사절차 등을 위법하다고 보아 그 효력을 부정하고 다시 절차를 진행하는 것은 허용되지 아니하며**, 다만 이미 적법하게 이루어진 소송행위의 효력을 부정하지 않는 범위 내에서 신법의 취지에 따라 절차를 진행하는 것은 허용된다(대판 2008.10.23, 2008도2826). 15·18. 경찰간부, 16·20. 경찰채용

police.Hackers.com

제2장 형사소송법의 기본이념

제1절 형사소송법의 목적 · 이념

형사소송법의 목적은 근본적으로 피고인의 유 · 무죄와 처벌의 경중을 정확히 판단하는 데에 있다. 이를 위해서는 사건의 진상을 정확히 파악할 것이 요구되는데 이러한 의미에서 실체적 진실발견은 형사소송법의 최고의 목적이 된다. 그러나 실체적 진실발견만을 유일한 목적으로 이해할 때에 수사기관은 인권을 침해해 가며 진실발견에 치중할 것이고 또한 법원도 범죄혐의를 밝히기 위해 피고인을 단순히 심리의 객체로 전락시킬 위험도 따르게 된다. 이러한 의미에서 실체적 진실발견도 '적정절차를 통하여 신속하게 이루어져야 한다'는 제약을 받게 된다.

판례 | 형사소송의 목적

형사소송의 목적은 **적법절차**에 의한 **실체적 진실**의 **신속한 발견**에 있다(헌재 1995.6.29, 93헌바45). 20. 경찰채용

01 실체적 진실주의(實體的 眞實主義)

1. 의의

(1) 개념

실체적 진실주의란 법원이 당사자의 사실상의 주장이나 인부(認否) 또는 제출한 증거에 구속되지 않고 사안의 진상을 규명하여 객관적 진실을 발견하려는 소송법상 원리를 말한다.

(2) 형식적 진실주의와의 구별

① **형식적 진실주의의 의의**: 형식적 진실주의란 법원이 당사자의 사실상의 주장이나 인부 등에 구속되어 이를 기초로 하여 사실을 인정하는 민사소송법의 원리를 말한다. 민사소송법에서는 사적자치(私的自治)의 원칙상 소송의 개시 · 특정 · 종료(포기 · 인락 · 화해)가 당사자에게 일임이 되어 있는 당사자처분권주의가 지배하고 또한 자백의 구속력이 인정되어 당사자가 자백한 사실은 법원을 구속하게 된다.

② **형사소송법의 실체적 진실주의**: 그에 비하여 형사소송법은 실체적 진실주의가 지배하기 때문에 당사자처분권주의가 인정되지 아니한다. 즉, 피고인은 범죄혐의를 인정하고 처벌을 받을 것을 전제로 형사재판을 거부할 권리는 없고, 검사와 피고인은 임의대로 형사재판을 화해로 중지하거나 포기할 수도 없다. 또한 **형사소송**에서는 **자백의 구속력은 인정되지 아니하므로** 법원은 피고인의 자백에 구속당하지 아니한다. 피고인이 자백하더라도 그에 대한 보강증거가 없으면 법원은 무죄판결을 선고하여야 하고(제310조), 또한 보강증거가 있더라도 객관적 진실을 좇아 얼마든지 자백과 다른 내용의 판결선고도 할 수 있다.

2. 실체적 진실주의의 내용

(1) 적극적 실체진실주의

범죄사실을 명백히하여 죄 있는 자를 빠짐없이 처벌하도록 하자는 원리로서 "열 사람의 범인이 있으면 열 사람 모두를 처벌하여야 한다."라고 표현이 된다.

(2) 소극적 실체진실주의

죄 없는 자를 유죄로 하여서는 안 된다는 원리로서 "열 사람의 범인을 놓치는 한이 있더라도 한 사람의 죄 없는 자를 벌해서는 안 된다."라고 표현이 된다.

(3) 형사소송법의 태도

현행 형사소송법은 무죄추정의 원칙(헌법 제27조 제4항), 의심스러울 때에는 피고인의 이익으로(in dubio pro reo), 검사의 거증책임 부담 등의 원칙이 지배하므로 **소극적 실체진실주의가 더 강조가 된다는 것이 통설과 판례의 입장이다.**

판례 | 실체적 진실주의에 대한 형사소송법의 입장(= 소극적 실체진실주의)

무죄추정의 원칙을 규정하고 있는 헌법 제27조 제4항을 종합하면 형사재판절차에는 **소극적 진실주의가 헌법적으로 보장**되어 있음을 인정할 수 있다(헌재 1998.12.24, 94헌바46).

3. 제도적 구현

실체적 진실주의는 형사소송법의 지도이념으로 형사소송제도의 대부분은 실체적 진실발견을 그 목적으로 하고 있다.

(1) 수사절차

사실인정에 필요한 증거의 확보는 진실발견의 전제요건이다. 형사소송법은 증거의 수집 · 보전을 위하여 수사기관에 임의수사(피의자신문 · 참고인조사 등)와 강제수사(압수 · 수색 · 검증 등)의 권한을 인정하고 있고 기타 증거보전이나 증인신문청구제도도 규정하고 있다.

(2) 공판절차

① **증거조사**: 각종 증거조사 절차규정은 사실인정을 위한 직 · 간접적인 제도에 해당한다. 또한 당사자의 입증이 불충분한 경우 진실발견을 위하여 법원은 피고인 또는 증인을 신문할 수 있고 또한 직권으로 증거를 조사할 수도 있다.

② **증거법칙**: 객관적 진실발견은 합리적인 사실인정을 전제로 한다. 이를 위하여 형사소송법은 증거법의 기본원칙인 증거재판주의와 자유심증주의를 비롯하여 자백배제법칙, 위법수집증거배제법칙, 자백의 보강법칙, 전문법칙, 탄핵증거 등의 증거법칙을 규정하고 있다.

(3) 상소와 재심

오판이 있는 경우에 그를 시정하기 위하여 미확정 재판에 대하여는 상소를, 확정재판에 대하여는 재심을 인정하고 있다.

4. 실체적 진실주의의 한계

(1) 다른 형사소송법 이념에 의한 제약

실체적 진실발견은 적정절차 및 신속한 재판의 원칙이라는 다른 형사소송법 이념에 의하여 제약을 받는다. 진술거부권, 위법수집증거배제법칙, 자백배제법칙 등은 적정절차에 의한 제약에 해당하고, 구속기간 제한, 판결선고기간 제한 등은 신속한 재판의 원칙에 의한 제약에 해당한다.

(2) 사실상의 제약

실체적 진실주의에서 추구하는 진실은 객관적 진실이지만 이러한 객관적 진실이 '절대적 진실'을 의미하는 것은 아니라 인간능력의 한계와 제도적 제약을 전제로 발견 가능한 '상대적 진실'을 의미한다. 법관도 사람인 이상 절대적 진실발견은 불가능하므로 법관이 사실을 인정함에 있어 '합리적 의심의 여지가 없는 고도의 개연성'으로 만족할 수밖에 없다.

(3) 초소송법적 이익에 의한 제약

실체적 진실발견은 초소송법적 이익 예컨대 군사상·공무상·업무상 비밀에 의한 압수·수색의 제한(제110조 내지 제112조), 증인거부권(제147조), 증언거부권(제148조, 제149조) 등에 의하여 제약을 받는다.

02 적정절차(適正節次)

1. 의의

'적정절차'란 헌법정신을 구현한 공정한 법정절차(法定節次)에 의하여 형벌권이 실현되어야 한다는 원칙을 말한다. 적법절차(適法節次)의 원칙이라고도 한다. 헌법 제12조 제1항은 "누구든지 법률과 적법한 절차에 의하지 아니하고는 처벌·보안처분 또는 강제노역을 받지 아니한다."라고 규정하여 적법절차의 원칙을 선언하고 있다.

판례 | 적법절차의 의의와 적용범위

1 헌법 제12조 제1항의 '적법절차'의 의의

적법절차의 원칙은 법률이 정한 형식적 절차와 실체적 내용이 모두 합리성과 정당성을 갖춘 적정한 것이어야 한다는 실질적 의미를 지니고 있는 것으로서 특히 형사소송절차와 관련시켜 적용함에 있어서는 형사소송절차의 전반을 기본권 보장의 측면에서 규율하여야 한다는 기본원리를 천명하고 있는 것으로 이해하여야 한다(헌재 1997.3.27, 96헌가11). 14. 국가직 7급

2 헌법 제12조 제1항의 '적법절차'의 적용범위

헌법 제12조 제1항 후문과 제3항에 규정된 **적법절차의 원칙은 형사절차상의 제한된 범위뿐만 아니라 국가작용으로서 모든 입법 및 행정작용에도 광범위하게 적용된다**(헌재 2009.6.25, 2007헌마451). 16. 경찰승진, 21. 경찰간부

2. 내용

(1) 공정한 재판의 원칙

공정한 재판의 원칙이란 독립된 법관에 의하여 정의와 형평에 맞는 재판을 해야한다는 원칙을 말한다. 이는 공평한 법원의 구성, 피고인의 방어권 보장, 무기평등의 원칙을 그 내용으로 한다.

판례 |

1 **공정한 재판의 의의**
공정한 재판을 받을 권리 속에는 신속하고 공개된 법정의 **법관의 면전에서 모든 증거자료가 조사·진술되고 이에 대하여 피고인이 공격·방어할 수 있는 기회가 보장되는 재판**, 즉 원칙적으로 당사자주의와 구두변론주의가 보장되어 당사자가 공소사실에 대한 답변과 입증 및 반증하는 등 **공격·방어권이 충분히 보장되는 재판을 받을 권리가 포함되어 있다**(헌재 1998.12.24, 94헌바46). 16. 국가직 9급

2 **검사가 증인으로 채택된 수감자를 거의 매일 검사실로 소환하여 피고인측 변호인이 접근하는 것을 차단하는 등의 조치가 공정한 재판을 받을 권리를 침해하는지의 여부(적극)**
검사이든 피고인이든 공평하게 증인에 접근할 수 있도록 기회가 보장되지 않으면 안되며, **검사와 피고인 쌍방 중 어느 한편이 증인과의 접촉을 독점하거나 상대방의 접근을 차단하도록 허용한다면 이는 상대방의 공정한 재판을 받을 권리를 침해하는 것**이 되고 구속된 증인에 대한 편의제공 역시 그것이 일방당사자인 검사에게만 허용된다면 그 증인과 검사와의 부당한 인간관계의 형성이나 회유의 수단 등으로 오용될 우려가 있고 또 거꾸로 그러한 편의의 박탈 가능성이 증인에게 심리적 압박수단으로 작용할 수도 있으므로 접근차단의 경우와 마찬가지로 공정한 재판을 해하는 역할을 할 수 있다(대판 2002.10.8, 2001도3931)(同旨 헌재 2001.8.30, 99헌마496). 15. 경찰승진, 15·18. 경찰간부

(2) 비례의 원칙

강제처분을 함에 있어서 그에 의하여 달성하려는 공익과 그에 의하여 침해되는 사익 사이에 정당한 균형관계가 이루어져야 한다는 원칙을 말한다. 예를 들어 경범죄처벌법 위반과 같은 경미사건 피의자를 수사기관이 장기간 구속수사하는 것은 비례의 원칙에 반하여 허용되지 않지만, 도망의 염려가 있는 강도살인 피의자나 또는 증거인멸의 염려가 있는 강간치상 피의자를 구속수사하는 것은 허용된다고 하지 않을 수 없다.

(3) 피고인 보호의 원칙

법원 또는 수사기관이 피의자나 피고인의 법적 이익을 보호해 주기 위하여 각종 권리행사를 고지해 주는 것을 말한다. 변호인선임권의 고지(제72조, 제200조의5, 제209조, 제213조의2), 진술거부권의 고지(제244조의3, 제283조의2 제2항), 상소에 대한 고지(제324조) 등이 이에 해당한다.

03 신속한 재판의 원칙

1. 의의

형사절차는 신속하게 진행되어야 하며 부당하게 지연시켜서는 안 된다는 원칙을 말한다. 헌법 제27조 제3항은 "모든 국민은 신속한 재판을 받을 권리를 가진다. 형사피고인은 상당한 이유가 없는 한 지체 없이 공개재판을 받을 권리를 가진다."라고 규정하여 신속한 재판을 받을 권리를 국민의 기본권으로 보장하고 있다.

판례 | 신속한 재판의 의의 및 필요성

1 **'신속한 재판'**이라 함은 공정하고 적정한 재판을 하는 데 필요한 기간을 넘어 **부당하게 지연됨이 없는 재판**을 말한다(헌재 2009.7.30, 2007헌마732).

2 **신속한 재판을 받을 권리**는 주로 **피고인의 이익을 보호**하기 위하여 인정된 기본권이지만 동시에 **실체적 진실발견, 소송경제, 재판에 대한 국민의 신뢰와 형벌목적의 달성과 같은 공공의 이익**에도 근거가 있기 때문에 어느 면에서는 이중적인 성격을 갖고 있다고 할 수 있어 형사사법체제 자체를 위하여서도 아주 중요한 의미를 갖는 기본권이다(헌재 1995.11.30, 90헌마44). 20. 경찰채용 · 국가직 7급, 21. 경찰간부

2. 제도적 구현

(1) 수사와 공소제기의 신속을 위한 제도

검사에 대한 수사권 집중(제196조), 수사기관의 구속기간 제한(제202조, 제203조), 공소시효(제249조), 기소편의주의(제247조) 등이 이에 해당한다.

(2) 공판절차의 신속을 위한 제도

공판준비절차(제266조 내지 제274조), 심판범위의 한정(제254조), 궐석재판제도(제277조, 제277조의2, 소송촉진법 제23조 등), 집중심리주의(제267조의2), 법원의 구속기간 제한(제92조), 증거동의(제318조), 판결선고기간의 제한(제318조의4, 소송촉진법 제21조, 공직선거법 제270조), 상소기간의 제한(제358조, 제374조, 제405조) 등이 이에 해당한다. 다만, **판례**에 의하면 **법원의 구속기간의 제한**은 **신속한 재판의 구현제도에 해당하지 아니한다.**

판례 | 법원의 구속기간 제한에 관한 형사소송법 제92조 제1항의 취지(= 적정절차의 보장)

형사소송법 제92조 제1항은 미결구금의 부당한 장기화로 인하여 **피고인의 신체의 자유가 침해되는 것을 방지하기 위한 목적**에서 미결구금기간의 한계를 설정하고 있는 것이지 신속한 재판의 실현 등을 목적으로 **법원의 재판기간 내지 심리기간 자체를 제한하려는 규정이라 할 수는 없다**(헌재 2001.6.28, 99헌가14). 14. 경찰승진, 16. 경찰간부

(3) 재판의 신속을 위한 특수한 절차

간이공판절차(제286조의2), 약식절차(제448조), 전자약식절차(약식전자문서법), 즉결심판절차(즉결심판법) 등이 이에 해당한다.

형사소송법

제202조【사법경찰관의 구속기간】 사법경찰관이 피의자를 구속한 때에는 **10일** 이내에 피의자를 검사에게 인치하지 아니하면 석방하여야 한다.

제203조【검사의 구속기간】 검사가 피의자를 구속한 때 또는 사법경찰관으로부터 피의자의 인치를 받은 때에는 **10일** 이내에 공소를 제기하지 아니하면 석방하여야 한다.

제205조【구속기간의 연장】 ① 지방법원판사는 **검사**의 신청에 의하여 수사를 계속함에 상당한 이유가 있다고 인정한 때에는 10일을 초과하지 아니하는 한도에서 제203조의 **구속기간의 연장을 1차에 한하여 허가**할 수 있다.

② 전항의 신청에는 구속기간의 연장의 필요를 인정할 수 있는 자료를 제출하여야 한다.

위는 수사기관의 구속기간이고, 아래는 법원의 구속기간이다.

제92조【구속기간과 갱신】 ① 구속기간은 **2개월**로 한다.

② 제1항에도 불구하고 특히 구속을 계속할 필요가 있는 경우에는 심급마다 **2개월 단위**로 **2차**에 한하여 **결정**으로 갱신할 수 있다. 다만, **상소심은 피고인 또는 변호인이 신청**한 증거의 조사, 상소이유를 보충하는 서면의 제출 등으로 추가 심리가 필요한 부득이한 경우에는 **3차**에 한하여 **갱신**할 수 있다.

③ 제22조, 제298조 제4항, 제306조 제1항 및 제2항의 규정에 의하여 공판절차가 정지된 기간 및 공소제기 전의 체포·구인·구금 기간은 제1항 및 제2항의 기간에 산입하지 아니한다.

형사소송규칙

제98조【구속기간연장기간의 계산】 구속기간연장허가결정이 있은 경우에 그 **연장기간**은 법 제203조의 규정에 의한 **구속기간만료 다음날로부터 기산**한다.

3. 신속한 재판의 침해와 그 구제

(1) 재판지연의 판단기준

재판의 지연은 지연의 기간·지연의 이유·피고인의 권리주장 유무·피고인이 입은 불이익 등 제반사정을 고려하여 구체적·개별적으로 판단하여야 한다.

판례 | 신속한 재판을 받을 권리가 침해되었다고 볼 수 없는 경우

1 **위헌제청신청을 하였는데도 불구하고** 재판부 구성원의 변경, 재판의 전제성과 관련한 본안심리의 필요성, 청구인에 대한 송달불능 등을 이유로 법원이 재판을 하지 않다가 **5개월이 지나서야 그 신청을 기각했다**고 하더라도 피청구인(부산지방법원 제1형사부)이 위헌제청신청사건에 대한 재판을 특별히 지연시켰다고 볼 수 없다(헌재 1993.11.25, 92헌마169). 14. 경찰승진

2 구속사건에 대해서는 법원이 구속기간 내에 재판을 하면 되는 것이고 **구속만기 25일을 앞두고 제1회 공판이 있었다** 하여 헌법에 정한 신속한 재판을 받을 권리를 침해하였다 할 수 없다(대판 1990.6.12, 90도672). 15·17 경찰간부, 18·20. 경찰채용

3 검사와 피고인 쌍방이 항소한 경우에 **1심선고 형기 경과 후 2심공판이 개정**되었다고 하여 이를 위법이라 할 수 없고 신속한 재판을 받을 권리를 박탈한 것이라고 할 수 없다(대판 1972.5.23, 72도840). 15. 경찰간부, 18. 경찰채용, 20. 해경채용

(2) 재판지연에 대한 구제

형사소송법에는 재판지연에 대한 구체적인 법률효과는 규정되어 있지 않고 또한 이를 소송조건으로 볼 수도 없다. 15. 경찰간부 따라서 **재판이 부당하게 지연된 경우** 공소기각판결이나 면소판결로서 소송을 종결시킬 수는 없고 **양형에서 고려할 수 있을 뿐이라는 것이 일반적인 견해이다.** 16. 경찰간부

제2절 형사소송의 기본구조

01 소송구조론

소송구조론이란 소송의 주체가 누구이고 소송주체 사이의 관계를 어떻게 구성할 것인가에 관한 이론을 말한다. 소송구조는 소추기관과 재판기관의 분리 여부에 따라 규문주의(糾問主義)와 탄핵주의(彈劾主義)로 구분이 된다. 18. 국가직 9급 그리고 탄핵주의는 다시 소송에서 주도적 역할을 누가 하느냐에 따라 직권주의(職權主義)와 당사자주의(當事者主義)로 구분이 된다. 18. 국가직 7급

02 규문주의와 탄핵주의

1. 규문주의

규문주의란 소추기관과 재판기관이 분리되어 있지 않고 규문판사 스스로 수사를 개시하여 심리 · 재판을 하는 형사절차를 말한다. 소추기관이 없고 형사절차는 '소송'의 구조를 취하지도 않았으며, 피고인은 소송주체가 아니라 단순한 심리의 객체에 불과하였다.

2. 탄핵주의

탄핵주의란 소추기관과 재판기관이 분리되어 소추기관의 공소제기에 의하여 재판기관인 법원이 심리 · 재판을 하는 형사절차를 말한다. 불고불리(不告不理)의 원칙이 지배하고 피고인은 소송주체로서의 지위가 인정된다. 또한 피고인은 무죄추정을 받게되어 자기의 정당한 이익을 방어할 수 있는 지위를 갖게 되고, 소추자는 독자적으로 수집된 증거에 의하여 피고인의 유죄를 입증하는 것을 그 특징으로 한다.

03 직권주의와 당사자주의

1. 직권주의

(1) 의의

직권주의란 법원이 소송(공판심리)에서의 **주도적 역할**을 하는 소송구조를 말한다. 대륙법계는 직권주의를 원칙으로 한다.

(2) 내용

법원은 검사 또는 피고인의 주장 · 청구에 구속되지 않고 직권으로 증거를 수집 · 조사하고(직권탐지주의), 소송물이 법원의 지배하에 놓이게 되므로 법원이 직권으로 사건을 심리하게 된다(직권심리주의).

(3) 장점과 단점 18. 국가직 7급 · 국가직 9급

① **장점**

㉠ 법원이 소송에서 주도적 역할을 담당하므로 실체적 진실발견에 적합하다.
㉡ 심리의 능률과 신속을 도모할 수 있다.
㉢ 법원이 후견적 입장에서 피고인의 이익을 보호할 수 있다.
㉣ 형사절차의 공정성을 담보하여 소송의 스포츠화를 방지할 수 있다.

② **단점**

㉠ 사건심리가 법원의 자의와 독선에 빠질 위험이 있다.
㉡ 법원이 제3자로서의 공정성을 상실할 우려가 있다.
㉢ 피고인이 실질적인 방어권을 행사하기보다는 심리의 객체로 전락될 위험이 있다.

2. 당사자주의

(1) 의의

당사자주의란 당사자, 즉 **검사와 피고인에게 소송의 주도권을 인정**하여 당사자 사이의 공격과 방어에 의하여 심리가 진행되고 법원은 제3자의 입장에서 양당사자의 주장과 입증을 판단하는 소송구조를 말한다. 영미법계는 당사자주의를 원칙으로 한다.

(2) 내용

소송의 진행이 당사자의 주도 아래 이루어지므로 증거의 수집과 제출은 당사자에게 맡겨지고 또한 심리도 당사자의 공격과 방어의 형태로 진행된다.

(3) 장점과 단점 18. 국가직 7급

① 장점

㉠ 소송결과에 직접 이해관계가 큰 당사자의 적극적인 입증활동으로 실체적 진실발견에 적합하다.

㉡ 피고인의 방어권 행사가 충분히 보장된다.

㉢ 법원은 제3자적 입장에서 공정한 재판을 할 수 있다.

② 단점

㉠ 심리의 능률 · 신속을 저해할 위험이 있다.

㉡ 변호인 없는 피고인에게 오히려 불리하게 작용할 위험이 있다.

㉢ 국가형벌권의 행사가 당사자의 타협에 의하여 좌우되고 소송의 스포츠화 내지 합법적 도박을 초래할 위험이 있다.

3. 현행 형사소송법의 기본구조

탄핵주의를 취하는 현행 형사소송법의 기본구조에 관하여 학설로서 ① 순수한 당사자주의라는 견해, ② 당사자주의를 기본구조로 하면서 직권주의를 보충하고 있다는 견해, ③ 직권주의를 기본구조로 하면서 당사자주의를 보충하고 있다는 견해 등이 대립한다. **판례는 현행 형사소송법 기본구조와 관련하여 기본적으로 당사자주의를 취하고 있다**고 판시하고 있다.

판례 | 현행 형사소송의 기본구조(= 기본적으로 당사자주의)

1 우리나라 형사소송법은 그 해석상 소송절차의 전반에 걸쳐 **기본적으로 당사자주의 소송구조**를 취하고 있는 것으로 이해된다(헌재 1995.11.30, 92헌마44). 21. 경찰간부

2 형사소송법은 **당사자주의를 그 기본 골격으로 하면서** 한편으로는 직권주의적 규정을 아울러 두고 있다(대판 1983.3.8, 82도3248). 20. 국가직 7급

(1) 당사자주의적 요소 18. 국가직 9급

공소사실의 특정 요구(제254조 제4항), 공소장변경제도(제298조 제1항), 공소장일본주의(규칙 제118조 제2항), 공소장부본의 송달(제266조), 1회 공판기일 유예기간(제269조), 당사자의 모두진술(제285조, 제286조), 당사자의 증거신청권(제294조), 증거조사 참여권(제121조, 제163조, 제176조 등), 증인에 대한 교호신문제도(제161조의2 제1항), 피고인신문에 앞선 증거조사(제290조, 제296조의2) 등이 이에 해당한다.

(2) 직권주의적 요소 18. 국가직 9급

피고인신문제도(제296조의2), 법원의 직권증거조사(제295조), 법원의 공소장변경요구(제298조 제2항), 증거동의에 대한 법원의 진정성 조사(제318조 제1항), 기타 법원의 소송행위가 이에 해당한다.

제3절 형사소송의 기본개념정리

SUMMARY | 각종 연령의 기준★

구분	연령
미성년자(未成年者), 소년(少年)	만 19세 미만의 자(민법 제4조, 소년법 제2조)
아동 · 청소년(兒童 · 青少年)	만 19세 미만의 자. 다만, 19세에 도달하는 해의 1월 1일을 맞이한 자는 제외(청소년성보호법 제2조 제1호)
선서무능력자(宣誓無能力者)	만 16세 미만의 자(형사소송법 제159조 제1호)
형사미성년자(刑事未成年者)	만 14세 미만의 자(형법 제9조)

SUMMARY | 행위무능력자와 그 법정대리인★★

구분	의의	법정대리인
미성년자	만 19세 미만의 사람	친권자(부 또는 모)
피한정후견인 (과거 한정치산자)	질병, 장애, 노령 그 밖의 사유로 인한 정신적 제약으로 사무를 처리할 능력이 부족한 사람(법원이 심판)	규정 없음
피성년후견인 (과거 금치산자)	질병, 장애, 노령 그 밖의 사유로 인한 정신적 제약으로 사무를 처리할 능력이 지속적으로 결여된 사람(법원이 심판)	성년후견인(법원이 선임)

민법

제4조【성년】 사람은 **19세**로 성년에 이르게 된다.

제9조【성년후견개시의 심판】 ① 가정법원은 질병, 장애, 노령, 그 밖의 사유로 인한 정신적 제약으로 사무를 처리할 능력이 지속적으로 결여된 사람에 대하여 본인 (중략) 등의 청구에 의하여 성년후견개시의 심판을 한다.

제12조【한정후견개시의 심판】 ① 가정법원은 질병, 장애, 노령, 그 밖의 사유로 인한 정신적 제약으로 사무를 처리할 능력이 부족한 사람에 대하여 본인 (중략) 등의 청구에 의하여 한정후견개시의 심판을 한다.

제911조【미성년자인 자의 법정대리인】 친권을 행사하는 부 또는 모는 미성년자인 자의 법정대리인이 된다.

제929조【성년후견심판에 의한 후견의 개시】 가정법원의 성년후견개시심판이 있는 경우에는 그 심판을 받은 사람의 성년후견인을 두어야 한다.

제938조【후견인의 대리권 등】 ① 후견인은 피후견인의 법정대리인이 된다.

✎ 위 조항은 행위무능력자와 법정대리인에 관한 규정이고, 아래 조항은 가족의 범위에 관한 규정이다.

제779조【가족의 범위】 ① 다음의 자는 가족으로 한다.
1. 배우자, 직계혈족 및 형제자매
2. 직계혈족의 배우자, 배우자의 직계혈족 및 배우자의 형제자매

② 제1항 제2호의 경우에는 생계를 같이 하는 경우에 한한다.

✎ 아래 조항은 친족 등에 관한 규정이다.

제767조【친족의 정의】 배우자, 혈족 및 인척을 친족으로 한다.

제768조【혈족의 정의】 자기의 직계존속과 직계비속을 직계혈족이라 하고 자기의 형제자매와 형제자매의 직계비속, 직계존속의 형제자매 및 그 형제자매의 직계비속을 방계혈족이라 한다.

제769조【인척의 계원】 혈족의 배우자, 배우자의 혈족, 배우자의 혈족의 배우자를 인척으로 한다.

제777조 【친족의 범위】 친족관계로 인한 법률상 효력은 이 법 또는 다른 법률에 특별한 규정이 없는 한 다음 각 호에 해당하는 자에 미친다.
1. 8촌 이내의 혈족
2. 4촌 이내의 인척
3. 배우자

SUMMARY | 각종 신청 · 청구권자 등 ★★★

구분	신청 · 청구권자 등	조문
변호인선임	피의자 또는 피고인 / 법정대리인, 배우자, 직계친족, 형제자매	제30조
보조인	법정대리인, 배우자, 직계친족, 형제자매	제29조 제1항
구속취소청구	① 검사(피고인의 경우에만) ② 피의자 또는 피고인 / 변호인 / 법정대리인, 배우자, 직계친족, 형제자매	제93조
체포 · 구속적부심사청구	피의자 / 변호인 / 법정대리인, 배우자, 직계친족, 형제자매, 가족, 동거인, 고용주	제214조의2 제1항
보석청구	피고인 / 변호인 / 법정대리인, 배우자, 직계친족, 형제자매, 가족, 동거인, 고용주	제94조

SUMMARY | 일정한 기준이 되는 법정형 등 ★★★

구분	기준이 되는 형	비고
즉결심판청구(즉결심판법 제2조)	**20만원 이하**의 벌금, 구류 또는 과료에 처할 사건	선고형
약식명령청구(제448조)	벌금, 과료 또는 몰수에 처할 사건	
피고인 불출석 허가(제277조 제3호)	장기 3년 이하의 징역이나 금고, **다액 500만원을 초과하는** 벌금 또는 구류에 해당하는 사건	법정형
긴급체포 대상(제200조의3 제1항)	사형, 무기 또는 **장기 3년** 이상의 징역이나 금고에 해당하는 사건	
필요적 보석의 예외(제95조 제1호)	사형, 무기 또는 **장기 10년이 넘는** 징역이나 금고에 해당하는 사건	
궐석재판을 할 수 없음(소송촉진법 제23조)	사형, 무기 또는 **장기 10년이 넘는** 징역이나 금고에 해당하는 사건	
지방법원 합의부 관할 및 국민참여재판 대상(법원조직법 제32조 제1항 제3호, 국민참여재판법 제5조 제1항)	사형, 무기 또는 **단기 1년** 이상의 징역이나 금고에 해당하는 사건(예외 있음)	
필요적 변호(제33조 제1항 제6호)	사형, 무기 또는 **단기 3년** 이상의 징역이나 금고에 해당하는 사건	
9인의 배심원 필요(국민참여재판법 제13조 제1항)	사형 또는 무기형에 해당하는 사건(나머지 사건은 원칙적으로 7인의 배심원 필요)	
소년에 대하여 정기형 선고(소년법 제60조 제1항)	**사형 또는 무기형**을 선택한 사건(유기형을 선택한 사건은 부정기형 선고)	선택형
사실오인 또는 양형부당을 상고이유로 할 수 있음(제383조 제4호)	사형, 무기 또는 **10년 이상**의 징역이나 금고가 선고된 사건	선고형
상소포기 제한(제349조)	사형 또는 무기징역이나 무기금고가 선고된 사건	

SUMMARY | 각종 의무위반자에 대한 제재 ★★★

구분	제재	불복
보석조건을 위반한 피고인(제102조 제3항)	1,000만원 이하의 과태료 또는 20일 이내의 감치	즉시항고 (재판의 집행정지 ○)
출석보증서를 조건으로 석방된 피고인이 기일에 불출석한 경우 그 출석보증인(제100조의2 제1항)	500만원 이하의 과태료(«주의 감치 ×) 14. 경찰채용	
소환장을 송달받고 출석하지 아니한 증인(제151조)	500만원 이하의 과태료, 과태료 재판을 받고도 다시 출석하지 아니한 때에는 7일 이내의 감치	즉시항고 (재판의 집행정지 ×)
출석하지 아니하거나 선서를 거부하거나 질문서에 거짓기재 등을 한 배심원 또는 예비배심원(국민참여재판법 제60조)	200만원 이하의 과태료	즉시항고 (재판의 집행정지 ○)
법정내외에서 법원의 심리를 방해하거나 재판의 위신을 현저하게 훼손한 자(법원조직법 제61조)	100만원 이하의 과태료 또는 20일 이내의 감치에 처하거나 이를 병과	
선서나 증언을 거부한 증인(제161조)	50만원 이하의 과태료	

SUMMARY | 각종 소송행위의 취소 · 취하시기 ★★★

구분	내용
제1심 판결선고 전까지	① 친고죄에 있어 고소의 취소(제232조 제1항) ② 전속고발범죄에 있어 고발의 취소(대판 1957.3.29, 57도58) ③ 반의사불벌죄에 있어 처벌희망 의사표시의 철회(제232조 제3항) ④ 공소의 취소(제255조 제1항) ⑤ 재심청구의 취하(다수설) ⑥ 약식명령 또는 즉결심판에 대한 정식재판청구의 취하(제454조, 즉결심판법 제14조 제4항)
기타	① 피의자신문조서의 성립의 진정 인정진술의 번복: **증거조사 완료 전까지**(대판 2008.7.10, 2007도7760) ② 증거동의의 철회: **증거조사 완료 전까지**(대판 2011.3.10, 2010도15977) («주의 구두변론종결시까지 증거동의의 철회가 가능하다. ×)

SUMMARY | 각종 소송행위의 신청 · 청구시기 ★★★

구분	내용
신청 · 청구 시기	① 국민참여재판의 신청: 제1회 공판기일이 열리기 전까지(대결 2009.10.23, 2009모1032) ② 토지관할 위반신청: (제1심의) 피고사건에 대한 진술 전까지(제320조 제2항) ③ 증거보전청구: (제1심의) 제1회 공판기일 전까지(제184조 제1항) ④ 증인신문청구: (제1심의) 제1회 공판기일 전까지(제221조의2 제1항) ⑤ 공소장일본주의 위반에 관한 이의신청: (제1심의) 증거조사절차 완료 전까지[대판 2009.10.22, 2009도7436 (전합)] ⑥ 공소장변경허가신청: (제1심과 제2심의) 원칙적으로 변론종결 전까지(대판 2007.6.29, 2007도984) ⑦ 국선변호인선임청구: (심급불문) 원칙적으로 변론종결 전까지(대판 1983.10.11, 83도2117) ⑧ 기피신청: (심급불문) 판결선고 전까지(다수설)

SUMMARY | 상소 등의 제기기간 ★★★

구분	내용
제기기간	① 항소 · 상고: **7일**(제358조, 제374조) ② (일반적인) 즉시항고: **7일**(제405조) ③ 배상명령에 대한 즉시항고: 7일(소송촉진법 제33조 제5항) ④ 형사보상결정에 대한 즉시항고: **1주일**(형사보상법 제20조 제1항) ⑤ 보통항고: 원심결정을 취소할 실익이 있는 한 기간제한 없음(제404조) ⑥ 준항고 ㉠ 법관 재판에 대한 준항고: **7일**(제416조 제3항) ㉡ 수사기관 처분에 대한 준항고: **명문의 규정이 없음** ⑦ 증거보전청구 기각결정에 대한 항고: **3일**(제184조 제4항) ⑧ 소년보호처분의 결정에 대한 항고: **7일**(소년법 제43조 제2항) ⑨ 약식명령 · 즉결심판에 대한 정식재판청구: **7일**(제453조, 즉결심판법 제14조) ⑩ 재심청구: 기간제한 없음 ⑪ 비상상고: 기간제한 없음

해커스경찰
police.Hackers.com

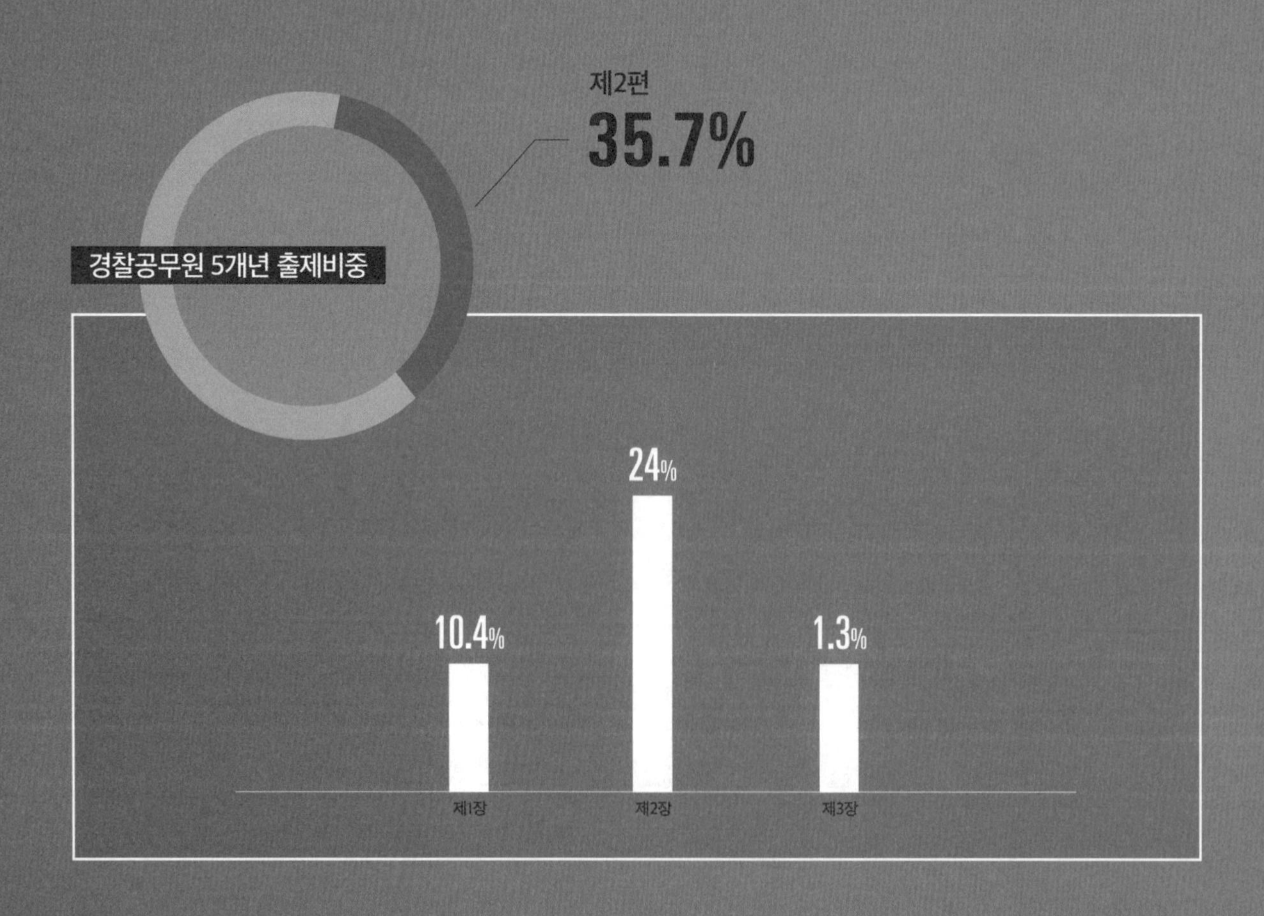

제 2 편 수사

제1장 수사의 기초

제1절 서론

01 수사의 의의

1. 개념

수사(搜査)란 범죄혐의 유무를 명백히 하여 공소를 제기·유지할 것인가의 여부를 결정하기 위하여 범인을 발견·확보하고 증거를 수집·보전하는 수사기관의 활동으로 형사절차의 첫 번째 단계이다. 16. 경찰승진
수사는 주로 **공소제기 전**에 행하여지나 **공소제기 후**라도 공소유지 여부를 결정하기 위해서 **행하여질 수도** 있다. 공소제기 후의 피고인조사, 참고인조사 등이 이에 해당한다. 수사는 일차적으로 범죄혐의 유무를 밝히는 것을 목적으로 하지만 부차적으로 양형이나 소송조건의 조사도 할 수 있고 이 모두 수사에 해당한다(≪주의 수사는 공소제기 전에만 가능하다. ×).

> **판례 | 수사의 의의**
>
> 수사, 즉 **범죄혐의의 유무를 명백히 하여 공소를 제기·유지할 것인가의 여부를 결정하기 위하여 범인을 발견·확보하고 증거를 수집·보전하는 수사기관의 활동**은 수사 목적을 달성함에 필요한 경우에 한하여 사회통념상 상당하다고 인정되는 방법 등에 의하여 수행되어야 한다(대판 1999.12.7, 98도3329). 16. 경찰승진, 17. 경찰채용

2. 구별개념

수사는 수사기관의 활동이다. 따라서 검사가 당사자로서 공판정에서 행하는 피고인신문, 증인신문 등의 소송행위나 일반 사인의 현행범체포 또는 법원의 피고인구속, 압수·수색·검증 등은 수사라고 할 수 없다. 수사는 수사기관이 범죄혐의를 인정할 때 개시된다. 따라서 수사기관의 활동이라도 수사개시 이전의 내사(內査), 불심검문(不審檢問), 변사자검시(變死者檢視) 등은 엄격한 의미에서 수사라고 할 수 없다.

02 수사기관(搜査機關)

1. 의의

수사기관이란 법률상 수사를 할 수 있는 권한이 인정되는 국가기관을 말한다. 현행법상 수사기관으로는 검사와 사법경찰관리가 있고, 사법경찰관리는 다시 일반사법경찰관리와 특별사법경찰관리로 구분이 된다. 19. 경찰채용

2. 종류

형사소송법

제195조【검사와 사법경찰관의 관계 등】 ① 검사와 사법경찰관은 수사, 공소제기 및 공소유지에 관하여 서로 협력하여야 한다.

② 제1항에 따른 수사를 위하여 준수하여야 하는 일반적 수사준칙에 관한 사항을 대통령령으로 정한다.

제196조【검사의 수사】 검사는 범죄의 혐의가 있다고 사료하는 때에는 범인, 범죄사실과 증거를 수사한다.

제197조【사법경찰관리】 ① 경무관, 총경, 경정, 경감, 경위는 사법경찰관으로서 범죄의 혐의가 있다고 사료하는 때에는 범인, 범죄사실과 증거를 수사한다.

② 경사, 경장, 순경은 사법경찰리로서 수사의 보조를 하여야 한다.

제197조의2【보완수사요구】 ① 검사는 다음 각 호의 어느 하나에 해당하는 경우에 사법경찰관에게 보완수사를 요구할 수 있다.

1. 송치사건의 공소제기 여부 결정 또는 공소의 유지에 관하여 필요한 경우
2. 사법경찰관이 신청한 영장의 청구 여부 결정에 관하여 필요한 경우

② 사법경찰관은 제1항의 요구가 있는 때에는 정당한 이유가 없는 한 지체 없이 이를 이행하고, 그 결과를 검사에게 통보하여야 한다.

③ 검찰총장 또는 각급 검찰청 검사장은 사법경찰관이 정당한 이유 없이 제1항의 요구에 따르지 아니하는 때에는 권한 있는 사람에게 해당 사법경찰관의 직무배제 또는 징계를 요구할 수 있고, 그 징계절차는 공무원 징계령 또는 경찰공무원 징계령에 따른다.

제197조의3【시정조치요구 등】 ① 검사는 사법경찰관리의 수사과정에서 법령위반, 인권침해 또는 현저한 수사권 남용이 의심되는 사실의 신고가 있거나 그러한 사실을 인식하게 된 경우에는 사법경찰관에게 사건기록 등본의 송부를 요구할 수 있다.

② 제1항의 송부요구를 받은 사법경찰관은 지체 없이 검사에게 사건기록 등본을 송부하여야 한다.

③ 제2항의 송부를 받은 검사는 필요하다고 인정되는 경우에는 사법경찰관에게 시정조치를 요구할 수 있다.

④ 사법경찰관은 제3항의 시정조치 요구가 있는 때에는 정당한 이유가 없는 한 지체 없이 이를 이행하고, 그 결과를 검사에게 통보하여야 한다.

⑤ 제4항의 통보를 받은 검사는 제3항에 따른 시정조치 요구가 정당한 이유 없이 이행되지 않았다고 인정되는 경우에는 사법경찰관에게 사건을 송치할 것을 요구할 수 있다.

⑥ 제5항의 송치요구를 받은 사법경찰관은 검사에게 사건을 송치하여야 한다.

⑦ 검찰총장 또는 각급 검찰청 검사장은 사법경찰관리의 수사과정에서 법령위반, 인권침해 또는 현저한 수사권 남용이 있었던 때에는 권한 있는 사람에게 해당 사법경찰관리의 징계를 요구할 수 있고, 그 징계절차는 공무원 징계령 또는 경찰공무원 징계령에 따른다.

⑧ 사법경찰관은 피의자를 신문하기 전에 수사과정에서 법령위반, 인권침해 또는 현저한 수사권 남용이 있는 경우 검사에게 구제를 신청할 수 있음을 피의자에게 알려주어야 한다.

제197조의4【수사의 경합】 ① 검사는 사법경찰관과 동일한 범죄사실을 수사하게 된 때에는 사법경찰관에게 사건을 송치할 것을 요구할 수 있다.

② 제1항의 요구를 받은 사법경찰관은 지체 없이 검사에게 사건을 송치하여야 한다. 다만, 검사가 영장을 청구하기 전에 동일한 범죄사실에 관하여 사법경찰관이 영장을 신청한 경우에는 해당 영장에 기재된 범죄사실을 계속 수사할 수 있다.

✎ 위 규정은 형사소송법상 일반사법경찰관리에 관한 조항이고, 아래 규정은 검찰청법상 일반사법경찰관리와 사법경찰관리의 직무를 수행할 자와 그 직무범위에 관한 법률상 특별사법경찰관에 관한 조항이다.

제245조의9【검찰청 직원】① 검찰청 직원으로서 사법경찰관리의 직무를 행하는 자와 그 직무의 범위는 법률로 정한다.
② 사법경찰관의 직무를 행하는 검찰청 직원은 검사의 지휘를 받아 수사하여야 한다.
③ 사법경찰리의 직무를 행하는 검찰청 직원은 검사 또는 사법경찰관의 직무를 행하는 검찰청 직원의 수사를 보조하여야 한다.
④ 사법경찰관리의 직무를 행하는 검찰청 직원에 대하여는 제197조의2부터 제197조의4까지, 제221조의5, 제245조의5부터 제245조의8까지의 규정을 적용하지 아니한다.

제245조의10【특별사법경찰관리】① 삼림, 해사, 전매, 세무, 군수사기관 기타 특별한 사항에 관하여 사법경찰관리의 직무를 행할 특별사법경찰관리와 그 직무의 범위는 법률로 정한다.
② 특별사법경찰관은 모든 수사에 관하여 검사의 지휘를 받는다.
③ 특별사법경찰관은 범죄의 혐의가 있다고 인식하는 때에는 범인, 범죄사실과 증거에 관하여 수사를 개시·진행하여야 한다.
④ 특별사법경찰관리는 검사의 지휘가 있는 때에는 이에 따라야 한다. 검사의 지휘에 관한 구체적 사항은 법무부령으로 정한다.
⑤ 특별사법경찰관은 범죄를 수사한 때에는 지체 없이 검사에게 사건을 송치하고, 관계 서류와 증거물을 송부하여야 한다.
⑥ 특별사법경찰관리에 대하여는 제197조의2부터 제197조의4까지, 제221조의5, 제245조의5부터 제245조의8까지의 규정을 적용하지 아니한다.

검찰청법

제47조【사법경찰관리로서의 직무수행】① 검찰주사, 마약수사주사, 검찰주사보, 마약수사주사보, 검찰서기, 마약수사서기, 검찰서기보 또는 마약수사서기보로서 검찰총장 또는 각급 검찰청 검사장의 지명을 받은 사람은 소속 검찰청 또는 지청에서 접수한 사건에 관하여 다음 각 호의 구분에 따른 직무를 수행한다.
1. 검찰주사, 마약수사주사, 검찰주사보 및 마약수사주사보: 형사소송법 제245조의9 제2항에 따른 사법경찰관의 직무
2. 검찰서기, 마약수사서기, 검찰서기보 및 마약수사서기보: 형사소송법 제245조의9 제3항에 따른 사법경찰리의 직무

☑ SUMMARY | 수사기관의 종류 ★★

구분	내용			
검사	수사의 주재자로서 범죄의 혐의가 있다고 사료하는 때에는 범인·범죄사실과 증거를 수사해야 함			
사법경찰관리	일반	형사소송법	사법경찰관	수사관, 경무관, 총경, 경정, 경감, 경위
			사법경찰리	경사, 경장, 순경
		검찰청법	사법경찰관	검찰주사, 마약수사주사, 검찰주사보, 마약수사주사보
			사법경찰리	검찰서기, 마약수사서기, 검찰서기보, 마약수사서기보
	특별	특수분야의 수사를 담당하는 사법경찰관리(예 교도소장, 구치소장, 소년원장, 세무공무원, 근로감독관 등)		

(1) 검사(檢事)

검사는 범죄의 혐의가 있다고 사료하는 때에는 범인, 범죄사실과 증거를 수사한다(제196조).

검찰청법

제4조 【검사의 직무】 ① 검사는 공익의 대표자로서 다음 각 호의 직무와 권한이 있다.

1. 범죄수사, 공소의 제기 및 그 유지에 필요한 사항. 다만, 검사가 수사를 개시할 수 있는 범죄의 범위는 다음 각 목과 같다.
   가. **부패범죄, 경제범죄, 공직자범죄, 선거범죄, 방위사업범죄, 대형참사** 등 대통령령으로 정하는 중요 범죄
   나. **경찰공무원이 범한 범죄**
   다. 가목 · 나목의 범죄 및 사법경찰관이 송치한 범죄와 관련하여 인지한 각 해당 범죄와 **직접 관련성이 있는 범죄**

검사의 수사개시 범죄 범위에 관한 규정

제1조 【목적】 이 영은 검찰청법 제4조 제1항 제1호 각 목 외의 부분 단서에 따라 검사가 수사를 개시할 수 있는 범죄의 범위를 구체적으로 규정함으로써 국민의 안전과 인권 수호를 위한 수사권의 민주적이고 효율적인 행사를 보장함을 목적으로 한다.

제2조 【중요 범죄】 검찰청법(이하 '법'이라 한다) 제4조 제1항 제1호 가목에서 '부패범죄, 경제범죄, 공직자범죄, 선거범죄, 방위사업범죄, 대형참사 등 대통령령으로 정하는 중요 범죄'란 다음 각 호의 범죄를 말한다.

1. 부패범죄: 다음 각 목의 죄
   가. 공무원, 공공기관의 운영에 관한 법률 제4조에 따른 공공기관의 임직원 등으로서 법무부령으로 정하는 사람(이하 '주요공직자'라 한다)이 범한 형법 제129조부터 제133조까지(다른 법률에 따라 가중처벌되는 경우를 포함한다)에 해당하는 죄 및 그 죄의 뇌물에 대하여 주요공직자가 아닌 사람이 범한 같은 법 제133조에 해당하는 죄
   나. 특정범죄 가중처벌 등에 관한 법률 제2조 · 제3조 · 제5조에 해당하는 죄 및 같은 법 제2조의 뇌물에 대한 형법 제133조에 해당하는 죄
   다. 변호사법 제109조부터 제111조까지 및 제114조에 해당하는 죄
   라. 정치자금법 제45조에 해당하는 죄(그 위반행위에 대하여 같은 법 제50조에 따라 처벌받는 경우를 포함한다)
   마. 의료법 제88조 제2호에 해당하는 죄(그 위반행위에 대하여 같은 법 제91조에 따라 처벌받는 경우를 포함한다) 및 약사법 제94조 제1항 제5호의2(같은 법 제47조 제2항을 위반한 경우로 한정한다)에 해당하는 죄(그 위반행위에 대하여 같은 법 제97조에 따라 처벌받는 경우를 포함한다)
   바. 형법 제357조 및 제359조(같은 법 제357조의 미수범으로 한정한다)에 해당하는 죄
   사. 특정경제범죄 가중처벌 등에 관한 법률 제5조부터 제7조까지 및 제9조에 해당하는 죄
   아. 주식회사 등의 외부감사에 관한 법률 제40조에 해당하는 죄(그 위반행위에 대하여 같은 법 제46조에 따라 처벌받는 경우를 포함한다)
   자. 상법 제630조에 해당하는 죄
   차. 국제상거래에 있어서 외국공무원에 대한 뇌물방지법 제3조에 해당하는 죄(그 위반행위에 대하여 같은 법 제4조에 따라 처벌받는 경우를 포함한다)
   카. 가목부터 아목까지 및 차목의 범죄에 따른 범죄수익은닉의 규제 및 처벌 등에 관한 법률 제2조 제4호의 범죄수익 등에 대한 같은 법 제3조 및 제4조에 해당하는 죄(그 위반행위에 대하여 같은 법 제7조에 따라 처벌받는 경우를 포함한다)

2. 경제범죄: 다음 각 목의 죄

가. 특정경제범죄 가중처벌 등에 관한 법률 제3조[형법 제347조, 제347조의2, 제351조(같은 법 제347조 또는 제347조의2의 상습범으로 한정한다), 제355조 또는 제356조의 죄를 범한 경우로 한정한다]에 해당하는 죄

나. 특정범죄 가중처벌 등에 관한 법률 제6조에 해당하는 죄

다. 특정범죄 가중처벌 등에 관한 법률 제8조(조세범 처벌법 제3조 제1항 또는 지방세기본법 제102조 제1항의 죄를 범한 경우로 한정한다)에 해당하는 죄

라. 자본시장과 금융투자업에 관한 법률 제443조부터 제446조까지에 해당하는 죄(그 위반행위에 대하여 같은 법 제448조에 따라 처벌받는 경우를 포함한다)

마. 산업기술의 유출방지 및 보호에 관한 법률 제36조, 제36조의2 및 제37조에 해당하는 죄(그 위반행위에 대하여 같은 법 제38조에 따라 처벌받는 경우를 포함한다)

바. 부정경쟁방지 및 영업비밀보호에 관한 법률 제18조, 제18조의2 및 제18조의3에 해당하는 죄(그 위반행위에 대하여 같은 법 제19조에 따라 처벌받는 경우를 포함한다)

사. 채무자 회생 및 파산에 관한 법률 제645조, 제646조, 제655조 및 제656조에 해당하는 죄

아. 독점규제 및 공정거래에 관한 법률 제66조부터 제69조까지에 해당하는 죄(그 위반행위에 대하여 같은 법 제70조에 따라 처벌받는 경우를 포함한다)

자. 하도급거래 공정화에 관한 법률 제29조 및 제30조에 해당하는 죄(그 위반행위에 대하여 같은 법 제31조에 따라 처벌받는 경우를 포함한다)

차. 표시·광고의 공정화에 관한 법률 제17조 및 제18조에 해당하는 죄(그 위반행위에 대하여 같은 법 제19조에 따라 처벌받는 경우를 포함한다)

카. 가맹사업거래의 공정화에 관한 법률 제41조에 해당하는 죄(그 위반행위에 대하여 같은 법 제42조에 따라 처벌받는 경우를 포함한다)

타. 특정경제범죄 가중처벌 등에 관한 법률 제4조에 해당하는 죄

파. 특정범죄 가중처벌 등에 관한 법률 제8조의2에 해당하는 죄

하. 대외무역법 제53조, 제53조의2 및 제54조부터 제56조까지에 해당하는 죄(그 위반행위에 대하여 같은 법 제57조에 따라 처벌받는 경우를 포함한다)

거. 특정범죄 가중처벌 등에 관한 법률 제11조 제1항(수출입 또는 수출입 목적의 소지·소유의 경우로 한정한다)에 해당하는 죄

너. 마약류 불법거래 방지에 관한 특례법 제6조 및 제9조 제1항에 해당하는 죄(수출입 또는 수출입 목적의 소지·소유의 경우로 한정하며, 그 위반행위에 대하여 같은 법 제18조에 따라 처벌받는 경우를 포함한다)

더. 가목부터 바목까지, 타목 및 하목의 범죄에 따른 범죄수익은닉의 규제 및 처벌 등에 관한 법률 제2조 제4호의 범죄수익 등에 대한 같은 법 제3조 및 제4조에 해당하는 죄(그 위반행위에 대하여 같은 법 제7조에 따라 처벌받는 경우를 포함한다)

3. 공직자범죄: 주요공직자가 범한 다음 각 목의 죄

가. 형법 제122조부터 제127조까지(다른 법률에 따라 가중처벌되는 경우를 포함한다)에 해당하는 죄

나. 형법 제227조, 제229조(같은 법 제227조의 죄를 범한 경우로 한정한다. 이하 이 목에서 같다) 및 제235조(같은 법 제227조 또는 제229조의 미수범으로 한정한다)에 해당하는 죄

다. 국가정보원법 제19조에 해당하는 죄

라. 대통령 등의 경호에 관한 법률 제21조 제1항(같은 법 제9조 제1항 또는 제18조를 위반한 경우로 한정한다)에 해당하는 죄

마. 특정범죄 가중처벌 등에 관한 법률 제15조에 해당하는 죄

4. 선거범죄: 다음 각 목의 죄
   가. 형법 제128조, 국가공무원법 제84조 제1항, 지방공무원법 제82조 제1항, 경찰공무원법 제31조 제3항, 예비군법 제15조 제3항 및 국가정보원법 제18조 제1항·제2항에 해당하는 죄
   나. 공직선거법 제230조부터 제235조까지, 제237조부터 제239조까지, 제239조의2, 제240조부터 제242조까지, 제242조의2 및 제243조부터 제259조까지에 해당하는 죄(그 위반행위에 대하여 같은 법 제260조에 따라 처벌받는 경우를 포함한다)
   다. 공공단체 등 위탁선거에 관한 법률 제58조, 제59조 및 제61조부터 제66조까지에 해당하는 죄(그 위반행위에 대하여 같은 법 제67조에 따라 처벌받는 경우를 포함한다)
   라. 지방교육 자치에 관한 법률 제49조, 제50조 및 제59조에 해당하는 죄
   마. 정치자금법 제46조부터 제49조까지에 해당하는 죄(그 위반행위에 대하여 같은 법 제50조에 따라 처벌받는 경우를 포함한다)
   바. 정당법 제49조, 제50조 및 제52조부터 제61조까지에 해당하는 죄
   사. 국민투표법 제99조, 제100조 및 제102조부터 제121조까지에 해당하는 죄
   아. 주민투표법 제28조부터 제30조까지에 해당하는 죄
   자. 주민소환에 관한 법률 제28조부터 제33조까지에 해당하는 죄
   차. 교육공무원법 제62조에 해당하는 죄
   카. 군형법 제94조에 해당하는 죄
   타. 새마을금고법 제85조 제3항 및 제4항에 해당하는 죄
   파. 농업협동조합법 제172조에 해당하는 죄
   하. 수산업협동조합법 제178조에 해당하는 죄
   거. 신용협동조합법 제99조 제3항[같은 법 제27조의2(같은 법 제72조 제8항에 따라 준용되는 경우를 포함한다) 또는 제93조를 위반한 경우로 한정한다]에 해당하는 죄
   너. 산림조합법 제132조에 해당하는 죄
   더. 중소기업협동조합법 제137조에 해당하는 죄
   러. 소비자생활협동조합법 제86조에 해당하는 죄
   머. 염업조합법 제59조에 해당하는 죄
   버. 협동조합기본법 제117조 제3항에 해당하는 죄
5. 방위사업범죄: 방위력 개선, 방위산업육성 및 군수품 조달 등 방위사업의 수행과 관련하여 범한 죄
6. 대형참사범죄: 재난 및 안전관리 기본법 제3조 제1호 나목에 따른 사회재난이 발생한 경우 그 재난과 관련하여 범한 죄(《주의 **주요 정보통신기반시설에 대한 사이버 범죄 ×**)

제3조【직접 관련성이 있는 범죄】 법 제4조 제1항 제1호 다목에서 '직접 관련성이 있는 범죄'란 같은 호 가목·나목의 범죄 및 사법경찰관이 송치한 범죄(이하 '해당 범죄'라 한다)와 합리적 관련성이 있는 범죄로서 다음 각 호의 범죄를 말한다.
1. 형사소송법 제11조 각 호에 따른 **관련사건**. 다만, 같은 조 제1호에 따른 1인이 범한 수죄(數罪)는 다음 각 목에 따른 범죄에 해당하는 경우로 한정하되, '직접 관련성이 있는 범죄' 중 '사법경찰관이 송치한 범죄와 관련하여 인지한 각 해당 범죄와 직접관련성이 있는 범죄'에 대해서는 **해당 범죄와 영장에 의해 확보한 증거물을 공통으로 하는 범죄를 포함한다**.
   가. 해당 범죄와 **동종범죄**
   나. 범죄수익의 원인 또는 그 처분으로 인한 형법 제129조부터 제133조까지(뇌물죄), 제355조 및 제356조의 죄(횡령죄, 배임죄, 업무상의 횡령, 배임죄)
2. 형사소송법 제208조 제2항에 따른 **동일한 범죄**
3. 형법 제19조에 따른 **독립행위로서 경합하는 범죄**
4. 해당 범죄에 대한 **무고죄**(《주의 **해당 범죄에 대한 위증죄 ×**)

(2) 형사소송법상 사법경찰관리(司法警察官吏)

① **경무관, 총경, 경정, 경감, 경위**는 사법경찰관으로서 범죄의 혐의가 있다고 사료하는 때에는 범인, 범죄사실과 증거를 수사한다(제197조 제1항). 16. 경찰승진 · 경찰간부, 19. 경찰채용

② **경사, 경장, 순경**은 사법경찰리로서 수사의 보조를 하여야 한다(제197조 제2항). 사법경찰리라 할지라도 검사 또는 사법경찰관으로부터 구체적 사건에 관하여 특정한 수사명령을 받으면 사법경찰관의 사무를 취급할 권한이 인정된다. 이는 대법원판례의 확립된 견해로서 이러한 사법경찰리를 실무상 사법경찰관사무취급(司法警察官事務取扱)이라고 한다(대판 2010.8.19, 2008도2158, 대판 1982.12.28, 82도1080)

> **판례 | 사법경찰관사무취급에 의해서 행하여진 수사의 사례**
>
> 1 [1] 구 형사소송법 제219조, 제115조 제1항 본문, 제196조 제2항(개정법 제197조 제2항), 사법경찰관리 집무규칙 제2조 등에 의하면 사법경찰리는 검사나 사법경찰관의 지휘를 받아 압수 · 수색 등 필요한 수사업무를 보조할 수 있다. [2] 긴급체포한 때부터 약 3시간 후에 **사법경찰리에 의하여 이루어진 이 사건 압수 · 수색이 영장 없이 이루어진 위법한 조치라고 단정할 수는 없을 것이다**(대판 2010.8.19, 2008도2158).
>
> 2 **사법경찰리 작성의 진술조서 및 피의자신문조서**는 형사소송법 제196조 제2항(개정법 제197조 제2항)과 이에 근거를 둔 사법경찰관리집무규칙 제2조 및 경찰서직제 제6조, 경찰공무원법 제3조에 의하여 사법경찰리가 검사의 지휘를 받고 수사사무를 보조하기 위하여 작성한 서류라 할 것이므로 이를 **권한없는 자의 조서라 할 수 없다**(대판 1982.12.28, 82도1080).

③ **검찰청법상 사법경찰관리:** 검찰청 직원으로서 사법경찰관리의 직무를 행하는 자와 그 직무의 범위는 법률로 정한다(제245조의9 제1항). **검찰주사 · 마약수사주사 · 검찰주사보 및 마약수사주사보**는 형사소송법 제245조의9 제2항의 규정에 의한 사법경찰관의 직무를 행한다(검찰청법 제47조 제1항 제1호). **검찰서기 · 마약수사서기 · 검찰서기보 및 마약수사서기보**는 형사소송법 제245조의9 제3항의 규정에 의한 사법경찰리의 직무를 행한다(동법 제47조 제1항 제2호).

④ **특별사법경찰관리:** 특별사법경찰관리란 특수분야의 수사를 담당하는 사법경찰관리를 말한다(제245조의10). 교도소장 · 구치소장 · 소년원장 · 관세법상의 세관공무원 · 근로기준법상 근로감독관 등이 이에 해당한다(사법경찰직무법 참고). 19. 경찰채용 **특별사법경찰관리의 권한과 직무범위는 사항적 · 지역적으로 제한**된다는 특징이 있을 뿐 그 이외에는 **일반사법경찰관리와 차이가 없다**.

3. 검사와 사법경찰관과의 관계

(1) 형사소송법상 일반사법경찰관과의 관계

① 협력관계

> **형사소송법**
>
> **제195조 【검사와 사법경찰관의 관계 등】** ① 검사와 사법경찰관은 수사, 공소제기 및 공소유지에 관하여 **서로 협력하여야 한다.**
>
> ② 제1항에 따른 수사를 위하여 준수하여야 하는 일반적 수사준칙에 관한 사항은 **대통령령**으로 정한다.

검사와 사법경찰관의 상호협력과 일반적 수사준칙에 관한 규정

제1조 【목적】 이 영은 형사소송법 제195조에 따라 검사와 사법경찰관의 상호협력과 일반적 수사준칙에 관한 사항을 규정함으로써 수사과정에서 국민의 인권을 보호하고, 수사절차의 투명성과 수사의 효율성을 보장함을 목적으로 한다.

제2조 【적용 범위】 검사와 사법경찰관의 협력관계, 일반적인 수사의 절차와 방법에 관하여 다른 법령에 특별한 규정이 있는 경우를 제외하고는 이 영이 정하는 바에 따른다.

제6조 【상호협력의 원칙】 ① 검사와 사법경찰관은 상호 존중해야 하며, 수사, 공소제기 및 공소유지와 관련하여 협력해야 한다.
② 검사와 사법경찰관은 수사와 공소제기 및 공소유지를 위해 필요한 경우 **수사·기소·재판 관련 자료를 서로 요청할 수 있다**.
③ 검사와 사법경찰관의 협의는 신속히 이루어져야 하며, 협의의 지연 등으로 수사 또는 관련 절차가 지연되어서는 안 된다.

제7조 【중요사건 협력절차】 검사와 사법경찰관은 **공소시효가 임박한 사건이나 내란, 외환, 선거, 테러, 대형참사, 연쇄살인 관련사건, 주한 미합중국 군대의 구성원·외국인군무원 및 그 가족이나 초청계약자의 범죄 관련사건 등 많은 피해자가 발생하거나 국가적·사회적 피해가 큰 중요한 사건**(이하 '중요사건'이라 한다)의 경우에는 송치 전에 수사할 사항, 증거수집의 대상, 법령의 적용 등에 관하여 **상호 의견을 제시·교환할 것을 요청할 수 있다.**

제9조 【수사기관협의회】 ① 대검찰청, 경찰청 및 해양경찰청간에 수사에 관한 제도 개선방안 등을 논의하고, 수사기관간 협조가 필요한 사항에 대해 서로 의견을 협의·조정하기 위해 수사기관협의회를 둔다.
② 수사기관협의회는 다음 각 호의 사항에 대해 협의·조정한다.
1. 국민의 인권보호, 수사의 신속성·효율성 등을 위한 제도 개선 및 정책 제안
2. 국가적 재난 상황 등 관련 기관간 긴밀한 협조가 필요한 업무를 공동으로 수행하기 위해 필요한 사항
3. 그 밖에 제1항의 어느 한 기관이 수사기관협의회의 협의 또는 조정이 필요하다고 요구한 사항

③ 수사기관협의회는 반기마다 정기적으로 개최하되, 제1항의 어느 한 기관이 요청하면 수시로 개최할 수 있다.
④ 제1항의 각 기관은 수사기관협의회에서 협의·조정된 사항의 세부 추진계획을 수립·시행해야 한다.
⑤ 제1항부터 제4항까지의 규정에서 정한 사항 외에 수사기관협의회의 운영 등에 필요한 사항은 수사기관협의회에서 정한다.

제55조 【소재수사에 관한 협력 등】 ① 검사와 사법경찰관은 소재불명(所在不明)인 피의자나 참고인을 발견한 때에는 해당 사실을 통보하는 등 서로 협력해야 한다.
② 검사는 법 제245조의5 제1호 또는 법 제245조의7 제2항에 따라 송치된 사건의 피의자나 참고인의 소재 확인이 필요하다고 판단하는 경우 피의자나 참고인의 주소지 또는 거소지 등을 관할하는 경찰관서의 사법경찰관에게 소재수사를 요청할 수 있다. 이 경우 요청을 받은 사법경찰관은 이에 협력해야 한다.
③ 검사 또는 사법경찰관은 제51조 제1항 제4호 또는 제52조 제1항 제3호·제4호에 따라 수사중지 또는 기소중지·참고인중지된 사건의 피의자 또는 참고인을 발견하는 등 수사중지 결정 또는 기소중지·참고인중지 결정의 사유가 해소된 경우에는 즉시 수사를 진행해야 한다.

제56조 【사건기록의 등본】 ① 검사 또는 사법경찰관은 사건 관계 서류와 증거물을 분리하여 송부하거나 반환할 필요가 있으나 해당 서류와 증거물의 분리가 불가능하거나 현저히 곤란한 경우에는 그 서류와 증거물을 등사하여 송부하거나 반환할 수 있다.

② 검사 또는 사법경찰관은 제45조 제1항, 이 조 제1항 등에 따라 사건기록 등본을 송부받은 경우 이를 다른 목적으로 사용할 수 없으며, 다른 법령에 특별한 규정이 있는 경우를 제외하고는 그 사용 목적을 위한 기간이 경과한 때에 즉시 이를 반환하거나 폐기해야 한다.

제70조 【영의 해석 및 개정】 ① 이 영을 해석하거나 개정하는 경우에는 **법무부장관은 행정안전부장관과 협의하여 결정해야 한다**.
② 제1항에 따른 해석 및 개정에 관한 법무부장관의 자문에 응하기 위해 **법무부에 외부전문가로 구성된 자문위원회를 둔다**.

㉠ 검사와 사법경찰관은 수사, 공소제기 및 공소유지에 관하여 **서로 협력하여야 한다**(제195조 제1항). 다만 총론적 차원에서는 '협력' 관계에 있으나, 아래에서 보듯이 각론적 차원에서는 **여전히 '통제 · 지휘' 관계**에 있음을 주의하여야 한다. 수사를 위하여 준수하여야 하는 일반적 수사준칙에 관한 사항을 대통령령으로 정한다(제195조 제2항).

㉡ **상호협력의 원칙**: 검사와 사법경찰관은 상호 존중해야 하며, 수사, 공소제기 및 공소유지와 관련하여 협력해야 한다. 검사와 사법경찰관은 수사와 공소제기 및 공소유지를 위해 필요한 경우 **수사 · 기소 · 재판 관련 자료를 서로 요청할 수 있다**. 검사와 사법경찰관의 협의는 신속히 이루어져야 하며, 협의의 지연 등으로 수사 또는 관련 절차가 지연되어서는 안 된다(상호협력 · 수사준칙규정 제6조).

㉢ **중요사건 협력 절차**: 검사와 사법경찰관은 **공소시효가 임박한 사건이나 내란, 외환, 선거, 테러, 대형참사, 연쇄살인 관련사건, 주한 미합중국 군대의 구성원 · 외국인군무원 및 그 가족이나 초청계약자의 범죄 관련사건 등 많은 피해자가 발생하거나 국가적 · 사회적 피해가 큰 중요한 사건**의 경우에는 송치 전에 수사할 사항, 증거수집의 대상, 법령의 적용 등에 관하여 **상호 의견을 제시 · 교환할 것을 요청할 수 있다**(상호협력 · 수사준칙규정 제7조).

㉣ **검사와 사법경찰관의 협의**: 검사와 사법경찰관은 수사와 사건의 송치, 송부 등에 관한 이견의 조정이나 협력 등이 필요한 경우 **서로 협의를 요청할 수 있다**. 다만 **다음 어느 하나에 해당하는 경우에는 상대방의 협의 요청에 응해야 한다**(상호협력 · 수사준칙규정 제8조).

검사와 사법경찰관의 상호협력과 일반적 수사준칙에 관한 규정

제8조 【검사와 사법경찰관의 협의】 ① 검사와 사법경찰관은 수사와 사건의 송치, 송부 등에 관한 이견의 조정이나 협력 등이 필요한 경우 **서로 협의를 요청할 수 있다**. 다만, 다음 각 호의 어느 하나에 해당하는 경우에는 **상대방의 협의 요청에 응해야 한다**.

1. **중요사건**에 관하여 상호 의견을 제시 · 교환하는 것에 대해 이견이 있거나, 제시 · 교환한 의견의 내용에 대해 이견이 있는 경우
2. 형사소송법(이하 '법'이라 한다) 제197조의2 제2항(**사법경찰관이 신청한 영장의 청구 여부**) 및 제3항(**징계요구**)에 따른 정당한 이유의 유무에 대해 이견이 있는 경우
3. 법 제197조의3 제4항(**시정조치 요구**) 및 제5항(**송치요구**)에 따른 정당한 이유의 유무에 대해 이견이 있는 경우
4. **법 제197조의4 제2항 단서(수사경합시 사법경찰관이 영장을 먼저 신청한 경우)**에 따라 사법경찰관이 계속 수사할 수 있는지 여부나 사법경찰관이 계속 수사할 수 있는 경우 수사를 계속할 주체 또는 사건의 이송 여부 등에 대해 이견이 있는 경우
5. 법 제222조에 따라 **변사자검시**를 하는 경우에 수사의 착수 여부나 수사할 사항 등에 대해 이견의 조정이나 협의가 필요한 경우
6. 법 제245조의8 제2항에 따른 **재수사의 결과에 대해 이견**이 있는 경우

7. 법 제316조 제1항에 따라 **사법경찰관이 조사자로서 공판준비 또는 공판기일에서 진술**하게 된 경우

② 제1항 제1호, 제2호, 제4호 또는 제6호의 경우 해당 검사와 사법경찰관의 협의에도 불구하고 이견이 해소되지 않는 경우에는 **해당 검사가 소속된 검찰청의 장과 해당 사법경찰관이 소속된 경찰관서(지방해양경찰관서를 포함한다)의 장의 협의에 따른다**.

② 보완수사 요구

형사소송법

제197조의2【보완수사요구】 ① 검사는 다음 각 호의 어느 하나에 해당하는 경우에 사법경찰관에게 보완수사를 요구할 수 있다.

1. **송치사건의 공소제기 여부 결정 또는 공소의 유지에 관하여 필요한 경우**
2. **사법경찰관이 신청한 영장의 청구 여부 결정에 관하여 필요한 경우**

② 사법경찰관은 제1항의 요구가 있는 때에는 정당한 이유가 없는 한 지체 없이 이를 이행하고, 그 결과를 검사에게 통보하여야 한다.

③ 검찰총장 또는 각급 검찰청 검사장은 사법경찰관이 정당한 이유 없이 제1항의 요구에 따르지 아니하는 때에는 권한 있는 사람에게 해당 사법경찰관의 직무배제 또는 징계를 요구할 수 있고, 그 징계절차는 공무원 징계령 또는 경찰공무원 징계령에 따른다.

검사와 사법경찰관의 상호협력과 일반적 수사준칙에 관한 규정

제59조【보완수사요구의 대상과 범위】 ① 검사는 법 제245조의5 제1호에 따라 **사법경찰관으로부터 송치받은 사건에 대해 보완수사가 필요하다고 인정하는 경우**에는 특별히 직접 보완수사를 할 필요가 있다고 인정되는 경우를 제외하고는 **사법경찰관에게 보완수사를 요구하는 것을 원칙으로 한다.** 21. 경찰채용

② 검사는 법 제197조의2 제1항 제1호에 따라 사법경찰관에게 송치사건 및 관련사건(법 제11조에 따른 관련사건 및 법 제208조 제2항에 따라 간주되는 동일한 범죄사실에 관한 사건을 말한다. 다만, 법 제11조 제1호의 경우에는 수사기록에 명백히 현출(現出)되어 있는 사건으로 한정한다)에 대해 다음 각 호의 사항에 관한 보완수사를 요구할 수 있다.

1. 범인에 관한 사항
2. 증거 또는 범죄사실 증명에 관한 사항
3. 소송조건 또는 처벌조건에 관한 사항
4. 양형자료에 관한 사항
5. 죄명 및 범죄사실의 구성에 관한 사항
6. 그 밖에 송치받은 사건의 공소제기 여부를 결정하는 데 필요하거나 공소유지와 관련해 필요한 사항

③ 검사는 사법경찰관이 신청한 영장(통신비밀보호법 제6조 및 제8조에 따른 통신제한조치허가서 및 같은 법 제13조에 따른 통신사실 확인자료 제공요청 허가서를 포함한다. 이하 이 항에서 같다)의 청구 여부를 결정하기 위해 필요한 경우 법 제197조의2 제1항 제2호에 따라 사법경찰관에게 보완수사를 요구할 수 있다. 이 경우 **보완수사를 요구할 수 있는 범위**는 다음 각 호와 같다.

1. 범인에 관한 사항
2. 증거 또는 범죄사실 소명에 관한 사항
3. 소송조건 또는 처벌조건에 관한 사항
4. 해당 영장이 필요한 사유에 관한 사항
5. 죄명 및 범죄사실의 구성에 관한 사항

6. 법 제11조(법 제11조 제1호의 경우는 수사기록에 명백히 현출되어 있는 사건으로 한정한다)와 관련된 사항
7. 그 밖에 사법경찰관이 신청한 영장의 청구 여부를 결정하기 위해 필요한 사항

제60조 【보완수사요구의 방법과 절차】 ① 검사는 법 제197조의2 제1항에 따라 보완수사를 요구할 때에는 그 이유와 내용 등을 구체적으로 적은 서면과 관계 서류 및 증거물을 사법경찰관에게 함께 송부해야 한다. 다만, **보완수사 대상의 성질, 사안의 긴급성 등을 고려하여 관계 서류와 증거물을 송부할 필요가 없거나 송부하는 것이 적절하지 않다고 판단하는 경우에는 해당 관계 서류와 증거물을 송부하지 않을 수 있다.**
② 보완수사를 요구받은 사법경찰관은 제1항 단서에 따라 송부받지 못한 관계 서류와 증거물이 보완수사를 위해 필요하다고 판단하면 해당 서류와 증거물을 대출하거나 그 전부 또는 일부를 등사할 수 있다.
③ 사법경찰관은 법 제197조의2 제2항에 따라 보완수사를 이행한 경우에는 그 이행 결과를 검사에게 서면으로 통보해야 하며, 제1항 본문에 따라 관계 서류와 증거물을 송부받은 경우에는 그 서류와 증거물을 함께 반환해야 한다. 다만, 관계 서류와 증거물을 반환할 필요가 없는 경우에는 보완수사의 이행 결과만을 검사에게 통보할 수 있다.
④ 사법경찰관은 법 제197조의2 제1항 제1호에 따라 보완수사를 이행한 결과 법 제245조의5 제1호(**범죄혐의가 있어 검사에서 사건을 송치하는 경우**)에 해당하지 않는다고 판단한 경우에는 제51조 제1항 제3호에 따라 **사건을 불송치하거나 같은 항 제4호에 따라 수사중지할 수 있다.**

제61조 【직무배제 또는 징계 요구의 방법과 절차】 ① 검찰총장 또는 각급 검찰청 검사장은 법 제197조의2 제3항에 따라 사법경찰관의 직무배제 또는 징계를 요구할 때에는 그 이유를 구체적으로 적은 서면에 이를 증명할 수 있는 관계 자료를 첨부하여 해당 사법경찰관이 소속된 경찰관서장에게 통보해야 한다.
② 제1항의 직무배제 요구를 통보받은 경찰관서장은 정당한 이유가 있는 경우를 제외하고는 그 요구를 받은 날부터 **20일** 이내에 해당 사법경찰관을 직무에서 배제해야 한다.
③ 경찰관서장은 제1항에 따른 요구의 처리 결과와 그 이유를 직무배제 또는 징계를 요구한 검찰총장 또는 각급 검찰청 검사장에게 통보해야 한다.

㉠ **검사는** 다음의 어느 하나에 해당하는 경우에 **사법경찰관에게 보완수사를 요구할 수 있다**(제197조의2 제1항). 검사는 법 제245조의5 제1호에 따라 **사법경찰관으로부터 송치받은 사건에 대해 보완수사가 필요하다고 인정하는 경우**에는 특별히 직접 보완수사를 할 필요가 있다고 인정되는 경우를 제외하고는 **사법경찰관에게 보완수사를 요구하는 것을 원칙으로 한다**(상호협력 · 수사준칙규정 제60조 제1항).

ⓐ 송치사건의 공소제기 여부 결정 또는 공소의 유지에 관하여 필요한 경우
ⓑ 사법경찰관이 신청한 영장의 청구 여부 결정에 관하여 필요한 경우

㉡ **보완수사의 방법과 절차**: 검사는 보완수사를 요구할 때에는 그 이유와 내용 등을 구체적으로 적은 서면과 관계 서류 및 증거물을 사법경찰관에게 함께 송부해야 한다. 다만, **보완수사 대상의 성질, 사안의 긴급성 등을 고려하여 관계 서류와 증거물을 송부할 필요가 없거나 송부하는 것이 적절하지 않다고 판단하는 경우에는 해당 관계 서류와 증거물을 송부하지 않을 수 있다**(상호협력 · 수사준칙규정 제60조 제1항). 보완수사를 요구받은 사법경찰관은 송부받지 못한 관계 서류와 증거물이 보완수사를 위해 필요하다고 판단하면 해당 서류와 증거물을 대출하거나 그 전부 또는 일부를 등사할 수 있다(동조 제2항).

㉢ 사법경찰관은 보완수사를 이행한 경우에는 그 이행 결과를 **검사에게 서면으로 통보해야 하며,** 관계 서류와 증거물을 송부받은 경우에는 그 서류와 증거물을 함께 반환해야 한다. 다만, 관계

서류와 증거물을 반환할 필요가 없는 경우에는 보완수사의 이행 결과만을 검사에게 통보할 수 있다(상호협력 · 수사준칙규정 제60조 제3항). 사법경찰관은 보완수사를 이행한 결과 법 제245조의5 제1호(**범죄혐의가 있어 검사에서 사건을 송치하는 경우**)에 해당하지 않는다고 판단한 경우에는 **사건을 불송치하거나 같은 항 제4호에 따라 수사중지할 수 있다**(상호협력 · 수사준칙규정 제60조 제4항).

㉣ **검찰총장 또는 각급 검찰청 검사장은** 사법경찰관이 정당한 이유 없이 검사의 요구에 따르지 아니하는 때에는 권한 있는 사람에게 **해당 사법경찰관의 직무배제 또는 징계를 요구할 수 있고**, 그 징계절차는 공무원 징계령 또는 경찰공무원 징계령에 따른다(제197조의2 제3항).

③ **시정조치 요구 및 사건송치 요구**

> **형사소송법**
>
> **제197조의3【시정조치요구 등】** ① 검사는 사법경찰관리의 수사과정에서 **법령위반, 인권침해 또는 현저한 수사권 남용**이 의심되는 사실의 신고가 있거나 그러한 사실을 인식하게 된 경우에는 사법경찰관에게 **사건기록 등본의 송부를 요구할 수 있다**.
> ② 제1항의 송부요구를 받은 사법경찰관은 지체 없이 검사에게 사건기록 등본을 송부하여야 한다. 21. 경찰채용
> ③ 제2항의 송부를 받은 검사는 필요하다고 인정되는 경우에는 사법경찰관에게 **시정조치를 요구할 수 있다**. 21. 경찰채용
> ④ 사법경찰관은 제3항의 시정조치 요구가 있는 때에는 정당한 이유가 없으면 지체 없이 이를 이행하고, 그 결과를 검사에게 통보하여야 한다.
> ⑤ 제4항의 통보를 받은 검사는 제3항에 따른 **시정조치 요구가 정당한 이유 없이 이행되지 않았다고 인정되는 경우에는 사법경찰관에게 사건을 송치할 것을 요구할 수 있다**. 21. 경찰채용
> ⑥ 제5항의 송치요구를 받은 사법경찰관은 검사에게 사건을 송치하여야 한다.
> ⑦ 검찰총장 또는 각급 검찰청 검사장은 사법경찰관리의 수사과정에서 법령위반, 인권침해 또는 현저한 수사권 남용이 있었던 때에는 권한 있는 사람에게 해당 사법경찰관리의 징계를 요구할 수 있고, 그 징계절차는 공무원 징계령 또는 경찰공무원 징계령에 따른다.
> **⑧ 사법경찰관은 피의자를 신문하기 전에 수사과정에서 법령위반, 인권침해 또는 현저한 수사권 남용이 있는 경우 검사에게 구제를 신청할 수 있음을 피의자에게 알려주어야 한다.**

> **검사와 사법경찰관의 상호협력과 일반적 수사준칙에 관한 규정**
>
> **제45조【시정조치 요구의 방법 및 절차 등】** ① 검사는 법 제197조의3 제1항에 따라 사법경찰관에게 사건기록 등본의 송부를 요구할 때에는 그 내용과 이유를 구체적으로 적은 서면으로 해야 한다.
> ② 사법경찰관은 제1항에 따른 요구를 받은 날부터 **7일** 이내에 사건기록 등본을 검사에게 송부해야 한다.
> ③ 검사는 제2항에 따라 사건기록 등본을 송부받은 날부터 **30일**(사안의 경중 등을 고려하여 **10일**의 범위에서 한 차례 연장할 수 있다) 이내에 법 제197조의3 제3항에 따른 시정조치 요구 여부를 결정하여 사법경찰관에게 통보해야 한다. 이 경우 시정조치 요구의 통보는 그 내용과 이유를 구체적으로 적은 서면으로 해야 한다.
> ④ 사법경찰관은 제3항에 따라 시정조치 요구를 통보받은 경우 정당한 이유가 있는 경우를 제외하고는 지체 없이 시정조치를 이행하고, 그 이행 결과를 서면에 구체적으로 적어 검사에게 통보해야 한다.
> ⑤ 검사는 법 제197조의3 제5항에 따라 사법경찰관에게 사건송치를 요구하는 경우에는 그 내용과 이유를 구체적으로 적은 서면으로 해야 한다.

⑥ 사법경찰관은 제5항에 따라 서면으로 사건송치를 요구받은 날부터 **7일** 이내에 사건을 검사에게 송치해야 한다. 이 경우 관계 서류와 증거물을 함께 송부해야 한다.
⑦ 제5항 및 제6항에도 불구하고 검사는 공소시효 만료일의 임박 등 특별한 사유가 있을 때에는 제5항에 따른 서면에 그 사유를 명시하고 별도의 송치기한을 정하여 사법경찰관에게 통지할 수 있다. 이 경우 사법경찰관은 정당한 이유가 있는 경우를 제외하고는 통지받은 송치기한까지 사건을 검사에게 송치해야 한다.

제46조 【징계요구의 방법 등】 ① 검찰총장 또는 각급 검찰청 검사장은 법 제197조의3 제7항에 따라 사법경찰관리의 징계를 요구할 때에는 서면에 그 사유를 구체적으로 적고 이를 증명할 수 있는 관계 자료를 첨부하여 해당 사법경찰관리가 소속된 경찰관서의 장(이하 '경찰관서장'이라 한다)에게 통보해야 한다.
② 경찰관서장은 제1항에 따른 징계요구에 대한 처리 결과와 그 이유를 징계를 요구한 검찰총장 또는 각급 검찰청 검사장에게 통보해야 한다.

제47조 【구제신청 고지의 확인】 사법경찰관은 법 제197조의3 제8항에 따라 검사에게 구제를 신청할 수 있음을 피의자에게 알려준 경우에는 피의자로부터 고지 확인서를 받아 사건기록에 편철한다. 다만, 피의자가 고지 확인서에 기명날인 또는 서명하는 것을 거부하는 경우에는 사법경찰관이 고지 확인서 끝부분에 그 사유를 적고 기명날인 또는 서명해야 한다.

㉠ **검사는** 사법경찰관리의 수사과정에서 법령위반, 인권침해 또는 현저한 수사권 남용이 의심되는 사실의 신고가 있거나 그러한 사실을 인식하게 된 경우에는 **사법경찰관에게 사건기록 등본의 송부를 요구할 수 있다**(제197조의3 제1항). 검사는 사법경찰관에게 사건기록 등본의 송부를 요구할 때에는 그 내용과 이유를 구체적으로 적은 **서면으로 해야 한다**(상호협력 · 수사준칙규정 제45조 제1항).

㉡ 사법경찰관은 요구를 받은 날부터 **7일** 이내에 **사건기록 등본을 검사에게 송부해야 한다**(상호협력 · 수사준칙규정 제45조 제2항).

㉢ 검사는 사건기록 등본을 송부받은 날부터 **30일**(사안의 경중 등을 고려하여 **10일**의 범위에서 한 차례 연장할 수 있다) 이내에 시정조치 요구 여부를 결정하여 사법경찰관에게 통보해야 한다. 이 경우 시정조치 요구의 통보는 그 내용과 이유를 구체적으로 적은 서면으로 해야 한다(상호협력 · 수사준칙규정 제45조 제3항).

㉣ 사법경찰관은 제3항에 따라 시정조치 요구를 통보받은 경우 정당한 이유가 있는 경우를 제외하고는 지체 없이 **시정조치를 이행하고**, 그 이행 결과를 서면에 구체적으로 적어 검사에게 통보해야 한다(상호협력 · 수사준칙규정 제45조 제4항).

㉤ 검사는 사법경찰관에게 사건송치를 요구하는 경우에는 그 내용과 이유를 구체적으로 적은 서면으로 해야 한다(상호협력 · 수사준칙규정 제45조 제5항).

㉥ 사법경찰관은 제5항에 따라 서면으로 사건송치를 요구받은 날부터 **7일** 이내에 사건을 **검사에게 송치해야 한다**(상호협력 · 수사준칙규정 제45조 제6항). 이 경우 관계 서류와 증거물을 함께 송부해야 한다. 다만, 검사는 공소시효 만료일의 임박 등 **특별한 사유가 있을 때에는 서면에 그 사유를 명시하고 별도의 송치기한을 정하여 사법경찰관에게 통지할 수 있다**. 이 경우 사법경찰관은 정당한 이유가 있는 경우를 제외하고는 통지받은 송치기한까지 사건을 검사에게 송치해야 한다(동조 제7항).

㉦ **검찰총장 또는 각급 검찰청 검사장은** 사법경찰관리의 수사과정에서 법령위반, 인권침해 또는 현저한 수사권 남용이 있었던 때에는 권한 있는 사람에게 **해당 사법경찰관리의 징계를 요구할 수 있고**, 그 징계절차는 공무원 징계령 또는 경찰공무원 징계령에 따른다(제197조의3 제7항).

◎ **사법경찰관은** 피의자를 신문하기 전에 수사과정에서 법령위반, 인권침해 또는 현저한 수사권 남용이 있는 경우 **검사에게 구제를 신청할 수 있음을 피의자에게 알려주어야 한다**(제197조의3 제8항).

④ 수사경합시 사건송치 요구

> **형사소송법**
>
> 제197조의4【수사의 경합】① **검사는 사법경찰관과 동일한 범죄사실을 수사하게 된 때에는 사법경찰관에게 사건을 송치할 것을 요구할 수 있다.**
>
> ② 제1항의 요구를 받은 사법경찰관은 지체 없이 검사에게 사건을 송치하여야 한다. 다만, 검사가 영장을 청구하기 전에 **동일한 범죄사실에 관하여 사법경찰관이 영장을 신청한 경우에는 해당 영장에 기재된 범죄사실을 계속 수사할 수 있다.**

> **검사와 사법경찰관의 상호협력과 일반적 수사준칙에 관한 규정**
>
> **제48조【동일한 범죄사실 여부의 판단 등】** ① 검사와 사법경찰관은 법 제197조의4에 따른 수사의 경합과 관련하여 동일한 범죄사실 여부나 영장(통신비밀보호법 제6조 및 제8조에 따른 통신제한조치허가서 및 같은 법 제13조에 따른 통신사실 확인자료 제공요청 허가서를 포함한다. 이하 이 조에서 같다) 청구·신청의 시간적 선후관계 등을 판단하기 위해 필요한 경우에는 그 필요한 범위에서 사건기록의 상호 열람을 요청할 수 있다.
>
> ② 제1항에 따른 영장청구·신청의 시간적 선후관계는 검사의 영장청구서와 사법경찰관의 영장신청서가 **각각 법원과 검찰청에 접수된 시점을 기준으로 판단한다.**
>
> ③ 검사는 제2항에 따른 사법경찰관의 영장신청서의 접수를 거부하거나 지연해서는 안 된다.
>
> **제49조【수사경합에 따른 사건송치】** ① 검사는 법 제197조의4 제1항에 따라 사법경찰관에게 사건송치를 요구할 때에는 그 내용과 이유를 구체적으로 적은 서면으로 해야 한다.
>
> ② 사법경찰관은 제1항에 따른 요구를 받은 날부터 **7일** 이내에 사건을 검사에게 송치해야 한다. 이 경우 관계 서류와 증거물을 함께 송부해야 한다.
>
> **제50조【중복수사의 방지】** 검사는 법 제197조의4 제2항 단서에 따라 사법경찰관이 범죄사실을 계속 수사할 수 있게 된 경우에는 정당한 사유가 있는 경우를 제외하고는 그와 동일한 범죄사실에 대한 사건을 이송하는 등 중복수사를 피하기 위해 노력해야 한다.

㉠ **검사는** 사법경찰관과 동일한 범죄사실을 수사하게 된 때에는 **사법경찰관에게 사건을 송치할 것을 요구할 수 있다**(제197조의4 제1항).

㉡ 요구를 받은 **사법경찰관은 지체 없이 검사에게 사건을 송치하여야 한다.** 다만, 검사가 영장을 청구하기 전에 동일한 범죄사실에 관하여 **사법경찰관이 영장을 신청한 경우에는 해당 영장에 기재된 범죄사실을 계속 수사할 수 있다**(제197조의4 제2항).

⑤ 각종 명령과 지휘 등

㉠ **관할구역 외에서의 수사**: 사법경찰관리가 관할구역 외에서 수사하거나 관할구역 외의 사법경찰관리의 촉탁을 받아 수사할 때에는 **관할 지방검찰청 검사장 또는 지청장에게 보고하여야 한다**(제210조).

㉡ **변사자검시**: 검사는 사법경찰관에게 **검시에 관한 처분을 명할 수 있다**(제222조 제3항).

㉢ **긴급체포**: 사법경찰관이 피의자를 긴급체포한 경우에는 즉시 **검사의 승인을 얻어야 한다**(제200조의3 제2항). 사법경찰관은 긴급체포한 피의자에 대하여 구속영장을 신청하지 아니하고 석방한 경우에는 즉시 **검사에게 보고하여야 한다**(제200조의4 제6항). 20. 경찰채용

㉣ **영장의 신청**: **사법경찰관은 검사에게 신청하여** 검사의 청구로 지방법원판사의 체포·구속영장을 발부받아 피의자를 체포·구속할 수 있다(제200조의2 제1항, 제201조 제1항). **사법경찰관은 검사에게 신청하여** 검사의 청구로 지방법원판사가 발부한 영장에 의하여 압수·수색 또는 검증을 할 수 있다(제215조 제2항).

㉤ **영장의 집행**: 체포영장 또는 구속영장은 **검사의 지휘에 의하여** 사법경찰관리가 집행한다(제81조 제1항, 제200조의6, 제209조). 압수·수색영장은 **검사의 지휘에 의하여** 사법경찰관리가 집행한다(제115조, 제219조).

㉥ **압수물의 처분**: 사법경찰관이 압수물의 위탁보관, 폐기처분, 대가보관, 가환부 및 환부(압수장물의 피해자 환부 포함)을 함에는 **검사의 지휘를 받아야 한다**(제218조의2, 제219조).

㉦ **수사중지 및 교체임용 요구**: 서장이 아닌 경정 이하의 사법경찰관리가 직무집행과 관련하여 부당한 행위를 하는 경우 지방검찰청 검사장은 해당 사건의 **수사중지를 명하고, 임용권자에게 그 사법경찰관리의 교체임용을 요구할 수 있다**(검찰청법 제54조 제1항).

(2) 검찰청법상 일반사법경찰관과의 관계

① **지휘관계**

㉠ 사법경찰관의 직무를 행하는 검찰청 직원은 **검사의 지휘를 받아 수사하여야 한다**(제245조의9 제2항).

㉡ 사법경찰리의 직무를 행하는 검찰청 직원은 검사 또는 사법경찰관의 직무를 행하는 검찰청 직원의 수사를 보조하여야 한다(제245조의9 제3항).

② **비적용 규정**

사법경찰관리의 직무를 행하는 검찰청 직원에 대하여는 제197조의2부터 제197조의4까지, 제221조의5, 제245조의5부터 제245조의8까지의 규정을 적용하지 아니한다(제245조의9 제4항).

형사소송법

제197조의2【보완수사요구】 ① 검사는 다음 각 호의 어느 하나에 해당하는 경우에 사법경찰관에게 보완수사를 요구할 수 있다.
1. 송치사건의 공소제기 여부 결정 또는 공소의 유지에 관하여 필요한 경우
2. 사법경찰관이 신청한 영장의 청구 여부 결정에 관하여 필요한 경우

제197조의3【시정조치요구 등】 ① 검사는 사법경찰관리의 수사과정에서 법령위반, 인권침해 또는 현저한 수사권 남용이 의심되는 사실의 신고가 있거나 그러한 사실을 인식하게 된 경우에는 사법경찰관에게 사건기록 등본의 송부를 요구할 수 있다.

제197조의4【수사의 경합】 ① 검사는 사법경찰관과 동일한 범죄사실을 수사하게 된 때에는 사법경찰관에게 사건을 송치할 것을 요구할 수 있다.

제221조의5【사법경찰관이 신청한 영장의 청구 여부에 대한 심의】 ① 검사가 사법경찰관이 신청한 영장을 정당한 이유 없이 판사에게 청구하지 아니한 경우 사법경찰관은 그 검사 소속의 지방검찰청 소재지를 관할하는 고등검찰청에 영장청구 여부에 대한 심의를 신청할 수 있다.

제245조의5【사법경찰관의 사건송치 등】 사법경찰관은 고소 · 고발사건을 포함하여 범죄를 수사한 때에는 다음 각 호의 구분에 따른다.

1. 범죄의 혐의가 있다고 인정되는 경우에는 지체 없이 검사에게 사건을 송치하고, 관계 서류와 증거물을 검사에게 송부하여야 한다.
2. 그 밖의 경우에는 그 이유를 명시한 서면과 함께 관계 서류와 증거물을 지체 없이 검사에게 송부하여야 한다. 이 경우 검사는 송부받은 날로부터 90일 이내에 사법경찰관에게 반환하여야 한다. 21. 경찰채용

제245조의6【고소인 등에 대한 송부통지】 사법경찰관은 제245조의5 제2호의 경우에는 그 송부한 날로부터 7일 이내에 서면으로 고소인 · 고발인 · 피해자 또는 그 법정대리인에게 사건을 검사에게 송치하지 아니하는 취지와 그 이유를 통지하여야 한다.

제245조의7【고소인 등의 이의신청】 ① 제245조의6의 통지를 받은 사람은 해당 사법경찰관의 소속 관서의 장에게 이의를 신청할 수 있다.

제245조의8【재수사요청 등】 ① 검사는 제245조의5 제2호의 경우에 사법경찰관이 사건을 송치하지 아니한 것이 위법 또는 부당한 때에는 그 이유를 문서로 명시하여 사법경찰관에게 재수사를 요청할 수 있다.

(3) 사법경찰직무법상 특별사법경찰관과의 관계

① **지휘관계**

㉠ 특별사법경찰관은 **모든 수사에 관하여 검사의 지휘를 받는다**(제245조의10 제2항).

㉡ 특별사법경찰관은 범죄의 혐의가 있다고 인식하는 때에는 범인, 범죄사실과 증거에 관하여 수사를 개시 · 진행하여야 한다(제245조의10 제3항).

㉢ 특별사법경찰관리는 **검사의 지휘가 있는 때에는 이에 따라야 한다.** 검사의 지휘에 관한 구체적 사항은 법무부령으로 정한다(제245조의10 제4항).

㉣ 특별사법경찰관은 범죄를 수사한 때에는 지체 없이 검사에게 사건을 송치하고, 관계 서류와 증거물을 송부하여야 한다(제245조의10 제5항).

② **비적용 규정**

특별사법경찰관리에 대하여는 제197조의2부터 제197조의4까지, 제221조의5, 제245조의5부터 제245조의8까지의 규정을 적용하지 아니한다(제245조의10 제6항).

☑ SUMMARY | 사법경찰관리의 종류

구분	내용	
형소법상 일반사경	사법경찰관	경무관, 총경, 경정, 경감, 경위
	사법경찰리	경사, 경장, 순경
검찰청법상 일반사경	사법경찰관	검찰주사, 마약수사주사, 검찰주사보, 마약수사주사보
	사법경찰리	검찰서기, 마약수사서기, 검찰서기보, 마약수사서기보
사법경찰직무법상 특별사경	사법경찰관	4급부터 7급까지의 공무원(예외 있음)
	사법경찰리	8급, 9급 공무원(예외 있음)

SUMMARY | 검사와 경찰의 관계 등

구분	형소법상 일반사경	검찰청법상 일반사경, 사법경찰직무법상 특별사경
검사와 경찰의 관계	협력관계	포괄적 지휘관계
검사의 경찰 통제	① 보완수사 요구 ② 시정조치 요구 및 사건송치 요구 ③ 수사경합시 사건송치 요구 ④ 불송치 사건 재수사 요청	포괄적 통제
검사의 경찰 지휘 등	① 관할구역 외 수사 보고 ② 변사자검시 명령 ③ 긴급체포 승인 및 석방 보고 ④ 검사에 대한 영장신청 ⑤ 영장집행 지휘 ⑥ 압수물처분 지휘 ⑦ 수사중지 및 교체임용요구	포괄적 지휘 등
경찰의 영장청구 심의신청권	신청권 있음	신청권 없음
수사종결권	① 혐의 인정 ➜ 검사에게 사건 송치 ② 혐의 불인정 ➜ 검사에게 사건 불송치(경찰의 수사종결권 인정). 다만, 고소인 등 이의 신청시 검사에게 사건 송치	수사종결권 없음

SUMMARY | 검사의 형사소송법상 일반사법경찰관에 대한 통제

구분	내용
보완수사 요구	① 검사는 다음 어느 하나에 해당하는 경우에 사법경찰관에게 보완수사를 요구할 수 있다(제197조의2 제1항). ㉠ 송치사건의 공소제기 여부 결정 또는 공소의 유지에 관하여 필요한 경우 ㉡ 사법경찰관이 신청한 영장의 청구 여부 결정에 관하여 필요한 경우 ② 사법경찰관은 요구가 있는 때에는 정당한 이유가 없는 한 지체 없이 이를 이행하고, 그 결과를 검사에게 통보하여야 한다(제197조의2 제2항).
시정조치 요구 및 사건송치 요구	① 검사는 사법경찰관리의 수사과정에서 법령위반, 인권침해 또는 현저한 수사권 남용이 의심되는 사실의 신고가 있거나 그러한 사실을 인식하게 된 경우에는 사법경찰관에게 사건기록 등본의 송부를 요구할 수 있다(제197조의3 제1항). ② 송부요구를 받은 사법경찰관은 지체 없이 검사에게 사건기록 등본을 송부하여야 한다(제197조의3 제2항). ③ 송부를 받은 검사는 필요하다고 인정되는 경우에는 사법경찰관에게 시정조치를 요구할 수 있다(제197조의3 제3항). ④ 사법경찰관은 시정조치 요구가 있는 때에는 정당한 이유가 없는 한 지체 없이 이를 이행하고, 그 결과를 검사에게 통보하여야 한다(제197조의3 제4항). ⑤ 통보를 받은 검사는 시정조치 요구가 정당한 이유 없이 이행되지 않았다고 인정되는 경우에는 사법경찰관에게 사건을 송치할 것을 요구할 수 있다(제197조의3 제5항).
수사경합시 사건송치 요구	① 검사는 사법경찰관과 동일한 범죄사실을 수사하게 된 때에는 사법경찰관에게 사건을 송치할 것을 요구할 수 있다(제197조의4 제1항). ② 송치요구를 받은 사법경찰관은 지체 없이 검사에게 사건을 송치하여야 한다. 다만, 검사가 영장을 청구하기 전에 동일한 범죄사실에 관하여 사법경찰관이 영장을 신청한 경우에는 해당 영장에 기재된 범죄사실을 계속 수사할 수 있다(제197조의4 제2항).
불송치 사건 재수사 요청	① 검사는 사법경찰관이 사건을 송치하지 아니한 것이 위법 또는 부당한 때에는 그 이유를 문서로 명시하여 사법경찰관에게 재수사를 요청할 수 있다(제245조의8 제1항). ② 사법경찰관은 재수사의 요청이 있는 때에는 재수사하여 제245조의5 각 호에 따라 처리하여야 한다(제245조의8 제2항).

SUMMARY | 경찰의 수사권 독립론 ★

구분	내용
의의	경찰에게 독자적인 수사권을 부여하고 검사는 공소제기와 유지만을 임무로 하는 것을 주요 내용으로 하는 경찰수사권의 범위에 관한 논의이다.
긍정설	① 대량의 범죄를 소수의 검찰인력으로 수사하는 것은 비현실적이다. ② 검사는 법률의 전문가이지 수사의 전문가는 아니다. ③ 검찰이 공소권뿐만 아니라 수사권까지 독점하는 것은 지나친 권력집중의 문제가 있다. ④ 미국, 일본 등 외국의 경우에도 경찰의 독자적 수사권을 인정하는 것 등을 근거로 이를 긍정하는 견해이다.
부정설	① 경찰의 수사권 독립은 적법절차와 인권존중의 요청에 충실하기 어렵고 기본권 침해의 위험성이 크다. ② 경찰권의 지방분권화가 아직 이루어지지 않아 경찰의 권력집중을 막기 어렵다. ③ 우리나라 경찰은 외국에서는 찾아보기 어려운 즉결심판청구권을 가지고 있다. ④ 경찰의 자질을 볼 때 아직은 시기상조라는 점 등을 근거로 이를 부정하는 견해이다.

검사와 사법경찰관의 상호협력과 일반적 수사준칙에 관한 규정

제6조【상호협력의 원칙】 ① 검사와 사법경찰관은 상호 존중해야 하며, 수사, 공소제기 및 공소유지와 관련하여 협력해야 한다.

② 검사와 사법경찰관은 수사와 공소제기 및 공소유지를 위해 필요한 경우 수사·기소·재판 관련 자료를 서로 요청할 수 있다.

③ 검사와 사법경찰관의 협의는 신속히 이루어져야 하며, 협의의 지연 등으로 수사 또는 관련 절차가 지연되어서는 안 된다.

제7조【중요사건 협력절차】 검사와 사법경찰관은 공소시효가 임박한 사건이나 내란, 외환, 선거, 테러, 대형참사, 연쇄살인 관련 사건, 주한 미합중국 군대의 구성원·외국인군무원 및 그 가족이나 초청계약자의 범죄 관련 사건 등 많은 피해자가 발생하거나 국가적·사회적 피해가 큰 중요한 사건(이하 '중요사건'이라 한다)의 경우에는 송치 전에 수사할 사항, 증거수집의 대상, 법령의 적용 등에 관하여 상호 의견을 제시·교환할 것을 요청할 수 있다.

제8조【검사와 사법경찰관의 협의】 ① 검사와 사법경찰관은 수사와 사건의 송치, 송부 등에 관한 이견의 조정이나 협력 등이 필요한 경우 서로 협의를 요청할 수 있다. 다만, 다음 각 호의 어느 하나에 해당하는 경우에는 상대방의 협의 요청에 응해야 한다.

1. 중요사건에 관하여 상호 의견을 제시·교환하는 것에 대해 이견이 있거나, 제시·교환한 의견의 내용에 대해 이견이 있는 경우
2. 형사소송법(이하 '법'이라 한다) 제197조의2 제2항 및 제3항에 따른 정당한 이유의 유무에 대해 이견이 있는 경우
3. 법 제197조의3 제4항 및 제5항에 따른 정당한 이유의 유무에 대해 이견이 있는 경우
4. 법 제197조의4 제2항 단서에 따라 사법경찰관이 계속 수사할 수 있는지 여부나 사법경찰관이 계속 수사할 수 있는 경우 수사를 계속할 주체 또는 사건의 이송 여부 등에 대해 이견이 있는 경우
5. 법 제222조에 따라 변사자검시를 하는 경우에 수사의 착수 여부나 수사할 사항 등에 대해 이견의 조정이나 협의가 필요한 경우
6. 법 제245조의8 제2항에 따른 재수사의 결과에 대해 이견이 있는 경우
7. 법 제316조 제1항에 따라 사법경찰관이 조사자로서 공판준비 또는 공판기일에서 진술하게 된 경우

② 제1항 제1호, 제2호, 제4호 또는 제6호의 경우 해당 검사와 사법경찰관의 협의에도 불구하고 이견이 해소되지 않는 경우에는 해당 검사가 소속된 검찰청의 장과 해당 사법경찰관이 소속된 경찰관서(지방해양경찰관서를 포함한다. 이하 같다)의 장의 협의에 따른다.

제16조【수사의 개시】 ① 검사 또는 사법경찰관이 다음 각 호의 어느 하나에 해당하는 행위에 착수한 때에는 수사를 개시한 것으로 본다. 이 경우 검사 또는 사법경찰관은 해당 사건을 즉시 입건해야 한다.
1. 피혐의자의 수사기관 출석조사
2. 피의자신문조서의 작성
3. 긴급체포
4. 체포·구속영장의 청구 또는 신청
5. 사람의 신체, 주거, 관리하는 건조물, 자동차, 선박, 항공기 또는 점유하는 방실에 대한 압수·수색 또는 검증영장(부검을 위한 검증영장은 제외한다)의 청구 또는 신청

제18조【검사의 사건 이송 등】 ① 검사는 다음 각 호의 어느 하나에 해당하는 때에는 사건을 검찰청 외의 수사기관에 이송해야 한다.
1. 검찰청법 제4조 제1항 제1호 각 목에 해당되지 않는 범죄에 대한 고소·고발·진정 등이 접수된 때
2. 검사의 수사개시 범죄 범위에 관한 규정 제2조 각 호의 범죄에 해당하는 사건 수사 중 범죄 혐의사실이 검찰청법 제4조 제1항 제1호 각 목의 범죄에 해당되지 않는다고 판단되는 때. 다만 구속영장이나 사람의 신체, 주거, 관리하는 건조물, 자동차, 선박, 항공기 또는 점유하는 방실에 대하여 압수·수색 또는 검증영장이 발부된 경우는 제외한다.

② 검사는 다음 각 호의 어느 하나에 해당하는 때에는 사건을 검찰청 외의 수사기관에 이송할 수 있다.
1. 법 제197조의4 제2항 단서에 따라 사법경찰관이 범죄사실을 계속 수사할 수 있게 된 때
2. 그 밖에 다른 수사기관에서 수사하는 것이 적절하다고 판단되는 때

③ 검사는 제1항 또는 제2항에 따라 사건을 이송하는 경우에는 관계 서류와 증거물을 해당 수사기관에 함께 송부해야 한다.

제67조【형사사법정보시스템의 이용】 검사 또는 사법경찰관은 형사사법절차 전자화 촉진법 제2조 제1호에 따른 형사사법업무와 관련된 문서를 작성할 때에는 형사사법정보시스템을 이용해야 하며, 그에 따라 작성한 문서는 형사사법정보시스템에 저장·보관해야 한다. 다만, 다음 각 호의 어느 하나에 해당하는 문서로서 형사사법정보시스템을 이용하는 것이 곤란한 경우는 그렇지 않다.
1. 피의자나 사건관계인이 직접 작성한 문서
2. 형사사법정보시스템에 작성 기능이 구현되어 있지 않은 문서
3. 형사사법정보시스템을 이용할 수 없는 시간 또는 장소에서 불가피하게 작성해야 하거나 형사사법정보시스템의 장애 또는 전산망 오류 등으로 형사사법정보시스템을 이용할 수 없는 상황에서 불가피하게 작성해야 하는 문서

제70조【영의 해석 및 개정】 ① 이 영을 해석하거나 개정하는 경우에는 법무부장관은 행정안전부장관과 협의하여 결정해야 한다.

② 제1항에 따른 해석 및 개정에 관한 법무부장관의 자문에 응하기 위해 법무부에 외부전문가로 구성된 자문위원회를 둔다.

03 피의자(被疑者)

1. 의의

(1) 개념

피의자란 수사기관에 의하여 범죄의 혐의를 받고 수사의 대상이 되어 있는 자를 말한다. 피의자는 수사개시 이후 공소제기 전의 개념이므로 아직 내사 중에 있는 피내사자(被內査者) 또는 용의자(容疑者)와 구별되고, 공소제기 이후의 피고인과도 구별된다.

(2) 피의자의 시기(始期)와 종기(終期)

① **피의자의 시기**: 범죄인지, 현행범체포, 고소·고발 등의 사유로 수사기관이 수사를 개시할 때 그 대상자는 피의자가 된다.

㉠ **인지**: 수사기관이 범죄를 인지(認知)하고 수사를 개시할 경우는 범죄인지시에 피의자가 된다. 범죄인지를 실무상 입건(立件)이라고도 한다. 수사기관이 범죄를 인지할 경우 범죄인지서를 작성하여야 한다. 다만, **범죄인지서를 작성하기 전이라도 범죄혐의가 있다고 보아 수사를 개시할 때에는 범죄를 인지한 것으로 보아야 하고 이로써 그 대상자는 피의자가 된다**(대판 2011.11.10, 2010도8294; 대판 2010.6.24, 2008도12127). 범죄인지의 원인에는 범죄신고, 신문기사, 정보입수, 투고 등 제한이 없다.

㉡ **기타**: 수사기관이 현행범인을 발견하거나 인도받은 경우에는, 발견시 또는 인도시에 그 대상자는 피의자가 된다. 고소·고발 사건의 경우에는 고소·고발을 받은 때에 피의자가 되고, 자수의 경우에는 자수한 때 피의자가 된다.

② **피의자의 종기**: 공소제기에 의하여 피의자는 피고인으로 전환되므로 공소제기에 의하여 피의자의 지위는 소멸한다. 불기소처분의 경우 불기소처분 확정시에 피의자의 지위는 소멸한다. 따라서 **불기소처분에 대하여 검찰항고·재정신청이 제기된 경우에는 그 절차가 종결되어야 피의자의 지위가 소멸한다**.

2. 피의자의 소송법상 지위

형사소송법상 피의자는 수사의 대상에 불과하고 수사의 주체는 아니다. 그러나 피의자는 앞으로 당사자인 피고인이 된다는 점에서 준당사자라고 할 수 있고 형사소송법은 적정절차의 이념을 실현하기 위하여 피의자에게 여러 권리를 인정해 주고 있다.

04 수사의 조건

1. 의의

수사는 임의수사이든 강제수사이든 국민의 기본권을 침해할 위험이 항상 존재하기 때문에 수사기관이 수사를 개시하기 위해서는 일정한 조건이 갖추어져야 하는데 이를 수사의 조건이라고 한다. 수사의 조건에는 수사의 필요성(必要性)과 수사의 상당성(相當性)이 있다. 필요성은 수사의 허용조건이고, 상당성은 수사의 실행조건이라고 할 수 있다. **수사의 조건은** 수사기관의 자의적 수사활동을 억제하여 **수사권 남용을 방지하기 위한 이론**이다(≪주의 수사의 조건은 수사의 합목적성을 강조하기 위한 이론이다. ×).

2. 수사의 필요성

(1) 의의

수사의 필요성이란 수사는 수사의 목적달성을 위하여 '필요한 때에만' 할 수 있다는 것으로 이에는 범죄혐의와 공소제기 가능성이 있다. 수사의 필요성은 수사의 허용의 측면에서 파악한 수사의 조건이다.

(2) 범죄혐의

수사기관은 범죄혐의가 있을 때에만 수사를 할 수 있다. 범죄혐의란 단순한 추측이나 이론적 가능성이 아닌 구체적 사실에 근거를 둔 수사기관의 **'주관적' 혐의를 말한다.** 범죄혐의가 없는 경우에는 수사의 필요성이 없어 수사를 개시할 수 없다(≪주의 수사개시는 수사기관의 객관적 혐의를 요한다 ×).

(3) 공소제기 가능성(소송조건 구비의 가능성)

① **의의**: 수사의 궁극적인 목적은 공소를 제기하여 범인을 처벌하려는 데에 있다. 따라서 공소제기 가능성이 없는 경우, 즉 소송조건의 흠결이 있는 경우에는 수사를 개시할 수 없다.

② **고소 · 고발 전 수사의 허용 여부**: 공소제기 가능성과 관련하여 친고죄나 전속고발범죄에 있어서 고소 · 고발 전에도 수사가 허용되는가 문제가 된다. 이에 관하여 ㉠ 고소 · 고발은 소송조건에 불과하고 수사의 조건은 아니므로 고소 · 고발이 없는 경우에도 임의수사는 물론 강제수사도 허용된다는 전면적 허용설, ㉡ 친고죄 등의 입법취지에 비추어 고소 · 고발이 없는 경우에는 강제수사는 물론 임의수사도 허용되지 않는다는 전면적 부정설, ㉢ **고소 · 고발이 없더라도 고소 · 고발의 가능성이 있는 경우에는 임의수사는 물론 강제수사도 허용된다**는 제한적 허용설 등이 대립한다. **제한적 허용설이 다수설과 판례의 입장이다.**

판례 |

1 친고죄나 전속고발범죄에 있어서 고소나 고발이 있기 전에 행해진 수사가 위법한지의 여부(소극)

법률에 의하여 고소나 고발이 있어야 논할 수 있는 죄에 있어서 고소 또는 고발은 이른바 소추조건에 불과하고 당해 범죄의 성립요건이나 수사의 조건은 아니므로 위와 같은 범죄에 관하여 고소나 고발이 있기 전에 수사를 하였더라도, **그 수사가 장차 고소나 고발의 가능성이 없는 상태하에서 행해졌다는 등의 특단의 사정이 없는** 한 고소나 고발이 있기 전에 수사를 하였다는 이유만으로 **그 수사가 위법하게 되는 것은 아니다**(대판 2011.3.10, 2008도7724). 16. 경찰승진, 17 · 20. 경찰채용, 19. 해경간부, 21. 경찰간부

2 위법한 수사에 해당하지 않는 경우

① **출입국관리법 위반 사건을 입건한 지방경찰청이 지체 없이 관할 출입국관리사무소장 등에게 인계하지 아니한 채 그 고발 없이 수사를** 진행하였다고 하더라도 지방경찰청 및 검찰의 수사가 위법하다거나 공소제기의 절차가 법률의 규정에 위배되어 무효인 때에 해당하지 않는다(대판 2011.3.10, 2008도7724).

② **수사기관이 고발에 앞서 수사를 하고 피고인에 대한 구속영장을 발부받은 후** 검찰의 요청에 따라 세무서장이 고발조치를 하였다고 하더라도 공소제기 전에 고발이 있은 이상 조세범처벌법 위반 사건 피고인에 대한 공소제기의 절차가 법률의 규정에 위반하여 무효라고 할 수 없다(대판 1995.3.10, 94도3373). 20. 경찰채용

③ **검사 작성의 피고인에 대한 피의자신문조서, 다른 피의자에 대한 각 피의자신문조서등본 및 제3자에 대한 각 진술조서등본이 조세범처벌법 위반죄에 대한 세무서장의 고발이 있기 전에 작성된 것**이라 하더라도 피고인이나 그 피의자 및 제3자 등에 대한 신문이 피고인의 조세범처벌법 위반 범죄에 대한 고발의 가능성이 없는 상태하에서 이루어졌다고 볼 아무런 자료도 없다면 그들에 대한 신문이 고발 전에 이루어졌다는 이유만으로 그 조서나 각 조서등본의 증거능력을 부정할 수는 없다(대판 1995.2.24, 94도252).

④ **인지절차(범죄인지서 작성 등)를 밟기 전에 수사**를 하였다고 하더라도 그 수사가 장차 인지의 가능성이 전혀 없는 상태하에서 행해졌다는 등의 특별한 사정이 없는 한 인지절차가 이루어지기 전에 수사를 하였다는 이유만으로 그 수사가 위법하다고 볼 수는 없고 따라서 그 수사과정에서 작성된 피의자신문조서나 진술조서 등의 증거능력도 이를 부인할 수 없다(대판 2001.10.26, 2000도2968). 15. 변호사, 16 · 19 · 20. 경찰간부, 20. 경찰채용 · 경찰승진

3. 수사의 상당성

(1) 의의

수사의 필요성이 인정되는 경우라도 그 실행방법이 수사목적을 달성하기 위한 상당한 방법이어야 한다. 수사의 상당성과 관련하여 비례의 원칙과 수사상 신의칙이 문제가 된다. 수사의 상당성은 수사의 실행의 측면에서 파악한 수사의 조건이다.

(2) 비례의 원칙

수사 특히 **강제수사는** 목적달성에 필요한 최소한에 그쳐야 하며 수사에 의하여 달성하려는 **공익**과 그에 의하여 침해되는 **사익 사이에 정당한 균형관계**가 있어야 한다는 원칙을 말한다. 예를 들어 경범죄처벌법 위반과 같은 경미사건 피의자를 수사기관이 장기간 구속수사하는 것은 비례의 원칙에 반하여 허용되지 않는다.

(3) 수사상 신의칙

① **의의**: 범죄수사에 있어서 수사기관은 국민을 기망하거나 곤궁에 빠뜨려서는 안된다라는 원칙을 말한다. 국민에게 모범을 보여야 할 국가(수사기관)가 국민을 속이거나 정정당당하지 못한 행위를 하는 것은 옳다고 할 수 없다. 수사의 신의칙과 관련하여 특히 **함정수사(陷穽搜査)가 문제**가 된다.

② **함정수사의 허용 여부**: 함정수사란 수사기관 또는 수사기관의 사주를 받은 자가 국민에게 범죄의 기회를 제공하거나 또는 범죄를 교사한 후 범죄의 실행을 기다렸다가 그를 체포하는 수사방법을 말한다. 이에는 기회제공형과 범의유발형이 있다.

㉠ **기회제공형(機會提供型)**: 이미 범죄의사를 가지고 있는 자에 대하여 범죄에 나아갈 기회를 제공하는 수사방법으로서 통설은 이를 적법한 수사방법으로서 허용하고 있다. 판례는 기회제공형을 처음부터 함정수사에서 제외시키고 있다. 은밀히 이루어지는 마약범죄나 뇌물범죄 등의 경우 기회제공형 함정수사가 허용된다고 하지 않을 수 없다.

㉡ **범의유발형(犯意誘發型)**: **범죄의사가 없는 자를 수사기관이 교사하거나 범의를 유발케 한 후 범죄의 실행을 기다렸다가 그를 체포하는 수사방법으로, 통설과 판례는 이러한 수사방법은 위법하다고** 하고 있다(《주의 수사기관이 이미 범행을 저지른 범인을 검거하기 위해 정보원을 이용하여 범인을 검거장소로 유인하여 체포한 것도 함정수사에 해당한다. ×).

판례 |

1 함정수사의 의의(= 이른바 '범의유발형' 함정수사에 한정)

① 함정수사라 함은 **본래 범의를 가지지 아니한 자**에 대하여 수사기관이 사술이나 계략 등을 써서 범죄를 유발하게 하여 범죄인을 검거하는 수사방법을 말하는 것이므로, **범의를 가진 자**에 대하여 범행의 기회를 주거나 단순히 사술이나 계략 등을 써서 범죄인을 검거하는 데 불과한 경우에는 이를 함정수사라고 할 수 없다(대판 2007.7.26, 2007도4532). 15. 경찰승진, 17. 경찰간부

② **범의를 가진 자**에 대하여 단순히 범행의 기회를 제공하거나 범행을 용이하게 하는 것에 불과한 수사방법이 경우에 따라 허용될 수 있음은 별론으로 하고 **본래 범의를 가지지 아니한 자**에 대하여 수사기관이 사술이나 계략 등을 써서 범의를 유발케 하여 범죄인을 검거하는 함정수사는 위법함을 면할 수 없다(대판 2007.7.13, 2007도3672). 15. 경찰승진, 16. 경찰채용, 17. 법원직 9급

2 함정수사의 위법성 판단기준

① 구체적인 사건에 있어서 **위법한 함정수사에 해당하는지 여부**는 해당 범죄의 종류와 성질, 유인자의 지위와 역할, 유인의 경위와 방법, 유인에 따른 피유인자의 반응, 피유인자의 처벌 전력 및 유인행위 자체의 위법성 등을 **종합하여 판단**하여야 한다(대판 2008.7.24, 2008도2794). 18. 국가직 9급, 20. 경찰채용

② [1] **수사기관과 직접 관련이 있는 유인자**가 피유인자와의 개인적인 친밀관계를 이용하여 피유인자의 동정심이나 감정에 호소하거나 금전적·심리적 압박이나 위협 등을 가하거나 거절하기 힘든 유혹을 하거나 또는 범행방법을 구체적으로 제시하고 범행에 사용될 금전까지 제공하는 등으로 과도하게 개입함으로써 **피유인자로 하여금 범의를 일으키게 하는 것은 위법한 함정수사에 해당**하여 허용되지 않지만 [2] **유인자가 수사기관과 직접적인 관련을 맺지 않은 상태에서** 피유인자를 상대로 단순히 수차례 반복적으로 범행을 부탁하였을 뿐 수사기관이 사술이나 계략 등을 사용하였다고 볼 수 없는 경우는 설령 그로 인하여 **피유인자의 범의가 유발되었다 하더라도 위법한 함정수사에 해당하지 않는다**(대판 2008.7.24, 2008도2794). 14. 변호사·국가직7급, 14·15. 경찰채용, 14·16·17. 경찰승진, 17·18. 경찰간부, 18. 국가직 9급

3 위법한 함정수사에 해당하는 경우

① **경찰관이** 노래방의 도우미 알선 영업 단속 실적을 올리기 위하여 그에 대한 제보나 첩보가 없는데도 **손님을 가장하고 들어가 도우미를 불러낸 경우**(대판 2008.10.23, 2008도7362) - 음악산업진흥에 관한 법률 위반 15. 경찰채용, 16. 국가직 7급·경찰승진·경찰간부, 17. 변호사, 18. 국가직 9급

② 피고인 甲이 과거 알고 지냈던 乙로부터 일주일 동안 거의 매일 전화로 "히로뽕을 사달라."는 요구를 받고 그로부터 받은 20만원으로 구입한 히로뽕을 투약하다가 경찰관에 의하여 검거된 경우. 다만, 乙은 경찰을 만났다가 "마약사범 검거에 협력하면 도와주겠다."는 말을 듣고는 甲이 떠올라 연락한 것이었고 또한 甲이 "돈이 없다."고 하자 **경찰관으로부터 공작금 50만원을 받아 마약을 사라며 그에게 건네준 것이었음**(대판 2007.10.12, 2007도5571) - 마약류관리법 위반

③ **수사기관인 검찰 계장 D가** 구속된 남편 C의 공적이 필요했던 B와 함께 **"협조하면 당신 형의 변호사 선임비용을 제공하겠다. 필리핀에 있는 마약 공급책을 연결해 주는 것은 처벌하지 않겠다."** 등으로 **A에게 제안**을 하자, A가 이를 승낙하고 피고인에게 부탁하여 필로폰을 수입하게 한 경우(대판 2006.9.28, 2006도3464) - 마약류관리법 위반

④ **피고인 甲·乙이 마약정보원(서울지방검찰청 마약수사주사) 丙의** "수사기관이 수사에 사용할 히로뽕을 구해야 하니 히로뽕을 좀 구해 달라. 히로뽕을 구입하여 오면 검찰에서 甲, 乙의 안전을 보장한다고 하였다."라는 **부탁과 함께 히로뽕 구입자금을 교부받은 후** 중국에 건너가 히로뽕을 매수한 경우(대판 2004.5.14, 2004도1066) - 마약류관리법 위반

4 위법한 수사에 해당하지 않는 경우

① **피고인이** 甲에게 필로폰이 든 1회용 **주사기를 교부**하고 또한 필로폰을 1회용 주사기에 넣고 생수로 희석한 다음 자신의 팔에 **주사하여 투약**하였는바, **甲이 그 다음 날 이 사실을 검찰에 신고하여 피고인이 체포**된 경우(대판 2008.7.24, 2008도2794) - 마약류관리법 위반

② 甲·乙·丙 등은 새롭게 당선된 군수인 **피고인을 함정에 빠뜨리겠다는 의사로 뇌물을 공여**하였고, 피고인이 뇌물을 수수하자 **서둘러 이 사실을 검찰에 신고한 경우**. 甲·乙·丙 등은 지방선거에서 군수자리를 놓고 피고인과 경합을 벌였던 다른 후보자의 지시를 받아 뇌물을 공여했다는 사실을 배제할 수 없음(대판 2008.3.13, 2007도10804) - 수뢰죄 14. 경찰채용, 16. 경찰승진

③ 甲이 수사기관에 체포된 동거남의 석방을 위한 **공적을 쌓기** 위하여 乙에게 필로폰 밀수입에 관한 정보제공을 부탁하면서 대가의 지급을 약속하고, 이에 **乙이 丙에게, 丙은 피고인에게 순차 필로폰 밀수입을 권유하여 이를 승낙하고 필로폰을 받으러 나온 피고인을 체포**한 경우. 다만, **乙·丙 등은 각자의 사적인 동기에 기하여 수사기관과 직접적인 관련이 없이 독자적으로 피고인을 유인한 것임**(대판 2007.11.29, 2007도7680) - 마약류관리법 위반 16. 국가직 7급·경찰간부, 20. 해경채용

④ A는 수사기관의 정보원 B와 협력하여 피고인에게 **10여 차례에 걸쳐 "아는 여자가 필로폰을 구입하려고 하니 구해 달라"라는 등의 부탁**을 하였고, 결국 이를 승낙한 피고인으로 하여금 필로폰 판매자를 소개시키게 하여 필로폰 매매 알선을 하게 한 경우 다만, A·B는 포상금 획득 등 **사적인 동기에 기하여 수사기관과 직접적인 관련이 없이 독자적으로 피고인을 유인한 것임**(대판 2007.7.12, 2006도2339) - 마약류관리법 위반

⑤ 수사기관이 **피고인의 범죄사실(절도)을 인지하고도 바로 체포하지 않고** 추가 범행을 지켜보고 있다가 **범죄사실이 많이 늘어난 뒤에야 체포**한 경우(대판 2007.6.29, 2007도3164) - 절도죄 14·17. 경찰승진, 15·17. 경찰채용, 18. 경찰간부

⑥ **이미 범행(마약류관리법 위반)을 저지른 피고인**을 검거하기 위하여 수사기관이 정보원을 이용하여 **피고인을 검거장소로 유인한 후 체포**한 경우(대판 2007.7.26, 2007도4532) - 마약류관리법 위반 16·17. 경찰간부

⑦ 경찰관이 취객을 상대로 한 이른바 **부축빼기 절도범**을 단속하기 위하여, 공원 인도에 쓰러져 있는 **취객 근처에서 감시**하고 있다가 마침 **피고인이 나타나 취객을 부축하여 10m 정도를 끌고 가 지갑을 뒤지자 현장에서 피고인을 체포**한 경우(대판 2007.5.31, 2007도1903) - 절도죄 14. 법원직 9급, 14·15. 경찰채용, 14·15·16·17. 경찰승진, 16. 국가직 7급, 16·17·18. 경찰간부

5 위법한 함정수사에 의한 공소제기의 효력(= 공소제기는 무효, 공소기각판결선고)

본래 범의를 가지지 아니한 자에 대하여 수사기관이 사술이나 계략 등을 써서 범의를 유발케 하여 범죄인을 검거하는 함정수사는 위법함을 면할 수 없고 이러한 함정수사에 기한 **공소제기는 그 절차가 법률의 규정에 위반하여 무효**인 때에 해당한다고 볼 것이다(대판 2008.10.23, 2008도7362). 14·15·16·17. 경찰승진, 14·15·16·20. 경찰채용, 14·18. 경찰간부, 15·16·17·18·20. 국가직 9급, 17. 법원직 9급, 17·20. 변호사

4. 수사의 조건 위반의 효과

수사는 수사의 필요성과 상당성을 갖춘 경우에만 적법하므로 위와 같은 **수사의 조건을 위반한 수사는 위법**하다. 이에 대하여 피고인은 준항고로 불복하거나 체포·구속적부심사, 구속취소 등을 청구할 수 있다(제417조, 제214조의2, 제209조). 위법한 수사에 의하여 수집된 증거는 위법수집증거배제법칙에 의하여 증거능력이 부정된다(제308조의2). 또한 수사기관에 대하여 직권남용죄의 형사책임과 국가배상의 행정적 책임 등을 물을 수도 있다.

제2절 수사의 단서

01 의의

1. 개념

수사기관은 범죄의 혐의가 있으면 수사를 개시할 수 있다(제196조, 제197조). 수사의 단서란 이와 같이 수사기관이 범죄의 혐의를 두게 된 원인 또는 수사개시의 원인을 말한다. 수사의 단서에는 제한이 없으므로 그 어떤 것도 수사의 단서가 될 수 있다.

2. 종류

(1) 수사기관 자신의 체험에 의한 수사의 단서

수사의 능동적 또는 자율적 개시를 의미한다(예 현행범체포 · 변사자검시 · 불심검문 · 신문기사(新聞記事) · 풍설(風說) · 세평(世評) · 다른 사건 수사 중 범인의 발견 등). 19. 해경간부

(2) 타인 체험 청취에 의한 수사의 단서

수사의 수동적 또는 타율적 개시를 의미한다(예 고소 · 고발 · 자수 · 진정(陳情) · 피해신고 · 투서 등). 19. 해경간부

02 변사자검시(變死者檢視)

형사소송법

제222조 【변사자의 검시】 ① **변사자 또는 변사의 의심 있는 사체**가 있는 때에는 그 소재지를 관할하는 **지방검찰청 검사가 검시하여야 한다.**
② 전항의 검시로 범죄의 혐의를 인정하고 **긴급을 요할 때에는 영장 없이 검증을 할 수 있다.**
③ 검사는 사법경찰관에게 전2항의 처분을 명할 수 있다.

검사와 사법경찰관의 상호협력과 일반적 수사준칙에 관한 규정

제17조 【변사자의 검시 등】 ① 사법경찰관은 변사자 또는 변사한 것으로 의심되는 사체가 있으면 변사사건 발생사실을 검사에게 통보해야 한다.
② 검사는 법 제222조 제1항에 따라 검시를 했을 경우에는 검시조서를, 검증영장이나 같은 조 제2항에 따라 검증을 했을 경우에는 검증조서를 각각 작성하여 사법경찰관에게 송부해야 한다.
③ 사법경찰관은 법 제222조 제1항 및 제3항에 따라 검시를 했을 경우에는 검시조서를, 검증영장이나 같은 조 제2항 및 제3항에 따라 검증을 했을 경우에는 검증조서를 각각 작성하여 검사에게 송부해야 한다.
④ 검사와 사법경찰관은 법 제222조에 따라 변사자의 검시를 한 사건에 대해 사건 종결 전에 수사할 사항 등에 관하여 상호 의견을 제시 · 교환해야 한다.

1. 의의

(1) 개념

변사자란 통상의 병사 또는 자연사가 아닌 사체로서 범죄로 인한 사망의 의심이 있는 사체를 말한다. 변사자검시란 범죄혐의 유무를 발견하기 위하여 관할 지방검찰청 검사가 변사자의 상황을 조사하는 것을 말한다. 자연사한 사체나 천재지변에 의하여 사망한 사체는 범죄와 관련이 없으므로 변사자검시의 대상이 되지 아니한다.

(2) 법적 성격

변사자검시는 수사의 단서로서 범죄혐의 유무를 발견하기 위한 수사 전 처분이다. 따라서 이는 범죄혐의를 인지하여 수사를 개시한 후 행하는 검증(예 분묘발굴, 사체해부 등)과 구별된다.

2. 내용

(1) 주체

변사자검시의 주체는 관할 지방검찰청 검사이다. 다만, 검사는 사법경찰관에게 검시에 관한 처분을 명할 수 있다(제222조 제1항 · 제3항)(«주의 변사자검시의 주체는 경찰서장이다. ×). 14. 경찰간부, 15. 경찰승진

(2) 절차

변사자검시는 수사의 단서에 불과하므로 영장을 요하지 아니한다. 검시를 위하여 타인의 주거에 들어갈 필요가 있는 때에는 주거자의 동의가 없는 한 영장을 요한다는 것이 다수설의 입장이다.
변사자검시로 범죄의 혐의를 인정하고 긴급을 요할 때에는 영장 없이 검증을 할 수 있다(제222조 제2항)(«주의 부검은 영장 없이 할 수 없다. ×). 14 · 16. 경찰승진, 18. 경찰채용, 19. 경찰간부

03 불심검문(不審檢問)

경찰관 직무집행법

제3조【불심검문】 ① 경찰관은 다음 각 호의 어느 하나에 해당하는 사람을 정지시켜 질문할 수 있다.
1. 수상한 행동이나 그 밖의 주위 사정을 합리적으로 판단하여 볼 때 어떠한 죄를 범하였거나 범하려 하고 있다고 의심할 만한 상당한 이유가 있는 사람
2. 이미 행하여진 범죄나 행하여지려고 하는 범죄행위에 관한 사실을 안다고 인정되는 사람

② 경찰관은 제1항에 따라 같은 항 각 호의 사람을 정지시킨 장소에서 질문을 하는 것이 그 사람에게 불리하거나 교통에 방해가 된다고 인정될 때에는 질문을 하기 위하여 가까운 경찰서 · 지구대 · 파출소 또는 출장소로 동행할 것을 요구할 수 있다. 이 경우 동행을 요구받은 사람은 그 요구를 거절할 수 있다.
③ 경찰관은 제1항 각 호의 어느 하나에 해당하는 사람에게 질문을 할 때에 그 사람이 흉기를 가지고 있는 지를 조사할 수 있다.
④ 경찰관은 제1항이나 제2항에 따라 **질문을 하거나 동행을 요구할 경우 자신의 신분을 표시하는 증표를 제시하면서** 소속과 성명을 밝히고 질문이나 동행의 목적과 이유를 설명하여야 하며, 동행을 요구하는 경우에는 동행장소를 밝혀야 한다.
⑤ 경찰관은 제2항에 따라 동행한 사람의 가족이나 친지 등에게 동행한 경찰관의 신분, 동행장소, 동행 목적과 이유를 알리거나 본인으로 하여금 즉시 연락할 수 있는 기회를 주어야 하며, **변호인의 도움을 받을 권리가 있음을 알려야 한다.**
⑥ 경찰관은 제2항에 따라 동행한 사람을 **6시간을 초과하여 경찰관서에 머물게 할 수 없다.**
⑦ 제1항부터 제3항까지의 규정에 따라 질문을 받거나 동행을 요구받은 사람은 형사소송에 관한 법률에 따르지 아니하고는 신체를 구속당하지 아니하며, 그 의사에 반하여 답변을 강요당하지 아니한다.

1. 의의

(1) 개념

불심검문이란 경찰관이 거동불심자를 정지시켜 질문하는 것을 말한다(경찰관 직무집행법 제3조). 불심검문을 직무질문(職務質問)이라고도 한다(«주의 불심검문은 형사소송법에 규정이 있다. ×).

(2) 법적 성격

① **법적 성격:** 불심검문 그 자체는 수사가 아니라 행정경찰작용에 속하는 수사 전 처분에 불과하다. 그러나 불심검문 도중 수사기관이 범죄혐의를 갖게 되면 언제든지 임의수사 또는 강제수사로 발전할 수 있기 때문에 **불심검문은 중요한 수사의 단서에 해당**한다.

② **임의수사와의 구별:** 불심검문은 실제에 있어 임의수사와 명백히 구별이 되지 않는 경우도 있다. 견해의 대립은 있으나 불심검문과 임의수사는 '범죄혐의의 특정 여부'에 의하여 구별한다. 예를 들어 범죄혐의가 특정되지 않은 거동불심자에게 질문을 하거나 경찰관서에 동행시키는 것은 불심검문에 해당하지만, 절도혐의를 받는 피의자에게 질문(신문)하거나 경찰관서에 동행시키는 것은 임의수사에 해당한다.

2. 불심검문의 방법

(1) 정지와 질문

① **의의:** 불심검문의 핵심은 질문에 있기 때문에 거동불심자를 정지시키는 것과 동행을 요구하는 것은 질문을 위한 수단에 불과하다. 경찰관은 거동불심자에게 성명 · 주소 · 연령 · 용건 · 행선지 등을 묻거나 경우에 따라 신분증의 제시를 요구할 수 있다. 정지와 질문에 대하여 상대방은 응할 의무가 없으며 답변의 강요는 허용되지 아니한다.

② **절차: 경찰관은 질문할 경우 자신의 신분을 표시하는 증표를 제시**하면서 소속과 성명을 밝히고 질문의 목적과 이유를 설명하여야 한다(경찰관 직무집행법 제3조 제4항). 15 · 18. 경찰승진, 16. 경찰채용

③ **정지와 질문의 한계:** 경찰관의 정지요구에 불응하거나 질문도중에 떠나버리는 경우 어느 정도 실력행사를 할 수 있는가가 문제가 된다. 이에 대하여 강제(체포 · 구속)에 이르지 않을 정도의 유형력 행사는 가능하다는 것이 다수설과 판례의 입장이다. 즉, 길을 가로막거나 추적하거나 또는 몸에 손을 대는 정도는 불심검문의 실효성을 확보하기 위하여 허용된다.

판례 |

1 불심검문 대상자 해당 여부를 판단하는 기준

경찰관이 **불심검문 대상자 해당 여부를 판단할 때에는** 불심검문 당시의 구체적 상황은 물론 사전에 얻은 정보나 전문적 지식 등에 기초하여 불심검문 대상자인지를 **객관적 · 합리적인 기준에 따라 판단하여야 하나, 반드시 불심검문 대상자에게 형사소송법상 체포나 구속에 이를 정도의 혐의가 있을 것을 요한다고 할 수는 없다**(대판 2014.2.27, 2011도13999). 15. 국가직 9급, 17. 경찰승진, 17 · 19 경찰채용

2 경찰관이 불심검문에 불응하는 상대방을 사회통념상 용인될 수 있는 방법으로 정지시킬 수 있는지의 여부 (적극)

[1] 경찰관은 경찰관 직무집행법 제3조 제1항에 규정된 대상자에게 질문을 하기 위하여 범행의 경중, 범행과의 관련성, 상황의 긴박성, 혐의의 정도, 질문의 필요성 등에 비추어 그 목적 달성에 필요한 최소한의 범위 내에서 **사회통념상 용인될 수 있는 상당한 방법으로 그 대상자를 정지시킬 수 있고** 질문에 수반하여 흉기의 소지 여부도 조사할 수 있다. [2] 인근에서 자전거를 이용한 날치기 사건이 발생한 직후 검문을 하던 경찰관들이 날치기 사건의 **범인과 흡사한 인상착의인 피고인을 발견하고 앞을 가로막으며 진행을 제지한 행위는** 목적 달성에 필요한 최소한의 범위 내에서 사회통념상 용인될 수 있는 상당한 방법에 의한 것으로 **적법한 공무집행에 해당한다**(대판 2012.9.13, 2010도6203). 14 · 16 · 19 경찰채용

3 경찰관임을 충분히 알고 있는 자에게 신분증을 제시하지 않은 경우 적법한 공무집행인지 여부(적극)

경찰관 직무집행법 제3조 제4항은 '경찰관이 불심검문을 하고자 할 때에는 자신의 신분을 표시하는 증표를 제시하여야 한다'고 규정하고, 법시행령 제5조는 소정의 신분을 표시하는 증표는 경찰관의 공무원증이라고 규정하고 있는 바, 불심검문을 하게 된 경위, 불심검문 당시의 현장상황과 검문을 하는 경찰관들의 복장, 피고인이 공무원증 제시나 신분확인을 요구하였는지 여부 등을 종합적으로 고려하여, 검문하는 사람이 경찰관이고 검문하는 이유가 범죄행위에 관한 것임을 피고인이 **충분히 알고 있었다고 보이는 경우에는 신분증을 제시하지 않았다고 하여 그 불심검문이 위법한 공무집행이라고 할 수 없다**(대판 2014.12.11. 2014도7976 **카페 불심검문 사건**) 19. 경찰채용, 20. 국가직 9급 · 해경채용 · 경찰승진 · 경찰간부

(2) 동행요구

① **의의**: 경찰관은 사람을 정지시킨 장소에서 질문을 하는 것이 **그 사람에게 불리**하거나 **교통에 방해**가 된다고 인정될 때에는 질문을 하기 위하여 가까운 **경찰서 등으로 동행할 것을 요구할 수 있다**. 이 경우 **동행을 요구받은 사람은 그 요구를 거절할 수 있다**(경찰관 직무집행법 제3조 제2항)(«주의 불심검문을 거부하는 경우 동행을 요구할 수 있다. ×). 14 · 15. 국가직 9급, 16. 경찰채용, 17. 경찰승진

② **절차**: 경찰관은 동행을 요구할 경우 자신의 신분을 표시하는 증표를 제시하면서 소속과 성명을 밝히고 동행의 목적과 이유를 설명하여야 하며, 동행장소를 밝혀야 한다(경찰관 직무집행법 제3조 제4항). 15 · 18. 경찰승진, 16. 경찰채용 경찰관은 동행한 사람의 가족이나 친지 등에게 동행한 경찰관의 신분, 동행장소, 동행목적과 이유를 알리거나 본인으로 하여금 즉시 연락할 수 있는 기회를 주어야 하며, 변호인의 도움을 받을 권리가 있음을 알려야 한다(동조 제5항). 14. 경찰간부 · 국가직 9급, 15 · 18. 경찰승진, 16. 경찰채용, 19. 해경승진 경찰관은 동행한 사람을 **6시간을 초과하여 경찰관서에 머물게 할 수 없다**(동조 제6항)(«주의 6시간 동안 경찰관서에 구금을 허용하는 의미이다. ×). 14. 경찰간부, 15 · 17. 경찰승진

판례 | 경찰관 직무집행법 제3조 제6항이 임의동행한 자를 6시간 동안 경찰관서에 구금하는 것을 허용하는 것인지의 여부(소극)

[1] 임의동행은 상대방의 동의 또는 승낙을 그 요건으로 하는 것이므로 경찰관으로부터 임의동행 요구를 받은 경우 상대방은 이를 거절할 수 있을 뿐만 아니라 임의동행 후 언제든지 경찰관서에서 퇴거할 자유가 있다 할 것이고 **경찰관 직무집행법 제3조 제6항**이 "임의동행한 경우 당해인을 6시간을 초과하여 경찰관서에 머물게 할 수 없다."고 규정하고 있다고 하여 그 규정이 **임의동행한 자를 6시간 동안 경찰관서에 구금하는 것을 허용하는 것은 아니다**. [2] 피고인이 송도파출소까지 임의동행한 후 조사받기를 거부하고 파출소에서 나가려고 하다가 경찰관이 이를 제지하자 이에 항거하여 그 경찰관을 폭행한 경우라도 공무집행방해죄는 성립하지 않는다(대판 1997.8.22, 97도1240). 14. 경찰간부, 17. 경찰채용

(3) 흉기소지 여부 조사

① **의의**: 불심검문에 수반하여 흉기의 소지 여부를 밝히기 위하여 거동불심자의 착의 또는 휴대품을 조사하는 것을 말한다(경찰관 직무집행법 제3조 제3항). 14. 국가직 9급

② **'흉기 이외의 기타 소지품' 조사의 허용 여부**: **경찰관 직무집행법 제3조 제3항에는 '흉기'만 규정**하고 있기 때문에 흉기 이외의 기타 소지품 검사도 허용되는지 문제가 된다. 다수설은 불심검문의 안전과 질문의 실효성을 위하여 의복이나 휴대품의 외부를 손으로 만져 확인하는 이른바 **'외표검사(stop & frisk)'** 정도는 허용된다는 입장이다(«주의 경찰관 직무집행법에 흉기 이외의 기타 소지품에 대한 명문 규정이 있다. ×).

3. 음주운전 등

도로교통법

제44조【술에 취한 상태에서의 운전 금지】 ① 누구든지 술에 취한 상태에서 자동차 등, 노면전차 또는 자전거를 운전하여서는 아니 된다.

② 경찰공무원은 교통의 안전과 위험방지를 위하여 필요하다고 인정하거나 제1항을 위반하여 술에 취한 상태에서 자동차 등, 노면전차 또는 자전거를 운전하였다고 인정할 만한 상당한 이유가 있는 경우에는 운전자가 술에 취하였는지를 호흡조사로 측정할 수 있다. 이 경우 운전자는 경찰공무원의 측정에 응하여야 한다.

③ 제2항에 따른 측정결과에 불복하는 운전자에 대하여는 그 운전자의 동의를 받아 혈액채취 등의 방법으로 다시 측정할 수 있다.

④ 제1항에 따라 운전이 금지되는 술에 취한 상태의 기준은 운전자의 혈중알코올농도가 0.03퍼센트 이상인 경우로 한다.

제148조의2【벌칙】 ② 술에 취한 상태에 있다고 인정할 만한 상당한 이유가 있는 사람으로서 제44조 제2항에 따른 경찰공무원의 측정에 응하지 아니하는 사람(자동차 등 또는 노면전차를 운전하는 사람으로 한정한다)은 1년 이상 5년 이하의 징역이나 500만원 이상 2천만원 이하의 벌금에 처한다.

판례 |

1 음주측정의 적법 여부 관련 판례

① 경찰공무원이 경찰관 직무집행법 제4조 제1항에 따라 **적법하게 보호조치된 운전자에 대하여 음주측정을 요구**하였다는 이유만으로 그 음주측정 요구가 당연히 위법하다거나 그 보호조치가 당연히 종료된 것으로 볼 수는 없어 당해 **운전자가 이에 불응한 경우 도로교통법 소정의 음주측정불응죄가 성립한다**(대판 2012.2.9, 2011도4328).

② 음주운전을 목격한 피해자가 있는 상황에서 경찰관이 음주운전 종료시부터 약 2시간 후 집에 있던 **피고인을 임의동행하여 음주측정을 요구**하였고, 음주측정 요구 당시에도 피고인은 상당히 술에 취한 것으로 보이는 상황이었다면 그 **음주측정 요구는 적법하다**(대판 1997.6.13, 96도3069). 14 · 17. 경찰승진

③ **위법한 체포 상태에서 음주측정 요구가 이루어진 경우** 그 일련의 과정을 전체적으로 보아 위법한 음주측정요구가 있었던 것으로 볼 수밖에 없고, 운전자가 주취운전을 하였다고 인정할 만한 상당한 이유가 있다 하더라도 그 운전자에게 경찰공무원의 이와 같은 위법한 음주측정 요구에 대해서까지 그에 응할 의무가 있다고 보아 이를 강제하는 것은 부당하므로 **그에 불응하였다고 하여 음주측정거부에 관한 도로교통법 위반죄로 처벌할 수 없다**(대판 2006.11.9, 2004도8404).

④ 피고인은 ○○지구대로부터 차량을 이동하라는 전화를 받고 자신이 거주하는 빌라 주차장까지 가 차량을 **2m 가량 운전하였을 뿐 피고인 스스로 운전할 의도를 가졌다거나 차량을 이동시킨 후에도 계속하여 운전할 태도를 보인 것도 아니고**, 이 당시 술을 마신 때로부터 상당한 시간이 지난 후였으나, 음주운전신고를 받고 현장에 출동한 경찰관이 음주감지기 외에 음주측정기를 소지하고 있지 않은 상태에서 피고인을 도로교통법 위반(음주운전)죄의 현행범으로 체포하여 위 ○○지구대로 데리고 가 음주측정을 요구하자 이를 피고인이 거부한 경우, 피고인에게 **음주측정거부죄가 성립하지 아니한다**(대판 2017.4.7, 2016도19907 **제주 음주측정 거부사건**). 20. 경찰채용

2 음주측정불응죄의 성립요건 등

음주측정불응죄에 있어 '경찰공무원의 측정에 응하지 아니한 경우'라 함은 술에 취한 상태에 있다고 인정할 만한 상당한 이유가 있는 **운전자가 음주측정에 응할 의사가 없음이 객관적으로 명백하다고 인정되는 때를 의미하는 것으로 봄이 타당하고**, 그러한 운전자가 경찰공무원의 1차 측정에만 불응하였을 뿐 곧이어 이어진 2차 측정에 응한 경우와 같이 측정거부가 일시적인 것에 불과한 경우까지 측정불응행위가 있었다고 보아 음주측정불응죄가 성립한다고 볼 것은 아니다(대판 2015.12.24, 2013도8481).

3 음주감지기에 의한 시험 요구에 불응한 경우에는 음주측정불응죄가 성립할 수 있는지의 여부(적극)

경찰공무원이 술에 취한 상태에 있다고 인정할 만한 상당한 이유가 있는 운전자에게 음주 여부를 확인하기 위하여 음주측정기에 의한 측정의 사전 단계로 **음주감지기에 의한 시험을 요구하는 경우, 그 시험결과에 따라 음주측정기에 의한 측정이 예정되어 있고 운전자가 그러한 사정을 인식하였음에도 음주감지기에 의한 시험에 명시적으로 불응함으로써 음주측정을 거부하겠다는 의사를 표명하였다면**, 음주감지기에 의한 시험을 거부한 행위도 **음주측정기에 의한 측정에 응할 의사가 없음을 객관적으로 명백하게 나타낸 것으로 볼 수 있다**(대판 2017.6.15, 2017도5115). 18 · 20. 경찰채용

4 음주측정불응죄에 있어 '측정'의 의미(= 호흡측정기에 의한 측정)

① [1] 음주측정불응죄에 있어 경찰공무원의 음주측정은 도로교통법 제44조 제2항 소정의 **호흡조사에 의한 측정만을 의미**하는 것으로서 같은 법 제44조 제3항 소정의 혈액채취에 의한 측정을 포함하는 것으로 볼 수 없다. [2] 따라서 신체 이상 등의 사유로 인하여 호흡조사에 의한 측정에 응할 수 없는 운전자가 혈액채취에 의한 측정을 거부하거나 이를 불가능하게 하였다고 하더라도 음주측정에 불응한 것으로 볼 수는 없다(대판 2010.7.15, 2010도2935).

② 특별한 이유 없이 **호흡측정기에 의한 측정에 불응하는 운전자**에게 경찰공무원이 **혈액채취에 의한 측정방법이 있음을 고지하고 그 선택 여부를 물어야 할 의무가 있다고는 할 수 없다**(대판 2002.10 25, 2002도4220). 14. 경찰승진, 18. 경찰채용

③ 운전자가 정당한 사유 없이 **호흡측정기에 의한 음주측정에 불응한 이상 그로써 음주측정불응의 죄는 성립**하는 것이며, 그 후 경찰공무원이 **혈액채취 등의 방법으로 음주 여부를 조사하지 아니하였다고 하여 달리 볼 것은 아니다**(대판 2000.4.21, 99도5210).

5 음주측정불응죄 성립 여부의 판단기준(정상적으로 호흡을 불어넣을 수 있는지 여부)

① 운전자가 음주측정을 요구받고 (**신체에 특별한 이상이 없음에도 불구하고**) 호흡측정기에 숨을 내쉬는 시늉만 하는 등 형식적으로 음주측정에 응하였을 뿐 경찰공무원의 거듭된 요구에도 불구하고 **호흡측정기에 음주측정수치가 나타날 정도로 숨을 제대로 불어넣지 아니하였다**면 이는 실질적으로 **음주측정에 불응한 것과 다를 바 없다**(대판 2000.4.21, 99도5210).

② 경찰공무원이 **운전자의 신체 이상**에도 불구하고 호흡측정기에 의한 음주측정을 요구하여 운전자가 음주측정수치가 나타날 정도로 **숨을 불어넣지 못한 결과 호흡측정기에 의한 음주측정이 제대로 되지 아니하였다**고 하더라도 **음주측정에 불응한 것으로 볼 수는 없다**(대판 2010.7.15, 2010도2935).

6 음주측정불응죄 성립 여부의 판단기준(혈중알코올농도 0.05% 이상의 술에 취한 상태에서 운전하였다고 인정할 만한 상당한 이유 여부)

① **음주측정불응죄가 성립하기 위하여는** 음주측정 요구 당시 운전자가 반드시 음주운전죄로 처벌되는 음주수치인 혈중알코올농도 0.05% 이상의 상태에 있어야 하는 것은 아니고 **혈중알코올농도 0.05% 이상의 상태에 있다고 인정할 만한 상당한 이유가 있으면 되는 것이다**(대판 2004.10.15, 2004도4789). 18. 경찰채용

② 일단 경찰공무원의 음주측정 요구에 응하지 아니한 이상 그 후 피고인이 스스로 경찰공무원에게 혈액채취의 방법에 의한 음주측정을 요구하였다 하더라도 음주측정불응죄의 성립에 영향이 없으며, 가사 그 **혈액채취에 의한 음주측정결과 피고인을 음주운전으로 처벌할 수 없는 혈중알콜농도 수치가 나왔다고 하여** 이를 이유로 음주측정 불응 당시 피고인이 **혈중알코올농도 0.05% 이상의 술에 취한 상태에 있다고 인정할 만한 상당한 이유가 없었다고 볼 수는 없다**(대판 2004.10.15, 2004도4789).

③ **음주감지기 시험에서 음주반응이 나왔다고 할지라도** 현재 사용되는 음주감지기가 혈중알코올농도 0.02%인 상태에서부터 반응하게 되어 있는 점을 감안하면 **그것만으로 바로 운전자가 혈중알코올농도 0.05% 이상의 술에 취한 상태에 있다고 인정할 만한 상당한 이유가 있다고 볼 수는 없다**(대판 2003.1.24, 2002도6632). 14. 경찰승진

7 호흡측정에 의한 혈중알코올농도 수치의 정확도를 높이기 위한 절차

호흡측정기에 의한 혈중알코올농도의 측정은 장에서 흡수되어 혈액 중에 용해되어 있는 알코올이 폐를 통과하면서 증발하여 호흡공기로 배출되는 것을 측정하는 것이므로, 최종 음주시로부터 상당한 시간이 경과하지 아니하였거나, 트림, 구토, 치아보철, 구강청정제 사용 등으로 인하여 입안에 남아 있는 알코올, 알코올 성분이 있는 구강 내 타액, 상처부위의 혈액 등이 폐에서 배출된 호흡공기와 함께 측정될 경우에는 실제 혈중알코올의 농도보다 수치가 높게 나타나는 수가 있어, **피측정자가 물로 입 안 헹구기를 하지 아니한 상태에서 한 호흡측정기에 의한 혈중알코올농도의 측정결과만으로는 혈중알코올농도가 반드시 그와 같다고 단정할 수 없고**, 오히려 호흡측정기에 의한 측정수치가 혈중알코올농도보다 높을 수 있다는 의심을 배제할 수 없다(대판 2010.6.24, 2009도1856).

8 혈액채취에 의한 측정이 호흡측정결과에 대한 운전자의 불복이 있는 경우에만 허용되는지의 여부(소극)

① **도로교통법 제44조 제2항, 제3항**은 음주운전 혐의가 있는 운전자에게 수사를 위한 호흡측정에도 응할 것을 간접적으로 강제하는 한편 혈액채취 등의 방법에 의한 재측정을 통하여 호흡측정의 오류로 인한 불이익을 구제받을 수 있는 기회를 보장하는 데 그 취지가 있다고 할 것이므로, 이 규정들이 음주운전에 대한 수사방법으로서의 **혈액채취에 의한 측정의 방법을 운전자가 호흡측정결과에 불복하는 경우에만 한정하여 허용하려는 취지의 규정이라고 해석할 수는 없다**(대판 2015.7.9, 2014도16051).

② [1] 음주운전에 대한 수사 과정에서 음주운전 혐의가 있는 운전자에 대하여 **호흡측정이 이루어진 경우에는** 그에 따라 과학적이고 중립적인 호흡측정 수치가 도출된 이상 다시 음주측정을 할 필요성은 사라졌다고 할 것이므로 **운전자의 불복이 없는 한 다시 음주측정을 하는 것은 원칙적으로 허용되지 아니한다.** [2] 그러나 호흡측정 당시의 구체적 상황에 비추어 호흡측정기의 오작동 등으로 인하여 **호흡측정결과에 오류가 있다고 인정할 만한 객관적이고 합리적인 사정이 있는 경우라면** 그러한 호흡측정 수치를 얻은 것만으로는 수사의 목적을 달성하였다고 할 수 없어 추가로 음주측정을 할 필요성이 있다고 할 것이므로, 경찰관이 음주운전 혐의를 제대로 밝히기 위하여 **운전자의 자발적인 동의를 얻어 혈액채취에 의한 측정의 방법으로 다시 음주측정을 하는 것을 위법하다고 볼 수는 없다.** 이 경우 운전자가 일단 호흡측정에 응한 이상 재차 음주측정에 응할 의무까지 당연히 있다고 할 수는 없으므로, 운전자의 혈액채취에 대한 동의의 임의성을 담보하기 위하여는 경찰관이 미리 운전자에게 혈액채취를 거부할 수 있음을 알려주었거나 운전자가 언제든지 자유로이 혈액채취에 응하지 아니할 수 있었음이 인정되는 등 **운전자의 자발적인 의사에 의하여 혈액채취가 이루어졌다는 것이 객관적인 사정에 의하여 명백한 경우에 한하여 혈액채취에 의한 측정의 적법성이 인정된다**(대판 2015.7.9, 2014도16051).

9 운전자가 호흡측정기에 의한 측정결과에 불복하여 혈액채취의 방법에 의한 측정을 요구할 수 있는 시기

① 운전자가 경찰공무원에 대하여 **호흡측정기에 의한 측정결과에 불복하고 혈액채취의 방법에 의한 측정을 요구할 수 있는 것은** 경찰공무원이 운전자에게 호흡측정의 결과를 제시하여 확인을 구하는 때로부터 **상당한 정도로 근접한 시점(30분이 경과하기 전까지)에 한정된다**(대판 2008.5.8, 2008도2170).

② **운전자가 상당한 시간(약 1시간)이 경과한 후에야 호흡측정결과에 이의를 제기하면서 혈액채취의 방법에 의한 측정을 요구하는 경우에는 이를 정당한 요구라고 할 수 없으므로** 경찰공무원이 혈액채취의 방법에 의한 측정을 실시하지 않았다고 하더라도 호흡측정기에 의한 측정의 결과만으로 음주운전 사실을 증명할 수 있다(대판 2002.3.15, 2001도7121). 20. 국가직 9급

10 혈액채취가 지연된 경우 피고인의 권리가 침해된 것으로 단정할 수 있는지의 여부(소극)

단순히 단속현장에서 다른 절차에 앞서 채혈이 곧바로 실시되지 않은 채 **호흡측정기에 의한 음주측정으로부터 1시간 12분이 경과한 후 채혈이 이루어졌다는 사정만으로는 단속 경찰공무원의 행위가 법령에 위반된다거나** 그 객관적 정당성을 상실하여 운전자가 음주운전에 대한 단속과정에서 받을 수 있는 **권익이 현저하게 침해되었다고 단정하기는 어렵다**(대판 2008.4.24, 2006다32132). 14. 경찰승진

11 수사기관이 피의자의 동의 없이 혈액을 취득·보관하는 방법(=감정처분 또는 압수)

수사기관이 범죄 증거를 수집할 목적으로 피의자의 동의 없이 피의자의 혈액을 취득·보관하는 행위는 법원으로부터 **감정처분허가장을 받아** 형사소송법 제221조의4 제1항, 제173조 제1항에 의한 **'감정에 필요한 처분'으로도 할 수 있지만**, 형사소송법 제219조, 제106조 제1항에 정한 **압수의 방법으로도 할 수 있고**, 압수의 방법에 의하는 경우 혈액의 취득을 위하여 피의자의 신체로부터 혈액을 채취하는 행위는 그 혈액의 압수를 위한 것으로서 형사소송법 제219조, 제120조 제1항에 정한 '압수영장의 집행에 있어 필요한 처분'에 해당한다(대판 2012.11.15, 2011도15258). 14. 변호사·경찰간부, 18. 국가직 9급, 19. 해경간부, 20. 법원직 9급

12 위드마크 공식 관련 판례

① 음주운전에 있어서 운전 직후에 운전자의 혈액이나 호흡 등 표본을 검사하여 혈중알코올농도를 측정할 수 있는 경우가 아니라면, 이른바 **위드마크 공식을 사용하여** 수학적 방법에 따른 계산결과로 **운전 당시의 혈중알코올농도를 추정할 수 있다**(대판 2006.11.23, 2005도6368).

② 범죄구성요건 사실의 존부를 알아내기 위해 과학공식 등의 경험칙을 이용하는 경우에는 그 법칙 적용의 전제가 되는 개별적이고 구체적인 사실에 대하여는 엄격한 증명을 요하는 바, **위드마크 공식의 경우 그 적용을 위한 자료로 섭취한 알코올의 양, 음주 시각, 체중** 등이 필요하므로 그런 전제사실에 대한 **엄격한 증명이 요구된다**(대판 2008.8.21, 2008도5531). 14. 국가직 7급, 15. 경찰간부, 16·20. 국가직 9급, 17. 경찰승진, 20. 경찰채용

13 위드마크 공식에 의한 혈중알코올농도 수치의 증명력

① 위드마크 공식에 의한 역추산 방식을 이용하여 특정 운전시점으로부터 일정한 시간이 지난 후에 측정한 혈중알코올농도를 기초로 하고 여기에 시간당 혈중알코올의 분해소멸에 따른 감소치에 따라 계산된 운전시점 이후의 혈중알코올분해량을 가산하여 운전시점의 혈중알코올농도를 추정함에 있어서는 **그 시간당 감소치는 대체로 0.03%에서 0.008% 사이**라는 것은 이미 알려진 신빙성 있는 통계자료에 의하여 인정되는바, 위와 같은 역추산 방식에 의하여 운전시점 이후의 혈중알코올분해량을 가산함에 있어서 **시간당 0.008%는 피고인에게 가장 유리한 수치이므로 특별한 사정이 없는 한 이 수치를 적용하여 산출된 결과는 운전 당시의 혈중알코올농도를 증명하는 자료로서 증명력이 충분**하다(대판 2005.2.25, 2004도8387).

② **위드마크 공식에 의하여 산출한 혈중알코올농도가 법이 허용하는 혈중알코올농도를** 상당히 초과하는 것이 아니고 **근소하게 초과하는 정도에 불과한 경우**라면 위 공식에 의하여 산출된 수치에 따라 **범죄의 구성요건 사실을 인정함에 있어서 더욱 신중하게 판단하여야 한다**(대판 2005.7.28, 2005도3904).

14 호흡측정과 혈액채취 방법에 의한 혈중알코올농도가 다른 경우 증거의 취사

[1] 혈액의 채취 또는 검사과정에서 인위적인 조작이나 관계자의 잘못이 개입되는 등 혈액채취에 의한 검사결과를 믿지 못할 특별한 사정이 없는 한 **혈액검사에 의한 음주측정치가 호흡측정기에 의한 음주측정치보다 측정 당시의 혈중알콜농도에 더 근접한 음주측정치라고 보는 것이 경험칙에 부합**한다. [2] 따라서 법원이 호흡측정기에 의한 음주측정치를 배척하고, **혈액채취에 의한 검사결과를 채택하여 도로교통법 위반의 범죄사실에 대하여 무죄를 선고한 것은 정당하다**(대판 2004.2.13, 2003도6905). 17. 변호사, 18. 경찰채용

04 고소(告訴)

SUMMARY | 친고죄 vs 반의사불벌죄 vs 전속고발범죄 ★★★

<table>
<tr><th colspan="2">친고죄</th><th>반의사불벌죄</th><th>전속고발범죄</th></tr>
<tr><td colspan="2">피해자의 고소가 있어야 공소를 제기할 수 있는 범죄</td><td>피해자 등의 명시한 의사에 반하여 처벌할 수 없는 범죄</td><td>관계 공무원의 고발이 있어야 공소를 제기할 수 있는 범죄</td></tr>
<tr><td>절대적 친고죄</td><td>① 비밀침해죄
② 업무상비밀누설죄
③ 사자명예훼손죄
④ 모욕죄
⑤ 친고죄 규정이 있는 법률
㉠ 특허법
㉡ 저작권법
㉢ 실용신안법 등</td><td rowspan="2">① 과실치상죄
② (존속, 외국원수) 폭행 · 협박죄
③ 명예훼손죄
④ 출판물명예훼손죄
⑤ 외국원수모욕 · 명예훼손죄
⑥ 외국국기 · 국장모독죄
⑦ 반의사불벌죄 규정이 있는 법률
㉠ 근로기준법
㉡ 부정수표 단속법
㉢ 교통사고처리 특례법
㉣ 정보통신망법 등</td><td rowspan="2">전속고발범죄 규정이 있는 법률
① 관세법
② 조세범 처벌법
③ 출입국관리법
④ 근로기준법
⑤ 독점규제 및 공정거래에 관한 법률 등</td></tr>
<tr><td>상대적 친고죄</td><td>절도 · 사기 · 공갈 · 횡령 · 배임 · 장물 · 권리행사방해죄 등 재산범죄(강도죄, 손괴죄 그리고 강제집행면탈죄는 제외)</td></tr>
</table>

형법

제328조 【친족간의 범행과 고소】 ① 직계혈족, 배우자, 동거친족, 동거가족 또는 그 배우자간의 제323조의 죄는 그 형을 면제한다.
② **제1항 이외의 친족간에 제323조의 죄를 범한 때에는 고소가 있어야 공소를 제기할 수 있다.**
③ 전2항의 신분관계가 없는 공범에 대하여는 전2항을 적용하지 아니한다.

판례 |

1 친족상도례가 적용되는 범죄

① **흉기 기타 위험한 물건을 휴대하고 공갈죄를 범하여 폭력행위처벌법 제3조 제1항, 제2조 제1항 제3호에 의하여 가중처벌되는 경우에도** 형법상 공갈죄의 성질은 그대로 유지되어 친족상도례에 관한 형법 제354조, 제328조가 적용된다(대판 2010.7.29, 2010도5795). - 폭력행위처벌법 위반(공갈) 14. 법원직 9급 · 경찰승진, 15. 국가직 9급 · 경찰채용

✎ 폭력행위처벌법 개정으로 취지만 유효

② **형법상 사기죄의 성질은 특정경제범죄법 제3조 제1항에 의해 가중처벌되는 경우에도 그대로 유지**되어 친족상도례에 관한 형법 제354조, 제328조가 적용된다(대판 2010.2.11, 2009도12627). - 특정경제범죄법 위반(사기) 14 · 15. 경찰승진, 18. 변호사

③ **형법상 횡령죄의 성질은 특정경제범죄법 제3조 제1항에 의해 가중처벌되는 경우에도 그대로 유지**되고, 특정경제범죄법에 친족상도례에 관한 형법 제361조, 제328조의 적용을 배제한다는 명시적인 규정이 없으므로 형법 제361조는 특정경제범죄법 제3조 제1항 위반죄에도 그대로 적용된다(대판 2013.9.13, 2013도7754). - 특정경제범죄법 위반(횡령)

2 친족상도례가 적용되는 친족에 해당하는 경우

① [1] 형법 제354조에 의하여 준용되는 제328조 제1항에서 '직계혈족, 배우자, 동거친족, 동거가족 또는 그 배우자간의 제323조의 죄는 그 형을 면제한다'고 규정하고 있는바, 여기서 '그 배우자'는 동거가족의 배우자만을 의미하는 것이 아니라, 직계혈족, 동거친족, 동거가족 모두의 배우자를 의미한다. [2]

피고인이 피해자의 직계혈족의 배우자임을 이유로 형법 제354조, 제328조 제1항에 따라 상습사기의 점에 관한 공소사실에 대하여 형을 면제한 것은 정당하다(대판 2011.5.13, 2011도1765). - 특정경제범죄법 위반(사기) 14. 경찰승진

② **피고인이 피해자의 외사촌 동생**이라면 형법 제344조, 제328조 제2항에 의하여 절도죄는 피해자의 고소가 있어야 처벌할 수 있다(대판 1991.7.12, 91도1077). - 절도죄

③ **절도피해자가 범인의 고모 아들의 부인,** 즉 고종사촌 형수인 경우에는 범인과 피해자 사이에는 형법 제328조 제2항 소정의 친족관계가 있다(대판 1980.3.25, 79도2874). - 절도죄

④ **부(父)가 혼인 외의 출생자를 인지**하는 경우에 있어서는 그 자(子)의 출생시에 소급하여 인지의 효력이 생기는 것이며, 이와 같은 인지의 소급효는 친족상도례에 관한 규정의 적용에도 미친다(대판 1997.1.24, 96도1731). - 절도죄 14. 법원직 9급·경찰간부, 16. 법원행시

3 친족상도례가 적용되는 친족에 해당하지 않는 경우

① [1] 민법 제767조는 '배우자, 혈족 및 인척을 친족으로 한다'고 규정하고 있고, 민법 제769조는 혈족의 배우자, 배우자의 혈족, 배우자의 혈족의 배우자만을 인척으로 규정하고 있을 뿐, 구 민법 제769조에서 인척으로 규정하였던 '혈족의 배우자의 혈족'을 인척에 포함시키지 않고 있다. [2] 피고인의 딸과 피해자의 아들이 혼인관계에 있어 **피고인과 피해자가 사돈지간이라고 하더라도 이를 민법상 친족으로 볼 수 없다**(대판 2011.4.28, 2011도2170). - 사기죄 14. 경찰간부, 15·16. 경찰채용, 16. 법원행시, 18. 변호사, 20. 경찰승진

② [1] 사기죄를 범하는 자가 **금원을 편취하기 위한 수단으로 피해자와 혼인신고를 한 것이어서 그 혼인이 무효인 경우라면, 그러한 피해자에 대한 사기죄에서는 친족상도례를 적용할 수 없다.** [2] 피고인이 피해자와 혼인신고를 하고 금원을 편취한 후 잠적할 때까지 함께 동거하지도 않았고 거주할 집이나 가재도구 등을 알아보거나 마련한 바도 없었다면, 비록 혼인신고가 되어 있었다고 하더라도 그들 사이의 혼인은 '당사자 사이에 혼인의 합의가 없는 때'에 해당하여 무효이므로 피고인의 사기 범행에 대하여는 친족상도례를 적용할 수 없다(대판 2015.12.10, 2014도11533). - 사기죄 16. 법원행시

4 친족상도례가 적용되는 경우

법원을 기망하여 제3자로부터 재물을 편취한 경우에 피기망자인 법원은 피해자가 될 수 없고 재물을 편취당한 제3자가 피해자라고 할 것이므로 피해자인 제3자와 사기죄를 범한 자가 직계혈족의 관계에 있을 때에는 그 범인에 대하여 형을 면제하여야 한다(대판 1976.4.13, 75도781). - 사기죄 14. 법원직 9급·국가직 9급, 16. 법원행시, 17·18. 경찰채용, 18. 변호사

5 친족상도례가 적용되지 않는 경우

① 친족상도례에 관한 형법 제361조, 제328조 제2항은 범인과 피해물건의 소유자 및 위탁자 쌍방 사이에 친족관계가 있는 경우에만 적용되는 것이고, 단지 **횡령범인과 피해물건의 소유자간에만 친족관계가 있거나 횡령범인과 피해물건의 위탁자간에만 친족관계가 있는 경우**에는 그 적용이 없다(대판 2008.7.24, 2008도3438). - 횡령죄 14. 국가직 9급·경찰승진, 15·16·18. 경찰채용, 16. 법원행시

② 형법 제344조에 의하여 준용되는 형법 제328조 제2항 소정의 친족간의 범행에 관한 조문은 범인과 피해물건의 소유자 및 점유자 쌍방간에 친족관계가 있는 경우에만 적용되는 것이고, 단지 **절도범인과 피해물건의 소유자간에만 친족관계가 있거나 절도범인과 피해물건의 점유자간에만 친족관계가 있는 경우**에는 그 적용이 없다(대판 1980.11.11, 80도131). - 절도죄 14·18. 법원직 9급, 15. 경찰채용, 17. 법원행시, 18. 변호사·경찰간부

③ [1] 절취한 친족 소유의 예금통장을 현금자동지급기에 넣고 조작하여 예금 잔고를 다른 금융기관의 자기 계좌로 이체하는 방법으로 저지른 컴퓨터 등 사용사기죄에 있어서의 피해자는 친족 명의 계좌의 금융기관이다. [2] **손자가 할아버지 소유 농업협동조합 예금통장을 절취하여 이를 현금자동지급기에 넣고 조작하는 방법으로 예금 잔고를 자신의 거래 은행 계좌로 이체한 경우** 농업협동조합이 컴퓨터 등 사용사기 범행 부분의 피해자이므로 친족상도례를 적용할 수 없다(대판 2007.3.15, 2006도2704). - 컴퓨터 등 사용사기죄 14. 경찰승진·경찰간부, 15. 법원행시·국가직 9급, 18. 변호사·경찰채용

1. 의의

(1) 개념

고소란 범죄의 피해자 또는 그와 일정한 관계에 있는 고소권자가 수사기관에 범죄사실을 신고하여 범인의 처벌을 구하는 의사표시를 말한다(«주의 고소권자가 법원에 범죄사실을 신고하여 처벌을 구하는 의사표시를 하는 것도 고소에 해당한다. ×).

① **피해자의 신고**: 고소는 범죄의 피해자 등의 소송행위이다. 따라서 제3자가 하는 고발(告發)이나 범인 스스로 소추의 의사를 표시하는 자수(自首)는 고소가 아니다.

② **수사기관에 대한 신고**: **고소**는 **수사기관인 검사 또는 사법경찰관에 대한 의사표시**이므로 수사기관이 아닌 법원에 범인처벌을 구하는 진술서를 제출하거나 증언을 하는 것은 고소가 아니다.

판례 | 법원에 간통피고인의 처벌을 요구하는 진술서 제출 또는 증언이 고소에 해당하는지의 여부 (소극)

피해자가 피고인을 심리하고 있는 **법원에 대하여** 간통사실을 적시하고 **"피고인을 엄벌에 처하라."**는 내용의 진술서를 제출하거나 증인으로서 증언하면서 판사의 신문에 대해 **"피고인의 처벌을 바란다."**는 **취지의 진술을 하였다 하더라도 이는 고소로서의 효력이 없다**(대판 1984.6.26, 84도709).

③ **범죄사실의 신고**: 고소는 범죄사실의 신고이고 그 대상은 특정되어야 한다. 특정의 정도는 고소인이 어떤 범죄사실을 지정하여 범인처벌을 구하고 있는지 확정할 수 있을 정도면 족하므로 범인의 성명 · 범행일시 · 장소 · 방법 등이 다소 불명확하더라도 고소의 효력에는 영향이 없다.

판례 |

1 고소에 있어 범인의 적시를 요하는지의 여부(소극)

① **고소**는 범죄의 피해자 또는 그와 일정한 관계가 있는 고소권자가 수사기관에 대하여 **범죄사실을 신고**하여 범인의 처벌을 구하는 의사표시이므로 고소인은 범죄사실을 특정하여 신고하면 족하고 **범인이 누구인지 나아가 범인 중 처벌을 구하는 자가 누구인지를 적시할 필요도 없다**(대판 1996.3.12, 94도2423).

② 저작권법 제103조의 양벌규정은 직접 위법행위를 한 자 이외에 아무런 조건이나 면책조항 없이 그 업무의 주체 등을 당연하게 처벌하도록 되어 있는 규정으로서 당해 위법행위와 별개의 범죄를 규정한 것이라고는 할 수 없으므로 **친고죄의 경우에 있어서도 행위자의 범죄에 대한 고소가 있으면 족하고 나아가 양벌규정에 의하여 처벌받는 자에 대하여 별도의 고소를 요한다고 할 수는 없다**(대판 1996.3.12, 94도2423). 15. 경찰승진

2 고소에 필요한 범죄사실의 특정 정도

고소는 고소인이 일정한 범죄사실을 수사기관에 신고하여 범인의 처벌을 구하는 의사표시이므로 그 고소한 범죄사실이 특정되어야 할 것이나 그 특정의 정도는 고소인의 의사가 구체적으로 어떤 범죄사실을 지정하여 범인의 처벌을 구하고 있는 것인가를 확정할 수만 있으면 되는 것이고, 고소인 자신이 직접 범행의 일시, 장소와 방법 등까지 구체적으로 상세히 지적하여 그 범죄사실을 특정할 필요까지는 없다(대판 1999.3.26, 97도1769). 15. 국가직 7급

④ **범인의 처벌을 구하는 의사표시**: 고소는 범인의 처벌을 구하는 의사표시이다. 따라서 범인처벌의 의사표시가 없는 단순한 도난신고 · 피해신고 또는 일정한 사정을 진술하는 진정(陳情) 등은 고소가 아니다. 다만, 반드시 고소라는 명칭을 사용하지 않아도 '범인처벌'의 의사표시가 있다면 고소로 보아야 한다.

판례 | 적법한 고소에 해당하지 않는 경우

1 **고소**라 함은 수사기관에 단순히 피해사실을 신고하거나 수사 및 조사를 촉구하는 것에 그치지 않고 **범죄사실을 신고하여 범인의 소추 · 처벌을 요구하는 의사표시이므로**, 저작권법 위반죄의 피해자가 **경찰청 인터넷 홈페이지에 '피고인을 철저히 조사해 달라'는 취지의 민원을 접수**하는 형태로 피고인에 대한 조사를 촉구하는 의사표시를 한 것은 형사소송법에 따른 **적법한 고소로 보기 어렵다**(대판 2012.2.23, 2010도9524). 17. 변호사 · 경찰채용, 20. 경찰승진

2 [1] 고소는 범죄의 피해자 기타 고소권자가 수사기관에 대하여 범죄사실을 신고하여 범인의 소추를 구하는 의사표시를 말하는 것으로서 **단순한 피해사실의 신고는 소추 · 처벌을 구하는 의사표시가 아니므로 고소가 아니다**. [2] 비록 고소인이 간통의 범죄사실을 신고하면서 현장에 출동한 경찰관에게 **고소장을 교부하였다고 하더라도 송파경찰서에 도착하여 최종적으로 고소장을 접수시키지 아니하기로 결심하고 고소장을 반환받은 것이라면** 고소장이 수사기관에 적법하게 수리되어 **고소의 효력이 발생되었다고 할 수 없다**(대판 2008.11.27, 2007도4977). 15. 경찰승진, 20. 국가직 7급

⑤ **의사표시**: 고소를 하기 위해서는 의사표시를 할 수 있는 고소능력이 있어야 한다. 고소능력이란 고소의 의미를 이해할 수 있는 사실상의 정신능력을 말하며 민법상 행위능력과는 구별이 된다. 따라서 **민법상 행위능력이 없는 무능력자**(無能力者), 즉 미성년자 · 피성년후견인 · 피한정후견인이라도 **고소능력이 있다면 얼마든지 독자적으로 고소할 수 있다.**

판례 |

1 고소능력 또는 고소위임능력의 정도(= 사실상의 의사능력)

고소능력은 **피해를 받은 사실을 이해하고 고소에 따른 사회생활상의 이해관계를 알아차릴 수 있는 사실상의 의사능력으로 충분**하므로, 민법상의 행위능력이 없는 사람이라도 위와 같은 능력을 갖춘 사람이면 고소능력이 인정된다(대판 2011.6.24, 2011도4451). 14 · 16. 국가직 9급, 15 · 17. 경찰승진, 15 · 17 · 18 · 20. 경찰채용, 17. 경찰간부, 17 · 20. 법원직 9급

2 고소능력이 인정되는 경우

① (간음약취죄가 친고죄이었던 개정 형법 시행 전에) 간음약취죄의 피해자는 **11세 남짓한 초등학교 6학년생**으로서 피해입은 사실을 이해하고 고소에 따른 사회생활상의 이해관계를 알아차릴 수 있는 사실상의 의사능력이 있다(대판 2011.6.24, 2011도4451).

② (강간죄가 친고죄이었던 개정 형법 시행 전에) 강간죄의 피해자가 범행을 당할 때에는 나이 어려(12세) 고소능력이 없었다가 그 후에 (13세 남짓되어) 비로소 고소능력이 생겼다면 그 고소기간은 고소능력이 생긴 때로부터 기산되어야 한다(대판 1987.9.22, 87도1707). 15. 경찰채용, 17. 법원직 9급

3 고소능력이 인정되지 않는 경우

① (범행이 친고죄이었던 청소년성보호법 위반 당시) 범행(청소년성보호법 위반) 당시 피해자가 **지능지수 49로 정신지체 수준에 해당**하고 **발달성숙도 및 사회적응성이 10세 1개월 수준에 불과**하여 고소능력이 없었다가 그 후에 비로소 고소능력이 생겼다면 그 고소기간은 고소능력이 생긴 때로부터 기산하여야 한다(대판 2007.10.11, 2007도4962).

② (강제추행죄가 친고죄이었던 개정 형법 시행 전에) 강제추행의 피해자가 범인을 안 날로부터 6월이 경과된 후에 고소 제기하였더라도 범행 당시 피해자가 **11세의 소년**에 불과하여 **고소능력이 없었다가 고소 당시에 비로소 고소능력이 생겼다면 그 고소기간은 고소능력이 생긴 때로부터 기산되어야 한다**(대판 1995.5.9, 95도696). 17. 법원직 9급

③ (강간죄가 친고죄이었던 개정 형법 시행 전에) 강간죄의 피해자가 범행을 당할 때에는 **나이 어려 (12세)** 고소능력이 없었다가 그 후에 (13세 남짓되어) 비로소 고소능력이 생겼다면 그 고소기간은 고소능력이 생긴 때로부터 기산되어야 한다(대판 1987.9.22, 87도1707). 15. 경찰채용

(2) 고소의 성질

고소는 살인죄나 강도죄와 같은 비친고죄에 있어서는 단지 수사의 단서일 뿐이다. 그러나 친고죄에 있어서는 수사의 단서이자 소송조건으로 작용하므로 고소가 없으면 공소제기와 유죄판결을 선고할 수 없다(《주의 고소는 수사의 단서일 뿐이지 소송조건이 될 수 없다. ×).

(3) 친고죄와 고소 등

① **국가소추주의와 친고죄 등**: 형사소송법은 국가소추주의에 따라 국가의 소추권 행사 여부가 피해자 등 사인의 의사에 좌우되지 않는 것이 원칙이다. 즉, 피해자의 고소가 없거나 또는 피해자가 처벌을 희망하지 않아도 국가는 공소를 제기하여 범인을 처벌할 수 있다. 그러나 이에 대한 예외가 있는데 그것이 바로 친고죄(親告罪)와 반의사불벌죄(反意思不罰罪)이다.

② **친고죄**: **친고죄란** 피해자의 명예보호, 침해법익의 경미함, 가족관계의 정의(情誼) 등을 고려하여 **피해자의 고소가 있어야만 유효하게 공소를 제기할 수 있는 범죄를 말한다.** 친고죄는 ㉠ 범인과 피해자의 신분관계를 불문하고 범죄의 성질 자체로 인하여 친고죄가 되는 **절대적 친고죄**와 ㉡ 범인과 피해자의 신분관계를 고려하여 친고죄가 되는 **상대적 친고죄**로 구분이 된다. 친고죄에 있어 피해자의 고소가 없다면 비록 제3자의 고발이 있더라도 공소제기는 할 수 없다. 전속고발범죄 또는 즉시고발범죄는 관계 공무원의 고발이 있어야 유효하게 공소를 제기할 수 있는 범죄이다.

③ **반의사불벌죄**: **반의사불벌죄란 피해자의 명시한 의사에 반하여 처벌할 수 없는 범죄**로서 고소 또는 처벌희망(處罰希望)의 의사표시가 없더라도 유효하게 공소를 제기할 수 있으나, 처벌불원(處罰不願) 의사표시가 있으면 유죄판결을 선고할 수 없다는 점에서 친고죄와 차이가 난다.

2. 고소의 절차

(1) 고소권자

고소권자는 원칙적으로 범죄의 피해자이다. 다만, 범죄의 피해자가 고소를 할 수 없는 일정한 사정이 있는 경우에는 피해자의 친족 등으로 그 범위가 확대가 된다. 친족관계에 의하여 고소를 할 경우에는 (제225조 내지 제227조) 고소인과 피해자와의 신분관계를 소명하는 서면을 제출하여야 한다(규칙 제116조 제1항).

① **범죄의 피해자**: 범죄로 인한 피해자는 고소할 수 있다(제223조). 14. 국가직 7급, 15. 경찰승진 **고소권자가 되는 피해자는 직접피해자에 한정**되고 간접피해자는 제외된다. 15. 경찰승진 직접피해자인 이상 자연인과 법인은 물론 법인격 없는 사단·재단도 고소권자가 될 수 있다(《주의 사기죄에 있어 피해자에게 채권이 있는 자도 피해자에 포함된다. ×).

② **피해자의 법정대리인**: 피해자의 법정대리인은 독립하여 고소할 수 있다(제225조 제1항). 민법상 행위능력자의 경우에는 법정대리인이 존재하지 아니한다. 법정대리인의 고소권 성질에 관하여 ㉠ 고유권설과 ㉡ 독립대리권설이 있으나, **다수설과 판례는 고유권설의 입장을 취한다**. 고유권설에 의할 때 **법정대리인은** 피해자의 고소권 소멸 여부와 관계없이 고소할 수 있고, 이러한 고소권은 **피해자의 명시한 의사에 반해서도 행사할 수 있다**. 피해자에게 고소능력이 있다면 피해자의 고소권과 법정대리인의 고소권이 함께 존재한다(≪주의 피해자의 법정대리인의 고소권은 고유권이나 피해자의 의사를 존중한다는 차원에서 피해자의 명시한 의사에 반해서 행사할 수 없다. ×). 19. 경찰채용

판례 |

1 법정대리인 고소권의 성질(= 고유권)

① **법정대리인의 고소권**은 무능력자의 보호를 위하여 **법정대리인에게 주어진 고유권이므로 법정대리인은 피해자의 고소권 소멸 여부에 관계없이 고소할 수 있고** 이러한 고소권은 피해자의 명시한 의사에 반하여도 행사할 수 있다(대판 1999.12.24, 99도3784). 14. 국가직 9급, 17. 경찰승진, 17 · 19. 경찰간부

② 법정대리인의 고소권은 무능력자의 보호를 위하여 법정대리인에게 주어진 고유권으로서 피해자의 고소권 소멸 여부에 관계없이 고소할 수 있는 것이므로 **법정대리인의 고소기간은 법정대리인 자신이 범인을 알게 된 날로부터 진행한다**(대판 1987.6.9, 87도857). 20. 경찰채용

2 이혼한 생모가 친권자(법정대리인)로서 독립하여 고소할 수 있는지의 여부(적극)

모자관계는 호적에 입적되어 있는 여부와는 관계없이 자(子)의 출생으로 법률상 당연히 생기는 것이므로 **고소 당시 이혼한 생모**라도 **피해자인 그의 자(子)의 친권자로서 독립하여 고소할 수 있다**(대판 1987.9.22, 87도1707). 17. 경찰간부

③ 피해자의 친족 등

㉠ 피해자가 **사망한 때에는 그 배우자 · 직계친족 · 형제자매는 고소할 수 있다**. 단, **피해자의 명시한 의사에 반하지 못한다**(제225조 제2항). 15. 경찰승진, 17. 경찰채용

㉡ 피해자의 법정대리인이 피의자이거나 법정대리인의 친족이 피의자인 때에는 피해자의 친족은 독립하여 고소할 수 있다(제226조). 15 · 16 경찰승진, 17. 경찰간부 · 경찰채용

㉢ 사자의 명예를 훼손한 범죄에 대하여는 그 친족 또는 자손은 고소할 수 있다(제227조)(≪주의 명예를 훼손한 후 피해자가 사망한 경우 그 피해자의 친족 또는 자손은 고소할 수 있다. ×).

판례 |

1 피해자의 사망과 고소권자

① 간통죄에 있어서 피해자인 배우자가 사망한 경우에는 **생존 중의 피해자의 명시한 의사에 반하지 않는 한** 그의 형제자매도 적법한 고소권자가 될 수 있다(대판 1967.8.29, 67도878).

② 간통죄에 있어서 피고인 등이 피해자를 부축하여 병원으로 데려갈 때 **피고인 보고 "미안하다."는 말을 했다**하더라도 그것만으로 피해자에게 분명히 피고인의 처벌을 희망하지 아니하는 의사가 있었다고 할 수는 없으므로 **(사망한) 피해자의 동생이 한 이 사건 고소를 피해자의 명시한 의사에 반하는 무효의 것이라고는 할 수 없다**(대판 1985.8.20, 85도1288).

✎ 취지만 유효

2 형사소송법 제226조에 의한 고소권자(피해자의 친족)

① 피고인 甲의 배우자 乙이 식물인간 상태가 되어 금치산선고를 받아 **피고인이 乙의 후견인이 된 경우, 乙의 어머니인 丙이 피고인을 상대로 제기한 고소는 간통죄의 공소제기 요건으로서 적법하다**(대판 2010.4.29, 2009도12446).

✎ 취지만 유효

② (범죄사실이 친고죄이었던 당시) **피고인의 생모가 미성년자인 피고인의 딸의 법정대리인인 피고인을 상대로 피고인의 딸에 대한 범죄사실(강간·강제추행)에 대하여 고소**를 제기한 것은 **피해자의 친족에 의한 피해자의 법정대리인에 대한 적법한 고소**라 할 것이다(대판 1986.11.11, 86도1982).

④ **지정고소권자**: 친고죄에 대하여 고소할 자가 없는 경우 이해관계인의 신청이 있으면 검사가 **10일 이내**에 고소할 수 있는 자를 **지정하여야 한다**(제228조)(《주의 검사가 10일 이내에 고소할 수 있는 자를 지정할 수 있다. ×). 14. 경찰채용, 16·18. 경찰승진

(2) 고소의 제한

① **원칙**: 자기 또는 배우자의 직계존속은 고소하지 못한다(제224조). 18. 법원직 9급 전통적인 가정의 질서를 위한 제한규정이다. 이 고소제한 규정은 헌법에 위반되지 아니한다(헌재 2011.2.24, 2008헌바56).

② **예외**: 성폭력범죄와 가정폭력범죄에 대하여는 자기 또는 배우자의 직계존속이라도 고소할 수 있다(성폭력처벌법 제18조, 가정폭력처벌법 제6조 제2항)(《주의 공연음란행위를 한 아버지를 고소할 수 없다. ×). 18. 법원직 9급

☑ SUMMARY | 가정폭력범죄와 성폭력범죄 ★

구분	내용
가정폭력 범죄	① (존속)상해·(존속)중상해·(존속)폭행·특수폭행 ② (존속)유기·영아유기·(존속)학대·아동혹사 ③ (존속)체포감금·(존속)중체포감금·특수체포감금 ④ (존속)협박·특수협박 ⑤ 명예훼손·사자명예훼손·출판물 등에 의한 명예훼손·모욕 ⑥ 주거침입·강요·공갈·재물손괴·특수손괴 ⑦ 강간·강제추행·준강간·준강제추행·강간 등 상해치상·강간 등 살인치사 등 ⑧ 성폭력처벌법 제14조(카메라 등 이용촬영) ⑨ 정보통신망법 제74조 제1항 제3호
성폭력 범죄	① 음행매개·음화 등 반포·음화 등 제조·공연음란 ② 추행·간음·성매매·성적 착취목적 약취·유인·인신매매 등 ③ 강간·유사강간·강제추행·준강간·준유사강간·준강제추행, 강간 등 상해치상·강간 등 살인치사, 미성년자 등 간음·업무상위력 등에 의한 간음·미성년자의제강간 등 ④ 강도강간 ⑤ 성폭력처벌법 제3조 내지 제15조에 규정된 범죄 (《주의 미성년자약취유인죄 ×, 결혼목적약취유인죄 등 ×)

(3) 고소의 방법

① **고소의 방식**: **고소는 서면 또는 구술로 검사 또는 사법경찰관에게 하여야 한다**(제237조 제1항). 15. 경찰채용, 16. 경찰간부 검사 또는 사법경찰관이 구술에 의한 고소를 받은 때에는 조서를 작성하여야 한다(동조 제2항). **고소**는 처벌을 희망하는 의사표시만 있으면 되기 때문에 **반드시 독립된 조서일 필요는 없다**(《주의 고소는 반드시 서면에 의하여야 한다. ×).

> **판례 | 피해자진술조서에 기재된 범인처벌을 요구하는 의사표시가 적법한 고소에 해당하는지의 여부(적극)**
>
> 친고죄에서 고소는, 고소권 있는 자가 수사기관에 대하여 범죄사실을 신고하고 범인의 처벌을 구하는 의사표시로서 서면뿐만 아니라 구술로도 할 수 있고, 다만 구술에 의한 고소를 받은 검사 또는 사법경찰관은 조서를 작성하여야 하지만 **그 조서가 독립된 조서일 필요는 없으며, 수사기관이 고소권자를 증인 또는 피해자로서 신문한 경우에 그 진술에 범인의 처벌을 요구하는 의사표시가 포함되어 있고 그 의사표시가 조서에 기재되면 고소는 적법하다**(대판 2011.6.24, 2011도4451). 14 · 15 · 16. 경찰채용, 14 · 16 · 17 · 21. 법원직 9급, 15 · 17. 국가직 7급, 16. 경찰간부, 17 · 18. 경찰승진

② **고소의 대리**: 고소는 대리인으로 하여금 하게 할 수 있다(제236조). 17. 경찰채용 대리권수여 방식에는 특별한 제한이 없고, 대리인도 서면 또는 구술로 고소할 수 있다.

> **판례 | 대리고소의 방식(= 방식에는 제한이 없음)**
>
> 1 대리인에 의한 고소의 경우 대리권이 정당한 고소권자에 의하여 수여되었음이 실질적으로 증명되면 충분하고 **그 방식에 특별한 제한은 없다**고 할 것이며 한편 친고죄에 있어서의 고소는 고소권 있는 자가 수사기관에 대하여 범죄사실을 신고하고 범인의 처벌을 구하는 의사표시로서 서면뿐만 아니라 구술로도 할 수 있는 것이므로 피해자로부터 고소를 위임받은 **대리인은 수사기관에 구술에 의한 방식으로 고소를 제기할 수도 있다**(대판 2002.6.14, 2000도4595). 15. 국가직 7급
>
> 2 대리인에 의한 고소의 경우 대리권이 정당한 고소권자에 의하여 수여되었음이 실질적으로 증명되면 충분하고 **그 방식에 특별한 제한은 없으므로** 고소를 할 때 반드시 위임장을 제출한다거나 '대리'라는 표시를 하여야 하는 것은 아니고 또 **고소기간은 대리고소인이 아니라 정당한 고소권자를 기준으로 고소권자가 범인을 알게 된 날부터 기산한다**(대판 2001.9.4, 2001도3081). 14. 경찰간부, 15. 국가직 7급, 16. 법원직 9급, 17 · 18 · 20. 경찰채용, 18. 변호사

(4) 고소기간

친고죄에 있어서는 범인을 알게 된 날로부터 6개월이 경과하면 고소하지 못한다(제230조 제1항 본문). 고소할 수 없는 불가항력의 사유가 있는 때에는 그 사유가 없어진 날로부터 기산한다(제230조 제1항 단서). 고소할 수 있는 자가 수인인 경우에는 1인의 기간의 해태(懈怠)는 타인의 고소에 영향이 없다(제231조). 14 · 17. 경찰채용 범인을 알게 된 날은 고소권자가 친고죄에 해당하는 범죄의 피해가 있었다는 사실관계에 관하여 확정적인 인식이 있음을 말한다(《주의 미필적 인식이면 된다. ×, 확정적 인식을 요하지는 않는다. ×).

판례 |

1 형사소송법 제230조 제1항 소정의 '범인을 알게 된 날'의 의미

① **'범인을 알게 된다 함'**은 **범인이 누구인지 특정할 수 있을 정도로 알게 된다는 것**을 의미하고 범인의 동일성을 식별할 수 있을 정도로 인식함으로써 족하며 범인의 성명 · 주소 · 연령 등까지 알 필요는 없다(대판 1999.4.23, 99도576).

② **'범인을 알게 된다'**함은 통상인의 입장에서 보아 **고소권자가 고소를 할 수 있을 정도로 범죄사실과 범인을 아는 것**을 의미하고, 범죄사실을 안다는 것은 **고소권자가 친고죄에 해당하는 범죄의 피해가 있었다는 사실관계에 관하여 확정적인 인식이 있음을 말한다**(대판 2010.7.15, 2010도4680)(同旨 대판 2001.10.9, 2001도3106). 16. 경찰채용, 18. 경찰간부, 20. 국가직 7급 · 해경채용

③ **'범인을 알게 된 날'**이란 **범죄행위가 종료된 후에 범인을 알게 된 날**을 가리키는 것으로서 **고소권자가 범죄행위가 계속되는 도중에 범인을 알았다 하여도**, 그 날부터 곧바로 위 조항에서 정한 친고죄의 고소기간이 진행된다고는 볼 수 없고 이러한 경우 **고소기간은 범죄행위가 종료된 때부터 계산**하여야 하며 동종행위의 반복이 당연히 예상되는 영업범 등 포괄일죄의 경우에는 최후의 범죄행위가 종료한 때에 전체 범죄행위가 종료된 것으로 보아야 한다(대판 2004.10.28, 2004도5014).

④ **저작권자가 그의 동의 없이 발행된 책자가 판매되고 있다는 사실을 안 날로부터는 6월이 경과한 후 고소를 제기하였으나 위 고소가 공소사실의 범행일시로부터 6월 이내에 제기된 경우**, 저작권자가 안 것은 그 이전의 복제행위에 관한 것일 뿐이므로 위 판매사실을 안 시점이 그 이전의 복제행위로 인한 죄에 대한 고소기간의 기산점이 될 수 있는 것은 별론으로 하고, 그 이후의 복제행위에 관한 공소사실에 대한 고소기간도 그 때부터 진행된다고 할 수는 없으므로 **고소가 공소사실의 범행일시로부터 6월 이내에 이루어진 이상 고소기간이 경과한 후에 제기된 것이라고 할 수는 없다**(대판 1999.3.26, 97도1769).

2 '고소할 수 없는 불가항력의 사유'에 해당하는 경우

① 범행(청소년성보호법 위반) 당시 **피해자가 지능지수 49로 정신지체 수준에 해당하고 발달성숙도 및 사회적응성이 10세 1개월 수준에 불과**하여 고소능력이 없었다가 그 후에 비로소 고소능력이 생겼다면 그 고소기간은 고소능력이 생긴 때로부터 기산하여야 한다(대판 2007.10.11, 2007도4962).

② (강제추행죄가 친고죄이었던 당시) 강제추행의 피해자가 범인을 안 날로부터 6월이 경과된 후에 고소 제기하였더라도 범행 당시 **피해자가 11세의 소년에 불과**하여 고소능력이 없었다가 고소 당시에 비로소 고소능력이 생겼다면 그 고소기간은 고소능력이 생긴 때로부터 기산되어야 한다(대판 1995.5.9, 95도696).

③ (강간죄가 친고죄이었던 당시) 강간죄의 **피해자가** 범행을 당할 때에는 **나이 어려 (12세) 고소능력이 없었다가** 그 후에 (13세 남짓되어) 비로소 고소능력이 생겼다면 그 고소기간은 고소능력이 생긴 때로부터 기산되어야 한다(대판 1987.9.22, 87도1707). 15. 경찰채용, 17. 법원직 9급

3 '고소할 수 없는 불가항력의 사유'에 해당하지 않는 경우

(업무상 위력에 의한 간음죄가 친고죄이었던 당시) 자기의 피용자인 부녀를 간음하면서 **불응하는 경우 해고할 것을 위협하였다** 하더라도 이는 업무상 위력에 의한 간음죄의 구성요건일 뿐 그 경우 해고될 것이 두려워 고소를 하지 않은 것이 고소할 수 없는 불가항력적 사유에 해당한다고 할 수 없다(대판 1985.9.10, 85도1273).

취지만 유효

3. 고소불가분의 원칙(告訴不可分原則)

☑ SUMMARY | 고소 등의 불가분의 원칙★★★

구분			내용
친고죄	객관적 불가분	단순일죄	범죄사실 일부에 대한 고소나 고소취소는 그 전부에 대하여 효력이 있음
		상상적 경합범	① 모든 범죄가 친고죄이고 피해자가 동일한 경우(○): 일부 범죄에 대한 고소나 고소취소는 다른 범죄에도 효력이 있음 ② 일부 범죄만이 친고죄이거나 피해자가 다른 경우(×): 일부 범죄에 대한 고소나 고소취소는 다른 범죄에는 효력이 없음
		실체적 경합범	일부 범죄에 대한 고소나 고소취소는 다른 범죄에는 효력이 없음
	주관적 불가분	절대적 친고죄	공범 중 1인 또는 수인에 대한 고소나 고소취소는 다른 공범자에게 효력이 있음
		상대적 친고죄	공범 중 신분자에 대한 고소나 고소취소는 비신분자에게 효력이 없음
반의사불벌죄	주관적 불가분		공범 중 1인 또는 수인에 대한 처벌희망 의사표시 등은 다른 공범자에게 효력이 없음
전속고발범죄	주관적 불가분		공범 중 1인 또는 수인에 대한 고발이나 고발취소는 다른 공범자에게 효력이 없음

(1) 의의

친고죄에 있어서 ① 하나의 범죄사실 일부에 대한 고소나 그 취소는 그 전부에 대하여 효력이 발생하며(객관적 불가분의 원칙), ② 수인의 공범 중 1인 또는 수인에 대한 고소나 그 취소는 다른 공범자에게도 효력이 미친다(주관적 불가분의 원칙). 이를 고소불가분의 원칙이라고 한다.

주관적 불가분의 원칙은 제233조에 명문으로 규정되어 있다. 객관적 불가분의 원칙은 명문의 규정은 없으나 '하나의 사건은 소송법적으로 나눌 수 없다'라는 법언에 비추어 이론상 당연히 인정된다(《주의 객관적 불가분의 원칙도 형사소송법에 명문규정이 있다. ×).

(2) 객관적 불가분의 원칙

① **개념**: 객관적 불가분의 원칙이란 친고죄에 있어서 하나의 범죄사실 일부에 대한 고소나 그 취소는 그 전부에 대하여 효력이 발생한다는 원칙을 말한다. 이는 고발이나 공소제기의 경우에도 동일하다.

② **적용범위**

㉠ **단순일죄 - 적용**: **객관적 불가분의 원칙이 적용된다**(예 甲이 같은 시기에 乙에게 여러 차례 욕설을 한 경우(모욕의 단순일죄), 乙이 그 일부 욕설 부분에 대해서만 고소해도 그 고소의 효력은 모욕죄 전부에 대하여 미친다. 이는 고소취소의 경우에도 동일하다).

판례 | 단순일죄에 객관적 불가분의 원칙이 적용되는지의 여부(적극)

1 일죄의 관계에 있는 범죄사실 **일부에 대한 고소의 효력은 일죄 전부에 대하여 미친다**(대판 2011.6.24, 2011도4451). 15. 경찰채용 · 국가직 7급, 16. 국가직 9급, 17. 법원직 9급, 18. 경찰승진

2 일죄의 관계에 있는 **범죄사실의 일부에 대한 공소제기 및 고발의 효력은 그 일죄의 전부에 대하여 미친다**(대판 2005.1.14, 2002도5411).

3 고발은 범죄사실에 대한 소추를 요구하는 의사표시로서 그 효력은 고발장에 기재된 범죄사실과 동일성이 인정되는 사실 모두에 미치므로 범칙사건에 대한 고발이 있는 경우 그 고발의 효과는 범칙사건에 관련된 범칙사실의 전부에 미치고 **한 개의 범칙사실의 일부에 대한 고발은 그 전부에 대하여 효력이 생긴다**(대판 2009.7.23, 2009도3282). 16. 국가직 7급

4 수개의 범칙사실 중 일부만을 범칙사건으로 하는 고발이 있는 경우에 고발장에 기재된 범칙사실과 동일성이 인정되지 않는 다른 범칙사실에 대해서는 고발의 효력이 미치지 않는다(대판 2014.10.15, 2013도565). 20. 경찰채용

㉡ 상상적 경합범

ⓐ **모두 친고죄이고 피해자가 동일한 경우 – 적용: 객관적 불가분의 원칙이 적용된다.** 18. 국가직 7급

ⓑ **일부 범죄만이 친고죄인 경우 – 비적용: 이 원칙이 적용되지 아니한다**(예 甲이 하나의 행위로 乙에게 상해를 가하면서 모욕한 경우, 피해자는 동일하지만 상해죄는 친고죄가 아니므로 乙이 상해죄로 고소해도 그 고소의 효력은 모욕죄에는 미치지 아니한다). 18. 국가직 7급

ⓒ **피해자가 다른 경우 – 비적용: 이 원칙이 적용되지 아니한다**(예 甲이 하나의 행위로 乙과 丙을 모욕한 경우, 각 모욕죄는 모두 친고죄이지만 피해자가 다르므로 乙이 자기에 대한 모욕죄를 고소해도 그 고소의 효력은 丙에 대한 모욕죄에는 미치지 아니한다). 18. 국가직 7급

판례 | 일부 범죄만이 친고죄인 상상적 경합범에 객관적 불가분의 원칙이 적용되는지의 여부(소극)

(강간죄가 친고죄이었던 개정 형법 시행 전에) 형이 중한 **강간미수죄가 친고죄로서 고소가 취소**되었다 하더라도 **형이 경한 감금죄(폭력행위처벌법 위반)에 대하여는 아무런 영향을 미치지 않는다**(대판 1983.4.26, 83도323). 15. 국가직 9급

㉢ **실체적 경합범 – 비적용**: 객관적 불가분 원칙은 하나의 범죄사실을 전제로 하므로 실체적 경합범의 관계에 있는 수죄(數罪)에 대해서는 **이 원칙이 적용되지 아니한다**(예 甲이 A, B, C를 각각 모욕한 경우 각 모욕은 실체적 경합관계에 있으므로 A가 甲을 고소하거나 고소를 취소하여도 그 효력이 B와 C의 고소나 그 취소의 효력에는 영향을 미치지 아니한다). 18. 국가직 7급

(3) 주관적 불가분의 원칙

① **개념**: 주관적 불가분의 원칙이란 수인의 공범 중 1인 또는 수인에 대한 고소나 그 취소는 다른 공범자에게도 효력이 미친다는 원칙을 말한다(제233조). 14·18. 경찰채용, 15. 법원직 9급, 16. 경찰승진, 18. 변호사
고소는 범인신고가 아니고 범죄사실의 신고이므로 고소를 함에 있어 범인의 지정이 없거나 공범 중 일부만을 지정해도 그 고소의 효력은 공범자 전원에 대하여 효력이 미치는 것은 당연하다.

② 적용범위

㉠ **절대적 친고죄 – 적용**: 보통 친고죄는 절대적 친고죄로서 언제나 **이 원칙이 적용된다**(예 甲과 乙이 공모하여 A를 모욕한 경우 A가 甲만 고소하여도 그 고소의 효력은 乙에게도 미친다). 여기서 공범이란 광의의 개념으로 임의적 공범은 물론 필요적 공범도 포함된다. 공범이란 광의의 개념으로 **임의적 공범은 물론 필요적 공범도 포함**된다(≪주의 필요적 공범은 적용되나 임의적 공범은 적용되지 않는다. ×).

판례 | 절대적 친고죄에 있어 공범 1인에 대한 고소취소의 효력이 다른 공범에게 미치는지의 여부(적극)

1 (저작권법 위반 사건에 있어) 고소불가분의 원칙상 공범 중 일부에 대하여만 처벌을 구하고 나머지에 대하여는 처벌을 원하지 않는 내용의 고소는 적법한 고소라고 할 수 없고 **공범 중 1인에 대한 고소취소는 고소인의 의사와 상관없이 다른 공범에 대하여도 효력이 있다**(대판 2009.1.30, 2008도7462). 14·17. 국가직 9급, 16. 경찰승진

2 친고죄에서 고소와 고소취소의 불가분원칙을 규정한 형사소송법 제233조는 당연히 적용되므로 만일 공소사실에 대하여 **피고인과 공범관계에 있는 사람에 대한 적법한 고소취소가 있다면 고소취소의 효력은 피고인에 대하여 미친다**(대판 2015.11.17, 2013도7987). 16·20. 경찰채용, 18. 법원직 9급, 19. 경찰간부, 20. 경찰승진

ⓛ **상대적 친고죄 – 비적용**: 절도죄와 같은 재산범죄에 있어 범인과 피해자 사이에 동거하지 않는 친족 관계가 있으면 친고죄가 되는데(형법 제344조) 이렇게 일정한 신분관계가 있을 때에만 친고죄가 되는 것을 상대적 친고죄라고 한다. 상대적 친고죄에 있어 비신분자에 대한 고소는 친고죄의 고소가 아니므로 그 고소의 효력은 신분자에게 미치지 아니한다(예 甲과 그 친구 A는 甲의 별거하는 삼촌 乙의 재물을 절취하였다. 甲의 절도죄는 친고죄이지만 A의 절도죄는 친고죄가 아니다. 따라서 乙이 비신분자 A를 고소해도 그 고소의 효력은 甲에게 미치지 아니한다).

판례 | 상대적 친고죄에 있어 고소취소가 친족관계가 없는 공범자에게 미치는지의 여부(소극)

상대적 친고죄에 있어서의 피해자의 **고소취소는 친족관계 없는 공범자에게는 그 효력이 미치지 아니한다**(대판 1964.12.15, 64도481). 14. 국가직 9급, 16. 경찰승진

ⓒ **반의사불벌죄 – 비적용**: **반의사불벌죄**의 처벌희망(불원)의사표시에 있어 고소와 같은 주관적 불가분의 원칙이 준용되는지 여부가 문제된다. 이에 관하여 ⓐ 반의사불벌죄의 처벌희망(불원)의사표시는 친고죄의 고소와 유사하므로 이를 준용해야 한다는 긍정설과, ⓑ 양자는 피해자의 의사를 소추조건으로 하는 이유나 방법이 다르므로 **준용할 수 없다는 부정설(판례)**이 대립한다.

판례 | 고소불가분의 원칙을 규정한 형사소송법 제233조의 규정이 반의사불벌죄에도 준용되는지의 여부(소극)

형사소송법이 고소와 고소취소에 관한 규정을 하면서 제232조 제1항, 제2항에서 고소취소의 시한과 재고소의 금지를 규정하고 제3항에서는 반의사불벌죄에 제1항, 제2항의 규정을 준용하는 규정을 두면서도 제233조에서 고소와 고소취소의 불가분에 관한 규정을 함에 있어서는 반의사불벌죄에 이를 준용하는 규정을 두지 아니한 것은 **처벌을 희망하지 아니하는 의사표시나 처벌을 희망하는 의사표시의 철회에 관하여 친고죄와는 달리 공범자간에 불가분의 원칙을 적용하지 아니하고자 함에 있다**고 볼 것이지 입법의 불비로 볼 것은 아니다(대판 1994.4.26, 93도1689). 14·17·19. 경찰승진, 14·17·20. 국가직 9급, 15·16·20. 법원직 9급, 15·18. 변호사·경찰채용, 18·19. 경찰간부

ⓔ **전속고발범죄 – 비적용**: **전속고발범죄**의 고발에 있어서도 고소와 같은 주관적 불가분의 원칙이 **준용되지 않는다는 것이 판례**의 입장이다(《주의 전속고발범죄는 고소의 주관적 불가분의 원칙이 유추적용된다. ×).

판례 | 고소불가분의 원칙을 규정한 형사소송법 제233조의 규정이 전속고발범죄에도 준용되는지의 여부(소극)

1 **죄형법정주의의 원칙에 비추어 친고죄에 관한 고소의 주관적 불가분 원칙을 규정한 형사소송법 제233조의 유추적용을 통하여 공정거래위원회의 고발이 없는 위반행위자에 대해서까지 형사처벌의 범위를 확장하는 것도 허용될 수 없으므로**, 위반행위자 중 일부에 대하여 공정거래위원회의 고발이 있다고 하여 나머지 위반행위자에 대하여도 위 고발의 효력이 미친다고 볼 수 없고, 나아가 공정거래법 제70조의 양벌규정에 따라 처벌되는 법인이나 개인에 대한 고발의 효력이 그 대표자나 대리인, 사용인 등으로서 행위자인 사람에게까지 미친다고 볼 수도 없다(대판 2011.7.28, 2008도5757). 14. 경찰승진, 17·18. 경찰간부, 20·21. 경찰채용

2 **친고죄에 관한 고소의 주관적 불가분원칙을 규정하고 있는 형사소송법 제233조가 독점규제 및 공정거래에 관한 법률상 공정거래위원회의 고발에도 유추적용된다고 해석한다**면 이는 공정거래위원회의 고발이 없는 행위자에 대해서까지 형사처벌의 범위를 확장하는 것으로서, 결국 피고인에게 불리하게 형벌법규의 문언을 유추해석한 경우에 해당하므로 **죄형법정주의에 반하여 허용될 수 없다**(대판 2010.9.30, 2008도4762).

3 **조세범처벌법에 의하여 하는 고발에 있어서는 이른바 고소·고발 불가분의 원칙이 적용되지 아니하므로** 고발의 구비 여부는 양벌규정에 의하여 처벌받는 자연인인 행위자와 법인에 대하여 개별적으로 논하여야 한다(대판 2004.9.24, 2004도4066). 14. 변호사·국가직 9급, 16. 법원직 9급, 21. 경찰간부

4. 고소의 취소

(1) 의의

고소취소란 친고죄에 있어서 고소권자가 일단 제기한 고소를 철회하는 소송행위를 말한다. 반의사불벌죄에 있어서 처벌희망 의사표시 철회(처벌불원의사표시)도 고소의 취소에 준한다.

(2) 고소취소의 방법

① **취소권자**: 고소취소를 할 수 있는 자는 고유의 고소권자이다. 따라서 고유의 고소권자는 고소대리권자가 제기한 고소를 취소할 수 있으나, 고소대리권자는 (고소취소의 대리권을 수여받지 않는 한) 고유의 고소권자가 제기한 고소를 취소할 수 없다.

판례 |

1 **의사능력이 있는 피해자인 청소년이 단독으로 처벌을 희망하지 않는다는 의사표시 또는 처벌희망 의사표시의 철회를 할 수 있는지의 여부(적극)**

① (청소년강간이 반의사불벌죄이던 당시에) 반의사불벌죄라고 하더라도 **피해자인 청소년에게 의사능력이 있는 이상, 단독으로 피고인 또는 피의자의 처벌을 희망하지 않는다는 의사표시 또는 처벌희망 의사표시의 철회를 할 수 있고,** 거기에 법정대리인의 동의가 있어야 하는 것으로 볼 것은 아니다[대판 2009.11.19, 2009도6058(전합)]. 14. 변호사, 15·20. 경찰채용, 15·17. 국가직 9급, 19. 경찰간부, 20. 국가직 7급

② 폭행죄는 피해자의 명시한 의사에 반하여 공소를 제기할 수 없는 반의사불벌죄로서 **처벌불원의 의사표시는 의사능력이 있는 피해자가 단독으로 할 수 있다**(대판 2010.5.27, 2010도2680). 18·20. 경찰채용, 19. 경찰승진

2 **적법한 고소취소권자가 될 수 없는 경우**

① 폭행죄에 있어 **피해자가 사망한 후 그 상속인이 피해자를 대신하여 처벌불원의 의사표시를 할 수는 없다**(대판 2010.5.27, 2010도2680). 14. 변호사, 16. 국가직 9급, 17. 경찰승진, 17·18. 경찰채용, 18. 경찰간부

② (교통사고로 의식을 회복하지 못하고 있는) **피해자의 아버지**가 피해자를 대리하여 처벌을 희망하지 아니한다는 의사를 표시하는 것은 허용되지 아니할 뿐만 아니라 피해자가 성년인 이상 의사능력이 없다는 것만으로 피해자의 아버지가 당연히 법정대리인이 된다고 볼 수도 없으므로, 피해자의 아버지가 처벌을 희망하지 아니한다는 의사를 표시하였더라도 소송법적으로 효력이 발생할 수 없다(대판 2013.9.26, 2012도568). 20. 국가직 7급

③ **피해자의 오빠**의 제1심법정에서의 진술 중에서 피고인의 처벌을 불원하는 의사표시를 하였다는 사실만으로는 처벌희망 의사표시가 철회되었다고 볼 수 없다(대판 1983.9.13, 83도1052).

④ (사건 당시 23세인) **피해자의 부친**이 피해자 사망 후에 피해자를 대신하여 그 피해자가 이미 하였던 고소를 취소하더라도 이는 적법한 고소취소라 할 수 없다(대판 1969.4.29, 69도376).

② 취소시기: **친고죄의 고소**는 **제1심판결선고 전까지 취소할 수 있다**(제232조 제1항). 14. 국가직 7급, 15. 법원직 9급, 16. 경찰승진 **반의사불벌죄**에 있어서 처벌을 희망하는 의사표시의 철회도 **제1심판결선고 전까지 할 수 있다**(동조 제3항). 고소취소가 가능한 시기를 제1심판결선고 전까지로 제한하고 있는 형사소송법 제232조 제1항은 헌법에 위반되지 않는다는 것이 판례의 입장이다(헌재 2011.2.24, 2008헌바40).

판례 |

1 **(항소심이 제1심을 파기하고 환송한 사례에서) 환송 후 제1심판결의 선고 전에 간통죄의 고소가 취소된 경우 법원이 취해야 할 조치(= 공소기각판결)**

상소심에서 형사소송법 제366조 또는 제393조 등에 의하여 제1심의 공소기각판결이 법률에 위반됨을 이유로 이를 파기하고 사건을 제1심법원에 환송함에 따라 다시 제1심 절차가 진행된 경우, 종전의 제1심판결은 이미 파기되어 그 효력을 상실하였으므로 환송 후의 제1심판결선고 전에는 고소취소의 제한사유가 되는 제1심판결선고가 없는 경우에 해당한다. 따라서 **환송 후 제1심판결선고 전에 간통죄의 고소가 취소**되면 형사소송법 제327조 제5호에 의하여 **판결로써 공소를 기각**하여야 할 것이다(대판 2011.8.25, 2009도9112). 15·18. 변호사, 19. 경찰간부, 19. 경찰승진

2 **친고죄에 있어 고소취소의 시기 및 반의사불벌죄에 있어 처벌희망 의사표시의 철회시기(= 제1심판결선고 전까지)**

① **제1심판결선고 후에** 고소가 취소된 경우에는 그 취소의 효력이 없으므로 공소기각의 재판을 할 수 없다(대판 1985.2.8, 84도2682). 16. 변호사

② **항소심에서** 비로소 공소사실이 친고죄로 변경된 경우에도 항소심을 제1심이라 할 수는 없는 것이므로 항소심에 이르러 고소인이 고소를 취소하였다면 이는 친고죄에 대한 고소취소로서의 효력이 없다(대판 2007.3.15, 2007도210). 14. 변호사, 15·18·19. 경찰채용, 17. 국가직 7급

③ **항소심에서** 공소장의 변경에 의하여 또는 공소장변경절차를 거치지 아니하고 법원 직권에 의하여 친고죄가 아닌 범죄를 친고죄로 인정하였더라도 항소심을 제1심이라 할 수는 없는 것이므로 항소심에 이르러 비로소 고소인이 고소를 취소하였다면 이는 친고죄에 대한 고소취소로서의 효력은 없다[대판 1999.4.15, 96도1922(전합)]. 15·20·21. 법원직 9급, 19. 경찰승진, 20. 국가직 9급

④ 피해자의 명시한 의사에 반하여 죄를 논할 수 없는 사건에서 처벌을 희망하는 의사표시의 철회 또는 처벌을 희망하지 아니하는 의사표시는 **제1심판결선고시까지 할 수 있으므로 그 후의 의사표시**는 효력이 없다(대판 2000.9.29, 2000도2953). 20. 국가직 9급

⑤ 형사소송법 제232조 제1항, 제3항의 취지는 국가형벌권의 행사가 피해자의 의사에 의하여 좌우되는 현상을 장기간 방치할 것이 아니라 제1심판결선고 이전까지로 제한하자는데 그 목적이 있다 할 것이므로, 비록 **항소심에 이르러 비로소 반의사불벌죄가 아닌 죄에서 반의사불벌죄로 공소장 변경이 있었다 하여 항소심인 제2심을 제1심으로 볼 수는 없다**(대판 1988.3.8, 85도2518). 18. 경찰승진·법원직 9급, 18·20. 경찰채용

3 **소송촉진법상 재심과 처벌희망 의사표시의 철회**

① 제1심법원이 반의사불벌죄로 기소된 피고인에 대하여 소송촉진법 제23조에 따라 피고인의 진술 없이 유죄를 선고하여 판결이 확정된 경우, 만일 피고인이 책임을 질 수 없는 사유로 공판절차에 출석할 수 없었음을 이유로 소송촉진법 제23조의2에 따라 제1심법원에 재심을 청구하여 재심개시 결정이 내려졌다면 피해자는 그 **재심의 제1심판결선고 전까지 처벌을 희망하는 의사표시를 철회할 수 있다**(대판 2016.11.25, 2016도9470). 18·21. 법원직 9급, 20. 경찰채용

② 제1심판결이 소송촉진법 제23조 본문의 특례 규정에 의하여 선고된 다음 피고인이 책임질 수 없는 사유로 공판절차에 출석할 수 없었다고 하여 같은 법 제23조의2의 규정에 의한 재심이 청구되고 재심개시의 결정이 내려진 경우, 피고인으로서는 제1심의 공판절차에서 적절한 방어를 할 기회를 가지지 못하였던 것이고 바로 그러한 이유로 인하여 재심청구가 허용된 것이므로 이 경우에는 **부도수표 회수나 수표소지인의 처벌을 희망하지 아니하는 의사의 표시도 그 재심의 제1심판결 선고전까지 하면 되는 것으로 해석함이 상당하다**(대판 2002.10.11, 2002도1228).

③ 피고인이 제1심법원에 소송촉진법 제23조의2에 따른 재심을 청구하는 대신 항소권회복청구를 함으로써 항소심 재판을 받게 되었다면 항소심을 제1심이라고 할 수 없는 이상 그 **항소심 절차에서는 처벌을 희망하는 의사표시를 철회할 수 없다**(대판 2016.11.25, 2016도9470). 18. 법원직 9급

부정수표 단속법

제2조 【부정수표 발행인의 형사책임】 ② 수표를 발행하거나 작성한 자가 수표를 발행한 후에 예금부족, 거래정지처분이나 수표계약의 해제 또는 해지로 인하여 제시기일에 지급되지 아니하게 한 경우에도 제1항과 같다.

③ 과실로 제1항과 제2항의 죄를 범한 자는 3년 이하의 금고 또는 수표금액의 5배 이하의 벌금에 처한다.

④ 제2항과 제3항의 죄는 수표를 발행하거나 작성한 자가 그 **수표를 회수**한 경우 또는 회수하지 못하였더라도 **수표 소지인의 명시적 의사에 반하는 경우 공소를 제기할 수 없다.**

판례 | 부정수표 단속법 제2조 제4항 관련 판례

1 부정수표 단속법 제2조 제4항에서 **부정수표가 회수된 경우 공소를 제기할 수 없도록 하는 취지**는 부정수표가 회수된 경우에는 수표소지인이 부정수표 발행자 또는 작성자의 처벌을 희망하지 아니하는 것과 마찬가지로 보아 같은 조 제2항 및 제3항의 죄를 이른바 **반의사불벌죄로 규정한 취지라고 해석함이 상당**하다(대판 2009.12.10, 2009도9939).

2 **부도수표 회수나 수표소지인의 처벌을 희망하지 아니하는 의사의 표시가 제1심판결선고 이전까지 이루어지는 경우**에는 **공소기각의 판결**을 선고하여야 할 것이고 이는 부정수표가 공범에 의하여 회수된 경우에도 마찬가지라고 할 것이다(대판 2009.12.10, 2009도9939). 16. 법원직 9급, 17. 국가직 9급

3 제1심판결이 소송촉진법 제23조 본문의 특례 규정에 의하여 선고된 다음 피고인이 책임질 수 없는 사유로 공판절차에 출석할 수 없었다고 하여 같은 법 제23조의2의 규정에 의한 재심이 청구되고 재심개시의 결정이 내려진 경우, 피고인으로서는 제1심의 공판절차에서 적절한 방어를 할 기회를 가지지 못하였던 것이고 바로 그러한 이유로 인하여 재심청구가 허용된 것이므로 이 경우에는 **부도수표 회수나 수표소지인의 처벌을 희망하지 아니하는 의사의 표시도 그 재심의 제1심판결선고 전까지 하면 되는 것**으로 해석함이 상당하다(대판 2002.10.11, 2002도1228).

4 부도수표 회수나 수표소지인의 처벌을 희망하지 아니하는 의사의 표시는 어디까지나 제1심판결선고 이전까지 하여야 하는 것으로 해석되므로 피고인이 **부정수표를 1심판결선고 후에 회수**하였더라도 **부정수표단속법 제2조 제4항 소정의 효력이 생길 수 없다**(대판 1995.10.13, 95도1367).

5 **부도수표가 제권판결에 의하여 무효로 됨**으로써 수표소지인이 더 이상 발행인 등에게 수표금의 지급을 구할 수 없게 되었다고 하더라도 이러한 사정만으로는 **수표가 회수되거나 수표소지인이 처벌을 희망하지 아니하는 의사를 명시한 경우에 해당한다고 볼 수는 없다**(대판 2006.5.26, 2006도1711).

③ **고소취소의 제한: 공범 중 일부에 대하여 이미 제1심판결이 선고**되어 그 자에 대하여 고소취소를 할 수 없는 상태가 되었다면, 다른 공범자가 아직 제1심판결선고 전이라고 하더라도 **그 다른 공범자에 대하여는 고소취소를 할 수 없다는 것이 통설과 판례**의 입장이다.

판례 | 공범 중 일부에 대한 제1심 판결선고 후, 제1심판결선고 전의 다른 공범자에 대하여 고소를 취소할 수 있는지의 여부(소극)

친고죄의 공범 중 그 일부에 대하여 제1심판결이 선고된 후에는 제1심판결선고 전의 다른 공범자에 대하여는 그 고소를 취소할 수 없고 그 고소의 취소가 있다 하더라도 그 효력을 발생할 수 없으며, 이러한 법리는 필요적 공범이나 임의적 공범이나를 구별함이 없이 모두 적용된다(대판 1985.11.12, 85도1940). 14 · 18. 변호사, 16. 경찰승진, 16 · 19. 경찰채용, 18. 법원직 9급, 20. 해경채용

④ 취소방식

㉠ **고소취소는 고소와 같이 서면 또는 구술로 할 수 있다**(제237조 제1항, 제239조).

판례 |

1 공소제기 후 고소취소 또는 처벌희망 의사표시 철회의 상대방

고소의 취소나 처벌을 희망하는 의사표시의 철회는 수사기관 또는 법원에 대한 법률행위적 소송행위이므로 **공소제기 전에는 고소사건을 담당하는 수사기관에, 공소제기 후에는 고소사건의 수소법원에 대하여 이루어져야 한다**(대판 2012.2.23, 2011도17264). 14. 법원직 9급

2 고소취소 또는 처벌희망 의사표시 철회 의사표시의 해석

① 반의사불벌죄에 있어서 피해자가 **처벌을 희망하지 아니하는 의사표시나 처벌을 희망하는 의사표시의 철회를 하였다고 인정**하기 위해서는 **피해자의 진실한 의사가 명백하고 믿을 수 있는 방법으로 표현되어야 한다**(대판 2010.11.11, 2010도11550).

② [1] 건설업에서 2차례 이상 도급이 이루어진 경우 건설업자가 아닌 하수급인이 그가 사용한 근로자에게 임금을 지급하지 못할 경우 그 하수급인의 직상 수급인은 하수급인과 연대하여 하수급인이 사용한 근로자의 임금을 지급할 책임을 지도록 하면서 이를 위반한 직상 수급인을 처벌하되, 근로자의 명시적인 의사와 다르게 공소를 제기할 수 없도록 규정하고 있다. [2] **하수급인의 처벌을 희망하지 아니하는 근로자의 의사표시가 있을 경우에는** 여러 사정을 참작하여 여기에 **직상 수급인의 처벌을 희망하지 아니하는 의사표시도 포함되어 있다고 볼 수 있는지를 살펴보아야 하고**, 직상 수급인을 배제한 채 오로지 하수급인에 대하여만 처벌을 희망하지 아니하는 의사를 표시한 것으로 쉽사리 단정할 것은 아니다(대판 2015.11.12, 2013도8417). 17. 경찰채용

㉡ **고소취소의 대리도 허용**된다(제236조). 16. 국가직 9급

㉢ 검사가 참고인진술조서를 작성할 때 피해자가 행한 고소취소의 의사표시도 그 효력이 있다.

㉣ 고소취소는 수사기관 또는 법원에 대하여 하여야 하므로 **범인과 피해자 사이에 단순한 합의서가 작성된 것만으로는 원칙적으로 고소취소가 될 수 없다.** 합의서 · 탄원서 등이 고소취소에 해당하는지의 여부는 구체적 · 개별적인 의사표시 해석에 의하여 판단하여야 한다. 반의사불벌죄에 있어 처벌희망 의사표시 철회(처벌불원의사표시)도 이에 준한다.

판례 |

1 고소취소에 해당하는 경우

① 피해자가 가해자와 합의한 후 '이 사건 전체에 대하여 가해자와 원만히 합의하였으므로 피해자는 가해자를 상대로 이 사건과 관련한 어떠한 민·형사상의 책임도 묻지 아니한다'는 취지의 **합의서가 경찰에 제출**된 경우(대판 2002.7.12, 2001도6777) - 강간치상죄 ➜ 강간죄 15. 변호사, 21. 경찰채용

② 강간피해자 명의의 '당사자간에 원만히 합의되어 민·형사상 문제를 일체 거론하지 않기로 화해 되었으므로 합의서를 제1심 재판장 앞으로 제출한다'는 취지의 합의서 및 '피고인들에게 중형을 내리기보다는 법의 온정을 베풀어 사회에 봉사할 수 있도록 관대한 처분을 바란다'는 취지의 **탄원서가 제1심법원에 제출**된 경우(대판 1981.11.10, 81도1171) - 강간죄

③ 강간미수의 피해자의 어머니와 피고인의 아버지간에 '피해가 변상되었으니 관대한 처벌을 하여 달라'는 내용의 **합의서가 제출**되었고 또 피해자의 어머니가 '피해자는 물론 자기도 **처벌을 원치 않는다'고 합의서의 기재를 부연하는 증언**을 한 경우(대판 1974.12.24, 74도3335) - 강간미수죄

④ 피해자가 피고인의 처벌을 구하는 의사를 철회한다는 의사로 **합의서를 제1심법원에 제출**하였으나, 그 후 피해자가 제1심법원에 증인으로 출석하여 "합의를 취소하고 다시 피고인의 처벌을 원한다."는 진술을 한 경우(대판 2009.9.24, 2009도6779) - 강간죄 17. 국가직 7급

2 처벌희망 의사표시 철회에 해당하는 경우

① (피해자가 제1심법원에 "피해자는 피고인과 합의하였으므로 피고인의 처벌을 바라지 아니한다."는 내용의 피해자 부모들 및 피해자 명의의 **합의서를 제출**한 후) 법원이 피해자와 피해자의 부(父)에게 전화를 한 결과 "피고인과 합의를 한 것은 맞지만 피고인에 대한 선처를 바라는 취지일 뿐 여전히 피고인의 처벌을 원한다."는 말을 듣자, 피고인의 처가 피해자를 직접 만나 피해자로부터 "이 사건에 관하여 피해자와 피고인은 합의하였고 피고인이 선처받기를 탄원한다."는 내용의 **합의서를 다시 작성받아 제1심법원에 제출**한 경우(대판 2010.11.11, 2010도11550) - 청소년성보호법 위반(청소년강간 등)

② "피해자(女, 14세)는 가해자측으로부터 50만원을 받아 합의를 하였기에 차후 이 사건으로 민·형사상의 이의를 제기하지 않겠다."는 취지의 **피해자의 모(母) 명의의 합의서가 법원에 제출**되었고 이후 다시 "처벌을 원하지 않는다는 합의가 이루어졌음을 확인한다."는 내용의 **피해자의 모(母)의 탄원서가 추가로 제출**된 경우(대판 2009.12.24, 2009도11859) - 폭행죄

③ 피해자가 "차후 민·형사상 어떠한 이의도 제기치 않을 것을 서약하면서 합의서를 제출합니다."라는 내용과 "합의금 이백 중 나머지 일백만원은 11월부터 매월 10만원씩 송금하기로 함"이라는 내용이 기재된 **합의서를 제1심법원에 제출**한 경우(대판 2008.2.29, 2007도11339) - 협박죄 16. 경찰간부

3 고소취소에 해당하지 않는 경우

① (단순히) 고소인이 **합의서를 피고인에게 작성하여 준 경우**(대판 1983.9.27, 83도516) - 모욕죄 18. 법원직 9급

② 간통 고소 이후 이혼사건에서 **형사고소를 취소하기로 하는 내용의 조정이 성립**된 경우(대판 2008.11.27, 2008도2493) - 간통죄

✎ 취지만 유효

③ 관련 민사사건에서 **'형사 고소 사건 일체를 모두 취하한다'는 내용이 포함된 조정이 성립**되었으나, 고소인이 조정이 성립된 이후에도 수사기관 및 제1심법정에서 여전히 피고인의 처벌을 원한다는 취지로 진술하고 있으며 달리 **고소인이 위 조정조서사본 등을 수사기관이나 제1심법정에 제출하지 아니한 경우**(대판 2004.3.25, 2003도8136) - 모욕죄 및 폭행죄

④ 고소인과 피고인 사이에 작성된 '상호간에 원만히 해결되었으므로 이후에 민·형사간 어떠한 이의도 제기하지 아니할 것을 합의한다'는 취지의 **합의서가 제1심법원에 제출**되었으나, **고소인이 제1심에서 고소취소의 의사가 없다고 증언**한 경우(대판 1981.10.6, 81도1968) - 강간죄

⑤ **법원에 제출된 합의서**에는 '고소인과 피고소인 상호간에 원만히 해결되었으므로 이후에 민 · 형사 간 어떠한 이의도 제기하지 않을 것을 합의한다'는 취지가 기재되어 있을 뿐이고, 그 **합의서 제출 후에 고소인이 법정에 나와 고소취소의 의사가 없다고 진술**한 경우(대판 1980.10.27, 80도1448) – 강간죄

⑥ 검사가 작성한 피해자에 대한 진술조서기재 중 '피의자들의 처벌을 원하는가요?'라는 물음에 대하여 '**법대로 처벌하여 주기 바랍니다**'로 되어 있고 이어서 '더 할 말이 있는가요?'라는 물음에 대하여 '**젊은 사람들이니 한번 기회를 주시면 감사하겠읍니다**'로 기재되어 있는 경우(대판 1981.1.13, 80도2210) – 강제추행죄 19. 경찰승진

4 처벌희망 의사표시 철회에 해당하지 않는 경우

① 피고인과 피해자 A, B 사이에 (A가 피고인에게 **편취한 금원에 관하여) A가 피고인에게 8,386,000원을 지급하면서 앞으로 상호 비방하지 않기로 하는 합의가 이루어진 경우**. 다만, B는 **폭행의 점**에 관하여 제1심법정에서 피고인에 대한 **처벌의 의사가 있음을 분명히 밝혔음**(대판 2004.6.25, 2003도4934) – 폭행죄 및 명예훼손죄

② **피고인 甲**의 출판물명예훼손사건에서 법원이 피해자를 증인으로 소환하였으나 피해자가 **"업무출장 관계로 출석할 수 없으니 기일을 변경하여 주시기 바랍니다.** 乙(甲과 함께 고소된 사람임)은 90회 이상 증인을 고소, 고발하여 괴롭히고 있습니다. **乙을 고소취하 하였는데 무엇 때문에 또 증인을 부르시나요? 제발 생업에 종사할 수 있도록 선처하여 주시기 바랍니다."**라는 내용의 서면을 제출하고 불출석한 경우(대판 2001.6.15, 2001도1809) – 출판물명예훼손죄

제2편 수사 1장

(3) 고소취소의 효과

① **고소권 소멸**: 고소를 취소하면 고소권은 소멸한다. '고소취소'를 다시 취소하여 소멸된 고소권을 회복시키지 못한다. 다만, 하나의 범죄에 있어 피해자가 수인인 경우 1인이 고소를 취소하더라도 다른 피해자의 고소권은 소멸하지 아니한다.

판례 | 고소권자가 수인인 경우 고소취소의 효력이 발생하기 위한 요건(= 수인 전부가 고소를 취소할 때)

피해자의 법정대리인의 고소는 취소되었다고 하더라도 피해자 본인의 고소가 취소되지 아니한 이상 (친고죄인 간음목적약취죄의) 공소사실에 대한 **공소제기 요건은 여전히 충족**되고 있다(대판 2011.6.24, 2011도4451).

② **재고소 금지: 고소를 취소한 자는 다시 고소하지 못한다**(제232조 제2항). 16. 경찰승진, 18. 변호사 또한 고소를 취소하면 고소인의 지위를 상실하므로 재정신청 · 검찰항고 등을 청구할 권리도 상실한다.

③ **검사 · 법원의 조치**: 고소취소가 있으면 검사는 공소권 없음 불기소처분을 해야 하고, 법원은 공소기각판결을 선고해야 한다(제327조 제5호).

판례 | 고소취소 등을 다시 철회할 수 있는지의 여부(소극)

1 고소권자가 서면 또는 구술로써 수사기관 또는 법원에 고소를 취소하는 의사표시를 하였다고 보여지는 이상 그 고소는 적법하게 취소되었다고 할 것이고 그 후 **고소취소를 철회하는 의사표시를 다시 하였다고 하여도 그것은 효력이 없다**(대판 2009.9.24, 2009도6779).

2 반의사불벌죄에 있어서 피해자가 **처벌을 희망하지 아니하는 의사표시**는 공소제기 이후에도 제1심판결이 선고되기 전이라면 수사기관에도 할 수 있는 것이지만 **한번 명시적으로 표시된 이후에는 다시 처벌을 희망하지 아니하는 의사표시를 철회하거나 처벌을 희망하는 의사를 표시할 수 없다**(대판 2007.9.6, 2007도3405).

(4) 고소의 포기

고소의 포기란 고소권자가 친고죄의 고소기간 안에 장차 고소권을 행사하지 않겠다는 의사표시를 하는 것을 말한다. 이에 대하여 ① 고소권은 공법상 권리라는 점 등을 근거로 이를 **부정하는 견해(판례)**, ② 사인간의 화해나 수사의 신속한 종결의 이점 등을 근거로 이를 인정하는 견해, ③ 고소권의 포기는 인정하지만 고소취소와 동일한 방식으로 한 경우에 한하여 효력이 있다는 견해(다수설)가 대립한다.

판례 | 친고죄에 있어 고소권을 포기할 수 있는지의 여부(소극)

1 친고죄에 있어서의 피해자의 고소권은 공법상의 권리라고 할 것이므로 법이 특히 명문으로 인정하는 경우를 제외하고는 자유처분을 할 수 없고 따라서 일단 한 고소는 취소할 수 있으나 **고소 전에 고소권을 포기할 수 없다**고 함이 상당할 것이다(대판 1967.5.23, 67도471). 16. 경찰간부, 20. 국가직 9급

2 피해자가 고소장을 제출하여 처벌을 희망하는 의사를 분명히 표시한 후 고소를 취소한 바 없다면 비록 **고소 전에 피해자가 처벌을 원치 않았다** 하더라도 **그 후에 한 피해자의 고소는 유효**하다(대판 2008.11.27, 2007도4977). 21. 경찰채용

SUMMARY | 고소 vs 고발★★★

구분	비친고죄의 고소	친고죄의 고소	일반범죄의 고발	전속고발범죄의 고발
성질	수사의 단서	수사의 단서 + 소송조건	수사의 단서	수사의 단서 + 소송조건
주체	범죄의 피해자	범죄의 피해자	범인 및 고소권자 이외의 제3자	관계 공무원
기간	제한 없음	범인을 안 날로부터 6월	제한 없음	제한 없음
대리	허용	허용	불허	불허
취소시기	제한 없음	제1심판결선고 전까지	제한 없음	제1심판결선고 전까지
재고소 · 재고발 등	불허	불허	허용	허용

05 고발(告發)

1. 일반범죄의 고발

(1) 의의

고발은 고소권자나 범인 이외의 **제3자가 수사기관**에 **범죄사실을 신고**하여 **범인의 처벌을 구하는 의사표시를 말한다.** 고발은 범죄사실을 신고하여 범인의 처벌을 구하는 의사표시이므로, 단순한 피해신고는 고발이라고 할 수 없다. 고발의 경우 반드시 범인을 적시할 필요가 없고 또한 적시한 자가 진범이 아니더라도 진범에 대하여 고발의 효력이 미친다. 고발은 원칙적으로 수사의 단서에 불과하지만 전속고발범죄의 경우에는 고발이 소송조건이 되기도 한다.

판례 | 진범이 아닌 자에 대한 고발이 진범에게 효력이 미치는지의 여부(적극)

고발이란 범죄사실을 수사기관에 신고하여 그 소추를 촉구하는 것으로서 범인을 지적할 필요가 없는 것이고 또한 **고발에서 지정한 범인이 진범인이 아니더라도 고발의 효력에는 영향이 없는 것**이므로 고발인이 농지전용행위를 한 사람을 甲으로 잘못 알고 甲을 피고발인으로 하여 고발하였다고 하더라도 乙이 농지전용행위를 한 이상 乙에 대하여도 고발의 효력이 미친다(대판 1994.5.13, 94도458). 20. 경찰승진

(2) 고발의 주체

누구든지 범죄가 있다고 사료하는 때에는 고발할 수 있다(제234조 제1항). 다만, **공무원은 그 직무를 행함에 있어 범죄가 있다고 사료하는 때에는 고발하여야 한다**(동조 제2항). 공무원이 직무와 상관없이 우연히 범죄를 발견한 경우에는 고발의무가 없다. **고발은 대리가 허용되지 아니한다.** 17. 경찰채용 누구든지 고발할 수 있으므로 고발의 대리를 인정할 필요가 없다.

판례 |

1 무고죄의 주체(고소 · 고발의 주체)

① 비록 외관상으로는 타인 명의의 고소장을 대리하여 작성하고 제출하는 형식으로 고소가 이루어진 경우라 하더라도 그 명의자는 고소의 의사가 없이 이름만 빌려준 것에 불과하고 **명의자를 대리한 자가 실제 고소의 의사를 가지고 고소행위를 주도**한 경우라면 **그 명의자를 대리한 자를 신고자로 보아 무고죄의 주체로 인정**하여야 할 것이다(대판 2007.3.30, 2006도6017).

② **타인명의의 고소장 제출에 의해 위증사실의 신고가 행하여졌더라도 피고인이 고소장을 작성하여 수사기관에 제출하고 수사기관에 대하여 고발인진술**을 하는 등 피고인의 의사로 고발행위를 주도하였다면 그 **고발인은 피고인**이다(대판 1989.9.26, 88도1533).

2 무권한자가 고발을 한 경우

농지의 보전 및 이용에 관한 법률 제21조 제4항이 규정하는 **군수의 고발권에 대하여 이를 면장에게 위임할 수 있다는 근거법령을 찾아 볼 수 없으니** 결국 **면장이 위 조항에 의거 행한 고발은 적법한 고발이라고 할 수 없다**(대판 1985.8.13, 85도1193).

(3) 고발의 제한

자기 또는 배우자의 직계존속은 고발하지 못한다(제224조, 제235조)(주의 직계존속에 대한 고소는 제한되지만, 고발은 그렇지 않다. ×). 14. 경찰승진

(4) 고발의 절차와 기간 등

① **고발의 절차**: 고발은 서면 또는 구술로써 검사 또는 사법경찰관에게 하여야 한다(제237조 제1항). 검사 또는 사법경찰관이 구술에 의한 고발을 받은 때에는 조서를 작성하여야 한다(동조 제2항).

② **고발의 기간 등**: 고발의 기간에는 제한이 없다. **고발은** 이를 취소할 수 있고 취소한 후에도 **재고발할 수 있다.** 이는 친고죄의 고소와 다른 점이다(주의 재고소 · 재고발은 금지된다. ×).

2. 전속고발범죄의 고발

(1) 의의

전속고발범죄(즉시고발범죄)란 관계 공무원의 **고발이 있어야 유효하게 공소를 제기할 수 있는 범죄를 말한다.** 일반범죄와는 달리 전속고발범죄에서는 고발이 소송조건이 된다. 조세범 처벌법 위반, 관세법 위반, 출입국관리법 위반, 물가안정에 관한 법률 위반 등이 이에 해당하는데 이들 법은 행정법규의 성격이 강하고 전문적인 지식을 가진 관계 공무원에게 처벌의 필요성 여부 판단을 맡기는 것이 바람직하다는 근거에서 규정된 것이다(예 조세범 처벌법 제21조, 관세법 제284조, 출입국관리법 제101조, 물가안정에 관한 법률 제31조 등).

> **판례 | 전속적 고발권의 인정취지 및 전속고발범죄에 대해서 일반 사법경찰관리의 수사권한이 배제되는지의 여부(소극)**
>
> [1] 출입국관리법에서 사무소장 등에게 전속적 고발권과 더불어 출입국관리공무원에게 특별사법경찰관리로서의 지위를 부여한 취지는 출입국관리에 관한 전문적 지식과 경험을 갖춘 **출입국관리공무원으로 하여금 출입국관리에 관한 행정목적 달성을 위하여 자율적·행정적 제재수단을 형사처벌에 우선하여 활용할 수 있도록 하려는 데에 있다**고 볼 것이다. [2] 그러나 출입국관리공무원으로 하여금 수사를 전담하게 하는 규정은 출입국관리법에 이를 찾을 수 없으므로 경찰관 직무집행법 제2조 제5호(개정법 제7호)에 따라 공공의 안녕과 질서유지를 위하여 그 직무를 수행하는 **일반사법경찰관리의 출입국사범에 대한 수사권한은 출입국관리법 제101조, 제102조의 규정에도 불구하고 배제되는 것은 아니다**(대판 2011.3.10, 2008도7724).

> **출입국관리법**
>
> **제101조 【고발】** ① 출입국사범에 관한 사건은 지방출입국·외국인관서의 장의 고발이 없으면 공소를 제기할 수 없다.
>
> ② 출입국관리공무원 외의 수사기관이 제1항에 해당하는 사건을 입건하였을 때에는 지체 없이 관할 사무소장·출장소장 또는 외국인보호소장에게 인계하여야 한다.

(2) 전속고발의 특칙

전속고발범죄 고발의 경우에도 일반범죄 고발에 관한 규정과 내용이 원칙적으로 적용이 된다. 다만, 일반범죄 고발은 시기제한 없이 취소할 수 있으나 **전속고발범죄 고발은 제1심판결선고 전까지 취소할 수 있다는 것이 판례의 입장**이다. 또한 **고발**에 있어서는 고소와 같은 **주관적 불가분의 원칙이 적용되지 않는다는 것이 판례의 입장**이다.

> **판례 |**
>
> 1 전속고발범죄에 있어 고발의 성질(= 소송조건)
>
> ① 조세범 처벌법상 **고발 없이 공소가 제기**된 경우에는 공소제기 절차가 법률규정에 위반한 것이니 **공소를 기각**하여야 한다(대판 1971.11.30, 71도1736).
>
> ② 특정범죄가중법 제8조 제1항 제1호 위반죄는 고발을 요하지 아니하나 조세범 처벌법 제9조 제1항 제3호 위반죄는 국세청장 등의 고발을 기다려 논할 수 있는 죄이므로 국세청장 등의 **고발이 없음에도 법원이 이를 조세범 처벌법 제9조 제1항 제3호 위반죄로 인정한 것은 위법**하다(대판 2008.3.27, 2008도680).

③ 국회에서의 증언·감정 등에 관한 법률은 국정감사나 국정조사에 관한 국회 내부의 절차를 규정한 것으로서 국회에서의 위증죄에 관한 고발 여부를 국회의 자율권에 맡기고 있고, 위증을 자백한 경우에는 고발하지 않을 수 있게 하여 자백을 권장하고 있으므로 같은 법 제14조 제1항 본문에 규정된 **위증죄는 같은 법 제15조의 고발을 소추요건으로 한다**[대판 2018.5.17, 2017도14749(전합)].

2 세무공무원 등의 고발에 따른 조세범 처벌법 위반죄 혐의에 대하여 검사가 불기소처분을 하였다가 나중에 공소를 제기하는 경우, 세무공무원 등의 새로운 고발이 있어야 하는지의 여부(소극)

세무공무원 등의 고발이 있어야 공소를 제기할 수 있는 조세범 처벌법 위반죄에 관하여 일단 불기소처분이 있었더라도 세무공무원 등이 종전에 한 고발은 여전히 유효하다. 따라서 나중에 공소를 제기함에 있어 세무공무원 등의 새로운 고발이 있어야 하는 것은 아니다(대판 2009.10.29, 2009도6614).

14. 변호사, 20. 경찰승진, 20·21. 경찰채용

3 전속고발범죄에 있어 고발에 필요한 범죄사실의 표시 정도

조세범 처벌법에 의한 고발은 고발장에 범칙사실의 기재가 없거나 특정이 되지 아니할 때에는 부적법하나, 반드시 공소장 기재요건과 동일한 범죄의 일시·장소를 표시하여 사건의 동일성을 특정할 수 있을 정도로 표시하여야 하는 것은 아니고, **조세범 처벌법이 정하는 어떠한 태양의 범죄인지를 판명할 수 있을 정도의 사실을 일응 확정할 수 있을 정도로 표시하면 족하다**(대판 2009.7.23, 2009도3282).

4 조세범칙사건에 있어서 법원이 고발 사유에 대하여 심사할 수 있는지의 여부(소극)

조세범칙사건에 대하여 관계 세무공무원의 즉시고발이 있으면 그로써 소추의 요건은 충족되는 것이고 법원은 본안에 대하여 심판하면 되는 것이지 즉시고발 사유에 대하여 심사할 수 없다(대판 2007.11.15, 2007도7482).

5 전속고발범죄에 있어 고발의 취소시기(= 제1심판결선고 전까지)

조세범 처벌법 위반 사건에 대한 세무공무원의 고발취소는 제1심판결선고 전에 한하여 취소할 수 있다고 해석함이 타당하다(대판 1957.3.29, 57도58).

06 자수(自首)

1. 의의

자수란 **범인 스스로 수사기관**에 대하여 자기 **범죄사실**을 **신고**하여 **소추를 구하는 의사표시**를 말한다. 자수는 실체법적으로 형의 임의적 감면사유가 되고(형법 제52조 제1항), 또한 범죄발각 전의 자수는 형사소송법상 수사의 단서가 된다.

2. 자수의 절차 등

자수는 서면 또는 구술로써 검사 또는 사법경찰관에게 하여야 한다(제237조 제1항, 제240조). 검사 또는 사법경찰관이 구술에 의한 자수를 받은 때에는 조서를 작성하여야 한다(동조 제2항, 제240조). 사법경찰관이 자수를 받은 때에는 신속히 조사하여 관계 서류와 증거물을 검사에게 송부하여야 한다(제238조, 제240조). **자수는** 형의 **임의적 감면**사유이며, 그 성질상 **대리는 인정되지 아니한다**. 자수의 취소도 인정되지 아니한다.

판례 |

1 자수의 의의

① 자수란 범인이 **자발적으로 자신의 범죄사실을 수사기관에 신고**하여 그 소추를 구하는 의사표시를 함으로써 성립하는 것으로서, 범행이 발각된 후에 수사기관에 자진출석하여 범죄사실을 자백한 경우도 포함한다(대판 2011.12.22, 2011도12041). 16. 경찰채용, 18. 법원행시, 19. 국가직 9급

② 자수를 위하여는 범인이 자기의 범행으로서 **범죄성립요건을 갖춘 객관적 사실을 자발적으로 수사관서에 신고**하여 그 처분에 맡기는 것으로 족하고, 더 나아가 법적으로 그 요건을 완전히 갖춘 **범죄행위라고 적극적으로 인식하고 있을 필요까지는 없다**(대판 1995.6.30, 94도1017). 18. 법원행시

2 자수에 해당하는 경우 I

① 자수의 방법에는 법률상 특별히 제한한 바가 없으므로 꼭 **범인 자신이 할 필요는 없고 제3자를 통하여 할 수도 있다**(대판 1964.8.31, 64도252).

② 자기의 범죄사실을 신고한 이상 그 신고에 있어 **범죄사실의 세부적인 형태에 있어 다소의 차이가 있다 하여도 이는 자수에 해당**한다(대판 1969.4.29, 68도1780).

③ **수개의 범죄사실 중 일부에 관하여만 자수**한 경우에는 **그 부분 범죄사실에 대하여만 자수의 효력이 있다**(대판 1994.10.14, 94도2130). 14. 법원행시

④ 범인이 **수개의 범죄사실 중의 일부라도 수사기관에 자진 신고**한 이상, **그 동기가 투명치 않고 그 후 공범을 두둔**하더라도 그 자수한 부분 범죄사실에 대하여는 **자수의 효력이 있다**(대판 1969.7.22, 69도779).

⑤ **일단 자수가 성립한 이상 자수의 효력은 확정적으로 발생**하고 그 후에 범인이 번복하여 수사기관이나 법정에서 범행을 부인한다고 하여 일단 발생한 자수의 효력이 소멸하는 것은 아니다(대판 2011.12.22, 2011도12041).

3 자수에 해당하지 않는 경우 I

① 경찰관에게 검거되기 전에 **친지(親知)에게 전화로 자수의사를 전달**하였더라도 그것만으로는 자수로 볼 수 없다(대판 1985.9.24, 85도1489).

② 자수는 범인이 수사기관에 의사표시를 함으로써 성립하는 것이므로 **내심적 의사만으로는 부족**하고 외부로 표시되어야 이를 인정할 수 있는 것이다(대판 2011.12.22, 2011도12041). 18. 법원행시

③ 수사기관의 **직무상의 질문 또는 조사**에 응하여 **범죄사실을 진술하는 것은 자백일 뿐 자수가 되는 것은 아니다**(대판 2011.12.22, 2011도12041). 16. 법원직 9급, 18. 법원행시, 19. 경찰간부

④ 수사기관에의 **신고가 자발적이라고 하더라도 그 신고의 내용이 자기의 범행을 명백히 부인하는 등의 내용으로 자기의 범행으로서 범죄성립요건을 갖추지 아니한 사실일 경우**에는 자수는 성립하지 않고, 일단 자수가 성립하지 아니한 이상 그 이후의 수사과정이나 재판과정에서 범행을 시인하였다고 하더라도 새롭게 자수가 성립할 여지는 없다(대판 2011.12.22, 2011도12041).

⑤ **죄의 뉘우침이 없는 자수**는 그 외형은 자수일지라도 법률상 형의 감경사유가 되는 진정한 자수라고는 할 수 없다(대판 1994.10.14, 94도2130).

⑥ **양벌규정에 의하여 법인이 처벌받는 경우** 법인에게 자수감경에 관한 형법 규정을 적용하기 위하여는 법인의 이사 기타 대표자가 수사책임이 있는 관서에 자수한 경우에 한하고 **그 위반행위를 한 직원 또는 사용인이 자수**한 것만으로는 형을 감경할 수 없다(대판 1995.7.25, 95도391). 14. 경찰간부, 15. 법원행시, 16. 경찰채용

4 자수에 해당하는 경우 II

① 피고인이 수사기관에 **자진출석하여 스스로 뇌물을 수수하였다는 내용의 자술서를 작성·제출하고 수사과정에서 혐의사실을 자백**하였다면, 법정에서 수수한 금원의 직무관련성에 대하여만 수사기관에서의 자백과 차이가 나는 진술을 하였다 하더라도 자수의 효력에는 영향이 없다(대판 1994.12.27, 94도618).

② 피고인이 자진출석하여 사실을 밝히고 처벌을 받고자 담당 검사에게 전화를 걸어 조사를 받게 해달라고 요청하여 출석시간을 지정받은 다음 **자진출석하여 혐의사실을 인정하는 내용의 진술서를 작성하는 것은 자수에 해당**한다(대판 1994.9.9, 94도619).

③ 피고인이 수사기관으로부터 출석요구를 받기 전에 대검찰청 중앙수사부에 직접 전화를 걸어 출석의사 및 소재지를 밝힌 후 집으로 찾아온 검찰수사관을 따라 **중앙수사부에 출석하여 범행사실을 자백하면서 모든 책임을 지겠으니 엄벌하여 달라는 취지의 자술서를 작성하고 형사소추를 구한 경우는 자수에 해당**한다(대판 1994.5.10, 94도659).

④ 피고인들이 검찰에 조사 일정을 문의한 다음 지정된 일시에 검찰에 출두하는 등의 방법으로 **자진출석하여 범행을 사실대로 진술하였다면 자수가 성립**되었다고 할 것이고, 그 후 법정에서 범행사실을 부인한다고 하여 뉘우침이 없는 자수라거나 이미 발생한 자수의 효력이 없어진다고 볼 수 없다(대판 2005.4.29, 2002도7262). 18. 법원행시

⑤ 피고인이 검찰의 소환에 따라 **자진출석하여 검사에게 범죄사실에 관하여 자백함으로써 형법상 자수의 효력이 발생**하였다면, 그 후에 검찰이나 법정에서 범죄사실을 일부 부인하였다고 하더라도 일단 발생한 자수의 효력이 소멸하는 것은 아니다(대판 2002.8.23, 2002도46). 16. 법원행시

5 자수에 해당하지 않는 경우 Ⅱ

① 피고인이 수사기관에 자진출석하여 **처음 조사를 받으면서는 돈을 차용하였을 뿐이라며 범죄사실을 부인하다가 제2회 조사를 받으면서 비로소 업무와 관련하여 돈을 수수하였다고 자백**한 행위를 자수라고 할 수 없다(대판 2011.12.22, 2011도12041). 16. 법원행시, 16 · 19 경찰채용

② 경찰관이 피고인의 강도상해 등의 범행에 관하여 수사를 하던 중 국립과학수사연구소의 유전자검색감정의뢰회보 등을 토대로 **피고인의 여죄를 추궁한 끝에 피고인이 강도강간의 범죄사실과 특수강도의 범죄사실을 자백**한 경우 자수라고 할 수 없다(대판 2006.9.22, 2006도4883).

③ 자수서를 소지하고 **수사기관에 자발적으로 출석하였으나 자수서를 제출하지 아니하고 범행사실도 부인**하였다면 자수가 성립하지 아니하고, 그 이후 구속까지 된 상태에서 자수서를 제출하고 범행사실을 시인하더라도 이는 자수에 해당한다고 인정할 수 없다(대판 2004.10.14, 2003도3133). 14. 법원행시, 18. 변호사

④ 피고인이 검찰에 **자진출두서를 제출하고 출석하여 조사를 받았으나 범죄를 부인하다가 긴급체포, 구속되고 계속 수사를 받다가 자진출석 후 10일 이상 경과하여 범죄사실을 시인**하였는 바, 피고인의 범죄사실에 대한 진술은 형벌 감경사유로서의 자수에는 해당하지 않는다(대판 2004.7.8, 2002도661).

⑤ 수사기관에 뇌물수수의 범죄사실을 **자발적으로 신고하였으나 그 수뢰액을 실제보다 적게 신고함으로써 적용법조와 법정형이 달라지게 된 경우 자수에 해당하지 아니한다**(대판 2004.6.24, 2004도2003). 16. 경찰채용, 19. 국가직 9급

⑥ 피고인이 세관검색시 금속탐지기에 의해 대마 휴대사실이 발각될 상황에서 **세관검색원의 추궁에 의하여 대마수입 범행을 시인한 경우**, 자발성이 결여되어 자수에 해당하지 않는다(대판 1999.4.13, 98도4560). 16. 법원행시

⑦ 피고인이 수사기관에 **자진출석하였으나 자신이 범한 강간치상의 범죄사실과는 전혀 다른 진술을 하였고**, 이후 일관하여 범행을 부인한 이상 이를 형법상 형의 감경사유가 되는 자수라고는 할 수 없다(대판 1994.10.14, 94도2130).

⑧ 경찰관이 피고인 일행이 오토바이 여러 대를 타고 가는 것을 발견하고 불심검문했으나 도주하여 인근 경찰서로 무전연락, 바리케이트를 설치하여 **피고인을 검거한 후 범죄사실을 추궁한 끝에 범죄사실을 자백한 경우** 이를 자수라고 할 수 없다(대판 1992.8.14, 92도962).

⑨ **피고인이 그가 다니던 학원강사에게 전화를 걸어 자수의사를 전달**하였으나 자수하기 위하여 만나기로 약속한 다방에는 나타나지 않았고, 이후 도피 도중에 경찰관들에 의해 검거된 경우 자수로 볼 수 없다(대판 1985.9.24, 85도1489).

07 성폭력범죄의 처벌 등에 관한 특례법

☑ SUMMARY | 일반범죄 vs 성폭력범죄 ★★

구분	일반범죄	성폭력범죄
친고죄	일부 범죄 친고죄 규정 존치	친고죄 규정 폐지
고소기간	6개월	기간제한 없음
직계존속 고소	고소 불가능	고소 가능
피해자진술의 영상녹화	피해자의 동의를 얻어 영상녹화할 수 있음	피해자가 19세 미만이거나 심신미약일 때 영상녹화하여야 함. 다만, 피해자가 원하지 않으면 할 수 없음
영상녹화물의 증거사용	본증(직접증거)으로 사용할 수 없음	성립의 진정함이 인정되면 본증(직접증거)으로 사용할 수 있음
증거보전의 특례	규정 없음	증거보전의 특례 규정
피의자 신상정보 공개	규정 없음	공익을 위해 필요할 때는 공개할 수 있음
전담조사제 및 전담재판제	규정 없음	성폭력범죄 전담 검사, 사법경찰관 및 전담재판부 지정 및 조사와 재판
신뢰관계자 동석	① 부득이한 경우가 아니면 동석하게 하여야 함 ② 불안·긴장: 동석하게 할 수 있음	부득이한 경우가 아니면 동석하게 하여야 함
피해자의 변호인 선임	규정 없음	피해자는 변호사를 선임할 수 있음
전문가의 의견 조회	규정 없음	수사기관 또는 법원은 전문가로부터 행위자 또는 피해자에 대한 의견을 조회할 수 있음
진술조력인 제도	규정 없음	조사 또는 재판에 진술조력인이 참여하여 피해자의 의사소통을 중개·보조하게 할 수 있음
공소시효 규정	공소시효 규정 적용	일부 범죄 공소시효 규정 배제
공소시효 기산점 등	① 기산점: 범죄행위가 종료한 때 ② DNA증거 등 발견: 시효 연장 안됨	① 기산점: (미성년자에 대한 성폭력범죄) 미성년자가 성년에 달한 때 ② DNA증거 등 발견: 시효 10년 연장
증인지원관 제도	규정 없음	피해자 보호와 지원을 담당하는 증인지원관을 둠
심신장애 규정 (형법 제10조 등)	적용함	적용하지 아니할 수 있음

1. 목적(제1조)

성폭력범죄의 처벌 및 그 절차에 관한 특례를 규정함으로써 성폭력범죄 피해자의 생명과 신체의 안전을 보장하고 건강한 사회질서의 확립에 이바지함을 목적으로 한다.

2. 성폭력범죄(제2조)

① 음행매개(형법 제242조), 음화반포 등(제243조), 음화제조 등(제244조), 공연음란(제245조)
② 추행·간음·성매매·성적 착취목적 약취유인·인신매매(제288조, 제289조) 등
③ 강간(제297조), 유사강간(제297조의2), 강제추행(제298조), 준강간·준강제추행(제299조), 강간 등 상해·치상(제301조), 강간 등 살인·치사(제301조의2), 미성년자 등에 대한 간음(제302조), 업무상위력 등에 의한 간음(제303조), 미성년자에 대한 간음·추행(제305조)
④ 강도강간(제339조)
⑤ 성폭력처벌법 제3조부터 제15조까지의 죄(아래 표 참고)
⑥ ①부터 ⑤까지의 죄로서 다른 법률에 따라 가중처벌되는 범죄

죄명	구성요건
특수강도강간 등 (제3조)	주거침입 · 야간주거침입절도 · 특수절도 · 특수강도 등의 죄를 범한 사람이 강간 등을 한 경우 ✎ '강간 등'은 강간 · 유사강간 · 강제추행 · 준강간 · 준유사강간 · 준강제추행을 말함
특수강간 등 (제4조)	흉기나 그 밖의 위험한 물건을 지닌 채 또는 2명 이상이 합동하여 강간 등을 한 경우
친족강간 등 (제5조)	친족관계인 사람이 강간 등을 한 경우(친족의 범위는 4촌 이내의 혈족 · 인척과 동거하는 친족. 사실상의 관계에 의한 친족 포함)
장애인강간 등 (제6조)	신체적인 또는 정신적인 장애가 있는 사람을 강간 등을 하거나 위계 · 위력으로 간음 · 추행한 경우
13세 미만자 강간 등 (제7조)	13세 미만의 사람을 강간 등을 하거나 위계 · 위력으로 간음 · 추행한 경우
강간 등 상해 · 치상 (제8조)	강간 등의 죄를 범한 사람이 다른 사람을 상해하거나 상해에 이르게 한 경우
강간 등 살인 · 치사 (제9조)	강간 등의 죄를 범한 사람이 다른 사람을 살해하거나 사망에 이르게 한 경우
업무상위력추행 (제10조)	① 업무 · 고용 등의 관계로 인하여 자기의 보호 · 감독을 받는 사람을 위계 · 위력으로 추행한 경우 ② 법률에 따라 구금된 사람을 감호하는 사람이 그 사람을 추행한 경우
공중밀집장소추행 (제11조)	대중교통수단, 공연집회 장소 그 밖에 공중이 밀집하는 장소에서 사람을 추행한 경우
성적 목적 다중이용장소 침입 (제12조)	성적 욕망을 만족시킬 목적으로 화장실, 목욕장 · 목욕실 또는 발한실, 모유수유시설, 탈의실 등 불특정 다수가 이용하는 다중이용장소에 침입하거나 퇴거 요구를 받고 응하지 않은 경우
통신매체이용음란 (제13조)	성적 욕망을 유발하거나 만족시킬 목적으로 전화, 우편, 컴퓨터 그 밖의 통신매체를 통하여 성적 수치심이나 혐오감을 일으키는 말, 음향, 글, 그림, 영상 또는 물건을 상대방에게 도달하게 한 경우
카메라 등 이용촬영 (제14조)	① 카메라나 그 밖에 이와 유사한 기능을 갖춘 기계장치를 이용하여 성적 욕망 또는 수치심을 유발할 수 있는 사람의 신체를 촬영대상자의 의사에 반하여 촬영한 경우 ② 촬영물 또는 복제물(복제물의 복제물 포함)을 반포 · 판매 · 임대 · 제공 또는 공공연하게 전시 · 상영(이하 '반포 등'이라 한다)한 경우 또는 촬영이 촬영 당시에는 촬영대상자의 의사에 반하지 아니한 경우에도 사후에 그 촬영물 또는 복제물을 촬영대상자의 의사에 반하여 반포 등을 한 경우 ③ 영리를 목적으로 촬영대상자의 의사에 반하여 정보통신망을 이용하여 ②의 죄를 범한 경우
미수범(제15조)	제3조부터 제9조까지 및 제14조의 미수범은 처벌함

3. 성폭력범죄의 처벌 등의 특례

(1) 고소의 특례

성폭력범죄에 대하여는 **자기 또는 배우자의 직계존속을 고소할 수 있다**(제18조).

(2) 공소시효의 특례

① **공소시효 규정 배제**: 아래 범죄에 대해서는 **공소시효에 관한 규정을 적용하지 아니한다**(제21조 제3항 · 제4항). 즉, 이들 범죄는 범인이 살아있는 한 언제든지 공소를 제기하여 처벌할 수 있다.

> ㉠ 13세 미만 또는 장애가 있는 사람에 대한
> ⓐ 형법 제297조(강간), 제298조(강제추행), 제299조(준강간 · 준강제추행), 제301조(강간 등 상해 · 치상), 제301조의2(강간 등 살인 · 치사), 또는 제305조(미성년자에 대한 간음, 추행)
> ⓑ 성폭력처벌법 제6조 제2항(장애인유사강간), 제7조 제2항(13세 미만자 유사강간) 및 제5항(13세 미만자 위계, 위력에 의한 강간), 제8조(강간 등 상해 · 치상), 제9조(강간 등 살인 · 치사)
> ⓒ 청소년성보호법 제9조(강간 등 상해 · 치상), 제10조(강간 등 살인 · 치사)
> ㉡ 나이와 정신상태 불문한 모든 사람에 대한
> ⓐ 형법 제301조의2(강간 등 살인)
> ⓑ 성폭력처벌법 제9조 제1항(강간 등 살인)
> ⓒ 청소년성보호법 제10조 제1항(강간 등 살인)
> ⓓ 군형법 제92조의8(강간 등 살인)

② **공소시효 기산 등에 관한 특례**

㉠ (13세 이상이고 장애가 없는) **미성년자에 대한 성폭력범죄의 공소시효는** 해당 성폭력범죄로 피해를 당한 **미성년자가 성년에 달한 날부터 진행한다**(제21조 제1항). 15 · 18. 경찰채용

㉡ 성폭력처벌법 제2조 제3호 및 제4호의 죄와 제3조부터 제9조까지의 죄는 디엔에이(DNA)증거 등 그 죄를 증명할 수 있는 **과학적인 증거**가 있는 때에는 **공소시효가 10년 연장된다**(제21조 제2항). 15. 경찰채용

(3) 영상녹화의 특례

① 성폭력범죄의 피해자가 **19세 미만**이거나 신체적인 또는 정신적인 장애로 **사물을 변별하거나 의사를 결정할 능력이 미약한 경우**에는 피해자의 진술 내용과 조사과정을 비디오녹화기 등 **영상물 녹화장치로 촬영 · 보존하여야 한다**(제30조 제1항). 17. 경찰간부 영상물녹화는 피해자 또는 법정대리인이 이를 원하지 아니하는 의사를 표시한 경우에는 촬영을 하여서는 아니 된다. 다만, 가해자가 친권자 중 일방인 경우는 그러하지 아니하다(동조 제2항)(«주의 성폭력 피해자에 대하여는 피해자 또는 법정대리인이 거부하더라도 반드시 영상녹화하여야 한다. ×). 14. 경찰간부, 15. 변호사 · 경찰승진

② **영상물에 수록된 피해자의 진술**은 공판준비기일 또는 공판기일에 피해자나 조사과정에 동석하였던 **신뢰관계에 있는 사람 또는 진술조력인의 진술**에 의하여 **그 성립의 진정함이 인정된 경우에 증거로 할 수 있다**(제30조 제6항). 15 · 17. 변호사, 18. 국가직 9급

(4) 공판절차의 특례

① **심리의 비공개: 성폭력범죄에 대한 심리**는 그 피해자의 사생활을 보호하기 위하여 결정으로써 **공개하지 아니할 수 있다**(제31조).

② **신뢰관계자 동석:** 법원은 성폭력처벌법 제3조부터 제8조까지, 제10조 및 제15조의 **범죄의 피해자를 증인으로 신문**하는 경우에 검사, 피해자 또는 법정대리인이 신청할 때에는 재판에 지장을 줄 우려가 있는 등 부득이한 경우가 아니면 **피해자와 신뢰관계에 있는 사람을 동석하게 하여야 한다**. 수사기관이 위와 같은 피해자를 조사하는 경우에도 이와 같다(제34조).

③ **중계장치에 의한 신문:** 법원은 성폭력처벌법 제2조 제1항 제3호부터 제5호까지의 범죄의 **피해자를 증인으로 신문**하는 경우 검사와 피고인 또는 변호인의 의견을 들어 비디오 등 **중계장치에 의한 중계를 통하여 신문할 수 있다**(제40조).

(5) 처벌의 특례

음주 또는 약물로 인한 심신장애 상태에서 성폭력범죄를 범한 때에는 형법 제10조 제1항·제2항 및 제11조(심신장애인과 농아자 책임조각 또는 감경)를 **적용하지 아니할 수 있다**(제20조).

(6) 성폭력범죄 피해자의 변호사

① 성폭력범죄의 피해자는 형사절차상 법률적 조력을 받기 위해 스스로 변호사를 선임할 수 있고(제27조 제1항), 검사는 피해자에게 변호사가 없는 경우 **국선변호사를 선정하여 형사절차에서 피해자의 권익을 보호할 수 있으며**(동조 제6항), 피해자의 변호사는 형사절차에서 피해자 등의 대리가 허용될 수 있는 모든 소송행위에 대한 **포괄적인 대리권을 가진다**(동조 제5항). 21. 경찰간부

② 피해자의 변호사는 피해자를 대리하여 **피고인에 대한 처벌을 희망하는 의사표시를 철회하거나 처벌을 희망하지 않는 의사표시를 할 수 있다**(대판 2019.12.13, 2019도10678). 20. 경찰채용

제2장 수사의 개시

제1절 수사의 일반원칙과 임의수사

01 서론

1. 수사의 일반원칙

(1) 적법절차의 원칙

적법절차는 형사소송법의 이념으로 수사의 개시 및 실행에 있어 수사기관은 적법절차 원칙을 준수하여야 한다.

(2) 비례의 원칙

수사는 목적달성에 필요한 최소한에 그쳐야 하며 수사에 의하여 달성하려는 공익과 그에 의하여 침해되는 사익 사이에 정당한 균형관계가 있어야 한다는 원칙을 말한다.

(3) 임의수사의 원칙

같은 목적을 달성할 수 있으면 임의수사에 의하여야 하고 강제수사는 법률에 규정된 경우에 한하여 예외적으로 허용된다는 원칙을 말한다(제198조 제1항, 제199조 제1항 전단). 임의수사의 원칙은 무죄추정의 원칙 또는 비례의 원칙의 제도적 표현이다.

(4) 강제수사법정주의

강제수사는 법률에 규정된 경우에 한하여 그 요건과 절차에 따라서만 할 수 있다는 원칙을 말한다(제199조 제1항 단서). 형사소송법은 강제처분의 종류·요건·절차 등을 상세히 규정하여 강제수사에 대하여 엄격한 통제를 가하고 있다.

(5) 영장주의

법관이 발부한 영장에 의하지 않고서는 수사상 필요한 강제처분을 할 수 없다는 원칙을 말한다(헌법 제12조 제3항). '영장주의'에서 영장이란 사전영장을 의미하므로 사후영장은 영장주의의 예외에 해당한다.

판례 |

1 영장주의의 의의 및 영장의 성질

① 형사절차에 있어서의 **영장주의**란 체포·구속·압수 등의 **강제처분을 함에 있어서는 사법권 독립에 의하여 그 신분이 보장되는 법관이 발부한 영장에 의하지 않으면 아니된다는 원칙**이고 따라서 영장주의의 본질은 신체의 자유를 침해하는 강제처분을 함에 있어서는 중립적인 법관이 구체적 판단을 거쳐 발부한 영장에 의하여야만 한다는 데에 있다(헌재 1997.3.27, 96헌바28). 14. 경찰승진, 19. 경찰간부

② **법원이 직권으로 발부하는 영장과 수사기관의 청구에 의하여 발부하는 구속영장**의 법적 성격은 같지 않다. 즉, **전자는 명령장**으로서의 성질을 갖지만 **후자는 허가장**으로서의 성질을 갖는 것으로 이해되고 있다(헌재 1997.3.27, 96헌바28). 20. 경찰승진

2 영장주의 등 헌법에 위반되지 않는 경우

① 경찰공무원이나 검사의 신문을 받으면서 자신의 신원을 밝히지 않고 **지문채취에 불응하는 피의자를 처벌하는 경범죄처벌법 규정**(헌재 2004.9.23, 2002헌가17) 14 · 15 · 16. 경찰승진, 15 · 16 · 18. 경찰간부, 17. 경찰채용

② 등급분류를 받지 아니하거나 등급분류를 받은 게임물과 다른 내용의 게임물을 발견한 경우 **관계공무원으로 하여금 이를 수거폐기하게 한 음반 · 비디오물 및 게임물에 관한 법률 규정**(헌재 2002.10.31, 2000헌마12)

③ **주취운전의 혐의자에게 음주측정에 응할 의무를 지우고 이에 불응할 때 처벌하는 도로교통법 규정**(헌재 1997.3.27, 96헌가11) 17. 경찰승진

④ 마약류 관련 **수형자의 마약류반응검사를 위한 소변강제채취**(헌재 2006.7.27, 2005헌마277) 20. 경찰승진

3 영장주의가 적용되지 않는 경우

[1] 우편물 통관검사절차에서 이루어지는 우편물의 개봉, 시료채취, 성분분석 등의 검사는 수출입물품에 대한 적정한 통관 등을 목적으로 한 **행정조사의 성격을 가지는 것으로서 수사기관의 강제처분이라고 할 수 없으므로 압수 · 수색영장 없이 우편물의 개봉, 시료채취, 성분분석 등의 검사가 진행되었다 하더라도 특별한 사정이 없는 한 위법하다고 볼 수 없다.** [2] 세관공무원이 통관검사를 위하여 직무상 소지 또는 보관하는 우편물을 수사기관에 임의로 제출한 경우에는 비록 소유자의 동의를 받지 않았다 하더라도 수사기관이 강제로 점유를 취득하지 않은 이상 **해당 우편물을 압수하였다고 할 수 없다**(대판 2013.9.26, 2013도7718). 14 · 21. 경찰간부, 15. 변호사, 16. 법원직 9급, 17. 국가직 7급 · 국가직 9급, 18. 경찰승진

4 영장주의가 적용되는 경우

① **마약류 불법거래방지에 관한 특례법** 제4조 제1항에 따른 조치의 일환으로 특정한 수출입물품을 개봉하여 검사하고 그 **내용물의 점유를 취득한 행위**는 수출입물품에 대한 적정한 통관 등을 목적으로 조사를 하는 경우와는 달리, **범죄수사인 압수 또는 수색에 해당하여 사전 또는 사후에 영장을 받아야 한다**(대판 2017.7.18, 2014도8719). 18 · 20. 경찰채용

② 수사기관이 범죄의 수사를 목적으로 '거래정보 등'을 획득하기 위해서는 법관의 영장이 필요하다고 할 것이고, 신용카드에 의하여 물품을 거래할 때 '금융회사 등'이 발행하는 **매출전표의 거래명의자에 관한 정보 또한 금융실명법에서 정하는 '거래정보 등'에 해당한다**고 할 것이므로, 수사기관이 금융회사 등에 그와 같은 정보를 요구하는 경우에도 **법관이 발부한 영장에 의하여야 한다**(대판 2013.3.28, 2012도13607 **대구 할머니 절도 사건**). 20. 경찰간부 · 경찰채용 · 경찰승진

5 위법한 압수 · 수색에 해당하는 경우

피고인이 국제항공특송화물 속에 필로폰을 숨겨 수입할 것이라는 정보를 입수한 검사가, 이른바 **'통제배달(controlled delivery: 적발한 금제품을 감시하에 배송함으로써 거래자를 밝혀 검거하는 수사기법)'을 하기 위해** 세관공무원의 협조를 받아 특송화물을 통관절차를 거치지 않고 가져와 개봉하여 그 속의 **필로폰을 취득한 것은 구체적인 범죄사실에 대한 증거수집을 목적으로 한 압수 · 수색이므로 사전 또는 사후에 영장을 받지 않았다면 압수물 등의 증거능력이 부정된다**(대판 2017.7.18, 2014도8719).

마약류 불법거래 방지에 관한 특례법

제4조 【세관 절차의 특례】 ① 세관장은 관세법 제246조에 따라 화물을 검사할 때에 화물에 마약류가 감추어져 있다고 밝혀지거나 그러한 의심이 드는 경우, 그 마약류의 분산을 방지하기 위하여 충분한 감시체제가 확보되어 있는 마약류범죄의 수사에 관하여 그 마약류가 외국으로 반출되거나 대한민국으로 반입될 필요가 있다는 검사의 요청이 있을 때에는 다음 각 호의 조치를 할 수 있다. 다만, 그 조치를 하는 것이 관세 관계 법령의 입법 목적에 비추어 타당하지 아니하다고 인정할 때에는 요청한 검사와의 협의를 거쳐 그 조치를 하지 아니할 수 있다.

1. 해당 화물에 대한 관세법 제241조에 따른 수출입 또는 반송의 면허
2. 그 밖에 검사의 요청에 따르기 위하여 필요한 조치

SUMMARY | 영장의 종류 ★

구분	내용
영장 ○ (법관 발부)	① 소환장(제73조) ② 체포영장(제200조의2) ③ 구속영장(제73조, 제201조) ④ 압수·수색·검증영장(제113조, 제215조) ⑤ 감정유치장(제172조) ⑥ 감정처분허가장(제173조) ⑦ 치료감호영장(치료감호법 제6조) ⑧ 구인장(보호관찰 등에 관한 법률 제39조) ⑨ 동행영장(소년법 제13조, 가정폭력처벌법 제24조) ⑩ 통신제한조치허가서(통신비밀보호법 제6조) ⑪ 인도구속영장(범죄인 인도법 제19조) ⑫ 디엔에이감식시료채취영장(디엔에이법 제8조)
영장 × (검사 발부)	① 형집행장(제473조) 14. 법원직 9급, 19. 경찰간부 ② 치료감호집행장(치료감호법 제21조) ③ 인도집행장(범죄인 인도법 제37조) ④ 국내이송집행장(국제수형자이송법 제14조)

(6) 기타

검사와 사법경찰관의 상호협력과 일반적 수사준칙에 관한 규정

제3조 【수사의 기본원칙】 ① 검사와 사법경찰관은 모든 수사과정에서 헌법과 법률에 따라 보장되는 피의자와 그 밖의 피해자·참고인 등(이하 '사건관계인'이라 한다)의 권리를 보호하고, 적법한 절차에 따라야 한다.

② 검사와 사법경찰관은 **예단(豫斷)이나 편견 없이 신속하게 수사해야 하고, 주어진 권한을 자의적으로 행사하거나 남용해서는 안 된다.**

③ 검사와 사법경찰관은 수사를 할 때 다음 각 호의 사항에 유의하여 실체적 진실을 발견해야 한다.

1. 물적 증거를 기본으로 하여 객관적이고 신빙성 있는 증거를 발견하고 수집하기 위해 노력할 것
2. 과학수사 기법과 관련 지식·기술 및 자료를 충분히 활용하여 합리적으로 수사할 것
3. 수사과정에서 선입견을 갖지 말고, 근거 없는 추측을 배제하며, 사건관계인의 진술을 과신하지 않도록 주의할 것

④ 검사와 사법경찰관은 다른 사건의 수사를 통해 확보된 증거 또는 자료를 내세워 관련이 없는 사건에 대한 자백이나 진술을 강요해서는 안 된다.

제4조【불이익 금지】검사와 사법경찰관은 피의자나 사건관계인이 인권침해 신고나 그 밖에 인권구제를 위한 신고, 진정, 고소, 고발 등의 행위를 하였다는 이유로 부당한 대우를 하거나 불이익을 주어서는 안 된다.

제5조【형사사건의 공개금지 등】① 검사와 사법경찰관은 **공소제기 전의 형사사건에 관한 내용을 공개해서는 안 된다**.
② 검사와 사법경찰관은 수사의 전(全) 과정에서 피의자와 사건관계인의 사생활의 비밀을 보호하고 그들의 명예나 신용이 훼손되지 않도록 노력해야 한다.
③ 제1항에도 불구하고 법무부장관, 경찰청장 또는 해양경찰청장은 무죄추정의 원칙과 국민의 알권리 등을 종합적으로 고려하여 형사사건 공개에 관한 준칙을 정할 수 있다.

제10조【임의수사 우선의 원칙과 강제수사시 유의사항】① 검사와 사법경찰관은 수사를 할 때 수사 대상자의 자유로운 의사에 따른 **임의수사를 원칙으로 해야 하고**, 강제수사는 법률에서 정한 바에 따라 필요한 경우에만 최소한의 범위에서 하되, 수사 대상자의 권익침해의 정도가 더 적은 절차와 방법을 선택해야 한다.
② 검사와 사법경찰관은 피의자를 체포·구속하는 과정에서 피의자 및 현장에 있는 가족 등 지인들의 인격과 명예를 침해하지 않도록 유의해야 한다.
③ 검사와 사법경찰관은 압수·수색 과정에서 **사생활의 비밀, 주거의 평온을 최대한 보장하고, 피의자 및 현장에 있는 가족 등 지인들의 인격과 명예를 침해하지 않도록 유의해야 한다**.

① **직권수사**: 검사 또는 사법경찰관은 범죄의 혐의가 있다고 사료(인식)하는 때에는 범인, 범죄사실과 증거를 수사하여야 한다(제196조, 제197조 제1항). 즉, 범죄혐의가 존재하면 수사기관은 신고 여부와 관계없이 직권으로 수사를 개시하여야 하는데 이를 직권수사의 원칙이라고 한다.

② **수사의 비공개**: 수사의 개시와 실행은 공개하지 아니한다. 이를 수사비공개의 원칙이라고 한다. 이는 공판절차에서 공개주의가 지배하는 것과의 차이점에 해당한다.

③ **목록의 작성**: 검사·사법경찰관리와 그 밖에 직무상 수사에 관계있는 자는 수사과정에서 수사와 관련하여 작성하거나 취득한 서류 또는 물건에 대한 **목록을 빠짐없이 작성**하여야 한다(제198조 제3항)(«주의 중요목록을 작성한다. ×). 14. 경찰승진, 19. 경찰채용

④ **형사사건 공개금지 원칙**: 검사와 사법경찰관은 **공소제기 전의 형사사건에 관한 내용을 공개해서는 안 된다**. 다만, 법무부장관, 경찰청장 또는 해양경찰청장은 무죄추정의 원칙과 국민의 알 권리 등을 종합적으로 고려하여 형사사건 공개에 관한 준칙을 정할 수 있다(상호협력·수사준칙규정 제5조).

⑤ **임의수사 우선의 원칙**: 검사와 사법경찰관은 수사를 할 때 수사 대상자의 자유로운 의사에 따른 임의수사를 원칙으로 해야 하고, 강제수사는 법률에서 정한 바에 따라 필요한 경우에만 최소한의 범위에서 하되, 수사 대상자의 권익침해의 정도가 더 적은 절차와 방법을 선택해야 한다(상호협력·수사준칙규정 제10조).

2. 임의수사와 강제수사

(1) 의의

수사에는 임의수사와 강제수사가 있다. 임의수사는 임의적 방법에 의한 수사를 말하고 강제수사는 강제처분에 의한 수사를 말한다. 양자의 구별기준은 물리적 강제력의 행사유무, 상대방의 의사에 반하는지의 여부, 기본권을 침해하는지의 여부이다.

(2) 형사소송법에 규정된 임의수사와 강제수사

① **임의수사**: 형사소송법상 임의수사에는 피의자신문, 참고인조사, 공무소 등에 대한 조회, 감정·통역·번역의 위촉이 있다(«주의 검증은 임의수사에 포함된다. ×).

② **강제수사**: 형사소송법상 강제수사에는 체포·구속, 압수·수색·검증 등이 있다.

(3) 임의수사의 한계

형사소송법에 규정되지 아니한 것 중에서 실무적으로 행하여지는 것이 있는데 이들이 임의수사로서 허용되는지의 여부에 관하여 견해가 대립하고 있다. 만약 이들이 강제수사라고 한다면 영장 없이는 이를 하지 못한다.

① **임의동행(任意同行)**: 임의동행이란 수사기관이 '범죄수사를 위하여' 피의자의 동의를 얻어 그를 수사관서에 동행하는 것을 말한다. 임의동행은 임의수사에 관한 일반조항인 형사소송법 제199조 제1항 본문을 근거로 피의자신문 또는 불구속피의자 신병확보 등을 목적으로 행하여지는 수사방법이다. 범죄수사를 위한 이러한 임의동행은 수사의 단서인 경찰관 직무집행법상 임의동행이나(동법 제3조 제2항), 신원확인을 위한 주민등록법상 임의동행(동법 제26조)과 그 성질과 목적을 달리하므로 구별해야 한다. 이에 대하여 '상대방의 진지한 동의를 전제로 하는' 임의동행은 임의수사로서 허용된다는 것이 다수설의 입장이다. **판례는 '오로지 피의자의 자발적인 의사에 의하여 수사관서 등에의 동행이 이루어졌음이 객관적인 사정에 의하여 명백하게 입증된 경우에 한하여'** 임의동행의 적법성을 인정하고 있다 19. 해경채용 («주의 판례에 의할 때 임의동행은 어떠한 경우에도 허용되지 않는다. ×).

판례 |

1 '범죄수사를 위한' 형사소송법상 임의동행의 허용여부

[1] **임의동행은 경찰관 직무집행법 제3조 제2항에 따른 행정경찰 목적의 경찰활동으로 행하여지는 것 외에도 형사소송법 제199조 제1항에 따라 범죄수사를 위하여** 수사관이 동행에 앞서 피의자에게 동행을 거부할 수 있음을 알려 주었거나 동행한 피의자가 언제든지 자유로이 동행과정에서 이탈 또는 동행장소로부터 퇴거할 수 있었음이 인정되는 등 오로지 피의자의 자발적인 의사에 의하여 **이루어진 경우에도 가능하다.** [2] 경찰관이 피고인의 정신 상태, 신체에 있는 주사바늘 자국, 알콜솜 휴대, 전과 등을 근거로 피고인의 **마약류 투약 혐의가 상당하다고 판단하여 경찰서로 임의동행을 요구하였고** 동행장소인 경찰서에서 피고인에게 **마약류 투약 혐의를 밝힐 수 있는 소변과 모발의 임의제출을 요구하였다면**, 이러한 임의동행은 마약류 투약 혐의에 대한 수사를 위한 것이어서 **형사소송법 제199조 제1항에 따른 임의동행에 해당한다**(대판 2020.5.14, 2020도398 **마약사범 임의동행 사건**).

2 임의동행의 적법성 인정요건(= 상대방의 진지한 승낙)

[1] **수사관이 수사과정에서 당사자의 동의를 받는 형식으로 피의자를 수사관서 등에 동행하는 것**은 상대방의 신체의 자유가 현실적으로 제한되어 실질적으로 체포와 유사한 상태에 놓이게 됨에도, 영장에 의하지 아니하고 그 밖에 강제성을 띤 동행을 억제할 방법도 없어서 제도적으로는 물론 현실적으로도 임의성이 보장되지 않을 뿐만 아니라, 아직 정식의 체포·구속단계 이전이라는 이유로 상대방에게 헌법 및 형사소송법이 체포·구속된 피의자에게 부여하는 각종의 권리보장 장치가 제공되지 않는 등 형사소송법의 원리에 반하는 결과를 초래할 가능성이 크므로 [2] 수사관이 동행에 앞서 피의자에게 동행을 거부할 수 있음을 알려 주었거나 동행한 피의자가 언제든지 자유로이 동행과정에서 이탈 또는 동행장소로부터 퇴거할 수 있었음이 인정되는 등 **오로지 피의자의 자발적인 의사에 의하여 수사관서 등에의 동행이 이루어졌음이 객관적인 사정에 의하여 명백하게 입증된 경우에 한하여 그 적법성이 인정되는 것으로 봄이 상당**하다(대판 2011.6.30, 2009도6717). 14·16·17. 경찰간부, 15·17. 경찰채용, 16. 국가직 7급, 18. 경찰승진

3 적법한 임의동행에 해당하는 사례

① 피고인이 경찰관으로부터 음주측정을 위해 경찰서에 동행할 것을 요구받고 **자발적인 의사**에 의해 순찰차에 탑승하였고, 경찰서로 이동하던 중 하차를 요구한 바 있으나 그 직후 경찰관으로부터 수사 과정에 관한 설명을 듣고 경찰서에 빨리 가자고 요구한 경우, 피고인에 대한 임의동행은 피고인의 자발적인 의사에 의하여 이루어진 것으로 그 후에 이루어진 음주측정결과는 증거능력이 있다(대판 2016.9.28, 2015도2798). 20. 경찰채용 · 국가직 7급

② 피고인이 경찰관들로부터 **언제라도 자유로이 퇴거할 수 있음을 고지**받고 파출소까지 자발적으로 동행한 경우 파출소에서의 음주측정 요구를 위법한 체포 상태에서 이루어진 것이라고 할 수 없다(대판 2015.12.24, 2013도8481).

③ 경찰관이 피고인을 경찰서로 동행할 당시 피고인에게 언제든지 동행을 거부할 수 있음을 고지한 다음 동행에 대한 동의를 구하였고, 이에 피고인이 고개를 끄덕이며 동의의 의사표시를 하였던 점, 피고인은 동행 당시 경찰관에게 욕을 하거나 **특별한 저항을 하지도 않고 동행에 순순히 응하였던 점**, 동행 후 경찰서에서 주취운전자 정황진술보고서의 날인을 거부하고 "이번이 3번째 음주운전이다. 난 시청 직원이다. 1번만 봐 달라"고 말하기도 하는 등 동행 전후 피고인의 언행에 비추어 임의동행은 피고인의 자발적인 의사에 의하여 이루어진 것으로서 적법하다(대판 2012.9.13, 2012도8890).

4 사실상 강제연행(불법체포)에 해당하는 사례

① 경찰관들이 경찰서 본관 입구에서 동행하기를 거절하는 피고인의 팔을 잡아끌고 교통조사계로 데리고 간 것은 **위법한 강제연행에 해당하**므로 그러한 위법한 체포 상태에서 이루어진 교통조사계에서의 음주측정 요구 역시 위법하다고 할 것이어서 피고인이 그와 같은 음주측정 요구에 불응하였다고 하여 **음주측정불응죄로 처벌할 수는 없다**(대판 2015.12.24, 2013도8481).

② 피의자가 동행을 거부하는 의사를 표시하였음에도 불구하고 경찰관들이 피의자를 강제로 연행한 행위는 수사상의 강제처분에 관한 형사소송법상의 절차를 무시한 채 이루어진 것으로 위법한 체포에 해당하고, 이와 같이 **위법한 체포 상태에서 마약 투약 혐의를 확인하기 위한 채뇨 요구가 이루어진 경우** 그와 같은 **위법한 채뇨 요구에 의하여 수집된 '소변검사시인서'는 유죄 인정의 증거로 삼을 수 없다**(대판 2013.3.14, 2012도13611). 14. 국가직 7급, 21. 경찰간부

③ 경찰이 피고인이 아닌 제3자들(유흥업소 손님과 그 여종업원)을 **사실상 강제연행하여 불법체포한 상태에서** 이들의 성매매행위나 피고인들의 유흥업소 영업행위를 처벌하기 위하여 **진술서를 받고 진술조서를 작성한 경우**, 각 진술서 및 진술조서는 위법수사로 얻은 진술증거에 해당하여 증거능력이 없으므로 피고인들의 식품위생법 위반 혐의에 대한 **유죄 인정의 증거로 삼을 수 없다**(대판 2011.6.30, 2009도6717). 18. 법원직 9급, 19. 경찰간부

④ 음주측정을 위하여 당해 운전자를 강제로 연행하기 위해서는 수사상의 강제처분에 관한 형사소송법상의 절차에 따라야 하고, 이러한 절차를 무시한 채 이루어진 강제연행은 위법한 체포에 해당한다. 이와 같은 **위법한 체포 상태에서 음주측정요구가 이루어진 경우 그에 불응하였다고 하여 음주측정거부에 관한 도로교통법 위반죄로 처벌할 수 없다**(대판 2006.11.9, 2004도8404).

⑤ 사법경찰관이 피고인을 수사관서까지 동행한 것이 **사실상의 강제연행, 즉 불법체포에 해당하고 불법체포로부터 6시간 상당이 경과한 후에 이루어진 긴급체포 또한 위법**하므로 피고인이 불법체포된 자로서 형법 제145조 제1항에 정한 '법률에 의하여 체포 또는 구금된 자'가 아니어서 **도주죄의 주체가 될 수 없다**(대판 2006.7.6, 2005도6810). 14. 법원행시, 15. 변호사 · 경찰채용, 16 · 17 · 21. 경찰간부, 17 · 18. 경찰승진

② **승낙유치(承諾留置)**: 상대방의 승낙을 받아 경찰서 유치장 등에 유치하는 것을 말한다. 유치에 대하여 일반인이 승낙한다는 것은 경험칙상 도저히 기대할 수 없기 때문에 이는 임의수사로서 **허용되지 않는다**는 것이 통설의 입장이다(«주의 임의동행이나 승낙유치는 예외적으로 허용된다. ×).

③ **승낙수색 · 검증(承諾搜索 · 檢證)**: 상대방의 승낙을 받아 수색 · 검증을 행하는 것을 말한다. 이는 대부분 권리침해가 경미하고 단기간에 끝나므로 승낙유치와 본질적인 차이가 있다. 따라서 상대방의 진지한 승낙을 전제로 하는 **승낙수색 · 검증은 임의수사로서 허용된다**는 것이 다수설의 입장이다.

④ **도청 · 감청(盜聽 · 監聽)**: 도청 · 감청이란 수사기관이 타인의 대화를 몰래 청취하는 행위인데, 이는 통신의 비밀과 프라이버시를 침해하는 것으로 강제수사에 해당한다(통신비밀보호법 참조).

⑤ **거짓말탐지기 사용**: **거짓말탐지기는** 피의자 기타 피검사자에게 피의사실과 관계 있는 일정한 질문을 하고 그에 대한 대답을 할 때 피검사자의 호흡 · 맥박 · 피부전기반사 등의 생리적 변화를 기록하는 장치를 말한다. 거짓말탐지기 사용은 **상대방의 동의를 전제로 임의수사로서 허용된다**는 것이 다수설과 판례의 입장이다. 다만, 허용된다 하여도 본증이 아니라 **정황증거**로서만 효력을 갖는다는 것이 판례의 태도이다.

⑥ **사진촬영 · 비디오촬영 등**: 피촬영자의 의사에 반하는 사진촬영은 초상권을 침해한다는 점에서 강제수사에 해당한다는 것이 통설의 입장이다. 다만, 사진촬영에는 압수 · 수색 · 검증에 관한 영장주의 그리고 그 예외규정들이 유추적용될 수 있다. **판례도 일정한 요건하에 영장 없는 촬영을 허용**하고 있다.

판례 |

1 영장 없이 사진촬영 또는 비디오촬영을 하기 위한 요건

누구든지 자기의 얼굴이나 모습을 함부로 촬영당하지 않을 자유를 가지나, 이러한 자유도 무제한으로 보장되는 것은 아니고 국가의 안전보장 · 질서유지 · 공공복리를 위하여 필요한 경우에는 그 범위 내에서 상당한 제한이 있을 수 있으며, 수사기관이 범죄를 수사함에 있어 **현재 범행이 행하여지고 있거나 행하여진 직후**이고, **증거보전의 필요성 및 긴급성**이 있으며, **일반적으로 허용되는 상당한 방법**으로 촬영한 경우라면 위 촬영이 영장 없이 이루어졌다 하여 이를 위법하다고 단정할 수 없다(대판 2013.7.26, 2013도2511). 18. 국가직 9급, 19. 경찰채용

2 영장 없는 촬영의 적법성을 인정한 경우

① **피고인들이 일본 또는 중국에서 북한 공작원들과 회합하는 모습을 동영상으로 촬영**한 것은 피고인들이 회합한 증거를 보전할 필요가 있어서 이루어진 것이고, 피고인들이 반국가단체의 구성원과 회합 중이거나 회합하기 직전 또는 직후의 모습을 촬영한 것으로 그 촬영장소도 차량이 통행하는 도로 또는 식당 앞길, 호텔 프런트 등 공개적인 장소인 점 등을 알 수 있으므로 이러한 촬영이 일반적으로 허용되는 상당성을 벗어난 방법으로 이루어졌다거나 영장 없는 강제처분에 해당하여 위법하다고 볼 수 없다(대판 2013.7.26, 2013도2511).

② 비디오촬영은 피고인들에 대한 범죄의 혐의가 상당히 포착된 상태에서 그 회합의 증거를 보전하기 위한 필요에서 이루어진 것이고 甲의 주거지 외부에서 담장 밖 및 2층 계단을 통하여 **甲의 집에 출입하는 피고인들의 모습을 촬영**한 것으로 그 촬영방법 또한 반드시 상당성이 결여된 것이라고는 할 수 없다(대판 1999.9.3, 99도2317).

③ **무인장비에 의한 제한속도 위반차량 단속**을 통하여 운전차량의 차량번호 등을 촬영한 사진을 두고 위법하게 수집된 증거로서 증거능력이 없다고 말할 수 없다(대판 1999.12.7, 98도3329). 16. 국가직 9급

⑦ **실황조사(實況調査)**: 실황조사란 수사기관이 범죄현장, 기타 장소에서 사람·물건의 성질·형상 등을 오관(五官)의 작용에 의하여 인식하는 조사활동을 말한다(검찰사건사무규칙 제51조 등). 물리적 강제력을 수반하는 검증과는 달리 실황조사는 통상 강제력을 수반하지 않으므로 **임의수사**로 보는 것이 일반적인 견해이다.

02 임의수사의 방법

1. 피의자신문(被疑者訊問)

형사소송법

제200조【피의자의 출석요구】 검사 또는 사법경찰관은 수사에 필요한 때에는 피의자의 출석을 요구하여 진술을 들을 수 있다.

제241조【피의자신문】 검사 또는 사법경찰관이 피의자를 신문함에는 먼저 그 성명, 연령, 등록기준지, 주거와 직업을 물어 피의자임에 틀림없음을 확인하여야 한다.

제242조【피의자신문사항】 검사 또는 사법경찰관은 피의자에 대하여 범죄사실과 정상에 관한 필요사항을 신문하여야 하며 그 이익되는 사실을 진술할 기회를 주어야 한다.

제243조【피의자신문과 참여자】 검사가 피의자를 신문함에는 검찰청수사관 또는 서기관이나 서기를 참여하게 하여야 하고 사법경찰관이 피의자를 신문함에는 사법경찰관리를 **참여하게 하여야 한다.**

제243조의2【변호인의 참여 등】 ① 검사 또는 사법경찰관은 **피의자 또는 그 변호인·법정대리인·배우자·직계친족·형제자매의 신청**에 따라 변호인을 **피의자와 접견하게 하거나 정당한 사유가 없는 한** 피의자에 대한 신문에 **참여하게 하여야 한다.**
② 신문에 참여하고자 하는 변호인이 2인 이상인 때에는 **피의자가** 신문에 참여할 변호인 1인을 **지정**한다. 지정이 없는 경우에는 **검사 또는 사법경찰관이** 이를 **지정할 수 있다.**
③ 신문에 참여한 변호인은 **신문 후 의견을 진술**할 수 있다. 다만, **신문 중**이라도 부당한 신문방법에 대하여 **이의를 제기**할 수 있고, 검사 또는 사법경찰관의 **승인을 얻어 의견을 진술할 수 있다.**
④ 제3항에 따른 변호인의 의견이 기재된 피의자신문조서는 변호인에게 열람하게 한 후 변호인으로 하여금 그 조서에 기명날인 또는 서명하게 하여야 한다.
⑤ 검사 또는 사법경찰관은 **변호인의 신문참여 및 그 제한에 관한 사항을 피의자신문조서에 기재하여야 한다.**

제244조【피의자신문조서의 작성】 ① 피의자의 진술은 조서에 기재하여야 한다.
② 제1항의 조서는 피의자에게 열람하게 하거나 읽어 들려주어야 하며, 진술한 대로 기재되지 아니하였거나 사실과 다른 부분의 유무를 물어 피의자가 증감 또는 변경의 청구 등 이의를 제기하거나 의견을 진술한 때에는 이를 조서에 추가로 기재하여야 한다. 이 경우 피의자가 이의를 제기하였던 부분은 읽을 수 있도록 남겨두어야 한다.
③ 피의자가 조서에 대하여 이의나 의견이 없음을 진술한 때에는 피의자로 하여금 그 취지를 자필로 기재하게 하고 조서에 간인한 후 기명날인 또는 서명하게 한다.

제244조의2【피의자진술의 영상녹화】 ① **피의자의 진술은 영상녹화할 수 있다.** 이 경우 **미리 영상녹화사실을 알려주어야 하며, 조사의 개시부터 종료까지의 전 과정 및 객관적 정황을 영상녹화하여야 한다.**
② 제1항에 따른 영상녹화가 완료된 때에는 피의자 또는 변호인 앞에서 지체 없이 그 원본을 봉인하고 피의자로 하여금 기명날인 또는 서명하게 하여야 한다.
③ 제2항의 경우에 피의자 또는 변호인의 요구가 있는 때에는 영상녹화물을 재생하여 시청하게 하여야 한다. 이 경우 그 내용에 대하여 **이의를 진술하는 때에는 그 취지를 기재한 서면을 첨부하여야 한다.**

제244조의3 【진술거부권 등의 고지】 ① 검사 또는 사법경찰관은 피의자를 신문하기 전에 다음 각 호의 사항을 알려주어야 한다.
1. 일체의 진술을 하지 아니하거나 개개의 질문에 대하여 진술을 하지 아니할 수 있다는 것
2. 진술을 하지 아니하더라도 불이익을 받지 아니한다는 것
3. 진술을 거부할 권리를 포기하고 행한 진술은 법정에서 **유죄의 증거로 사용될 수 있다는 것**
4. 신문을 받을 때에는 변호인을 참여하게 하는 등 **변호인의 조력을 받을 수 있다는 것**

② 검사 또는 사법경찰관은 제1항에 따라 알려 준 때에는 피의자가 진술을 거부할 권리와 변호인의 조력을 받을 권리를 행사할 것인지의 여부를 질문하고, 이에 대한 피의자의 답변을 조서에 기재하여야 한다. 이 경우 **피의자의 답변**은 피의자로 하여금 **자필로 기재**하게 하거나 **검사 또는 사법경찰관이 피의자의 답변을 기재한 부분에 기명날인 또는 서명하게 하여야 한다.**

제244조의4 【수사과정의 기록】 ① 검사 또는 사법경찰관은 **피의자가 조사장소에 도착한 시각, 조사를 시작하고 마친 시각 그 밖에 조사과정의 진행경과를 확인하기 위하여 필요한 사항을 피의자신문조서에 기록하거나 별도의 서면에 기록한 후 수사기록에 편철하여야 한다.**
② 제244조 제2항 및 제3항은 제1항의 조서 또는 서면에 관하여 준용한다.
③ 제1항 및 제2항은 피의자가 아닌 자를 조사하는 경우에 준용한다.

제244조의5 【장애인 등 특별히 보호를 요하는 자에 대한 특칙】 검사 또는 사법경찰관은 **피의자를 신문**하는 경우 다음 각 호의 어느 하나에 해당하는 때에는 **직권** 또는 피의자·법정대리인의 **신청**에 따라 피의자와 신뢰관계에 있는 자를 **동석하게 할 수 있다.**
1. 피의자가 신체적 또는 정신적 장애로 사물을 변별하거나 의사를 결정·전달할 능력이 미약한 때
2. 피의자의 연령·성별·국적 등의 사정을 고려하여 그 심리적 안정의 도모와 원활한 의사소통을 위하여 필요한 경우

제245조 【참고인과의 대질】 검사 또는 사법경찰관이 사실을 발견함에 필요한 때에는 피의자와 다른 피의자 또는 피의자 아닌 자와 대질하게 할 수 있다.

검사와 사법경찰관의 상호협력과 일반적 수사준칙에 관한 규정

제13조 【변호인의 피의자신문 참여·조력】 ① 검사 또는 사법경찰관은 피의자신문에 참여한 변호인이 피의자의 옆자리 등 실질적인 조력을 할 수 있는 위치에 앉도록 해야 하고, 정당한 사유가 없으면 피의자에 대한 법적인 조언·상담을 보장해야 하며, 법적인 조언·상담을 위한 **변호인의 메모를 허용해야 한다.**
② 검사 또는 사법경찰관은 피의자에 대한 신문이 아닌 **단순 면담 등이라는 이유로 변호인의 참여·조력을 제한해서는 안 된다.**

제14조 【변호인의 의견진술】 ① 피의자신문에 참여한 변호인은 검사 또는 사법경찰관의 신문 후 조서를 열람하고 의견을 진술할 수 있다. 이 경우 변호인은 별도의 서면으로 의견을 제출할 수 있으며, 검사 또는 사법경찰관은 해당 서면을 사건기록에 편철한다.
② 피의자신문에 참여한 변호인은 신문 중이라도 검사 또는 사법경찰관의 승인을 받아 의견을 진술할 수 있다. 이 경우 **검사 또는 사법경찰관은 정당한 사유가 있는 경우를 제외하고는 변호인의 의견진술 요청을 승인해야 한다.**
③ 피의자신문에 참여한 변호인은 제2항에도 불구하고 부당한 신문방법에 대해서는 검사 또는 사법경찰관의 승인 없이 이의를 제기할 수 있다.
④ 검사 또는 사법경찰관은 제1항부터 제3항까지의 규정에 따른 의견진술 또는 이의제기가 있는 경우 해당 내용을 조서에 적어야 한다.

제21조 【심야조사 제한】 ① 검사 또는 사법경찰관은 조사, 신문, 면담 등 그 명칭을 불문하고 피의자나 사건관계인에 대해 **오후 9시부터 오전 6시까지 사이에 조사(이하 '심야조사'라 한다)를 해서는 안 된다.** 다만, 이미 **작성된 조서의 열람을 위한 절차는 자정 이전까지 진행할 수 있다.**

② 제1항에도 불구하고 다음 각 호의 어느 하나에 해당하는 경우에는 심야조사를 할 수 있다. 이 경우 심야조사의 사유를 조서에 명확하게 적어야 한다.
1. 피의자를 체포한 후 **48시간 이내에 구속영장의 청구 또는 신청 여부를 판단**하기 위해 불가피한 경우
2. **공소시효가 임박**한 경우
3. 피의자나 사건관계인이 출국, 입원, 원거리 거주, 직업상 사유 등 재출석이 곤란한 구체적인 사유를 들어 **심야조사를 요청**한 경우(변호인이 심야조사에 동의하지 않는다는 의사를 명시한 경우는 제외한다)로서 해당 요청에 상당한 이유가 있다고 인정되는 경우
4. 그 밖에 사건의 성질 등을 고려할 때 심야조사가 불가피하다고 판단되는 경우 등 법무부장관, 경찰청장 또는 해양경찰청장이 정하는 경우로서 검사 또는 사법경찰관의 소속 기관의 장이 지정하는 **인권보호 책임자의 허가** 등을 받은 경우

제22조【장시간 조사 제한】 ① 검사 또는 사법경찰관은 조사, 신문, 면담 등 그 명칭을 불문하고 피의자나 사건관계인을 조사하는 경우에는 대기시간, 휴식시간, 식사시간 등 모든 시간을 합산한 조사시간(이하 '총 조사시간'이라 한다)이 12시간을 초과하지 않도록 해야 한다. 다만, 다음 각 호의 어느 하나에 해당하는 경우에는 예외로 한다.
1. 피의자나 사건관계인의 **서면 요청에 따라 조서를 열람**하는 경우
2. 제21조 제2항 각 호(**심야조사사유**)의 어느 하나에 해당하는 경우

② 검사 또는 사법경찰관은 특별한 사정이 없으면 총 조사시간 중 식사시간, 휴식시간 및 조서의 열람시간 등을 제외한 **실제 조사시간이 8시간을 초과하지 않도록 해야 한다.** 21. 경찰채용

③ 검사 또는 사법경찰관은 피의자나 사건관계인에 대한 조사를 마친 때부터 **8시간이 지나기 전에는 다시 조사할 수 없다.** 다만, 제1항 제2호(**심야조사사유**)에 해당하는 경우에는 예외로 한다.

제23조【휴식시간 부여】 ① 검사 또는 사법경찰관은 조사에 상당한 시간이 소요되는 경우에는 특별한 사정이 없으면 피의자 또는 사건관계인에게 조사 도중에 최소한 **2시간마다 10분 이상의 휴식시간을 주어야 한다.** 21. 경찰채용

② 검사 또는 사법경찰관은 조사 도중 피의자, 사건관계인 또는 그 변호인으로부터 휴식시간의 부여를 요청받았을 때에는 그때까지 조사에 소요된 시간, 피의자 또는 사건관계인의 건강상태 등을 고려해 적정하다고 판단될 경우 휴식시간을 주어야 한다.

③ 검사 또는 사법경찰관은 조사 중인 피의자 또는 사건관계인의 건강상태에 이상 징후가 발견되면 의사의 진료를 받게 하거나 휴식하게 하는 등 필요한 조치를 해야 한다.

제25조【자료 · 의견의 제출기회 보장】 ① 검사 또는 사법경찰관은 조사과정에서 피의자, 사건관계인 또는 그 변호인이 사실관계 등의 확인을 위해 자료를 제출하는 경우 그 자료를 수사기록에 편철한다.

② 검사 또는 사법경찰관은 조사를 종결하기 전에 피의자, 사건관계인 또는 그 변호인에게 자료 또는 의견을 제출할 의사가 있는지를 확인하고, 자료 또는 의견을 제출받은 경우에는 해당 자료 및 의견을 수사기록에 편철한다.

제69조【수사서류 등의 열람 · 복사】 ① 피의자, 사건관계인 또는 그 변호인은 검사 또는 사법경찰관이 수사 중인 사건에 관한 본인의 진술이 기재된 부분 및 본인이 제출한 서류의 전부 또는 일부에 대해 열람 · 복사를 신청할 수 있다.

② 피의자, 사건관계인 또는 그 변호인은 검사가 불기소 결정을 하거나 사법경찰관이 불송치결정을 한 사건에 관한 기록의 전부 또는 일부에 대해 열람 · 복사를 신청할 수 있다.

③ 피의자 또는 그 변호인은 필요한 사유를 소명하고 고소장, 고발장, 이의신청서, 항고장, 재항고장(이하 '고소장 등'이라 한다)의 열람 · 복사를 신청할 수 있다. 이 경우 **열람 · 복사의 범위는 피의자에 대한 혐의사실 부분으로 한정하고**, 그 밖에 **사건관계인에 관한 사실이나 개인정보, 증거방법 또는 고소장 등에 첨부된 서류 등은 제외한다.**

④ 체포 · 구속된 피의자 또는 그 변호인은 현행범인체포서, 긴급체포서, 체포영장, 구속영장의 열람 · 복사를 신청할 수 있다.

⑤ 피의자 또는 사건관계인의 법정대리인, 배우자, 직계친족, 형제자매로서 피의자 또는 사건관계인의 **위임장 및 신분관계를 증명하는 문서**를 제출한 사람도 제1항부터 제4항까지의 규정에 따라 열람·복사를 신청할 수 있다.
⑥ 검사 또는 사법경찰관은 제1항부터 제5항까지의 규정에 따른 신청을 받은 경우에는 해당 서류의 공개로 사건관계인의 개인정보나 영업비밀이 침해될 우려가 있거나 범인의 증거인멸·도주를 용이하게 할 우려가 있는 경우 등 **정당한 사유가 있는 경우를 제외하고는 열람·복사를 허용해야 한다**.

(1) 의의

① **개념: 피의자신문이란 검사 또는 사법경찰관이** 수사에 필요한 경우 **피의자를 출석시켜 신문을 하고 진술을 듣는 것을 말한다**(제200조). 피의사건에 있어서 피의자의 진술(자백·부인 등)은 사건의 진상 파악을 위한 중요한 자료이고 또한 기소·불기소의 결정과 유죄·무죄 판단에 중요한 증거가 되므로 피의자신문은 수사의 핵심절차에 해당한다.

② **법적 성격: 피의자신문은 임의수사**에 해당한다는 것이 통설의 입장이다. 피의자는 수사기관에 **출석할 의무도 없고 또한 출석했다고 하더라도 언제든지 퇴거할 수 있다.** 피의자에게는 진술거부권도 보장되어 있으므로 진술할 의무도 없고 수사기관도 진술을 강요할 수 없다.

판례 | 구속된 피의자가 피의자신문을 위한 수사기관의 출석요구에 응하지 아니하면서 출석을 거부할 경우, 수사기관이 그 구속영장에 의하여 피의자를 조사실로 구인할 수 있는지의 여부 (적극)

[1] 수사기관이 구속영장에 의하여 피의자를 구속하는 경우, 그 구속영장은 기본적으로 장차 공판정에의 출석이나 형의 집행을 담보하기 위한 것이지만, 이와 함께 구속기간의 범위 내에서 수사기관이 피의자신문의 방식으로 구속된 피의자를 조사하는 등 적정한 방법으로 범죄를 수사하는 것도 예정하고 있다고 할 것이다. 따라서 구속영장 발부에 의하여 **적법하게 구금된 피의자가 피의자신문을 위한 출석요구에 응하지 아니하면서 수사기관 조사실에의 출석을 거부한다면 수사기관은 그 구속영장의 효력에 의하여 피의자를 조사실로 구인할 수 있다**고 보아야 할 것이다. [2] 다만 이러한 경우에도 그 피의자신문 절차는 어디까지나 임의수사의 한 방법으로 진행되어야 할 것이므로, 피의자는 헌법 제12조 제2항과 형사소송법 제244조의3에 따라 일체의 진술을 하지 아니하거나 개개의 질문에 대하여 진술을 거부할 수 있고, 수사기관은 피의자를 신문하기 전에 그와 같은 권리를 알려주어야 한다(대결 2013.7.1, 2013모160). 14·15. 법원직 9급, 14·15·16·18·19·20. 경찰채용, 15. 변호사, 16·17. 경찰승진, 17.·20·21. 경찰간부, 19. 해경간부

(2) 피의자신문의 방법

① **피의자신문의 주체**: 검사 또는 사법경찰관은 피의자신문을 할 권한이 있다(제200조). 다만, **사법경찰리라도 사법경찰관사무취급의 지위에서 피의자신문을 할 권한이 있다는 것이 판례**의 입장이다(대판 1981.6.9, 81도1357 등).

② **출석요구**: 수사기관이 피의자에게 출석요구를 하려는 경우 피의사실의 요지 등 출석요구의 취지를 구체적으로 적은 출석요구서를 발송해야 한다. 다만, 신속한 출석요구가 필요한 경우 등 부득이한 사정이 있는 경우에는 전화, 문자메시지, 그 밖의 상당한 방법으로 출석요구를 할 수 있다(상호협력·수사준칙규정 제19조 제3항). 17. 경찰간부, 18. 국가직 7급

검사와 사법경찰관의 상호협력과 일반적 수사준칙에 관한 규정

제19조【출석요구】① 검사 또는 사법경찰관은 피의자에게 출석요구를 할 때에는 다음 각 호의 사항을 유의해야 한다.

1. **출석요구를 하기 전에 우편·전자우편·전화를 통한 진술 등 출석을 대체할 수 있는 방법의 선택가능성을 고려할 것**
2. 출석요구의 방법, 출석의 일시·장소 등을 정할 때에는 피의자의 명예 또는 사생활의 비밀이 침해되지 않도록 주의할 것
3. 출석요구를 할 때에는 **피의자의 생업에 지장을 주지 않도록 충분한 시간적 여유를 두도록 하고, 피의자가 출석 일시의 연기를 요청하는 경우 특별한 사정이 없으면 출석 일시를 조정할 것**
4. 불필요하게 여러 차례 출석요구를 하지 않을 것

② 검사 또는 사법경찰관은 피의자에게 출석요구를 하려는 경우 피의자와 조사의 일시·장소에 관하여 협의해야 한다. 이 경우 **변호인이 있는 경우에는 변호인과도 협의해야 한다**. 21. 경찰채용

③ 검사 또는 사법경찰관은 피의자에게 출석요구를 하려는 경우 피의사실의 요지 등 출석요구의 취지를 구체적으로 적은 **출석요구서를 발송해야 한다**. 다만, 신속한 출석요구가 필요한 경우 등 **부득이한 사정이 있는 경우에는 전화, 문자메시지, 그 밖의 상당한 방법으로 출석요구를 할 수 있다**.

④ 검사 또는 사법경찰관은 제3항 본문에 따른 방법으로 출석요구를 했을 때에는 출석요구서의 사본을, 같은 항 단서에 따른 방법으로 출석요구를 했을 때에는 그 취지를 적은 수사보고서를 각각 사건기록에 편철한다.

⑤ 검사 또는 사법경찰관은 피의자가 치료 등 수사관서에 출석하여 조사를 받는 것이 현저히 곤란한 사정이 있는 경우에는 수사관서 외의 장소에서 조사할 수 있다.

⑥ 제1항부터 제5항까지의 규정은 **피의자 외의 사람에 대한 출석요구의 경우에도 적용한다**.

제20조【수사상 임의동행시의 고지】검사 또는 사법경찰관은 임의동행을 요구하는 경우 상대방에게 동행을 거부할 수 있다는 것과 동행하는 경우에도 언제든지 자유롭게 동행과정에서 이탈하거나 동행장소에서 퇴거할 수 있다는 것을 알려야 한다. 21. 경찰채용

③ **진술거부권 등의 고지**: 검사 또는 사법경찰관은 피의자를 신문하기 전에 다음 사항을 알려주어야 한다(제244조의3 제1항). 14. 경찰승진, 15. 변호사

㉠ 일체의 진술을 하지 아니하거나 질문에 대하여 진술을 하지 아니할 수 있다는 것
㉡ 진술을 하지 아니하더라도 불이익을 받지 아니한다는 것
㉢ 진술을 거부할 권리를 포기하고 행한 진술은 법정에서 유죄의 증거로 사용될 수 있다는 것 (≪주의 유죄의 증거로 사용될 수 없다는 것 ×)
㉣ 신문을 받을 때에는 변호인을 참여하게 하는 등 변호인의 조력을 받을 수 있다는 것

검사 또는 사법경찰관은 위 사항을 알려 준 때에는 피의자가 진술을 거부할 권리와 변호인의 조력을 받을 권리를 행사할 것인지의 여부를 질문하고, 이에 대한 피의자의 답변을 조서에 기재하여야 한다. 이 경우 **피의자의 답변은** 피의자로 하여금 **자필로 기재**하게 하거나 **검사 또는 사법경찰관이** 피의자의 답변을 **기재한 부분에 기명날인 또는 서명**하게 하여야 한다(동조 제2항).

판례 | 적법한 절차와 방식에 따라 작성되지 않아 증거능력이 부정되는 경우

사법경찰관이 피의자에게 진술거부권을 행사할 수 있음을 알려 주고 그 행사 여부를 질문하였다 하더라도, 형사소송법 제244조의3 제2항에 규정한 방식에 위반하여 진술거부권 행사 여부에 대한 피의자의 답변이 **자필로 기재되어 있지 아니하거나** 그 답변 부분에 피의자의 **기명날인 또는 서명이 되어 있지 아니한 사법경찰관 작성의 피의자신문조서는** 특별한 사정이 없는 한 형사소송법 제312조 제3항에서 정한 '적법한 절차와 방식에 따라 작성'된 조서라 할 수 없으므로 그 **증거능력을 인정할 수 없다**(대판 2013.3.28, 2010도3359). 14. 변호사, 15. 국가직 7급, 16 · 17. 국가직 9급, 18 · 20. 경찰채용, 20. 경찰승진

④ **신문사항**: 피의자를 신문할 때에는 수사기관은 먼저 그 성명 · 연령 · 등록기준지 · 주거 · 직업을 물어 피의자가 틀림이 없는지 확인하여야 한다(제241조). 이를 인정신문이라고 한다. **인정신문도 진술거부권의 대상에 포함**된다. 피의자신문사항은 범죄사실과 양형에 관한 필요한 사항이다. 피의자신문시에는 피의자에게 이익되는 사실을 진술할 수 있는 기회를 주어야 한다(제242조). 검사 또는 사법경찰관이 사실을 발견함에 필요한 때에는 피의자와 다른 피의자 또는 피의자 아닌 자와 **대질하게 할 수 있다**(제245조)(주의 인정신문은 진술거부권의 대상에 포함되지 않는다. ×).

⑤ **피의자신문의 참여자**: 검사가 피의자를 신문할 때는 검찰청 수사관 등을 **참여하게 하여야 하고**, 사법경찰관이 피의자를 신문할 때는 사법경찰관리를 **참여하게 하여야 한다**(제243조). 이는 조서기재의 정확성과 신문절차의 적법성을 보장하기 위한 규정이다. 19. 경찰채용

⑥ **피의자신문과 변호인참여**

㉠ 검사 또는 사법경찰관은 **피의자 또는 그 변호인 · 법정대리인 · 배우자 · 직계친족 · 형제자매의 신청**에 따라 변호인을 피의자와 **접견**하게 하거나 **정당한 사유가 없는 한** 피의자에 대한 신문에 **참여하게 하여야 한다**(제243조의2 제1항)(주의 동거인 고용주의 신청에 따라 ×, 반드시 피의자신문에 참여하게 하여야한다. ×, 정당한 사유가 없는 한 피의자신문에 참여하게 할 수 있다. ×). 14 · 15 · 17. 경찰승진, 14 · 16 · 18. 경찰채용, 15. 국가직 9급, 16. 경찰간부

신문에 참여하고자 하는 변호인이 2인 이상인 때에는 **피의자가** 신문에 참여할 변호인 **1인을 지정한다.** 지정이 없는 경우에는 **검사 또는 사법경찰관이** 이를 **지정할 수 있다**(동조 제2항)(주의 검사 또는 사법경찰관이 먼저 지정한다. ×, 피의자가 지정하고 지정이 없는 경우에는 검사 또는 사법경찰관이 이를 지정하여야 한다. ×). 14 · 16 · 18. 경찰승진, 15. 국가직 9급, 17. 경찰채용, 18. 경찰간부, 19. 해경간부

판례 |

1 수사기관이 정당한 사유 없이 변호인을 참여하게 하지 아니한 채 피의자를 신문하여 작성한 피의자신문조서의 증거능력 유무(소극)

피의자가 변호인의 참여를 원한다는 의사를 명백하게 표시하였음에도 수사기관이 정당한 사유 없이 변호인을 참여하게 하지 아니한 채 피의자를 신문하여 작성한 피의자신문조서는 형사소송법 제312조에 정한 '적법한 절차와 방식'에 위반된 증거일 뿐만 아니라 제308조의2에서 정한 '적법한 절차에 따르지 아니하고 수집한 증거'에 해당하므로 이를 **증거로 할 수 없다**(대판 2013.3.28, 2010도3359). 14 · 15. 법원직 9급, 15. 국가직 7급 · 경찰간부, 15 · 16. 경찰승진, 16 · 17 · 18. 경찰채용, 17. 변호사

2 피의자신문시 변호인참여의 제한 요건인 '정당한 사유'의 의미

형사소송법 제243조의2 제1항에 의하면 '검사 또는 사법경찰관은 피의자 또는 변호인 등이 신청할 경우 정당한 사유가 없는 한 변호인을 피의자신문에 참여하게 하여야 한다'고 규정하고 있는바, 여기에서 **'정당한 사유'**라 함은 **변호인이 피의자신문을 방해하거나 수사기밀을 누설할 염려가 있음이 객관적으로 명백한 경우** 등을 말하는 것이므로 수사기관이 피의자신문을 하면서 위와 같은 정당한 사유가 없음에도 불구

하고 **변호인에 대하여 피의자로부터 떨어진 곳으로 옮겨 앉으라고 지시를 한 다음 이러한 지시에 따르지 않았음을 이유로 변호인의 피의자신문참여권을 제한하는 것은 허용될 수 없다**(대결 2008.9.12, 2008모793). 19. 경찰채용

3 변호인이 피의자신문에 자유롭게 참여할 수 있는 권리가 헌법상 보호되는 기본권인지의 여부(적극)

변호인의 피의자 및 피고인을 조력할 권리 중 그것이 보장되지 않으면 그들이 변호인의 조력을 받는다는 것이 유명무실하게 되는 핵심적인 부분(이하 '변호인의 변호권'이라 한다)은 헌법상 기본권으로서 보호되어야 한다. 형사절차에서 피의자신문의 중요성을 고려할 때, **변호인이 피의자신문에 자유롭게 참여할 수 있는 권리는 헌법상 기본권인 변호인의 변호권으로서 보호되어야 한다**(헌재 2017.11.30, 2016헌마503). 18·21. 경찰채용

4 수사기관이 피의자신문에 참여한 변호인에게 피의자 후방에 앉으라고 요구한 것이 헌법에 위반되는지의 여부(적극)

검찰수사관이 피의자신문에 참여한 변호인에게 피의자 후방에 앉으라고 요구한 경우, 피의자가 변호인에게 적극적으로 조언과 상담을 요청할 것을 기대하기 어렵고, 변호인이 피의자의 상태를 즉각적으로 파악하거나 수사기관이 피의자에게 제시한 서류 등의 내용을 정확하게 파악하기 어려우므로 **이러한 후방착석 요구행위는 변호인의 자유로운 피의자신문참여를 제한하는 것으로써 헌법상 기본권인 변호인의 변호권을 침해한다**(헌재 2017.11.30, 2016헌마503). 18. 국가직 9급, 20. 경찰간부·경찰채용

5 부당한 신문방법에 대한 변호인의 이의제기가 피의자신문을 방해하는 행위인지의 여부

[1] **검사가** 피의자신문절차에서 인정신문을 진행하기 전에 **변호인으로부터 15분에 걸쳐 피의자의 수갑을 해제하여 달라는 명시적이고 거듭된 요구를 받았고** 피의자에게 도주, 자해, 다른 사람에 대한 위해의 위험이 분명하고 구체적으로 드러나는 등 특별한 사정이 없었음에도 **교도관에게 수갑을 해제하여 달라고 요청하지 않은 것은 위법하다.** [2] **검사 또는 사법경찰관의 부당한 신문방법에 대한 이의제기는** 고성, 폭언 등 그 방식이 부적절하거나 또는 합리적 근거 없이 반복적으로 이루어지는 등의 특별한 사정이 없는 한, 원칙적으로 **변호인에게 인정된 권리의 행사에 해당하며, 신문을 방해하는 행위로는 볼 수 없다.** [3] 검사 또는 사법경찰관이 구금된 피의자를 신문할 때 피의자 또는 변호인으로부터 **보호장비를 해제해 달라는 요구를 받고도 거부한 조치는** 형사소송법 제417조 제1항에서 정한 '구금에 관한 처분'에 해당한다(대결 2020.3.17, 2015모2357 **수갑해제 요청 묵살 사건**). 20. 경찰채용

6 변호인의 피의자신문 참여권을 위법하게 침해한 경우

검사 또는 사법경찰관이 특별한 사정 없이 단지 변호인이 피의자신문 중에 부당한 신문방법에 대한 이의제기를 하였다는 이유만으로 변호인을 조사실에서 퇴거시키는 조치는 정당한 사유 없이 변호인의 피의자신문 참여권을 제한하는 것으로서 허용될 수 없으므로, **피의자의 변호인이** 인정신문을 시작하기 전 **검사에게 피의자의 수갑을 해제하여 달라고 계속 요구하자 검사가 수사에 현저한 지장을 초래한다는 이유로 변호인을 퇴실시킨 것은** 변호인의 피의자신문 참여권을 침해한 것으로 **위법하다**(대결 2020.3.17, 2015모2357 **수갑해제 요청 묵살 사건**).

㉡ 신문에 참여한 변호인은 **신문 후 의견을 진술**할 수 있다. 다만, **신문 중이라도 부당한 신문방법에 대하여 이의를 제기**할 수 있고, 검사 또는 사법경찰관의 **승인을 얻어 의견을 진술**할 수 있다(제243조의2 제3항). 14. 국가직 9급·법원직 9급, 14·16·17·18. 경찰승진, 14·18. 경찰채용, 15. 변호사, 18. 경찰간부 변호인의 의견이 기재된 피의자신문조서는 변호인에게 열람하게 한 후 변호인으로 하여금 그 조서에 기명날인 또는 서명하게 하여야 한다(동조 제4항)(《주의》 신문 중이라 하더라도 검사 또는 사법경찰관의 승인 없이 의견을 진술할 수 있다. ×). 14. 법원직 9급, 19. 경찰간부

㉢ 검사 또는 사법경찰관은 변호인의 신문참여 및 그 제한에 관한 사항을 **피의자신문조서에 기재하여야 한다**(제243조의2 제5항). 14·15·16. 경찰승진 이는 수사기관의 자의적인 변호인 참여제한을 방지하기 위한 규정이다(«주의 변호인 신문참여 및 그 제한에 관한 사항을 피의자신문조서에 기재할 수 있다. ×).

㉣ 검사나 사법경찰관이 변호인의 참여를 제한하거나 퇴거시킨 처분에 대해서 피의자나 변호인은 **준항고**를 통해 그 처분의 취소 또는 변경을 청구할 수 있다(제417조)(«주의 즉시항고를 통해 불복할 수 있다. ×). 14·18. 경찰승진, 14·17. 법원직 9급, 15. 변호사, 16. 경찰채용, 19. 경찰간부

⑦ **특별보호를 요하는 자에 대한 특칙**: 검사 또는 사법경찰관은 **피의자를 신문**하는 경우 ㉠ 피의자가 신체적 또는 정신적 장애로 사물을 변별하거나 의사를 결정·전달할 능력이 미약한 때, ㉡ 피의자의 연령·성별·국적 등의 사정을 고려하여 그 심리적 안정의 도모와 원활한 의사소통을 위하여 필요한 때에는 직권 또는 피의자·법정대리인의 신청에 따라 피의자와 신뢰관계에 있는 자를 **동석하게 할 수 있다**(제244조의5)(«주의 피의자를 신문하는 경우 신뢰관계인을 동석하게 하여야 한다. ×). 14. 경찰승진, 18·19. 경찰간부, 19. 해경간부

> **검사와 사법경찰관의 상호협력과 일반적 수사준칙에 관한 규정**
>
> 제24조 【신뢰관계인의 동석】 ① 법 제244조의5에 따라 피의자와 동석할 수 있는 신뢰관계에 있는 사람과 법 제221조 제3항에서 준용하는 법 제163조의2에 따라 피해자와 동석할 수 있는 신뢰관계에 있는 사람은 피의자 또는 피해자의 직계친족, 형제자매, 배우자, 가족, 동거인, 보호·교육시설의 보호·교육담당자 등 피의자 또는 피해자의 심리적 안정과 원활한 의사소통에 도움을 줄 수 있는 사람으로 한다.
>
> ② 피의자, 피해자 또는 그 법정대리인이 제1항에 따른 신뢰관계에 있는 사람의 동석을 신청한 경우 검사 또는 사법경찰관은 그 관계를 적은 동석신청서를 제출받거나 조서 또는 수사보고서에 그 관계를 적어야 한다.

> **판례 | 피의자신문시 신뢰관계자 동석 관련 판례**
>
> 구체적인 사안에서 **(신뢰관계자의) 동석을 허락**할 것인지는 원칙적으로 **검사 또는 사법경찰관이 피의자의 건강 상태 등 여러 사정을 고려하여 재량에 따라 판단**하여야 할 것이나, **이를 허락하는 경우에도 동석한 사람으로 하여금 피의자를 대신하여 진술하도록 하여서는 아니되는 것**이고 만약 동석한 사람이 피의자를 대신하여 진술한 부분이 조서에 기재되어 있다면 그 부분은 피의자의 진술을 기재한 것이 아니라 동석한 사람의 진술을 기재한 조서에 해당하므로 그 사람에 대한 진술조서로서의 증거능력을 취득하기 위한 요건을 충족하지 못하는 한 이를 유죄 인정의 증거로 사용할 수 없다(대판 2009.6.23, 2009도1322). 16. 국가직 9급, 16·17·20. 경찰채용, 18. 경찰승진·경찰간부

⑧ 피의자신문조서 등의 작성

㉠ 피의자의 진술은 조서에 기재하여야 한다(제244조 제1항). 피의자신문조서는 피의자에게 열람하게 하거나 읽어 들려주어야 하며, 진술한 대로 기재되지 아니하였거나 사실과 다른 부분의 유무를 물어 피의자가 증감 또는 변경의 청구 등 이의를 제기하거나 의견을 진술한 때에는 이를 조서에 추가로 기재하여야 한다. 이 경우 피의자가 이의를 제기하였던 부분은 읽을 수 있도록 남겨두어야 한다(동조 제2항). 15. 경찰승진

㉡ 피의자가 조서에 대하여 이의나 의견이 없음을 진술한 때에는 피의자로 하여금 그 취지를 자필로 기재하게 하고 조서에 간인한 후 기명날인 또는 서명하게 한다(제244조 제3항). 또한 조서에는 작성자인 검사 또는 사법경찰관도 기명날인 또는 서명하여야 한다(제57조).

㉢ 검사 또는 사법경찰관은 피의자가 조사장소에 도착한 시각, 조사를 시작하고 마친 시각 그 밖에 조사과정의 진행경과를 확인하기 위하여 필요한 사항을 **피의자신문조서에 기록하거나 별도의 서면에 기록한 후 수사기록에 편철하여야 한다**(제244조의4 제1항). 15. 경찰승진

> **검사와 사법경찰관의 상호협력과 일반적 수사준칙에 관한 규정**
>
> **제26조【수사과정의 기록】** ① 검사 또는 사법경찰관은 법 제244조의4에 따라 조사(신문, 면담 등 명칭을 불문한다. 이하 이 조에서 같다) 과정의 진행경과를 다음 각 호의 구분에 따른 방법으로 기록해야 한다.
>
> 1. 조서를 작성하는 경우: 조서에 기록(별도의 서면에 기록한 후 조서의 끝부분에 편철하는 것을 포함한다)
> 2. 조서를 작성하지 않는 경우: 별도의 서면에 기록한 후 수사기록에 편철
>
> ② 제1항에 따라 조사과정의 진행경과를 기록할 때에는 다음 각 호의 구분에 따른 사항을 구체적으로 적어야 한다.
>
> 1. 조서를 작성하는 경우에는 다음 각 목의 사항
>   가. 조사 대상자가 조사장소에 도착한 시각
>   나. 조사의 시작 및 종료 시각
>   다. 조사 대상자가 조사장소에 도착한 시각과 조사를 시작한 시각에 상당한 시간적 차이가 있는 경우에는 그 이유
>   라. 조사가 중단되었다가 재개된 경우에는 그 이유와 중단 시각 및 재개 시각
> 2. 조서를 작성하지 않는 경우에는 다음 각 목의 사항
>   가. 조사 대상자가 조사장소에 도착한 시각
>   나. 조사 대상자가 조사장소를 떠난 시각
>   다. 조서를 작성하지 않는 이유
>   라. 조사 외에 실시한 활동
>   마. 변호인 참여 여부

⑨ 피의자진술의 영상녹화

㉠ **피의자의 진술은 영상녹화할 수 있다.** 이 경우 **미리 영상녹화사실을 알려주어야 하며,** 조사의 개시부터 종료까지의 전 과정 및 객관적 정황을 영상녹화하여야 한다(제244조의2 제1항). 14·15·16·17·18. 경찰승진, 15·16·17·18·19. 경찰채용, 16·18·19. 경찰간부, 18. 변호사

㉡ 영상녹화가 완료된 때에는 피의자 또는 변호인 앞에서 지체 없이 그 원본을 봉인하고 피의자로 하여금 기명날인 또는 서명하게 하여야 한다(제244조의2 제2항). 14. 경찰채용, 15·16. 경찰승진, 18. 경찰간부 피의자 또는 변호인의 요구가 있는 때에는 영상녹화물을 재생하여 시청하게 하여야 한다. 15. 경찰승진, 18. 경찰간부 이 경우 그 내용에 대하여 **이의를 진술하는 때에는 그 취지를 기재한 서면을 첨부하여야 한다**(동조 제3항)(≪주의 이의를 진술하는 때에는 별도로 영상녹화하여 첨부한다. ×). 16. 경찰승진, 18·20. 경찰채용

㉢ 영상녹화물은 피고인이 진술함에 있어서 기억이 명백하지 아니한 사항에 관하여 **기억환기용 수단**으로 사용될 수 있다(제318조의2 제2항)(≪주의 영상녹화물은 본증이나 탄핵증거로도 사용할 수 있다. ×). 14. 경찰간부, 15. 경찰채용

2. 기타 임의수사

형사소송법

제221조 【제3자의 출석요구】 ① 검사 또는 사법경찰관은 수사에 필요한 때에는 피의자가 아닌 자의 출석을 요구하여 진술을 들을 수 있다. 이 경우 그의 **동의를 받아 영상녹화할 수 있다.**
② 검사 또는 사법경찰관은 수사에 필요한 때에는 감정·통역 또는 번역을 위촉할 수 있다.
③ 제163조의2 제1항부터 제3항까지는 검사 또는 사법경찰관이 범죄로 인한 피해자를 조사하는 경우에 준용한다.

제199조 【수사와 필요한 조사】 ② 수사에 관하여는 공무소 기타 공사단체에 조회하여 필요한 사항의 보고를 요구할 수 있다.

(1) 참고인조사(參考人調査)

① **의의**: 검사 또는 사법경찰관은 수사에 필요한 때에는 피의자 아닌 자의 출석을 요구하여 진술을 들을 수 있다(제221조 제1항). 18. 경찰채용 이것을 참고인조사라고 하고 임의수사의 한 종류에 해당한다.

② **참고인과 증인의 구별**: 참고인은 수사기관에 대하여 진술하는 자로서 법원·법관에 대하여 진술하는 증인과 구별된다. **참고인조사는 임의수사**이며 따라서 증인과는 달리 참고인은 강제로 구인 당하거나 과태료 등의 제재를 받지 아니한다. 다만, 참고인이 수사기관의 **출석요구에 불응하거나 진술을 거부할 때**에는 검사는 판사에게 증인신문을 청구할 수 있다(제221조의2).

③ **참고인조사의 절차**: 참고인조사절차는 피의자신문절차에 준한다. **참고인에 대해서는** 피의자신문과 달리 **진술거부권을 고지할 필요는 없다.** 그러나 참고인도 진술거부권을 행사할 수 있음은 물론이다(헌법 제12조 제2항)(≪주의 수사기관은 피의자와 참고인에 대하여 진술거부권을 고지하여야 한다. ×).

④ **신뢰관계에 있는 자의 동석**

㉠ 수사기관은 범죄로 인한 **피해자**를 참고인으로 조사하는 경우 참고인의 연령, 심신의 상태, 그 밖의 사정을 고려하여 참고인이 현저하게 불안 또는 긴장을 느낄 우려가 있다고 인정되는 때에는 **직권** 또는 피해자·법정대리인의 **신청**에 따라 피해자와 신뢰관계에 있는 자를 **동석하게 할 수 있다**(제221조 제3항, 제163조의2 제1항). 수사기관은 범죄로 인한 피해자가 **13세 미만**이거나 **신체적 또는 정신적 장애**로 사물을 변별하거나 의사를 결정할 능력이 미약한 경우에 **부득이한 경우가 아닌 한** 피해자와 신뢰관계에 있는 자를 **동석하게 하여야 한다**(제221조 제3항, 제163조의2 제2항). 15. 경찰채용 (≪주의 피해자가 13세 미만이거나 신체적 또는 정신적 장애인 경우 반드시 동석하게 하여야 한다. ×)

㉡ 동석한 자는 수사기관의 조사 또는 참고인의 진술을 방해하거나 그 진술의 내용에 부당한 영향을 미칠 수 있는 행위를 하여서는 아니 된다(제221조 제3항, 제163조의2 제3항).

⑤ **참고인진술조서의 작성 및 참고인진술의 영상녹화**

㉠ 참고인의 진술은 조서에 기재하는데 이를 참고인진술조서라고 한다(검찰사건사무규칙 제38조 제2항 등).

㉡ **참고인의 진술은 영상녹화할 수 있다.** 피의자의 경우와는 달리 참고인의 **동의를 얻어야만 영상녹화를 할 수 있다**(제221조 제1항 단서)(≪주의 참고인에게 미리 고지하고 영상녹화할 수 있다. ×) 14·18. 경찰간부, 16·17·18. 경찰채용, 19. 해경간부 영상녹화물은 공판단계에서 참고인진술조서의 진정성립 등의 증명방법으로 사용될 수 있고(제312조 제4항), 또한 참고인(증인)이 진술함에 있어서 기억이 명백하지 아니한 사항에 관하여 기억환기용 수단으로 사용될 수 있다(제318조의2 제2항). 14·18. 경찰간부

㉢ 검사 또는 사법경찰관은 참고인이 조사장소에 도착한 시각, 조사를 시작하고 마친 시각, 그 밖에 조사과정의 진행경과를 확인하기 위하여 필요한 사항을 참고인진술조서에 기록하거나 별도의 서면에 기록한 후 수사기록에 편철하여야 한다(제244조의4 제1항 · 제3항).

판례 |

1 수사기관이 참고인을 조사하는 과정에서 작성한 영상녹화물을 공소사실을 입증하는 본증으로 사용할 수 있는지의 여부(소극)

[1] 수사기관이 참고인을 조사하는 과정에서 형사소송법 제221조 제1항에 따라 작성한 영상녹화물은, 다른 법률에서 달리 규정하고 있는 등의 특별한 사정이 없는 한 공소사실을 직접 증명할 수 있는 독립적인 증거로 사용될 수는 없다. [2] 피고인의 동의가 없는 이상 참고인에 대한 진술조서의 작성이 없는 상태에서 수사기관이 그의 진술을 영상녹화한 영상녹화물만을 독자적인 증거로 쓸 수 없고 그 녹취록 또한 증거로 사용할 수 없는 위 영상녹화물의 내용을 그대로 녹취한 것이므로 역시 증거로 사용할 수 없다(대판 2014.7.10, 2012도5041). 15 · 20. 변호사, 16. 국가직 7급, 17 · 21. 경찰간부, 17 · 20 · 21. 법원직 9급, 20. 경찰채용 · 해경채용

2 조사과정을 기록하지 아니한 경우 서류의 증거능력 유무(소극)

피고인이 아닌 자가 수사과정에서 진술서를 작성하였지만 수사기관이 그에 대한 조사과정을 기록하지 아니하여 형사소송법 제244조의4 제3항, 제1항에서 정한 절차를 위반한 경우에는, 특별한 사정이 없는 한 '적법한 절차와 방식'에 따라 수사과정에서 진술서가 작성되었다 할 수 없으므로 그 증거능력을 인정할 수 없다(대판 2015.4.23, 2013도3790). 16. 국가직 7급, 16 · 17 · 18. 변호사, 18. 국가직 9급 · 법원직 9급

(2) 감정 · 통역 · 번역의 위촉

① **감정위촉**: 검사 또는 사법경찰관은 수사에 필요한 때에는 감정을 위촉할 수 있다(제221조 제2항). 위촉받은 자의 수락 여부는 그의 자유에 속하고 감정인은 출석을 거부할 수 있고 출석 후에도 언제나 퇴거할 수 있다. 이렇게 위촉을 받은 자를 감정수탁자 또는 수탁감정인이라고 하고, 이는 법원으로부터 감정을 명받은 감정인과 구별이 된다. 감정수탁자는 선서를 하지 않고 또한 감정시 당사자의 참여 등에 관한 규정이 적용되지 않는다는 점에서 감정인과 구별된다.

② **통역 · 번역의 위촉**: 검사 또는 사법경찰관은 수사에 필요한 때에는 통역 · 번역을 위촉할 수 있다(제221조 제2항). 이는 감정위촉과 감정에 준한다.

(3) 공무소 등에 조회(사실조회)

수사에 관하여 공무소 기타 공사 단체에 조회하여 필요한 사항의 보고를 요구할 수 있다(제199조 제2항). 17. 경찰채용 대표적인 것으로 전과조회, 신원조회 등이 있다. 조회내용은 제한이 없다. 조회를 받은 상대방은 이에 대한 보고의무가 있으나 의무위반시 이행을 강제할 방법이 없고 또한 영장에 의할 것을 요구하지 않기 때문에 **임의수사**로 보는 것이 통설의 입장이다. 19. 경찰채용

SUMMARY | 피의자(신문) vs 참고인(조사) ★★★

구분	피의자(신문)	참고인(조사)
공통점	① 임의수사 ② 수사기관 앞에서 진술 ③ 출석요구의 방식 ④ 조서 작성의 방식 ⑤ 허위의 진술을 하더라도 위증죄 등의 죄책을 지지 않음 등	

<table>
<tr><td>출석요구
불응시 조치</td><td colspan="2">수사기관은 체포영장에 의하여 체포할 수 있음</td><td>검사는 판사에게 증인신문을 청구할 수 있음</td></tr>
<tr><td>진술거부권 고지</td><td colspan="2">고지</td><td>불고지</td></tr>
<tr><td>변호인 참여</td><td colspan="2">명문의 규정으로 인정</td><td>명문의 규정이 없음</td></tr>
<tr><td>신뢰관계자
동석 사유</td><td colspan="2">① 피의자가 신체적 또는 정신적 장애로 사물을 변별하거나 의사를 결정·전달할 능력이 미약한 때(임의적 동석)
② 피의자의 연령·성별·국적 등의 사정을 고려하여 그 심리적 안정의 도모와 원활한 의사소통을 위하여 필요한 경우(임의적 동석)</td><td>① 참고인이 현저하게 불안 또는 긴장을 느낄 우려가 있다고 인정되는 때(임의적 동석)
② 피해자가 13세 미만이거나 신체적 또는 정신적 장애로 사물을 변별하거나 의사를 결정할 능력이 미약한 경우(부득이한 경우가 아닌 한 필요적 동석)</td></tr>
<tr><td>진술의 영상녹화</td><td colspan="2">피의자에게 미리 알리고 영상녹화할 수 있음</td><td>참고인의 동의를 받고 영상녹화할 수 있음</td></tr>
<tr><td rowspan="2">조서의
증거능력</td><td>검사
작성</td><td>① 피고인이 된 경우: 제312조 제1항(적법성 + 성립의 진정 + 특신상태)
② 피고인이 되지 않은 경우: 제312조 제4항(적법성 + 성립의 진정 + 특신상태 + 반대신문권 기회보장)</td><td rowspan="2">제312조 제4항(적법성 + 성립의 진정 + 특신상태 + 반대신문권 기회보장)</td></tr>
<tr><td>사법
경찰관
작성</td><td>제312조 제3항(적법성 + 내용의 인정)</td></tr>
</table>

SUMMARY | 참고인(조사) vs 증인(신문) ★★★

구분	참고인(조사)	증인(신문)
공통점	① 피의자·피고인 이외의 제3자 ② 신뢰관계자 동석 사유	
성격	임의수사	강제처분
진술기관	수사기관	법원 또는 법관
의무	의무 없음	출석·선서·증언의무
제재수단	제재수단 없음. 다만, 국가보안법상 참고인에 대해서는 구인이 허용됨	구인, 과태료, 소송비용부담, 감치, 동행명령
허위진술시 죄책	위증죄 등 불성립	위증죄 성립

3. 전문수사자문위원

(1) 전문수사자문위원의 참여

① 검사는 공소제기 여부와 관련된 사실관계를 분명하게 하기 위하여 필요한 경우에는 **직권**이나 피의자 또는 변호인의 **신청**에 의하여 **전문수사자문위원을 지정**하여 수사절차에 참여하게 하고 자문을 들을 수 있다(제245조의2 제1항)(≪주의 전문수사자문위원은 직권의 경우에만 지정할 수 있다. ×). 14. 경찰채용, 15. 국가직 9급

② 전문수사자문위원은 전문적인 지식에 의한 설명 또는 의견을 기재한 **서면을 제출**하거나 전문적인 지식에 의하여 **설명이나 의견을 진술할 수 있다**(동조 제2항).

③ 검사는 전문수사자문위원이 제출한 서면이나 전문수사자문위원의 설명 또는 의견의 진술에 관하여 피의자 또는 변호인에게 구술 또는 서면에 의한 **의견진술의 기회를 주어야 한다**(동조 제3항)(≪주의 의견진술의 기회를 줄 수 있다. ×). 14. 경찰채용

(2) 전문수사자문위원 지정 등

① 전문수사자문위원을 수사절차에 참여시키는 경우 검사는 각 사건마다 **1인 이상**의 전문수사자문위원을 지정한다(제245조의3 제1항)(《주의 2인 이상 ×).

② 검사는 상당하다고 인정하는 때에는 전문수사자문위원의 **지정을 취소할 수 있다**(동조 제2항)(《주의 전문수사자문위원의 지정을 취소할 수는 없다. ×). 14. 경찰채용

③ 피의자 또는 변호인은 검사의 전문수사자문위원 지정에 대하여 **관할 고등검찰청검사장에게 이의를 제기할 수 있다**(동조 제3항)(《주의 관할 지방검찰청검사장에게 ×). 14. 경찰채용, 15. 국가직 9급

제2절 체포와 구속

대인적 강체처분에는 소환, 체포·구속, 감정유치 등이 있지만, 가장 기본이 되는 것은 체포와 구속이다. 체포는 비교적 단기간 피의자의 신병을 확보하는 강제처분이고, 구속은 비교적 장기간 피의자·피고인의 신병을 확보하는 강제처분이다. 피의자에 대해서는 체포와 구속 모두 가능하지만, 피고인에 대해서는 오직 구속만이 가능하다. 체포의 종류에는 **통상체포(영장체포)·긴급체포·현행범체포**가 있다. 긴급체포와 현행범체포는 영장 없이 이를 할 수 있으므로, 영장주의의 예외에 해당한다. 피의자는 통상체포·긴급체포·현행범체포를 거쳐서 구속될 수도 있고, 체포를 거치지 않고 곧장 구속될 수도 있다. 즉, 형사소송법은 체포를 구속의 사전절차로 규정하는 이른바 **체포전치주의(逮捕前置主義)를 취하고 있지 않다**. 형사소송법은 법원의 피고인구속을 규정하고 이를 피의자 체포와 구속에 준용하는 형식을 취하고 있다.

SUMMARY | 피의자·피고인 체포·구속의 요건 ★★★

구분		요건 (범죄혐의는 당연히 전제)	경미사건의 제한 (다액 50만원 이하의 벌금·구류·과료)	영장
피의자	통상체포 (제200조의2)	① 출석요구 불응 ② 출석요구 불응 우려 ✎ **명백히 체포의 필요성(도망 또는 증거인멸의 염려)이 인정되지 않으면 영장청구 기각**	㉠ 일정한 주거가 없는 때 ㉡ 출석요구 불응	체포영장 (제200조의4 제3항)
	긴급체포 (제200조의3)	① 범죄의 중대성(사형·무기·장기 3년 이상의 징역·금고) ② 체포의 필요성 ㉠ 도망 또는 도망의 염려 ㉡ 증거인멸의 염려 ③ 긴급성(체포영장 발부받을 시간적 여유 없는 때)		×
	현행범체포 (제211조)	① 현행범인(범죄의 실행 중 또는 실행 즉후인 자) ② 준현행범인 ㉠ 범인으로 호창되어 추적되고 있는 때 ㉡ 장물이나 범죄에 사용되었다고 인정함에 충분한 흉기 기타의 물건을 소지하고 있는 때 ㉢ 신체 또는 의복류에 현저한 증적이 있는 때 ㉣ 누구임을 물음에 대하여 도망하려 하는 때 ✎ **판례에 의할 때 체포의 필요성(도망 또는 증거인멸의 염려)이 있어야 체포가 가능함**	일정한 주거가 없는 때	×

피의자 · 피고인	구속 (제70조 · 제201조)	① 일정한 주거가 없는 때 ② 증거인멸의 염려 ③ 도망 또는 도망의 염려 ✎ 3가지 사유 중 하나만 있어도 구속 가능 ✎ 구속사유를 심사함에 있어서 범죄의 중대성, 재범의 위험성, 피해자 및 중요 참고인 등에 대한 위해 우려 등을 고려하여야 함(제70조 제2항)	일정한 주거가 없는 때	구속영장 (제73조 · 제201조)

☑ SUMMARY | 피의자 재체포 · 재구속 및 피고인 재구속 요건 ★★★

구분		재체포 · 재구속 요건 (범죄혐의는 당연히 전제)	영장
피의자	긴급체포되었다가 석방된 피의자를 체포하는 경우(제200조의4 제3항)	영장을 발부받을 것	체포영장 (제200조의4 제3항)
	구속되었다가 석방된 피의자를 재차 구속하는 경우(제208조 제1항)	다른 중요한 증거를 발견한 때	구속영장 (제201조, 규칙 제99조)
	체포 · 구속적부심사에 의하여 (조건없이) 석방된 피의자를 재차 체포 · 구속하는 경우 (제214조의3 제1항)	도망하거나 죄증을 인멸하는 때	체포 · 구속영장 (규칙 제99조)
	피의자보석으로 석방된 피의자를 재차 구속하는 경우 (제214조의3 제2항)	① 도망한 때 ② 도망하거나 죄증을 인멸할 염려가 있다고 믿을만한 충분한 이유가 있는 때 ③ 출석요구를 받고 정당한 이유 없이 출석하지 아니한 때 ④ 주거의 제한 기타 법원이 정한 조건을 위반한 때	구속영장 (규칙 제99조)
피고인	구속되었다가 석방된 피고인을 재차 구속하는 경우(제70조 제1항)	① 일정한 주거가 없는 때 ② 증거를 인멸할 염려가 있는 때 ③ 도망하거나 도망할 염려가 있는 때	구속영장 (제73조)

☑ SUMMARY | 미란다 고지와 영장의 제시 ★★★

형사소송법

제200조의5 【체포와 피의사실 등의 고지】 검사 또는 사법경찰관은 피의자를 체포하는 경우에는 피의사실의 요지, 체포의 이유와 변호인을 선임할 수 있음을 말하고 변명할 기회를 주어야 한다.

제213조의2 【준용규정】 (중략) **제200조의5**의 규정은 검사 또는 사법경찰관리가 현행범인을 체포하거나 현행범인을 인도받은 경우에 이를 준용한다.

제209조 【준용규정】 (중략) **제85조** (중략) 및 **제200조의5**는 검사 또는 사법경찰관의 피의자구속에 관하여 준용한다.

제200조의6 【준용규정】 (중략) **제85조 제1항** (중략) 규정은 검사 또는 사법경찰관이 피의자를 체포하는 경우에 이를 준용한다. 이 경우 '구속'은 이를 '체포'로, '구속영장'은 이를 '체포영장'으로 본다.

✎ 위 형사소송법 규정은 '피의자'에 관한 조항이고, 아래 형사소송법과 형사소송규칙 규정은 '피고인'에 관한 조항이다.

제72조 【구속과 이유의 고지】 피고인에 대하여 범죄사실의 요지, 구속의 이유와 변호인을 선임할 수 있음을 말하고 변명할 기회를 준 후가 아니면 구속할 수 없다. 다만, 피고인이 도망한 경우에는 그러하지 아니하다.

제72조의2 【수명법관】 법원은 합의부원으로 하여금 전조의 절차를 이행하게 할 수 있다.

제88조 【구속과 공소사실 등의 고지】 피고인을 구속한 때에는 즉시 공소사실의 요지와 변호인을 선임할 수 있음을 알려야 한다.

제85조 【구속영장집행의 절차】 ① 구속영장을 집행함에는 피고인에게 반드시 이를 제시하여야 하며 신속히 지정된 법원 기타 장소에 인치하여야 한다.

형사소송규칙

제52조 【구속과 범죄사실 등의 고지】 법원 또는 법관은 법 제72조 및 법 제88조의 규정에 의한 고지를 할 때에는 법원사무관 등을 참여시켜 조서를 작성하게 하거나 피고인 또는 피의자로 하여금 확인서 기타 서면을 작성하게 하여야 한다.

판례 |

1 피의자를 체포 · 구속하는 경우의 미란다 고지와 영장의 제시

① 사법경찰관 등이 체포영장을 소지하고 피의자를 체포하기 위하여는 체포 당시에 피의자에게 체포영장을 제시하고 피의자에 대한 범죄사실의 요지, 구속의 이유와 변호인을 선임할 수 있음을 말하고 변명할 기회를 주어야 하는데, **이와 같은 체포영장의 제시나 고지 등은 체포를 위한 실력행사에 들어가기 이전에 미리 하여야 하는 것이 원칙**이나 달아나는 피의자를 쫓아가 붙들거나 폭력으로 대항하는 피의자를 실력으로 제압하는 경우에는 **붙들거나 제압하는 과정에서 하거나 그것이 여의치 않은 경우에라도 일단 붙들거나 제압한 후에 지체 없이 행하여야 한다**(대판 2008.2.14, 2007도10006). 미란다 고지시기에 관한 이와 같은 판시 내용은 긴급체포나 구속의 경우에도 동일하다(대판 2008.7.24, 2008도2794; 대판 1996.12.23, 96도2673 등). 19. 국가직 9급 · 해경채용, 20. 경찰승진 · 변호사

② 검사 또는 사법경찰관리는 현행범인을 체포하거나 일반인이 체포한 현행범인을 인도받는 경우 피의자에 대하여 피의사실의 요지, 체포의 이유와 변호인을 선임할 수 있음을 말하고 변명할 기회를 주어야 하고, **이와 같은 고지는 체포를 위한 실력행사에 들어가기 전에 미리 하여야 하는 것이 원칙이지만**, 달아나는 피의자를 쫓아가 붙들거나 폭력으로 대항하는 피의자를 실력으로 제압하는 경우에는 **붙들거나 제압하는 과정에서 하거나 그것이 여의치 않은 경우에는 일단 붙들거나 제압한 후에 지체 없이 하면 된다**(대판 2012.2.9, 2011도7193). 16. 국가직 9급, 17. 경찰승진 · 경찰간부 · 국가직 7급, 19. 해경간부

③ [1] **경찰관으로서는 체포하려는 상대방이 피고인 본인이 맞는지를 먼저 확인한 후에 이른바 미란다 원칙을 고지하여야 하는 것**이지, 그 상대방이 피고인인지 여부를 확인하지 아니한 채로 일단 체포하면서 미란다 원칙을 고지할 것은 아니라고 보아야 한다. 만약 상대방을 확인하지도 않은 채로 먼저 체포하고 미란다 원칙을 고지한다면, 때로는 실제 피의자가 아닌 사람을 체포하는 경우도 생길 수 있고, 이런 경우에는 일반적으로 미란다 원칙의 고지가 앞당겨짐에서 얻어지는 인권보호보다도 훨씬 더 큰 인권 침해가 생길 수도 있다. [2] 경찰관들이 미란다 원칙상 고지사항의 일부만 고지하고 신원확인절차를 밟으려는 순간 범인이 유리조각을 쥐고 휘둘러 이를 제압하려는 경찰관들에게 상해를 입힌 경우, 경찰관들의 긴급체포업무에 관한 정당한 직무집행을 방해한 경우에 해당한다(대판 2007.11.29, 2007도7961).

④ 경찰관들이 체포영장을 소지하고 메스암페타민 투약 등 혐의로 피고인을 체포하려는 과정에서 피고인이 도망가려는 태도를 보이거나 먼저 폭력을 행사하며 대항한 바 없는 등 경찰관들이 체포를 위한 실력행사에 나아가기 전에 체포영장을 제시하고 **미란다 원칙을 고지할 여유가 있었음에도 애초부터 미란다 원칙을 체포 후에 고지할 생각으로 먼저 체포행위에 나선 행위는 적법한 공무집행이라고 볼 수 없으므로** 비록 피고인이 이에 거세게 저항하는 과정에서 경찰관들에게 상해를 가하였더라도 공무집행방해죄나 상해죄는 성립하지 아니한다(대판 2017.9.21, 2017도10866). 18. 경찰채용, 19. 변호사

2 피고인을 구속하는 경우의 미란다 고지

① **형사소송법 제72조**는 "피고인에 대하여 범죄사실의 요지, 구속의 이유와 변호인을 선임할 수 있음을 말하고 변명할 기회를 준 후가 아니면 구속할 수 없다."고 규정하고 있는바, 이는 **피고인을 구속함에 있어 법관에 의한 사전 청문절차**를 규정한 것으로서 구속영장을 집행함에 있어 집행기관이 취하여야 하는 절차가 아니라 구속영장 발부함에 있어 수소법원 등 법관이 취하여야 하는 절차라 할 것이므로 법원이 피고인에 대하여 구속영장을 발부함에 있어 사전에 위 규정에 따른 절차를 거치지 아니한 채 구속영장을 발부하였다면 그 발부결정은 위법하다고 할 것이나, 위 규정은 피고인의 절차적 권리를 보

장하기 위한 규정이므로 **이미 변호인을 선정하여 공판절차에서 변명과 증거의 제출을 다하고 그의 변호 아래 판결을 선고받은 경우 등과 같이 위 규정에서 정한 절차적 권리가 실질적으로 보장되었다고 볼 수 있는 경우**에는, 이에 해당하는 절차의 전부 또는 일부를 거치지 아니한 채 구속영장을 발부하였다 하더라도 이러한 점만으로 그 **발부결정이 위법하다고 볼 것은 아니다**(대결 2000.11.10, 2000모134).

② [1] **형사소송법 제72조**의 규정은 피고인의 절차적 권리를 보장하기 위한 규정이므로 이미 변호인을 선정하여 공판절차에서 변명과 증거의 제출을 다하고 그의 변호 아래 판결을 선고받은 경우 등과 같이 **위 규정에서 정한 절차적 권리가 실질적으로 보장되었다고 볼 수 있는 경우에는 이에 해당하는 절차의 전부 또는 일부를 거치지 아니한 채 구속영장을 발부하였다 하더라도 이러한 점만으로 그 발부결정을 위법하다고 볼 것은 아니지만**, 위와 같이 사전 청문절차의 흠결에도 불구하고 구속영장 발부를 적법하다고 보는 이유는 공판절차에서 증거의 제출과 조사 및 변론 등을 거치면서 판결이 선고될 수 있을 정도로 범죄사실에 대한 충분한 소명과 공방이 이루어지고 그 과정에서 피고인에게 자신의 범죄사실 및 구속사유에 관하여 변명을 할 기회가 충분히 부여되기 때문이므로, 이와 동일시할 수 있을 정도의 사유가 아닌 이상 함부로 청문절차 흠결의 위법이 치유된다고 해석하여서는 아니 된다. [2] 제1심법원은 제2차 구속영장을 발부하기 전에 형사소송법 제72조에 따른 절차를 따로 거치지 아니하였는데, 그 전 공판기일에서 **검사가 모두진술에 의하여 공소사실 등을 낭독하고 피고인과 변호인이 모두진술에 의하여 공소사실의 인정 여부 및 이익이 되는 사실 등을 진술하였다는 점만으로는 위 규정에서 정한 절차적 권리가 실질적으로 보장되었다고 보기는 어렵다**. 그럼에도 **원심이** 피고인에게 형사소송법 제72조에 따른 절차적 권리가 실질적으로 보장되었다고 보아 **제2차 구속영장 발부결정이 적법하다고 판단한 것에는** 형사소송법 제72조에 관한 법리를 오해하여 재판에 영향을 미친 **위법이 있다**(대결 2016.6.14, 2015모1032). 14. 경찰채용, 17. 국가직 9급

③ 피고인은 이 사건 범죄사실에 관하여 형사소송법 제72조에서 정한 사전 청문절차 없이 발부된 구속영장에 기하여 2018.1.19. 구속되었다. 그러나 제1심법원이 위 구속의 위법을 시정하기 위하여 2018.4.13. 구속취소결정을 하고 적법한 청문절차를 밟아 구속사유가 있음을 인정하고 같은 날 피고인에 대한 구속영장을 새로 발부하였다. 이와 같이 적법하게 발부된 새로운 구속영장에 따라 피고인에 대한 구속이 계속되었다. 피고인이 위 청문절차에서부터 제1심과 원심의 소송절차에 이르기까지 변호인의 조력을 받았다. 피고인에 대한 신체구금 과정에 피고인의 방어권이 본질적으로 침해되어 원심판결의 정당성마저 인정하기 어렵다고 볼 정도의 위법은 없다. 따라서 피고인에 대한 구속영장 발부와 집행에 관한 소송절차의 법령위반 등을 다투는 상고이유 주장은 받아들이지 않는다. 판결내용 자체가 아니고 다만 피고인의 신병확보를 위한 구속 등 소송절차가 법령에 위반된 경우에는, 그로 인하여 피고인의 방어권이나 변호인의 조력을 받을 권리가 본질적으로 침해되고 판결의 정당성마저 인정하기 어렵다고 보이는 정도에 이르지 않는 한, 그것 자체만으로는 판결에 영향을 미친 위법이라고 할 수 없다(대판 2019.2.28, 2018도19034). 20. 경찰채용

④ **형사소송법 제88조**는 "피고인을 구속한 때에는 즉시 공소사실의 요지와 변호인을 선임할 수 있음을 알려야 한다."고 규정하고 있는바, 이는 **사후 청문절차에 관한 규정으로서 이를 위반하였다 하여 구속영장의 효력에 어떠한 영향을 미치는 것은 아니다**(대결 2000.11.10, 2000모134). 14·16. 경찰채용, 18. 경찰승진

SUMMARY | 통상체포 vs 긴급체포 vs 현행범체포 ★★★

구분	통상체포	긴급체포	현행범체포
공통점	① 대상자가 피의자로 한정 ② 미란다 고지 ③ 체포의 통지 ④ 접견교통권과 변호인선임의뢰권 ⑤ 체포적부심사청구권 ⑥ 체포의 취소와 집행정지 등		
요건	출석요구 불응 또는 불응 우려	범죄의 중대성, 체포의 필요성, 긴급성	현행범인 또는 준현행범인
경미사건 제한	주거부정 또는 출석요구 불응	×	주거부정
영장	○	×	×
체포의 주체	검사 또는 사법경찰관리	검사 또는 사법경찰관 (사법경찰리도 가능)	제한 없음(누구든지)
체포에 수반하는 압수·수색·검증	① 영장 없이 타인 주거 등에서 피의자 수색 가능 ② 영장 없이 체포현장에서 압수·수색·검증 가능	① 영장 없이 타인 주거 등에서 피의자 수색 가능 ② 영장 없이 체포현장에서 압수·수색·검증 가능 ③ 긴급체포된 자의 소유물 등에 대해서 영장 없이 압수·수색·검증 가능	① 영장 없이 타인 주거 등에서 피의자 수색 가능 ② 영장 없이 체포현장에서 압수·수색·검증 가능
체포 후 검사의 승인	×	○	×
체포 후 조치	**48시간 이내**에 구속영장청구 또는 즉시 석방	**지체 없이**(늦어도 48시간 이내에) 구속영장청구 또는 즉시 석방	**48시간 이내**에 구속영장청구 또는 즉시 석방
사법경찰관 석방시 검사의 지휘	석방 전 검사의 지휘 불요(석방 후 통보)	석방 전 검사의 지휘 불요(석방 후 보고)	석방 전 검사의 지휘 불요(석방 후 보고)
석방시 법원 통지	피의자를 체포하지 아니하거나 체포한 피의자를 석방한 때에 통지 필요	영장을 청구하지 아니하고 피의자를 석방한 때에 통지 필요	×
재체포 제한규정 적용	×	○	×

01 체포(逮捕)

1. 통상체포(通常逮捕)

(1) 의의

통상체포란 범죄혐의가 있고 일정한 체포사유가 존재할 경우 사전영장에 의하여 비교적 단기간 피의자의 신병을 확보하는 강제처분을 말한다. 이를 영장에 의한 체포 또는 단순히 체포라고도 한다.

(2) 요건(제200조의2 제1항)

① **범죄혐의의 상당성**: 피의자를 체포하기 위하여 피의자가 죄를 범하였다고 의심할 만한 상당한 이유가 있어야 한다.

② **체포사유**: 피의자가 정당한 이유 없이 수사기관의 출석요구에 응하지 아니하거나 응하지 아니할 우려가 있어야 한다. 16. 경찰승진 정당한 이유란 천재지변, 질병과 같은 사실상의 이유 또는 법률상의 이유를 말한다. 다만, **다액 50만원 이하의 벌금·구류·과료**에 해당하는 사건에 관하여는 피의자가 **일정한 주거가 없는 경우 또는 출석요구에 불응한 경우**에 한하여 체포할 수 있다(≪주의 경미사건인 경우 주거가 없는 경우에 한하여 체포할 수 있다. ×).

(3) 체포영장의 청구와 발부

① 체포영장의 청구

㉠ 검사는 관할 지방법원판사에게 청구하여 체포영장을 발부받아야 한다. **사법경찰관은 검사에게 신청**하여 **검사의 청구**로 **판사가 영장을 발부**한다(제200조의2 제1항). 18. 경찰채용

㉡ 체포영장의 청구는 서면(체포영장청구서)으로 하여야 한다(규칙 제93조 제1항).
청구서에는 일정한 사항을 기재하여 하며(규칙 제95조 제1항) 체포의 사유 및 필요를 인정할 수 있는 자료를 제출하여야 한다(규칙 제96조 제1항). 검사는 영장을 청구를 함에 있어서 동일한 범죄사실에 관하여 그 피의자에 대하여 전에 체포영장을 청구하였거나 발부 받은 사실이 있는 때에는 **다시 체포영장을 청구하는 취지 및 이유를 기재하여야 한다**(제200조의2 제4항). 16. 경찰승진

㉢ 체포·구속적부심사를 청구할 수 있는 피의자 등은 체포영장의 청구를 받은 판사에게 **유리한 자료를 제출할 수 있다**(규칙 제96조 제3항)(≪주의 유리한 자료를 제출할 수 없다. ×).

> **검사와 사법경찰관의 상호협력과 일반적 수사준칙에 관한 규정**
>
> **제31조【체포·구속영장의 재청구·재신청】** 검사 또는 사법경찰관은 동일한 범죄사실로 다시 체포·구속영장을 청구하거나 신청하는 경우(체포·구속영장의 청구 또는 신청이 기각된 후 다시 체포·구속영장을 청구하거나 신청하는 경우와 이미 발부받은 체포·구속영장과 동일한 범죄사실로 다시 체포·구속영장을 청구하거나 신청하는 경우를 말한다)에는 그 **취지를 체포·구속영장 청구서 또는 신청서에 적어야 한다**.
>
> **제36조【피의자의 석방】** ① 검사 또는 사법경찰관은 법 제200조의2 제5항(영장에 의한 체포) 또는 제200조의4 제2항(긴급체포)에 따라 구속영장을 청구하거나 신청하지 않고 체포 또는 긴급체포한 피의자를 석방하려는 때에는 다음 각 호의 구분에 따른 사항을 적은 피의자 석방서를 작성해야 한다.
> 1. 체포한 피의자를 석방하려는 때: 체포 일시·장소, 체포 사유, 석방 일시·장소, 석방 사유 등
> 2. 긴급체포한 피의자를 석방하려는 때: 법 제200조의4 제4항 각 호의 사항
>
> ② 사법경찰관은 제1항에 따라 피의자를 석방한 경우 다음 각 호의 구분에 따라 처리한다.
> 1. 체포한 피의자를 석방한 때: 지체 없이 검사에게 석방사실을 통보하고, 그 통보서 사본을 사건기록에 편철한다.
> 2. 긴급체포한 피의자를 석방한 때: 법 제200조의4 제6항에 따라 즉시 검사에게 석방 사실을 보고하고, 그 보고서 사본을 사건기록에 편철한다.

② 영장청구 여부에 대한 심의 - 구속영장, 압수·수색 영장 동일

㉠ **검사가** 사법경찰관이 신청한 영장을 **정당한 이유 없이 판사에게 청구하지 아니한 경우 사법경찰관**은 그 검사 소속의 지방검찰청 소재지를 관할하는 **고등검찰청에 영장청구 여부에 대한 심의를 신청할 수 있다**(제221조의5 제1항).

㉡ 영장청구 여부에 관한 사항을 심의하기 위하여 각 고등검찰청에 영장심의위원회(이하 '심의위원회'라 한다)를 둔다(제221조의5 제2항).

㉢ 심의위원회는 위원장 1명을 포함한 10명 이내의 외부 위원으로 구성하고, 위원은 각 고등검찰청 검사장이 위촉한다(제221조의5 제3항).

㉣ 사법경찰관은 심의위원회에 출석하여 의견을 개진할 수 있다(제221조의5 제4항).

③ 영장의 발부

㉠ 체포영장의 청구를 받은 지방법원판사는 상당하다고 인정할 때는 체포영장을 발부한다. 다만, 명백히 체포의 필요가 인정되지 아니하는 경우에는 그러하지 아니하다(제200조의2 제2항). 지방법원판사가 체포영장을 발부하지 아니할 때에는 청구서에 그 취지 및 이유를 기재하고 서명날인하여 청구한 검사에게 교부한다(제200조의2 제3항).

㉡ **구속영장과는 달리 체포영장을 발부하기 위하여 지방법원판사가 피의자를 심문하는 것은 허용되지 아니한다.** 즉, 체포영장의 발부에 대하여는 **형식적 심사주의**를 취하고 있다.

④ **체포영장의 방식**

㉠ 체포영장에는 피의자의 성명 · 주거 · 죄명 · 범죄사실의 요지 · 인치구금할 장소 · 발부연월일 · 그 유효기간과 그 기간을 경과하면 집행에 착수하지 못하며 영장을 반환하여야 할 취지를 기재하고 판사가 서명날인하여야 한다(제200조의6, 제75조 제1항). 검사는 체포영장을 발부받은 후 피의자를 체포하기 이전에 체포영장을 첨부하여 판사에게 인치 · 구금할 장소의 변경을 청구할 수 있다(규칙 제96조의3). 피의자의 성명이 분명하지 아니한 때에는 인상 · 체격 기타 피의자를 특정할 수 있는 사항으로 피의자를 표시할 수 있고, 피의자의 주거가 분명하지 아니한 때에는 그 주거의 기재를 생략할 수 있다(제200조의6, 제75조 제2항 · 제3항).

㉡ 체포영장은 수통을 작성하여 사법경찰관리 수인에게 교부할 수 있다. 이 경우에는 그 사유를 체포영장에 기재하여야 한다(제200조의6, 제82조).

⑤ **체포영장의 유효기간**

㉠ 체포영장의 유효기간은 7일로 한다. 다만, 판사는 상당하다고 인정하는 때에는 **7일을 넘는 기간을 정할 수 있다**(규칙 제178조). 14. 경찰간부

㉡ 검사는 체포영장의 유효기간을 연장할 필요가 있다고 인정하는 때에는 그 사유를 소명하여 다시 체포영장을 청구하여야 한다(규칙 제96조의4).

(4) 체포영장의 집행

① **집행기관**: 체포영장은 **검사의 지휘**에 의하여 사법경찰관리가 집행한다(제200조의6, 제81조 제1항). 교도소 또는 구치소에 있는 피의자에 대하여 발부된 체포영장은 **검사의 지휘**에 의하여 교도관이 집행한다(제200조의6, 제81조 제3항)(《주의 교도소장의 지휘 ×).

② **관할구역 외 집행**: 검사는 필요에 의하여 관할구역 외에서 체포영장의 집행을 지휘할 수 있고 또는 당해 관할구역의 검사에게 집행지휘를 촉탁할 수 있다(제200조의6, 제83조 제1항). 사법경찰관리는 필요에 의하여 **관할구역 외에서 체포영장을 집행할 수 있고** 또는 당해 관할구역의 사법경찰관리에게 집행을 촉탁할 수 있다(제200조의6, 제83조 제2항) 19. 경찰채용 (《주의 관할구역 외에서는 체포영장을 집행할 수 없다. ×).

③ **집행의 절차**

㉠ 검사 또는 사법경찰관은 피의자를 체포하는 경우에는 **피의사실의 요지**, **체포의 이유**와 **변호인을 선임할 수 있음을 말하고 변명할 기회**를 주어야 한다(제200조의5). 다만, 상호협력 · 수사준칙 규정에 진술거부권 고지규정도 신설되었다. 15. 경찰승진 · 경찰채용, 16. 경찰간부

> **검사와 사법경찰관의 상호협력과 일반적 수사준칙에 관한 규정**
>
> 제32조 【체포 · 구속영장 집행 시의 권리 고지】 ① 검사 또는 사법경찰관은 피의자를 체포하거나 구속할 때에는 법 제200조의5(법 제209조에서 준용하는 경우를 포함한다)에 따라 피의자에게 피의사실의 요지, 체포 · 구속의 이유와 변호인을 선임할 수 있음을 말하고, 변명할 기회를 주어야 하며, 진술거부권을 알려주어야 한다.
>
> ② 제1항에 따라 피의자에게 알려주어야 하는 진술거부권의 내용은 법 제244조의3 제1항 제1호부터 제3호까지의 사항으로 한다.
>
> ③ 검사와 사법경찰관이 제1항에 따라 피의자에게 그 권리를 알려준 경우에는 피의자로부터 권리 고지 확인서를 받아 사건기록에 편철한다.

㉡ 체포영장을 집행함에는 피의자에게 이를 제시하여야 하며 신속히 지정된 법원 기타 장소에 인치하여야 한다(제200조의6, 제85조 제1항). 다만, **체포영장을 소지하지 아니한 경우에 급속을 요하는 때**에는 **피의자에 대하여 범죄사실의 요지와 영장이 발부되었음을 고하고 집행할 수 있고**, 이 경우 집행을 완료한 후에는 신속히 체포영장을 제시하여야 한다(제200조의6, 제85조 제3항 · 제4항). 17. 경찰간부

㉢ 체포영장을 집행함에는 피의자를 신속히 지정된 법원 기타 장소에 인치하여야 한다(제200조의6, 제85조 제1항). 다만, 피의자를 호송할 경우에 필요한 때에는 가장 접근한 교도소 또는 구치소에 임시로 유치할 수 있다(제200조의6, 제86조).

④ **체포 · 구속에 수반하는 압수 · 수색 · 검증**

㉠ 검사 또는 사법경찰관은 피의자를 체포 · 구속하는 경우에 필요한 때에는 **영장 없이** 타인의 주거나 타인이 간수하는 가옥, 건조물 등에서 **피의자를 수색(수사)**할 수 있다. 다만, 제200조의2 또는 제201조에 따라 피의자를 체포 또는 구속하는 경우의 피의자 수색은 미리 수색영장을 발부받기 어려운 긴급한 사정이 있는 때에 한정한다(제216조 제1항 제1호). 이는 피고인구속의 경우에도 동일하다(제137조). 16. 경찰승진

㉡ 검사 또는 사법경찰관은 피의자를 체포 · 구속하는 경우에 필요한 때에는 **영장 없이** 체포현장에서 **압수 · 수색 · 검증**을 할 수 있다(제216조 제1항 제2호). 이는 피고인구속의 경우에도 동일하다(제216조 제2항). 19. 경찰승진

⑤ **체포 · 구속의 통지**: 피의자를 체포 · 구속한 때에는 ㉠ 변호인이 있는 경우에는 변호인에게, ㉡ 변호인이 없는 경우에는 법정대리인 · 배우자 · 직계친족 · 형제자매 중 피의자가 지정한 자에게 피의사건명, 체포구속의 일시 · 장소, 범죄사실의 요지, 체포 · 구속의 이유와 변호인을 선임할 수 있는 **취지를 지체 없이(늦어도 24시간 이내에) 서면으로 알려야 한다**(제200조의6, 제209조, 제213조의2, 제87조, 규칙 제51조 제2항 등). 이는 피고인구속의 경우에도 동일하다(제87조, 규칙 제51조 제2항). 15. 경찰채용, 16. 법원직 9급, 18 · 19. 경찰간부 급속을 요하는 경우에는 체포 · 구속되었다는 취지 및 체포 · 구속의 일시 · 장소를 전화 또는 모사전송기 기타 상당한 방법에 의하여 통지할 수 있고, 이 경우에도 체포 · 구속의 통지는 다시 서면으로 하여야 한다(제200조의6, 제209조, 제213조의2, 제87조, 규칙 제51조 제3항 등). 이는 피고인구속의 경우에도 동일하다(제87조, 규칙 제51조 제3항).

⑥ **접견교통권과 변호인선임의뢰권**: 체포 · 구속된 피의자는 법률의 범위 내에서 **타인과 접견하고 서류 또는 물건을 수수하며 의사의 진료를 받을 수 있다**(제200조의6, 제209조, 제213조의2, 제89조). 체포 · 구속된 피의자는 법원 · 교도소장 · 구치소장 · 그 대리자에게 변호사를 지정하여 **변호인의 선임을 의뢰할 수 있고**, 의뢰를 받은 자는 급속히 피의자가 지명한 변호사에게 그 취지를 통지하여야 한다(제200조의6, 제209조, 제213조의2, 제90조). 이는 모두 피고인구속의 경우에도 동일하다(제89조, 제90조).

(5) 체포 후의 조치

① **구속영장의 청구 또는 석방**: 체포한 피의자를 구속하고자 할 때에는 체포한 때부터 **48시간 이내에 구속영장을 청구**하여야 하고 그 기간 내에 구속영장을 청구하지 아니하거나 또는 (그 기간 내에 구속영장을 청구하였으나 사후에) 발부받지 못한 때에는 피의자를 **즉시** 석방하여야 한다(제200조의2 제5항, 제200조의4 제2항, 규칙 제100조 제2항)(《주의 법정기간 내에 석방한다. ×, 48시간 이내에 구속영장을 발부받지 못하는 때에는 피의자를 석방하여야 한다. ×). 16. 변호사, 17. 경찰채용

② **체포적부심사청구**: 체포영장에 의해 체포된 피의자 등은 법원에 체포적부심사청구를 할 수 있다(제214조의2 제1항).

③ **체포의 취소와 집행정지**: 체포의 사유가 없거나 소멸된 때에는 수사기관은 직권 또는 피의자·변호인·제30조 제2항에 규정한 자의 청구에 의하여 결정으로 체포를 취소하여야 한다(제200조의6, 제93조). 헌법 제44조에 의하여 체포된 국회의원에 대한 석방요구가 있으면 당연히 체포영장의 집행이 정지된다(제200조의6, 제101조 제4항).

(6) 법원에 대한 통지

체포영장의 발부를 받은 후 피의자를 체포하지 아니하거나 체포한 피의자를 석방한 때에는 **지체 없이** 검사는 영장을 발부한 **법원에 그 사유를 서면으로 통지하여야 한다**(제204조)(«주의 검사는 영장을 발부한 법원에 30일 이내에 통지하여야 한다. ×). 14. 법원직 9급, 18. 경찰채용

2. 긴급체포(緊急逮捕)

(1) 의의

중대한 범죄를 범하였다고 의심할 만한 상당한 이유가 있는 피의자를 수사기관이 영장 없이 체포하는 것을 말한다. 영장주의원칙을 일관함으로써 중대한 범인을 놓치는 것을 방지하기 위하여 인정되는 것으로 인신구속에 있어서 현행범체포와 함께 영장주의의 예외에 해당한다.

(2) 요건(제200조의3 제1항)

① **범죄의 중대성**: 피의자가 **사형·무기 또는 장기 3년 이상**의 징역이나 금고에 해당하는 죄를 범하였다고 의심할 만한 상당한 이유가 있어야 한다(«주의 단기 3년 이상 ×). 14·15. 경찰승진, 20. 경찰간부

② **체포의 필요성**: **증거인멸의 염려**가 있거나 또는 **도망·도망의 염려**가 있어야 한다. '주거부정'은 제외가 된다.

③ **긴급성**: 긴급을 요하여 지방법원판사의 체포영장을 받을 수 없어야 한다. 즉, **범인을 우연히 발견한 경우**와 같은 시간적으로 긴급한 사유가 있어야 한다.

판례 |

1 긴급체포가 적법한 경우

① 경찰관 A는 사기죄의 피의자 甲의 소재 파악을 위해 그의 거주지와 경영하던 공장 등을 찾아가 보았으나, **甲이 공장경영을 그만 둔 채 거주지에도 귀가하지 않는 등 소재를 감추자** 법원의 압수·수색영장에 의한 휴대전화 위치추적 등의 방법으로 甲의 소재를 파악하려고 하였다. 그러던 중 2004.10.14. 23:00경 **경찰관 A는 주거지로 귀가하던 甲을 발견**하였고 그가 계속 소재를 감추려는 의도가 다분하고 증거인멸 및 도망의 염려가 있다는 이유로 甲을 사기혐의로 긴급체포하였다(대판 2005.12.9, 2005도7569).

② 甲이 고소인의 자격으로 임의출석하여 피고소인 乙과 함께 검사로부터 대질조사를 받고 나서 조서에 무인을 거부하자, 검사가 **甲에게 무고혐의로써 무고죄를 인지하여 조사를 하겠다고 하였고**, 이에 **甲이 조사를 받지 않겠다고 하면서 나가려고 하자** 검사가 범죄사실의 요지, 체포의 이유 등을 고지하고 甲을 긴급체포하였다(대판 1998.7.6, 98도785).

2 긴급체포가 위법한 경우

① [1] 위증교사죄 등으로 기소된 변호사 甲이 2002.11.25. 인천지방법원 부천지원에서 무죄를 선고받자, 검사 A는 이에 불복·항소한 후 보완수사를 한다며 **甲의 변호사사무실 사무장 乙에게 대질조사(참고인 조사)를 위한 출석을 요구**하였다. 이후 2003.1.3. **자진출석한 乙에 대하여 검사는 참고인조사를 하지 아니한 채 곧바로 위증 및 위증교사 혐의로 피의자신문조서를 받기 시작**하자 乙은 인적사항만을 진술한 후 甲에게 전화를 하였다. [2] 乙의 전화연락을 받고 검사실로 찾아온 甲은 "참고인조사만을 한다고 하여 임의수사에 응한 것인데 乙을 피의자로 조사하는 데 대해서는

협조를 하지 않겠다."는 취지로 말하며 乙에게 "여기서 나가라."고 지시하였다. 이후 乙이 일어서서 검사실을 나가려 하자 검사는 乙에게 "지금부터 긴급체포하겠다."고 말하면서 乙의 퇴거를 제지하려 하였다(대판 2006.9.8, 2006도148). 14·16. 경찰승진, 15. 국가직 9급, 17. 경찰간부

② 피고인이 필로폰을 투약한다는 제보를 받은 경찰관이 제보된 주거지에 피고인이 살고 있는지 등 제보의 정확성을 사전에 확인한 후에 제보자를 불러 조사하기 위하여 피고인의 주거지를 방문하였다가, 현관에서 담배를 피우고 있는 피고인을 발견하고 사진을 찍어 제보자에게 전송하여 **사진에 있는 사람이 제보한 대상자가 맞다는 확인을 한 후**, 가지고 있던 피고인의 전화번호로 전화를 하여 **차량 접촉사고가 났으니 나오라고 하였으나 나오지 않고**, 또한 경찰관임을 밝히고 만나자고 하는데도 현재 집에 있지 않다는 취지로 거짓말을 하자 **피고인의 집 문을 강제로 열고 들어가 피고인을 긴급체포하였다**(대판 2016.10.13, 2016도5814). 17. 국가직 9급, 19. 법원직 9급·변호사, 21. 경찰간부

③ **甲은** 도로교통법 위반 피의사건으로 기소유예 처분을 받은 이후 **담당 경찰관의 처벌을 구하는 진정을 하였고 이 진정사건을 담당하게 된 서울지방검찰청 서부지청 검사 A는 이미 기소유예로 종결된 甲에 대한 피의사건을 재기**하였다. 이후 甲은 A의 사무실에 전화를 걸어 "다른 검사가 사건을 담당하게 하여 달라, A로부터는 조사를 받을 수 없다."고 하면서 위 **지청 부장검사 부속실에서 담당 검사의 교체를 요구하고자 부장검사와의 면담을 기다리고 있던 중 A에 의하여 긴급체포되어 유치장에 구금**되었다(대결 2003.3.27, 2002모81). 17. 경찰간부

④ 수사검사 A는 1999.11.29. **甲에게 뇌물을 주었다는 乙 등의 진술을 먼저 확보한 다음, 현직 군수인 甲을 소환·조사하기 위하여 검사의 명을 받은 검찰주사보** B가 1999.12.8. 군청 군수실에 도착하였으나 甲은 없고 도시행정계장인 丙이 "甲이 검사가 자신을 소환하려 한다는 사실을 미리 알고 자택 옆에 있는 농장 농막에서 기다리고 있을 것이니 수사관이 오거든 그 곳으로 오라고 하였다."고 하므로 위 **농장으로 가서 甲을 긴급체포**하였다(대판 2002.6.11, 2000도5701). 17. 경찰간부

3 위법한 긴급체포에 의한 유치 중에 작성된 피의자신문조서의 증거능력 유무(소극)

긴급체포는 영장주의원칙에 대한 예외인 만큼 형사소송법 제200조의3 제1항의 요건을 모두 갖춘 경우에 한하여 예외적으로 허용되어야 하고, 요건을 갖추지 못한 긴급체포는 법적 근거에 의하지 아니한 영장 없는 체포로서 위법한 체포에 해당하는 것이고, 여기서 **긴급체포의 요건을 갖추었는지 여부는 사후에 밝혀진 사정을 기초로 판단하는 것이 아니라 체포 당시의 상황을 기초로 판단하여야 하**고, 이에 관한 검사나 사법경찰관 등 수사주체의 판단에는 상당한 재량의 여지가 있다고 할 것이나, 긴급체포 당시의 상황으로 보아서도 그 요건의 충족 여부에 관한 검사나 사법경찰관의 판단이 경험칙에 비추어 현저히 합리성을 잃은 경우에는 그 체포는 위법한 체포라 할 것이고 이러한 위법은 영장주의에 위배되는 중대한 것이니 **그 체포에 의한 유치 중에 작성된 피의자신문조서는 위법하게 수집된 증거로서 특별한 사정이 없는 한 이를 유죄의 증거로 할 수 없다**(대판 2008.3.27, 2007도11400). 14. 법원직 9급, 14·15·16·18. 경찰승진, 14·17·19·20. 경찰간부, 20·21. 경찰채용

(3) 긴급체포의 절차

① 긴급체포의 절차

㉠ 긴급체포의 요건에 해당하는 경우에는 검사 또는 사법경찰관은 긴급체포를 한다는 사유를 고하고 영장 없이 피의자를 체포할 수 있다(제200조의3 제1항). **사법경찰리도 사법경찰관사무취급의 지위에서 긴급체포를 할 수 있다**는 것이 **판례의 입장**이다(대판 1965.1.19, 64도740).

㉡ 검사 또는 사법경찰관은 피의자를 체포하는 경우에는 **피의사실의 요지**, **체포의 이유**와 **변호인을 선임할 수 있음을 말하고 변명할 기회**를 주어야 한다(제200조의5). 15. 경찰채용, 16. 경찰간부

㉢ 긴급체포한 피의자는 신속히 지정된 법원 기타 장소에 인치하여야 한다(제200조의6, 제85조 제1항). 다만, 피의자를 호송할 경우에 필요한 때에는 가장 접근한 교도소 또는 구치소에 임시로 유치할 수 있다(제200조의6, 제86조).

② **체포에 수반하는 압수 · 수색 · 검증**

㉠ 검사 또는 사법경찰관은 피의자를 체포 · 구속하는 경우에 필요한 때에는 **영장 없이** 타인의 주거나 타인이 간수하는 가옥, 건조물 등에서 **피의자를 수색(수사)**할 수 있다.

㉡ 검사 또는 사법경찰관은 피의자를 체포 · 구속하는 경우에 필요한 때에는 **영장 없이** 체포현장에서 **압수 · 수색 · 검증**을 할 수 있다(제216조 제1항 제2호). 이는 피고인구속의 경우에도 동일하다(제216조 제2항).

③ **집행 후의 절차**: 사법경찰관이 피의자를 긴급체포한 경우에는 **즉시 검사의 승인**을 얻어야 한다(제200조의3 제2항). 15 · 17. 경찰승진, 15 · 17 · 18. 경찰채용, 18. 국가직 7급

사법경찰관은 긴급체포 후 **12시간** 내에 검사에게 긴급체포의 승인을 요청해야 한다. 다만, 제51조 제1항 제4호 가목 또는 제52조 제1항 제3호에 따라 수사중지 결정 또는 기소중지 결정이 된 피의자를 소속 경찰관서가 위치하는 특별시 · 광역시 · 특별자치시 · 도 또는 특별자치도 외의 지역이나 연안관리법 제2조 제2호 나목의 바다에서 긴급체포한 경우에는 긴급체포 후 **24시간** 이내에 긴급체포의 승인을 요청해야 한다(상호협력 · 수사준칙규정 제27조 제1항).

긴급체포의 승인을 요청할 때에는 범죄사실의 요지, 긴급체포의 일시 · 장소, 긴급체포의 사유, 체포를 계속해야 하는 사유 등을 적은 긴급체포 승인요청서로 요청해야 한다. 다만, 긴급한 경우에는 형사사법절차 전자화 촉진법 제2조 제4호에 따른 형사사법정보시스템 또는 팩스를 이용하여 긴급체포의 승인을 요청할 수 있다(동조 제2항). 또한 **검사 또는 사법경찰관**이 피의자를 긴급체포한 후에는 **즉시 긴급체포서를 작성하여야 하고 긴급체포서에는 범죄사실의 요지, 긴급체포의 사유 등을 기재하여야 한다(동조 제3항 · 제4항).** 15 · 17 · 19. 경찰채용 검사는 사법경찰관의 긴급체포 승인 요청이 이유 있다고 인정하는 경우에는 지체 없이 긴급체포 승인서를 사법경찰관에게 송부해야 하고, 이유 없다고 인정하는 경우에는 지체 없이 사법경찰관에게 불승인 통보를 해야 한다. 이 경우 사법경찰관은 긴급체포된 피의자를 즉시 석방하고 그 석방 일시와 사유 등을 검사에게 통보해야 한다(동조 제3항 · 제4항).

판례 | 검사가 구속영장청구 전에 긴급체포된 피의자를 대면조사할 권한이 있는지의 여부 (한정 적극)

[1] 사법경찰관이 검사에게 긴급체포된 피의자에 대한 긴급체포 승인 건의와 함께 구속영장을 신청한 경우, 검사는 **긴급체포의 승인 및 구속영장의 청구가 피의자의 인권에 대한 부당한 침해를 초래하지 않도록 긴급체포의 적법성 여부를 심사하면서 수사서류 뿐만 아니라 피의자를 검찰청으로 출석시켜 직접 대면 조사할 수 있는 권한을 가진다고 보아야 한다.** 따라서 이와 같은 목적과 절차의 일환으로 검사가 구속영장청구 전에 피의자를 대면 조사하기 위하여 사법경찰관리에게 피의자를 검찰청으로 인치할 것을 명하는 것은 적법하고 타당한 수사지휘 활동에 해당하고, 수사지휘를 전달받은 사법경찰관리는 이를 준수할 의무를 부담한다. [2] 다만, 체포된 피의자의 구금장소가 임의적으로 변경되는 점, 법원에 의한 영장실질심사제도를 도입하고 있는 현행 형사소송법 하에서 체포된 피의자의 신속한 법관 대면권 보장이 지연될 우려가 있는 점 등을 고려하면, 위와 같은 **검사의 구속영장청구 전 피의자 대면 조사는 긴급체포의 적법성을 의심할 만한 사유가 기록 기타 객관적 자료에 나타나고 피의자의 대면 조사를 통해 그 여부의 판단이 가능할 것으로 보이는 예외적인 경우에 한하여 허용**될 뿐, **긴급체포의 합당성이나 구속영장청구에 필요한 사유를 보강하기 위한 목적으로 실시되어서는 아니 된다.** 나아가 **검사의 구속영장청구 전 피의자 대면 조사는 강제수사가 아니므로** 피의자는 검사의 출석요구에 응할 의무가 없고, 피의자가 검사의 출석요구에 동의한 때에 한하여 사법경찰관리는 피의자를 검찰청으로 호송하여야 한다(대판 2010.10.28, 2008도11999). 14. 법원직 9급, 17. 경찰간부, 17 · 19. 국가직 9급, 18 · 20. 경찰채용 · 국가직 7급

④ **체포의 통지**: 피의자를 체포·구속한 때에는 ㉠ 변호인이 있는 경우에는 변호인에게, ㉡ 변호인이 없는 경우에는 법정대리인·배우자·직계친족·형제자매 중 피의자가 지정한 자에게 피의사건명, 체포구속의 일시·장소, 범죄사실의 요지, 체포·구속의 이유와 변호인을 선임할 수 있는 **취지를 지체 없이(늦어도 24시간 이내에) 서면으로 알려야 한다**(제200조의6, 제209조, 제213조의2, 제87조, 규칙 제51조 제2항 등). 이는 피고인구속의 경우에도 동일하다(제87조, 규칙 제51조 제2항). 19. 경찰채용
급속을 요하는 경우에는 체포·구속되었다는 취지 및 체포·구속의 일시·장소를 전화 또는 모사전송기 기타 상당한 방법에 의하여 통지할 수 있고, 이 경우에도 체포·구속의 통지는 다시 서면으로 하여야 한다(제200조의6, 제209조, 제213조의2, 제87조, 규칙 제51조 제3항 등). 이는 피고인 구속의 경우에도 동일하다(제87조, 규칙 제51조 제3항).

⑤ **접견교통권과 변호인선임의뢰권**: 체포·구속된 피의자는 법률의 범위 내에서 **타인과 접견하고, 서류 또는 물건을 수수하며, 의사의 진료를 받을 수 있다**(제200조의6, 제209조, 제213조의2, 제89조).
체포·구속된 피의자는 법원·교도소장·구치소장·그 대리자에게 변호사를 지정하여 **변호인의 선임을 의뢰할 수 있고**, 의뢰를 받은 자는 급속히 피의자가 지명한 변호사에게 그 취지를 통지하여야 한다(제200조의6, 제209조, 제213조의2, 제90조). 이는 모두 피고인구속의 경우에도 동일하다(제89조, 제90조).

(4) 체포 후의 조치

① 구속영장의 청구 또는 석방

㉠ 검사 또는 사법경찰관이 피의자를 긴급체포한 경우 피의자를 구속하고자 할 때에는 **'지체 없이'** 검사는 관할 지방법원판사에게 **구속영장을 청구**하여야 하고, 사법경찰관은 검사에게 신청하여 검사의 청구로 관할 지방법원판사에게 구속영장을 청구하여야 한다(제200조의4 제1항). 구속영장은 피의자를 **체포한 때로부터 48시간 이내에 청구**하여야 하며, 긴급체포서를 첨부하여야 한다(동항 단서).

㉡ 수사기관이 '지체 없이, 늦어도 48시간 이내에' 구속영장을 청구하지 아니하거나 또는 (구속영장을 청구하였으나 사후에) 발부받지 못하면 **즉시 피의자를 석방**하여야 한다(제200조의4 제2항). 14·15. 경찰승진, 17. 국가직 9급, 19. 경찰간부

㉢ **검사는** 구속영장을 청구하지 아니하고 피의자를 석방한 경우에는 **석방한 날부터 30일 이내**에 서면으로 ⓐ 긴급체포 후 석방된 자의 인적사항, ⓑ 긴급체포의 일시·장소와 긴급체포하게 된 구체적 이유, ⓒ 석방의 일시·장소 및 사유, ⓓ 긴급체포 및 석방한 검사 또는 사법경찰관의 성명을 **법원에 통지하여야 한다**. 이 경우 긴급체포서의 사본을 첨부하여야 한다(제200조의4 제4항). 19·20. 경찰간부 **긴급체포 후 석방된 자 또는 그 변호인·법정대리인·배우자·직계친족·형제자매는** 통지서 및 관련 서류를 **열람하거나 등사할 수 있다**(동조 제5항). 14. 경찰승진, 17. 국가직 9급, 18. 경찰채용, 19. 경찰간부 **사법경찰관은** 긴급체포한 피의자에 대하여 구속영장을 신청하지 아니하고 **석방한 경우에는 즉시 검사에게 보고하여야 한다**(동조 제6항)(≪주의 사법경찰관은 석방시 검사에게 보고할 필요가 없다. ×). 16·18. 경찰승진, 19. 해경채용·경찰채용, 19·20. 경찰간부

판례 | 법원에 석방통지를 하지 않은 경우, 긴급체포에 의한 유치 중에 작성된 피의자신문조서의 증거능력 유무(적극)

피의자가 긴급체포되어 조사를 받고 구속영장이 청구되지 아니하여 석방되었음에도 검사가 **30일 이내에 법원에 석방통지를 하지 않았더라도**, 긴급체포 당시의 상황과 경위, 긴급체포 후 조사과정 등에 특별한 위법이 있다고 볼 수 없는 이상, 단지 사후에 석방통지가 이루어지지 않았다는 사정만으로 **그 긴급체포에 의한 유치 중에 작성된 피의자신문조서들의 작성이 소급하여 위법하게 된다고 볼 수는 없다**(대판 2014.8.26, 2011도6035). 17 · 21. 경찰채용

② **재체포의 제한**: 긴급체포되었다가 구속영장을 청구하지 아니하거나 발부받지 못하여 석방된 자는 영장 없이는 동일한 범죄사실에 대하여 다시 체포하지 못한다(제200의4 제3항)(«주의 긴급체포되었다가 석방된 자는 동일한 범죄사실에 대하여 어떠한 경우에도 다시 체포하지 못한다. ×, 긴급체포 후 석방된 자를 체포영장으로 체포한 경우에는 위법하다. ×). 14. 법원직 9급, 15 · 21. 경찰채용, 17. 국가직 9급

판례 | 긴급체포되었다가 수사기관에 의하여 석방된 후, 법원이 발부한 구속영장에 의하여 구속한 것이 위법한 구속인지의 여부(소극)

피고인이 수사 당시 **긴급체포되었다가 수사기관의 조치로 석방**된 후 법원이 발부한 **구속영장에 의하여 구속**이 이루어진 경우 위법한 구속이라고 볼 수 없다(대판 2001.9.28, 2001도4291). 15 · 18 · 20. 경찰채용, 16 · 19. 변호사, 17 · 20. 경찰간부, 18. 국가직 7급, 19. 국가직 9급

③ **체포적부심사청구**: 긴급체포된 피의자 등은 법원에 체포적부심사청구를 할 수 있다(제214조의2 제1항) («주의 영장에 의해 체포된 자만 체포적부심사를 청구할 수 있다. ×).

④ **체포의 취소와 집행정지**: 체포의 사유가 없거나 소멸된 때에는 수사기관은 직권 또는 피의자 · 변호인 · 제30조 제2항에 규정한 자의 청구에 의하여 결정으로 체포를 취소하여야 한다(제200조의6, 제93조). 헌법 제44조에 의하여 체포된 국회의원에 대한 석방요구가 있으면 당연히 체포의 집행이 정지된다(제200조의6, 제101조 제4항).

3. 현행범체포(現行犯逮捕)

(1) 의의

현행범체포란 범죄의 실행 중이거나 실행 즉후인 경우와 같이 범죄사실이 명백한 경우 영장 없이 누구나 피의자를 체포할 수 있는 제도를 말한다. 이는 긴급체포와 함께 인신구속에 있어서 영장주의의 예외에 해당한다. 현행범인의 경우 **영장주의의 예외**를 인정하는 것은 범죄의 명백성으로 인하여 인권침해의 우려가 적기 때문이다.

(2) 요건

① 현행범인과 준현행범인

㉠ **현행범인(제211조 제1항)**: **범죄의 실행 중이거나 실행의 즉후인 자**를 현행범인이라 한다. 14. 경찰승진, 16. 경찰채용 범죄의 실행 중이란 범죄의 실행에 착수하여 종료하지 못한 상태를 말하고, 범죄의 실행 즉후란 범죄의 실행행위를 종료한 직후를 말한다.

㉡ **준현행범인(제211조 제2항)**: 준현행범인이란 현행범인은 아니지만 형사소송법상 현행범인으로 간주되는 자를 말한다. 형사소송법은 ⓐ **범인으로 호창**되어 **추적**되고 있는 자, ⓑ **장물이나 범죄에 사용되었다고 인정함에 충분한 흉기 기타의 물건을 소지**하고 있는 자, ⓒ **신체 또는 의복류에 현저한 증적**이 있는 자, ⓓ **누구임을 물음에 대하여 도망하려 하는 자**를 현행범인으로 간주하고 있다.

판례 |

1 형사소송법 제211조 제1항 소정의 '범죄의 실행의 즉후인 자'의 의미

형사소송법 제211조가 현행범인으로 규정한 '범죄의 실행의 즉후인 자'라고 함은 범죄의 실행행위를 종료한 직후의 범인이라는 것이 **체포하는 자의 입장에서 볼 때** 명백한 경우를 일컫는 것으로서 **'범죄의 실행행위를 종료한 직후'**라고 함은 범죄행위를 실행하여 끝마친 순간 또는 이에 아주 접착된 시간적 단계를 의미하는 것으로 해석되므로 **시간적으로나 장소적으로 보아 체포를 당하는 자가 방금 범죄를 실행한 범인이라는 점에 관한 죄증이 명백히 존재하는 것으로 인정되는 경우에만 현행범인으로 볼 수 있다**(대판 2007.4.13, 2007도1249). 14 · 16 · 19. 경찰승진, 16. 국가직 9급, 16 · 20. 경찰채용, 18. 경찰간부, 16 · 18. 국가직 7급, 19. 해경승진, 20. 변호사

2 현행범체포가 적법한 경우

① **甲이 목욕탕 탈의실에서 乙을 구타하고 약 1분여 동안 목을 잡고 있다가** 다른 사람들이 말리자 잡고 있던 목을 놓았고, 그 무렵 목욕탕에서 이발소를 운영하고 있는 丙이 甲에게 "옷을 입고 가라"고 하여 甲이 **옷을 입고 있었다**. 목욕탕 주인 丁이 112 신고를 하여 경찰관 A, B가 바로 출동하였는데 **경찰관들이 현장에 출동하여 甲을 현행범으로 체포한 때가 바로 甲이 탈의실에서 옷을 입고 있었던 시점이었다**(대판 2006.2.10, 2005도7158). 19. 해경간부

② 112 신고를 받고 **출동한 경찰관들이 피고인 甲을 체포하려고 할 때는** 피고인이 무학여고 앞길에서 피해자 乙의 자동차를 발로 걷어차고 그와 싸우는 **범행을 한 지 겨우 10분 후에 지나지 않고 그 장소도 범행 현장에 인접한 위 학교의 운동장이었다**. 또한 피해자의 친구 丙은 112 신고를 하고 나서 피고인이 도주하는지 여부를 계속 감시하고 있었다(대판 1993.8.13, 93도926). 15. 경찰승진, 17. 경찰간부, 19. 해경간부

3 현행범체포가 위법한 경우

① 사고신고를 받고 출동한 제천경찰서 청전지구대 소속 경찰관 A가 **음주운전을 종료한 후 40분 이상이 경과한 시점에서 길가에 앉아 있던 甲**에게서 술 냄새가 난다는 점만을 근거로 **음주운전의 현행범으로 甲을 체포**하였다(대판 2007.4.13, 2007도1249). 14. 경찰승진, 15. 경찰간부

② 김해여자중학교 **교사 甲은 교장실에 들어가 약 5분 동안 식칼을 휘두르며 교장을 협박**하는 등의 소란을 피웠고, 이에 신고를 받고 출동한 김해경찰서 소속 경찰관들이 甲을 연행(현행범체포)하려고 하자 甲의 동료교사인 乙은 경찰관들의 멱살을 잡아당기고 경찰차의 문짝을 잡아당기는 등 폭행을 가하였다. 다만, **출동한 경찰관들이 甲을 체포한 시점은 범죄의 실행행위가 종료된 때로부터 40여분 정도가 지난 후이고, 체포한 장소도 교장실이 아닌 서무실이었다**(대판 1991.9.24, 91도1314). 16. 경찰간부, 19. 경찰승진

4 준현행범으로 체포할 수 있는 경우

순찰 중이던 경찰관이 교통사고를 낸 차량이 도주하였다는 무전연락을 받고 주변을 수색하다가 **범퍼 등의 파손상태로 보아 사고차량으로 인정되는 차량에서 내리는 사람**을 발견한 경우 형사소송법 제211조 제2항 제2호 소정의 **'장물이나 범죄에 사용되었다고 인정함에 충분한 흉기 기타의 물건을 소지하고 있는 때'에 해당하므로 준현행범으로서 영장 없이 체포할 수 있다**(대판 2000.7.4, 99도4341). 14. 국가직 7급, 15 · 19. 경찰승진, 19. 법원직 9급, 19 · 21. 경찰간부, 20. 변호사

5 **현행범체포의 적법성 판단기준**
현행범체포의 적법성은 **체포 당시의 구체적 상황을 기초로 객관적으로 판단**하여야 하고, 사후에 범인으로 인정되었는지에 의할 것은 아니다(대판 2013.8.23, 2011도4763). 18. 경찰채용

6 **현행범체포가 적법한 경우**
(비록 피고인이 식당 안에서 소리를 지르거나 양은그릇을 부딪치는 등의 소란행위가 **업무방해죄의 구성요건에 해당하지 않아 사후적으로 무죄로 판단되었다고 하더라도**) 피고인이 상황을 설명해 달라거나 밖에서 얘기하자는 경찰관의 요구를 거부하고 **경찰관 앞에서 소리를 지르고 양은그릇을 두드리면서 소란을 피우는 등** 객관적으로 보아 피고인이 **업무방해죄의 현행범이라고 인정할 만한 충분한 이유가 있어 경찰관들이 피고인을 체포한 경우**(대판 2013.8.23, 2011도4763) 16. 국가직 9급, 18. 경찰채용, 21. 경찰간부

② **비례의 원칙**: 다액 50만원 이하의 벌금 · 구류 · 과료에 해당하는 범죄의 경우 **범인의 주거가 분명하지 아니한 때 한하여** 체포할 수 있다(제214조)(《주의 관공서에서 주취소란 행위를 한 자는 주거가 분명한 때에는 현행범인 체포의 대상이 되지 않는다. ×). 14 · 15. 경찰승진, 16 · 17. 경찰채용, 18. 경찰간부, 19. 해경간부

③ **체포의 필요성**: **현행범체포**에 있어서 **체포의 필요성**(도망 또는 증거인멸의 염려)이 있어야 하느냐에 관하여 학설의 견해대립은 있으나 **판례는 이를 요한다**고 판시하고 있다(《주의 현행범체포는 행위의 가벌성, 범죄의 현행성 · 시간적 접착성, 범인 · 범죄의 명백성만 필요하다. ×).

판례 |

1 **현행범인 체포의 요건**
현행범인으로 체포하기 위하여는 행위의 가벌성, 범죄의 현행성 · 시간적 접착성, 범인 · 범죄의 명백성 이외에 체포의 필요성, 즉 도망 또는 증거인멸의 염려가 있어야 하고, 이러한 요건을 갖추지 못한 현행범인 체포는 법적 근거에 의하지 아니한 영장 없는 체포로서 위법한 체포에 해당한다. 여기서 현행범인 체포의 요건을 갖추었는지 여부는 체포 당시의 상황을 기초로 판단하여야 하고, 이에 관한 검사나 사법경찰관 등 수사주체의 판단에는 상당한 재량의 여지가 있다고 할 것이나, 체포 당시의 상황으로 보아서도 그 요건의 충족 여부에 관한 검사나 사법경찰관 등의 판단이 경험칙에 비추어 현저히 합리성을 잃은 경우에는 그 체포는 위법하다고 보아야 한다(대판 2011.5.26, 2011도3682). 14. 국가직 7급 · 법원직 9급, 14 · 16 · 18 · 19. 경찰승진, 16 · 18 · 20. 경찰채용, 17. 경찰간부

2 **현행범체포의 필요성이 인정되지 않아, 위법한 체포에 해당하는 경우**
불심검문을 받고 **자신의 운전면허증까지 교부한 甲이 불심검문에 항의하면서 경찰관에게 큰 소리로 욕설을 하자**, 경찰관이 甲을 모욕죄의 현행범으로 체포한 경우(대판 2011.5.26, 2011도3682) 15. 경찰간부 · 경찰채용, 15. 국가직 9급, 16. 변호사

3 **현행범체포의 필요성이 인정되어, 적법한 체포에 해당하는 경우**
甲이 열쇠로 **乙의 차를 긁고 있다가 乙이 나타나자 이를 부인하면서 도망하려고 하자**, 乙이 甲을 도망하지 못하게 멱살을 잡고 흔들어 그에게 전치 14일의 흉부찰과상을 가한 경우(대판 1999.1.26, 98도3029) 16. 국가직 9급 · 경찰승진

(3) 체포의 절차

① **체포의 주체와 절차**

㉠ **현행범인은 누구든지 영장 없이 체포**할 수 있다(제212조). 다만, 일반 사인은 현행범인 체포의 권한만 있는 것이지 체포할 의무까지 있는 것은 아니다.

㉡ 일반 **사인**이 현행범인을 체포한 때에는 즉시 **검사 또는 사법경찰관리에게 인도**하여야 한다(제213조 제1항). 14. 경찰채용 사법경찰관리가 현행범인의 인도를 받은 때에는 체포자의 성명 · 주거 · 체포의 사유를 물어야 하고 필요한 때에는 체포자에 대하여 경찰관서에 동행할 것을 요구할 수 있다(동조 제2항). 14 · 16. 경찰채용, 16. 경찰승진, 19. 해경승진

㉢ 검사 또는 사법경찰관리는 현행범인을 체포하거나 현행범인의 인도를 받은 때에는 피의자에게 **피의사실의 요지**, **체포의 이유**와 **변호인을 선임할 수 있음을 말하고 변명할 기회**를 주어야 한다(제213조의2, 제200조의5). 14 · 16. 경찰채용, 16. 경찰승진 · 경찰간부 · 국가직 7급, 19. 해경승진

② **체포에 수반하는 압수 · 수색 · 검증**

㉠ 검사 또는 사법경찰관은 피의자를 체포 · 구속하는 경우에 필요한 때에는 **영장 없이** 타인의 주거나 타인이 간수하는 가옥, 건조물 등에서 **피의자를 수색(수사)**할 수 있다(제216조 제1항 제1호). 이는 피고인구속의 경우에도 동일하다(제137조).

㉡ 검사 또는 사법경찰관은 피의자를 체포 · 구속하는 경우에 필요한 때에는 **영장 없이** 체포현장에서 **압수 · 수색 · 검증**을 할 수 있다(제216조 제1항 제2호). 이는 피고인구속의 경우에도 동일하다(제216조 제2항).

③ **체포의 통지**: 피의자를 체포 · 구속한 때에는 ㉠ 변호인이 있는 경우에는 변호인에게, ㉡ 변호인이 없는 경우에는 법정대리인 · 배우자 · 직계친족 · 형제자매 중 피의자가 지정한 자에게 피의사건명, 체포구속의 일시 · 장소, 범죄사실의 요지, 체포 · 구속의 이유와 변호인을 선임할 수 있는 **취지를 지체 없이(늦어도 24시간 이내에) 서면으로 알려야 한다**(제200조의6, 제209조, 제213조의2, 제87조, 규칙 제51조 제2항 등). 이는 피고인구속의 경우에도 동일하다(제87조, 규칙 제51조 제2항). 급속을 요하는 경우에는 체포 · 구속되었다는 취지 및 체포 · 구속의 일시 · 장소를 전화 또는 모사전송기 기타 상당한 방법에 의하여 통지할 수 있고, 이 경우에도 체포 · 구속의 통지는 다시 서면으로 하여야 한다(제200조의6, 제209조, 제213조의2, 제87조, 규칙 제51조 제3항 등). 이는 피고인구속의 경우에도 동일하다(제87조, 규칙 제51조 제3항).

④ **접견교통권과 변호인선임의뢰권**: 체포 · 구속된 피의자는 법률의 범위 내에서 **타인과 접견하고 서류 또는 물건을 수수하며 의사의 진료를 받을 수 있다**(제200조의6, 제209조, 제213조의2, 제89조). 체포 · 구속된 피의자는 법원 · 교도소장 · 구치소장 · 그 대리자에게 변호사를 지정하여 **변호인의 선임을 의뢰할 수 있고**, 의뢰를 받은 자는 급속히 피의자가 지명한 변호사에게 그 취지를 통지하여야 한다(제200조의6, 제209조, 제213조의2, 제90조). 이는 모두 피고인구속의 경우에도 동일하다(제89조, 제90조).

(4) 체포 후의 절차

① **구속영장의 청구 또는 석방**: 체포한 피의자를 구속하고자 할 때에는 체포한 때부터 48시간 이내에 구속영장을 청구하여야 하고 그 기간 내에 구속영장을 청구하지 아니하거나 또는 (그 기간 내에 구속영장을 청구하였으나) 발부받지 못한 때에는 피의자를 **즉시 석방**하여야 한다(제213조의2, 제200조의2 제5항). 14. 경찰승진 · 경찰채용

> **판례 | 형사소송법 제213조 제1항에서 '즉시'의 의미 및 사인에 의하여 현행범인이 체포된 후 검사 등에게 인도된 경우, 구속영장청구기간인 48시간의 기산점(= 검사 등이 현행범인을 인도받은 때)**
>
> [1] 현행범인은 누구든지 영장 없이 체포할 수 있고, 검사 또는 사법경찰관리(이하 '검사 등') 아닌 이가 현행범인을 체포한 때에는 즉시 검사 등에게 인도하여야 한다. 여기서 **'즉시'**라고 함은 반드시 체포시점과 시간적으로 밀착된 시점이어야 하는 것은 아니고, **정당한 이유 없이 인도를 지연하거나 체포를 계속하는 등으로 불필요한 지체를 함이 없이**라는 뜻으로 볼 것이다. [2] 검사 등이 아닌 이에 의하여 현행범인이 체포된 후 불필요한 지체 없이 검사 등에게 인도된 경우 **구속영장청구기간인 48시간의 기산점은 체포시가 아니라 검사 등이 현행범인을 인도받은 때**라고 할 것이다(대판 2011.12.22, 2011도12927). 14·19. 법원직 9급, 14·15·16·17·18. 경찰간부, 15·16·17·20. 경찰채용, 16. 국가직 7급·국가직 9급, 18·20. 변호사, 18·20. 경찰승진, 19. 해경간부

② **체포적부심사청구**: 현행범으로 체포된 피의자 등은 법원에 체포적부심사청구를 할 수 있다(제214조의2 제1항).

02 구속(拘束)

1. 구속의 의의

(1) 구속의 개념

구속이란 형사절차를 관철하기 위하여 피의자 또는 피고인의 인신의 자유를 비교적 장기간 제한하는 강제처분을 말한다.

> **판례 | 미결구금(구속)의 법적 성격**
>
> **미결구금**은 도망이나 증거인멸을 방지하여 수사, 재판, 또는 형의 집행을 원활하게 진행하기 위하여 무죄추정원칙에도 불구하고 불가피하게 피의자 또는 피고인을 일정기간 일정시설에 구금하여 그 자유를 박탈하게 하는 **재판확정 전의 강제적 처분이며 형의 집행은 아니다**(대결 2007.8.10, 2007모522).

(2) 구인과 구금

구속은 구인(拘引)과 구금(拘禁)을 포함한다(제69조). 18. 경찰승진 **구인**이란 피의자·피고인을 법원 기타 장소에 **24시간** 동안 인치하는 강제처분을 말하고 구금이란 피의자·피고인을 구치소 등에 가두는 강제처분을 말한다(«주의 구인이란 48시간 동안 인치하는 강제처분을 말한다. ×). 구인한 피의자·피고인을 인치한 경우에 구금할 필요가 없다고 인정한 때에는 그 인치한 때로부터 24시간 내에 석방하여야 한다(제71조, 제209조). 15·18. 법원직 9급, 15·16·18. 경찰채용, 18. 경찰승진 법원은 인치받은 피고인을 유치할 필요가 있는 때에는 교도소·구치소 또는 경찰서 유치장에 유치할 수 있다. 이 경우 유치기간은 인치한 때부터 24시간을 초과할 수 없다(제71조의2).

(3) 피의자구속과 피고인구속

피의자구속이란 수사절차에서 수사기관이 법관의 영장을 발부받아 하는 구속을 말하는 것으로 강제수사에 해당한다. 그에 비하여 피고인구속은 공소를 제기받은 수소법원이 피고인을 구속하는 것을 말한다. 형사소송법은 피고인구속을 규정하고 피의자구속에 이를 준용하는 형식을 취하고 있다.

SUMMARY | 피의자구속 vs 피고인구속 ★★★

구분	피의자구속	피고인구속
공통점	① 구속의 요건 ② 영장의 집행기관과 집행의 방식 ③ 영장의 유효기간 ④ 구속에 수반하는 압수·수색·검증 ⑤ 구속의 통지 ⑥ 접견교통권, 변호인선임의뢰권 등 ✎ 세부적으로 보면 차이점이 있지만, 원칙적으로는 동일하다고 봐야 함	
구속의 주체	수사기관	법원
검사의 영장청구 요부	○	×
영장발부기관	지방법원판사	법원(재판장 등)
영장의 성질	허가장	명령장
구속 전 심문의 요부	○	×
구속기간	최장 30일	최장 18개월
구속기간연장 또는 갱신에 대한 불복	불복할 수 없음	보통항고
미란다 고지	'구속하는 경우에' 피의사실의 요지, 구속의 이유와 변호인을 선임할 수 있음을 말하고 변명할 기회를 주어야 함	① '영장발부 전에' 범죄사실의 요지, 구속의 이유와 변호인을 선임할 수 있음을 말하고 변명할 기회를 주어야 함 ② '구속한 때에' 공소사실의 요지와 변호인을 선임할 수 있음을 알려야 함
구속적부심사	○	×
재구속 요건	다른 중요한 증거를 발견한 때	① 일정한 주거가 없는 때 ② 증거를 인멸할 염려가 있는 때 ③ 도망하거나 도망할 염려가 있는 때

2. 구속(拘束)의 요건

피의자구속과 피고인구속은 절차의 차이는 있어도 그 요건은 동일하다.

(1) 범죄혐의

피의자가 죄를 범하였다고 의심할 만한 상당한 이유가 있어야 한다. 구속사유로서 범죄혐의는 유죄판결을 받을 만한 고도의 개연성을 의미한다(제70조 제1항, 제201조 제1항).

(2) 구속의 사유

피의자에게 ① **일정한 주거가 없거나,** ② **증거를 인멸할 염려가 있거나,** ③ **도망 또는 도망의 염려**가 있어야 한다(제70조 제1항, 제201조 제1항). 법원 또는 판사는 구속사유를 심사함에 있어서 범죄의 중대성, 재범의 위험성, 피해자 및 중요 참고인 등에 대한 위해 우려 등을 고려하여야 한다(제70조 제2항, 제209조). 17. 국가직 7급

(3) 비례의 원칙

다액 50만원 이하의 벌금·구류·과료에 해당하는 사건의 경우에는 피의자에게 **일정한 주거가 없는 경우에만 구속할 수 있다**(제70조 제3항, 제201조 제1항 단서). 15. 경찰승진·법원직 9급

3. 구속영장의 발부와 집행

(1) 영장주의

① **영장주의**: 체포와는 달리 구속에 있어서는 영장주의의 예외가 인정되지 아니한다. 즉, 피의자는 물론 피고인을 구속하는 경우에도 반드시 구속영장이 있어야 한다.

② **피고인구속**: 피고인구속의 주체는 원칙적으로 수소법원이다(제70조). 즉, 수소법원도 구속영장을 반드시 발부하여 피고인을 구속해야 한다.

③ **피의자구속**

㉠ 구속의 요건에 해당하는 경우 **검사**는 **관할 지방법원판사에게 청구**하여 **구속영장을 발부**받아 피의자를 구속할 수 있고, **사법경찰관은 검사에게 신청**하여 **검사의 청구**로 관할 지방법원판사의 **구속영장을 발부**받아 피의자를 구속할 수 있다(제201조 제1항). 다만, **피의자구속의 경우 원칙적으로 피의자심문을 하여야 한다**.

㉡ 구속영장의 청구는 서면(구속영장청구서)으로 하여야 한다(규칙 제93조 제1항). 청구서에는 일정한 사항을 기재하여 하며(규칙 제95조의2) 구속의 필요를 인정할 수 있는 자료 기타 관련 자료를 제출하여야 한다(제201조 제2항, 규칙 제96조 제2항). 검사가 동일한 범죄사실에 관하여 그 피의자에 대하여 전에 구속영장을 청구하거나 발부받은 사실이 있을 때에는 **다시 구속영장을 청구하는 취지 및 이유를 기재하여야 한다**(제201조 제5항).

㉢ 체포·구속적부심사를 청구할 수 있는 피의자 등은 구속영장의 청구를 받은 판사에게 **유리한 자료를 제출할 수 있다**(규칙 제96조 제3항).

(2) 구속 전 피의자심문(영장실질심사)

형사소송법

제201조의2【구속영장청구와 피의자 심문】 ① 제200조의2·제200조의3 또는 제212조에 따라 체포된 피의자에 대하여 **구속영장을 청구받은 판사는 지체 없이 피의자를 심문하여야 한다**. 이 경우 특별한 사정이 없는 한 구속영장이 청구된 날의 다음날까지 심문하여야 한다.

② 제1항 외의 피의자에 대하여 구속영장을 청구받은 판사는 피의자가 죄를 범하였다고 의심할 만한 이유가 있는 경우에 **구인을 위한 구속영장을 발부하여 피의자를 구인한 후 심문하여야 한다**. 다만, **피의자가 도망하는 등의 사유로 심문할 수 없는 경우에는 그러하지 아니하다**.

③ 판사는 제1항의 경우에는 즉시, 제2항의 경우에는 피의자를 인치한 후 즉시 **검사, 피의자 및 변호인에게 심문기일과 장소를 통지**하여야 한다. 이 경우 검사는 피의자가 체포되어 있는 때에는 심문기일에 피의자를 출석시켜야 한다.

④ 검사와 변호인은 제3항에 따른 심문기일에 출석하여 의견을 진술할 수 있다.

⑤ 판사는 제1항 또는 제2항에 따라 심문하는 때에는 공범의 분리심문이나 그 밖에 수사상의 비밀보호를 위하여 필요한 조치를 하여야 한다.

⑥ 제1항 또는 제2항에 따라 피의자를 심문하는 경우 법원사무관 등은 심문의 요지 등을 조서로 작성하여야 한다.

⑦ 피의자심문을 하는 경우 법원이 구속영장청구서·수사 **관계 서류 및 증거물을 접수한 날부터 구속영장을 발부하여 검찰청에 반환한 날**까지의 기간은 제202조 및 제203조의 적용에 있어서 그 **구속기간에 이를 산입하지 아니한다**.

⑧ 심문할 피의자에게 변호인이 없는 때에는 지방법원판사는 직권으로 변호인을 선정하여야 한다. 이 경우 변호인의 선정은 피의자에 대한 **구속영장청구가 기각되어 효력이 소멸한 경우를 제외하고는 제1심까지 효력이 있다**.

⑨ 법원은 변호인의 사정이나 그 밖의 사유로 변호인 선정결정이 취소되어 변호인이 없게 된 때에는 직권으로 변호인을 **다시 선정할 수 있다**.

① **의의**: 구속 전 피의자심문(拘束前被疑者審問)이란 구속영장의 청구를 받은 지방법원판사가 구속의 사유를 판단하기 위하여 피의자를 직접 심문하여 영장발부 여부를 결정하는 제도를 말한다. 이를 영장실질심사(令狀實質審査)라고도 한다. 이는 지방법원판사가 피의자에 대한 구속영장을 발부하기 전에 하는 것이지 **수소법원이 피고인에 대한 구속영장을 발부할 때 하는 것이 아님을 유의**해야 한다.

② 필요적 심문

㉠ **체포된 피의자의 경우**: 체포된 피의자에 대하여 구속영장을 청구받은 판사는 지체 없이 **피의자를 심문하여야 한다.** 이 경우 특별한 사정이 없는 한 구속영장이 청구된 날의 다음날까지 심문하여야 한다(제201조의2 제1항)(«주의 24시간 이내에 심문하여야 한다. ×). 14 · 17. 경찰승진, 15. 법원직 9급, 15 · 18. 경찰채용, 18. 변호사 · 경찰간부

㉡ **체포되지 않은 피의자의 경우**: 체포되지 않은 피의자에 대하여 구속영장을 청구받은 판사는 피의자가 죄를 범하였다고 의심할 만한 이유가 있는 경우에 **구인을 위한 구속영장을 발부**하여 피의자를 구인한 후 심문하여야 한다. 다만, 피의자가 도망하는 등의 사유로 심문할 수 없는 경우에는 그러하지 아니하다(제201조의2 제2항)(«주의 구인을 위한 체포영장을 발부 ×). 14. 경찰승진, 15. 경찰채용, 18. 법원직 9급

③ 국선변호인 선정 등

㉠ 구속 전 피의자심문에 있어 심문할 피의자에게 변호인이 없는 때에는 지방법원판사는 **직권으로 변호인을 선정하여야 한다.** 이 경우 변호인의 선정은 피의자에 대한 **구속영장청구가 기각되어 효력이 소멸한 경우를 제외하고는 제1심까지 효력이 있다**(제201조의2 제8항)(«주의 구속영장청구가 기각된 경우를 포함하고 제1심까지 효력이 있다. ×). 14 · 18. 국가직 9급, 15 · 16. 법원직 9급, 15 · 17 · 18. 변호사, 15 · 18. 경찰간부, 18. 경찰채용, 19. 해경간부 법원은 변호인의 사정이나 그 밖의 사유로 변호인 선정결정이 취소되어 변호인이 없게 된 때에는 직권으로 변호인을 **다시 선정할 수 있다**(동조 제9항)(«주의 다시 선정하여야 한다. ×). 19. 해경간부

㉡ **변호인은** 구속영장이 청구된 피의자에 대한 **심문 시작 전**에 **피의자와 접견할 수 있다**(규칙 제96조의20 제1항) 18. 경찰승진 · 경찰채용 («주의 변호인은 심문도중에 판사의 허가를 얻어 피의자와 접견할 수 있다. ×). 14. 경찰간부, 16 · 18. 경찰승진, 18. 경찰채용 지방법원판사는 심문할 피의자의 수, 사건의 성격 등을 고려하여 변호인과 피의자의 접견시간을 정할 수 있고, 검사 또는 사법경찰관에게 접견에 필요한 조치를 요구할 수 있다(동조 제2항 · 제3항).

④ 심문절차

㉠ **심문기일 통지와 관계인의 출석**: 지방법원판사는 체포된 피의자의 경우에는 즉시, 체포되지 않는 피의자의 경우에는 피의자를 인치한 후 즉시 심문기일과 장소를 **검사 · 피의자 및 변호인에게 통지**하여야 하고, 검사는 피의자가 체포되어 있는 때에는 그 기일에 피의자를 출석시켜야 한다(«주의 검사 · 피의자 또는 변호인에게 통지 ×). 판사는 피의자가 심문기일에의 출석을 거부하거나 질병 기타 사유로 출석이 현저하게 곤란한 때에는 피의자의 출석 없이 심문절차를 진행할 수 있다(규칙 제96조의13 제1항). 14. 경찰간부, 15. 법원직 9급, 15 · 16 · 17. 경찰승진 판사는 피의자에 대하여 이미 심문을 실시하여 다시 심문을 할 필요가 없고 피의자의 권리보호에 지장이 없다고 인정되는 때에는 **심문 없이 구속영장청구를 기각할 수 있다**(동조 제2항).

㉡ **심문장소**: 피의자의 심문은 법원청사 내에서 하여야 한다. 다만, 피의자가 출석을 거부하거나 질병 기타 부득이한 사유로 법원에 출석할 수 없는 때에는 경찰서, 구치소 기타 적당한 장소에서 심문할 수 있다(규칙 제96조의15).

㉢ **피의자심문 기타 절차**: **검사와 변호인은 심문기일에 출석하여 의견을 진술할 수 있다**(제201조의2 제4항). 18. 경찰채용 심문을 함에 있어 지방법원판사는 공범의 분리심문 기타 수사상의 비밀보호를 위하여 필요한 조치를 하여야 한다(동조 제5항). **판사**는 피의자에게 범죄사실의 요지를 고지

하고, **피의자에게 일체의 진술을 하지 아니하거나 개개의 질문에 대하여 진술을 거부할 수 있으며, 이익되는 사실을 진술할 수 있다는 취지를 고지하여야 한다**(규칙 제96조의16 제1항). 판사는 구속 여부를 판단하기 위하여 필요한 사항에 관하여 신속하고 간결하게 심문하여야 한다(동조 제2항). 검사와 변호인은 판사의 **심문이 끝난 후에 의견을 진술할 수 있다**. 다만, 필요한 경우에는 **심문 도중에도 판사의 허가를 얻어 의견을 진술할 수 있다**(동조 제3항). 14. 경찰간부, 15. 경찰채용, 16·19. 경찰승진, 19. 해경간부 피의자는 판사의 심문 도중에도 변호인에게 조력을 구할 수 있다(동조 제4항). 19. 경찰승진

㉣ **구속 전 피의자심문조서의 작성**: 피의자를 심문하는 경우 법원사무관 등은 심문의 요지 등을 조서로 작성하여야 한다(제201조의2 제6항). 19. 경찰승진

㉤ **심문의 비공개**: 피의자에 대한 심문절차는 공개하지 아니한다. 다만, 판사는 상당하다고 인정하는 경우에는 피의자의 친족, 피해자 등 이해관계인의 방청을 허가할 수 있다(규칙 제96조의14)(≪주의 피의자에 대한 심문절차는 공개한다. ×). 14·15. 경찰간부, 14·15·16·17·19. 경찰승진, 15. 법원직 9급, 18. 경찰채용, 19. 해경간부

⑤ **영장실질심사와 구속기간**: 피의자심문을 하는 경우 법원이 구속영장청구서·수사관계서류 및 증거물을 접수한 날부터 구속영장을 발부하여 검찰청에 반환한 날까지의 기간은 사법경찰관의 구속기간과 검사의 구속기간 적용에 있어서는 그 구속기간에 이를 산입하지 아니한다(제201조의2 제7항). 15. 경찰채용, 15·17. 경찰승진

(3) 구속영장발부

① 영장의 발부

㉠ **피고인에 대한 구속영장**: '피고인'에 대하여 범죄사실의 요지, 구속의 이유와 변호인을 선임할 수 있음을 말하고 변명할 기회를 준 후가 아니면 구속할 수 없다(구속영장을 발부할 수 없다). 다만, 피고인이 도망한 경우에는 그러하지 아니하다(제72조). 15. 법원직 9급 법원은 합의부원으로 하여금 이 절차를 이행하게 할 수 있다(제72조의2). 피고인의 경우 수소법원이 발부함을 원칙으로 하나 급속을 요하는 경우 재판장 또는 수명법관이 발부하며 수탁판사가 발부하는 경우도 있다(제70조, 제77조, 제80조).

> **판례 | 법원이 피고인에 대하여 구속영장을 발부하는 경우에 검사의 청구가 있어야 하는지의 여부 (소극)**
>
> 헌법상 영장제도의 취지에 비추어 볼 때 **헌법 제12조 제3항**은 헌법 제12조 제1항과 함께 이른바 적법절차의 원칙을 규정한 것으로서 범죄수사를 위하여 구속 등의 강제처분을 함에 있어서는 법관이 발부한 영장이 필요하다는 것과 수사기관 중 검사만 법관에게 영장을 신청할 수 있다는 데에 그 의의가 있고, **형사재판을 주재하는 법원이 피고인에 대하여 구속영장을 발부하는 경우에도 검사의 신청이 있어야 한다는 것이 그 규정의 취지라고 볼 수는 없다**(대결 1996.8.12, 96모46). 14. 경찰승진, 14·16. 국가직 7급, 17. 경찰간부

㉡ **피의자에 대한 구속영장**: 피의자의 경우 지방법원판사는 구속의 요건이 충족되었다고 판단되는 때에는 검사의 구속영장청구에 의하여 구속영장을 발부한다(제201조 제4항). 지방법원판사가 구속영장을 발부하지 아니할 때에는 청구서에 그 취지 및 이유를 기재하고 서명날인하여 청구한 검사에게 교부한다(제201조 제4항 단서). **구속영장의 청구를 기각하는 결정**에 대하여는 **불복하지 못한다는 것이 판례의 입장**이다(≪주의 구속영장의 청구를 기각하는 결정에 항고로 불복할 수 없으나 준항고로 불복할 수 있다. ×).

판례 | 체포 · 구속영장청구에 대한 지방법원판사의 재판에 대하여 불복할 수 있는지의 여부(소극)

검사의 체포 또는 구속영장청구에 대한 지방법원판사의 재판은 항고의 대상이 되는 '법원의 결정'에 해당되지 아니하고 준항고의 대상이 되는 '재판장 또는 수명법관의 구금 등에 관한 재판'에도 해당되지 아니한다(대결 2006.12.18, 2006모646). 14 · 17. 국가직 9급, 15 · 17 · 21. 경찰간부, 15 · 18. 경찰채용

② 구속영장의 방식

㉠ 구속영장에는 피의자의 성명 · 주거 · 죄명 · 범죄사실의 요지 · 인치구금할 장소 · 발부연월일 · 그 유효기간과 그 기간을 하면 집행에 착수하지 못하며 영장을 반환하여야 할 취지를 기재하고 판사가 서명날인하여야 한다(제209조, 제75조 제1항). 피고인에 대한 구속영장에는 재판장 또는 수명법관이 서명날인하여야 한다(제75조 제1항). 피의자의 성명이 분명하지 아니한 때에는 인상 · 체격 기타 피의자를 특정할 수 있는 사항으로 피의자를 표시할 수 있고, 주거가 분명하지 아니한 때에는 그 주거의 기재를 생략할 수 있다(제209조, 제75조 제2항 · 제3항).

㉡ **구속영장의 유효기간**: 구속영장의 유효기간은 **7일**로 한다. 다만, 법원 또는 법관은 상당하다고 인정하는 때에는 **7일을 넘는 기간을 정할 수 있다**(규칙 제178조).

㉢ 구속영장은 수통을 작성하여 사법경찰관리 수인에게 교부할 수 있다. 이 경우에는 그 사유를 구속영장에 기재하여야 한다(제209조, 제82조).

③ 구속영장의 효력단위

㉠ 구속영장의 효력단위와 관련하여 ⓐ 구속영장은 원칙적으로 구속영장에 기재된 피의사실(공소사실)에 대하여만 미친다는 사건단위설(事件單位說)과 ⓑ 구속영장의 효력은 구속된 사람을 기준으로 정한다는 인단위설(人單位說)의 견해대립이 있으나, **사건단위설이 통설과 판례의 입장**이다.

판례 | 구속영장의 효력이 미치는 공소사실의 범위 및 그 판단기준

1 **구속영장의 효력은 구속영장에 기재된 범죄사실 및 그 사실의 기초가 되는 사회적 사실관계가 기본적인 점에서 동일한 공소사실에 미친다**고 할 것이고, 이러한 기본적 사실관계의 동일성을 판단함에 있어서는 그 사실의 동일성이 갖는 기능을 염두에 두고 피고인의 행위와 그 사회적인 사실관계를 기본으로 하되 규범적 요소도 아울러 고려하여야 한다(대결 2001.5.25, 2001모85).

2 **구속영장에 기재된 횡령죄의 범죄사실과 공소장에 기재된 사기죄의 공소사실**이 범행일시 및 장소, 범행의 목적물과 그 행위의 내용에 있어서는 같으나 그 영득행위에 대한 법적인 평가만이 다를 뿐이므로 **그 기본적인 사실관계는 동일하다**(대결 2001.5.25, 2001모85).

3 **죄명이 '상습사기'로 발부된 구속영장**에 기재된 범죄사실과 단순사기의 공소사실을 비교 고찰한 결과 피고인이 1982.7.27. 피해자로부터 전세보증금 명목으로 금 900만원을 편취하였다는 점에 양자가 모두 일치한 이상 **위 구속영장은 단순사기의 피고사건에도 효력이 미친다**(대결 1983.7.6, 83모30).

㉡ **별건구속(別件拘束)의 허용 여부**: 별건구속이란 본래 의도하고 있는 사건(本件)수사를 위하여 피의자를 구속할 필요가 있으나 그 사건에 대하여 구속영장을 발부받기 어렵다고 판단하여 구속요건이 갖추어진 다른 사건(別件)으로 구속하는 것을 말한다. 이러한 **별건구속**은 결론적으로 **위법하다**는 것이 통설의 입장이다. 그 근거는 ⓐ 본건에 대한 구속영장 없이 별건구속에 의하여 본건을 수사하는 것은 영장주의에 위반되고, ⓑ 별건구속에 의하여 본건을 수사하고 또 다시 본건으로 구속하는 경우가 많은데 이는 구속기간제한규정을 잠탈하는 것이 되며, ⓒ 구속을 자백강요나 수사편의를 위한 수단으로 보게 되어 구속제도의 본래의 취지(도망 또는 증거인멸의

방지)에 어긋나기 때문이다. 사건단위설에 의할 때에도 별건구속은 허용되지 아니한다.
다만, 구속된 피의자에 대하여 피의사건을 수사하면서 합목적성 견지에서 그 피의사건 외의 다른 범죄를 수사할 수 있는데 이를 여죄수사(餘罪搜査)라고 하고 이는 원칙적으로 허용된다. 그러나 별건구속과 여죄수사는 그 한계가 불분명한데 양자는 두 가지 범죄사실의 경중, 상호관련성, 본건에 의한 피의자 구속기간 등을 종합적으로 고려하여 판단하여야 한다.

ⓒ **이중구속(二重拘束)의 허용 여부**: 이중구속이란 구속영장에 의하여 구속된 피의자를 별개의 범죄사실로 재차 구속영장을 발부받아 이를 집행하는 것을 말한다. 이에 관하여 ⓐ 사건단위설에 의할 때 이중구속은 허용되고, ⓑ 구속된 피의자가 석방되는 경우를 대비하여 미리 구속해 둘 필요가 있으며, ⓒ 형사소송법은 구속된 피의자에 대한 구속영장집행절차를 규정하고 있다는 점(제209조, 제81조 제3항)을 근거로 이를 인정하는 긍정설이 있다. **판례도 긍정설**의 입장에 있다 («주의 판례는 구속기간이 만료될 무렵 종전 구속영장에 기재된 다른 범죄사실로 구속하는 것은 위법하다는 입장이다. ×).
그러나 ⓐ 이미 구속된 자에 대하여 구속사유를 인정하기 어렵고(구속된 자에게 도망 또는 증거인멸의 염려가 있다는 것은 상상하기 힘들므로), ⓑ 이중구속이 피의자석방을 대비하기 위한 것이라면 석방 전에 사전 구속영장을 발부받아 두었다가 이전 구속이 만료될 때 구속영장을 집행하면 족하다는 점을 근거로 이를 부정하는 부정설이 있다. 부정설이 다수설의 입장이다.

판례 | 구속기간이 만료될 무렵 종전 구속영장에 기재된 범죄사실과 다른 범죄사실로 피고인을 구속할 수 있는지의 여부(적극)

구속의 효력은 원칙적으로 구속영장에 기재된 범죄사실에만 미치는 것이므로 구속기간이 만료될 무렵에 **종전 구속영장에 기재된 범죄사실과 다른 범죄사실로 피고인을 구속하였다는 사정만으로는 피고인에 대한 구속이 위법하다고 할 수 없다**(대결 1996.8.12, 96모46). 14. 경찰채용, 14·17. 경찰승진, 17·18. 경찰간부, 18. 법원직 9급, 20. 국가직 7급

(4) 구속영장의 집행

① **집행기관**: 구속영장은 검사의 지휘에 의하여 사법경찰관리가 집행한다(제209조, 제81조 제1항). 다만, 피고인에 대하여는 급속을 요하는 경우에는 재판장·수명법관·수탁판사가 그 집행을 지휘할 수 있고 이 경우 법원사무관 등에게 그 집행을 명할 수 있다(제81조 제2항). 또한 법원사무관 등은 그 집행에 관하여 필요한 때에는 사법경찰관리·교도관 또는 법원경위에게 보조를 요구할 수 있으며 관할구역 외에서도 집행할 수 있다(동조 제3항). 교도소 또는 구치소에 있는 피의자에 대하여 발부된 구속영장은 검사의 지휘에 의하여 교도관이 집행한다(제209조, 제81조 제3항).

② **관할구역 외 집행**: 검사는 필요에 의하여 관할구역 외에서 체포영장의 집행을 지휘할 수 있고 또는 당해 관할구역의 검사에게 집행지휘를 촉탁할 수 있다(제209조, 제83조 제1항). 사법경찰관리는 필요에 의하여 관할구역 외에서 체포영장을 집행할 수 있고 또는 당해 관할구역의 사법경찰관리에게 집행을 촉탁할 수 있다(제209조, 제83조 제2항).

③ **집행의 절차**

㉠ 검사 또는 사법경찰관은 '피의자'를 구속하는 경우에는 **피의사실의 요지**, **구속의 이유**와 **변호인을 선임할 수 있음을 말하고 변명할 기회**를 주어야 한다(제209조, 제200조의5).

㉡ 구속영장을 집행함에는 피의자에게 이를 제시하여야 하며 신속히 지정된 법원 기타 장소에 인치하여야 한다(제209조, 제85조 제1항). 다만, **구속영장을 소지하지 아니한 경우에 급속을 요하는 때**에는 **범죄사실의 요지와 영장이 발부되었음을 고하고 집행할 수 있고** 이 경우 집행을 완료한 후에는 신속히 구속영장을 제시하여야 한다(제209조, 제85조 제3항·제4항).

판례 | 제시해야 하는 구속영장이 반드시 정본이어야 하는지의 여부(적극)

급속하게 연행하여야 할 필요가 없음에도 불구하고 피의사실 요지의 고지 및 구속영장 정본의 제시 없이 **영장표지의 사본 제시만으로 강제연행한 것은 불법연행에 해당한다**(대판 1997.1.24, 96다40547).

ⓒ 구속영장을 집행함에는 피의자를 신속히 지정된 법원 기타 장소에 인치하여야 한다(제209조, 제85조 제1항). 다만, 피의자를 호송할 경우에 필요한 때에는 가장 접근한 교도소 또는 구치소에 임시로 유치할 수 있다(제209조, 제86조).

④ 구속에 수반하는 압수 · 수색 · 검증

㉠ 검사 또는 사법경찰관은 피의자를 체포 · 구속하는 경우에 필요한 때에는 **영장 없이** 타인의 주거나 타인이 간수하는 가옥, 건조물 등에서 **피의자를 수색(수사)**할 수 있다. 다만, 제200조의2 또는 제201조의 경우 피의자 수색은 미리 수색영장을 발부받기 어려운 긴급한 사정이 있는 때에 한정한다(제216조 제1항 제1호). 이는 피고인구속의 경우에도 동일하다(제137조).

㉡ 검사 또는 사법경찰관은 피의자를 체포 · 구속하는 경우에 필요한 때에는 **영장 없이** 체포현장에서 **압수 · 수색 · 검증**을 할 수 있다(제216조 제1항 제2호). 이는 피고인구속의 경우에도 동일하다(제216조 제2항).

(5) 집행 후의 절차

① **구속의 통지 등**: 피의자를 체포 · 구속한 때에는 ㉠ 변호인이 있는 경우에는 변호인에게, ㉡ 변호인이 없는 경우에는 법정대리인 · 배우자 · 직계친족 · 형제자매 중 피의자가 지정한 자에게 피의사건명, 체포구속의 일시 · 장소, 범죄사실의 요지, 체포 · 구속의 이유와 변호인을 선임할 수 있는 **취지를 지체 없이 (늦어도 24시간 이내에) 서면으로 알려야 한다**(제200조의6, 제209조, 제213조의2, 제87조, 규칙 제51조 제2항 등). 이는 피고인구속의 경우에도 동일하다(제87조, 규칙 제51조 제2항). 급속을 요하는 경우에는 체포 · 구속되었다는 취지 및 체포 · 구속의 일시 · 장소를 전화 또는 모사전송기 기타 상당한 방법에 의하여 통지할 수 있고, 이 경우에도 체포 · 구속의 통지는 다시 서면으로 하여야 한다(제200조의6, 제209조, 제213조의2, 제87조, 규칙 제51조 제3항 등). 이는 피고인구속의 경우에도 동일하다(제87조, 규칙 제51조 제3항).

② **접견교통권과 변호인선임의뢰권**: 체포 · 구속된 피의자는 법률의 범위 내에서 **타인과 접견하고 서류 또는 물건을 수수하며 의사의 진료를 받을 수 있다**(제200조의6, 제209조, 제213조의2, 제89조). 체포 · 구속된 피의자는 법원 · 교도소장 · 구치소장 · 그 대리자에게 변호사를 지정하여 **변호인의 선임을 의뢰할 수 있고**, 의뢰를 받은 자는 급속히 피의자가 지명한 변호사에게 그 취지를 통지하여야 한다(제200조의6, 제209조, 제213조의2, 제90조). 이는 모두 피고인구속의 경우에도 동일하다(제89조, 제90조).

③ **구속적부심사청구**: 구속된 피의자 등은 법원에 구속적부심사청구를 할 수 있다(제214조의2 제1항). 구속된 피고인은 법원에 구속적부심사청구를 할 수 없다.

④ **구속의 취소와 집행정지**: 구속의 사유가 없거나 소멸된 때에는 수사기관은 직권 또는 피의자 · 변호인 · 제30조 제2항에 규정한 자의 청구에 의하여 구속을 취소하여야 한다(제209조, 제93조).
검사 또는 사법경찰관은 상당한 이유가 있는 때에는 구속된 피의자를 친족 · 보호단체 기타 적당한 자에게 부탁하거나 피의자의 주거를 제한하여 구속의 집행을 정지할 수 있다(제209조, 제101조 제1항).
헌법 제44조에 의하여 구속된 국회의원에 대한 석방요구가 있으면 당연히 구속영장의 집행이 정지된다(제209조, 제101조 제4항).

(6) 법원에 대한 통지

구속영장의 발부를 받은 후 피의자를 구속하지 아니하거나 구속한 **피의자를 석방**한 때에는 **지체 없이 검사는** 영장을 발부한 **법원에 그 사유를 서면으로 통지하여야 한다**(제204조). 14. 법원직 9급

(7) 재구속의 제한

검사 또는 사법경찰관에 의해 구속되었다가 **석방**된 자는 **다른 중요한 증거를 발견한 경우를 제외하고는** 동일한 범죄사실에 대하여 **재차 구속하지 못한다**(제208조 제1항). 15. 경찰채용, 17. 경찰간부, 18. 경찰승진 · 법원직 9급 이 경우 1개의 목적을 위하여 동시 또는 수단결과의 관계에서 행하여진 행위는 동일한 범죄사실로 간주한다(동조 제2항). 18. 경찰승진 **재구속 제한**에 관한 형사소송법 제208조 규정은 **수사기관이 피의자를 구속하는 경우에만 적용되고 법원이 피고인을 구속하는 경우에는 적용되지 않는다**(≪주의 피의자 · 피고인의 재차 구속사유는 다른 중요한 증거가 발견된 경우에 한정된다. ×). 15. 경찰승진, 18. 법원직 9급

판례 | 재구속 제한에 관한 형사소송법 제208조의 규정 적용여부

1 항소법원은 항소피고사건의 심리 중 또는 판결선고 후 상고제기 또는 판결확정에 이르기까지 수소법원으로서 형사소송법 제70조 제1항 각 호의 사유있는 불구속 피고인을 구속할 수 있고 또 **수소법원의 구속에 관하여는 검사 또는 사법경찰관이 피의자를 구속함을 규율하는 형사소송법 제208조의 규정은 적용되지 아니하므로** 구속기간의 만료로 피고인에 대한 구속의 효력이 상실된 후 항소법원이 피고인에 대한 판결을 선고하면서 피고인을 구속하였다 하여 위 법 제208조의 규정에 위배되는 재구속 또는 이중구속이라 할 수 없다(대결 1985.7.23, 85모12). 20. 경찰채용

2 형사소송법 제208조 소정의 '구속되었다가 석방된 자'라 함은 구속영장에 의하여 구속되었다가 석방된 경우를 말하는 것이지, **긴급체포나 현행범으로 체포되었다가 사후영장발부 전에 석방된 경우는 포함되지 않는다 할 것이므로,** 피고인이 수사 당시 긴급체포되었다가 수사기관의 조치로 석방된 후 법원이 발부한 구속영장에 의하여 구속이 이루어진 경우 앞서 본 법조에 위배되는 위법한 구속이라고 볼 수 없다(대판 2001.9.28, 2001도4291). 20. 경찰간부 · 경찰채용

4. 구속기간

(1) 구속기간의 계산방법

구속기간의 **초일은 시간을 계산함이 없이 1일로 산정**한다(제66조 제1항 단서). 구속기간의 **말일이 공휴일 또는 토요일에 해당하는 날이라도 기간에 산입**된다(동조 제3항 단서).

(2) 피의자 구속기간

① **구속기간의 기산점**: 구속기간은 **실제로 피의자가 구속된 날로부터 기산**한다. 구속에 앞서 체포 또는 구인이 선행하는 경우에는 구속기간은 피의자를 **실제로 체포 또는 구인한 날로부터 기산**한다(제203조의2)(≪주의 긴급체포된 피의자에 대하여 구속영장이 발부된 경우에 구속기간은 구속영장이 발부된 날부터 기산한다. ×). 14 · 15 · 16 · 17. 경찰승진, 17 · 20. 경찰채용, 20 경찰간부

② **구속기간**

㉠ **사법경찰관의 구속기간**: **사법경찰관**이 피의자를 구속한 때에는 **10일** 이내에 피의자를 검사에게 인치하지 아니하면 석방하여야 한다(제202조). 14. 국가직 9급, 17. 경찰채용 즉, 사법경찰관의 구속기간은 최장 10일이다.

㉡ **검사의 구속기간**: **검사**가 피의자를 구속한 때 또는 사법경찰관으로부터 피의자의 인치를 받은 때에는 **10일** 이내에 공소를 제기하지 아니하면 석방하여야 한다(제203조). 다만, 검사는 지방법원 판사의 허가를 얻어 **10일을 초과하지 않는 한도에서 구속기간을 1차에 한하여 연장**할 수 있다(제205조). **구속기간연장청구 기각결정에 대하여 불복할 수 없다**는 것이 판례의 입장이다.

> **판례 | 구속기간연장신청에 대한 지방법원판사의 재판에 대하여 불복할 수 있는지의 여부(소극)**
>
> **구속기간의 연장을 허가하지 아니하는 지방법원판사의 결정**에 대하여는 항고의 방법으로는 불복할 수 없고 나아가 그 지방법원판사는 수소법원으로서의 재판장 또는 수명법관도 아니므로 그가 한 재판은 준항고의 대상이 되지도 않는다(대결 1997.6.16, 97모1). 14·20. 경찰채용, 17·18. 경찰승진

구속기간연장허가결정이 있은 경우에 그 연장기간은 종전 구속기간만료 다음날로부터 기산한다(규칙 제98조)(주의 종전 구속기간만료일부터 기산한다. ×). 15. 경찰간부, 17·18. 경찰승진 즉, 검사의 구속기간의 최장기간은 20일이다. 따라서 형사소송법상 **수사기관 구속기간의 최장기간은 30일**이다. 14. 경찰간부

③ **구속기간 연장의 특례**: **국가보안법**상 일정한 범죄(제3조 내지 제6조·제8조·제9조)에 대해서는 사법경찰관에게 1회, 검사에게 2회에 한하여 구속기간을 연장하고 있는 특례를 규정하고 있다(국가보안법 제19조). 따라서 국가보안법 위반 피의자의 구속기간은 **최장 50일**이 된다. 국가보안법 제7조(**찬양·고무**)와 제10조(**불고지**)의 죄에 대하여까지 **구속기간을 연장**하는 동법 제19조는 **위헌**이라는 것이 헌법재판소 판례의 입장이다(헌재 1992.4.14, 90헌마82)(주의 국가보안법의 찬양·고무, 불고지에 대한 수사기관의 최대 구속기간은 50일이다. ×).

④ **구속기간에서 제외되는 기간**: 구속기간 계산에 있어 ㉠ 영장실질심사에 있어서 법원이 관계 서류와 증거물을 접수한 날부터 구속영장을 발부하여 검찰청에 반환한 날까지의 기간(제201조의2 제7항), ㉡ 체포구속적부심사에 있어서 법원이 관계 서류와 증거물을 접수한 때부터 결정 후 검찰청에 반환된 때까지의 기간(제214조의2 제13항), ㉢ 피의자 감정유치기간(제172조의2, 제221조의3), ㉣ 피의자가 도망간 기간, ㉤ 구속집행 정지기간 등은 구속기간에 이를 산입하지 아니한다.

(3) 피고인 구속기간

① **구속기간의 기산점**: 공소제기 전의 체포·구속기간을 법원의 구속기간에 산입하지 않기 때문에 제1심 법원의 구속기간은 공소제기일을 기준으로 계산하게 된다(제92조 제3항).

② **구속기간**: **법원**의 구속기간은 **2월**로 한다(제92조 제1항). 특히 구속을 계속할 필요가 있는 경우에는 심급마다 **2개월** 단위로 **2차**에 한하여 **결정**으로 갱신할 수 있다. 다만, **상소심**은 **피고인 또는 변호인**이 신청한 증거의 조사, 상소이유를 보충하는 서면의 제출 등으로 추가 심리가 필요한 부득이한 경우에는 **3차**에 한하여 **갱신**할 수 있다(동조 제2항)(주의 다만, 1심은 피고인 또는 변호인이 신청한 경우 등에는 3차에 한하여 갱신할 수 있다. ×, 피고인 또는 검사가 신청한 증거의 조사 등으로 추가 심리가 필요한 부득이한 경우에는 3차에 한하여 갱신할 수 있다. ×, 명령으로 갱신할 수 있다. ×). 18. 변호사·경찰승진·경찰간부, 21. 경찰채용 따라서 제1심, 제2심, 제3심 모두 최장 피고인을 각 6월 동안 구속할 수 있으므로 피고인에 대한 최장 구속기간은 18개월이 된다.

③ **구속기간에서 제외되는 기간**: 구속기간 계산에 있어 ㉠ 기피신청에 의한 소송진행의 정지기간, ㉡ 심신상실·질병으로 인한 공판절차 정지기간, ㉢ 공소장변경에 의한 공판절차 정지기간, ㉣ 공소제기 전의 체포·구인·구금 기간, ㉤ 피고인 감정유치기간, ㉥ 피고인이 도망간 기간, ㉦ 구속집행 정지기간, ㉧ 보석기간, ㉨ 위헌법률심판 제청에 의한 공판절차 정지기간 등은 구속기간에 이를 산입하지 아니한다(제92조 제3항, 제172조의2, 헌법재판소법 제42조 등)(주의 토지관할 병합심리신청 또는

관할지정 · 이전신청에 의한 소송절차 정지기간, 호송 중의 가유치기간은 구속기간에 산입되지 않는다. ×). 14 · 16. 법원직 9급, 15 · 21. 경찰채용, 18. 변호사, 19. 경찰간부 · 해경채용

5. 상소와 구속에 관한 결정

형사소송법

제105조 【상소와 구속에 관한 결정】 상소기간 중 또는 상소 중의 사건에 관하여 구속기간의 갱신, 구속의 취소, 보석, 구속의 집행정지와 그 정지의 취소에 대한 결정은 소송기록이 원심법원에 있는 때에는 원심법원이 하여야 한다. 17. 법원직 9급

형사소송규칙

제57조 【상소 등과 구속에 관한 결정】 ① 상소기간 중 또는 상소 중의 사건에 관한 **피고인의 구속**, 구속기간 갱신, 구속취소, 보석, 보석의 취소, 구속집행정지와 그 정지의 취소의 결정은 소송기록이 상소법원에 도달하기까지는 원심법원이 이를 하여야 한다.

② 이송, 파기환송 또는 파기이송 중의 사건에 관한 제1항의 결정은 소송기록이 이송 또는 환송법원에 도달하기까지는 이송 또는 환송한 법원이 이를 하여야 한다.

판례 | 형사소송규칙 제57조 제1항이 형사소송법 제105조의 규정에 저촉되는지의 여부(소극)

상소제기 후 소송기록이 상소법원에 도달하지 않고 있는 사이에는 피고인을 구속할 필요가 있는 경우에도 기록이 없는 상소법원에서 구속의 요건이나 필요성 여부에 대한 판단을 하여 피고인을 구속하는 것이 실질적으로 불가능하다는 점 등을 고려하면, **상소기간 중 또는 상소 중의 사건에 관한 피고인의 구속을 소송기록이 상소법원에 도달하기까지는 원심법원이 하도록 규정한 형사소송규칙 제57조 제1항의 규정이 형사소송법 제105조의 규정에 저촉된다고 보기는 어렵다**(대결 2007.7.10, 2007모460). 17. 경찰승진

03 감정유치

1. 의의

피의자 · 피고인의 정신 또는 신체를 감정하기 위하여 일정한 기간 동안 **병원 또는 기타 적당한 장소에 유치하는 강제처분**을 말한다(제221조의3, 제172조 제3항)(주의 피해자의 정신 또는 신체를 감정 ×). 15. 경찰승진

2. 절차

(1) 피의자 감정유치

검사는 피의자에 대한 감정유치가 필요할 때에는 **판사에게 감정유치를 청구**하여야 한다(제221조의3 제1항). 판사는 이 청구가 상당하다고 인정할 때에는 **감정유치장을 발부**한다(동조 제2항). 15 · 16. 경찰승진 판사는 기간을 정하여 병원 기타 적당한 장소에 피의자를 유치하게 할 수 있고, 감정이 완료되면 즉시 유치를 해제하여야 한다(제221조의3 제2항, 제172조 제3항). 구속 중인 피의자에 대하여도 감정유치를 할 수 있다. 감정유치를 함에 있어서 필요한 때에는 판사는 직권 또는 피의자를 수용할 병원 기타 장소의 관리자의 신청에 의하여 사법경찰관리에게 피의자의 간수를 명할 수 있다(제221조의3 제2항, 제172조 제5항). 판사는 필요한 때에는 유치기간을 연장하거나 단축할 수 있다(제221조의3 제2항, 제172조 제6항).

(2) 피고인 감정유치

법원은 피고인에 대한 감정유치가 필요한 때에는 **직권으로 감정유치장을 발부**한다(제172조 제4항). 법원은 기간을 정하여 병원 기타 적당한 장소에 피고인을 유치하게 할 수 있고, 감정이 완료되면 즉시 유치를 해제하여야 한다(제172조 제3항). 나머지는 피의자 감정유치와 동일하다(제172조 제5항 · 제6항).

3. 감정유치와 구속

구속에 관한 규정은 (**보석을 제외**하고는) 법률에 특별한 규정이 없는 경우에는 **감정유치에 관하여 이를 준용**한다(제221조의3 제2항, 제172조 제7항). 구속 중인 피의자 · 피고인에 대하여 **감정유치장이 집행**되었을 때에는 유치되어 있는 기간은 **구속의 집행이 정지된 것으로 간주**하고, 감정유치처분이 취소되거나 유치기간이 만료된 때에는 구속의 집행정지가 취소된 것으로 간주한다(제221조의3 제2항, 제172조의2). 15 · 16 · 18. 경찰승진
감정유치기간은 미결구금일수의 산입에 있어 이를 구속으로 간주한다(제221조의3 제2항, 제172조 제8항) (《주의 감정유치기간은 미결구금일수에 산입하지 않는다. ×). 15. 경찰승진, 17. 국가직 9급, 21. 법원직 9급

04 피고인 · 피의자의 접견교통권

헌법

제12조 ④ 누구든지 체포 또는 구속을 당한 때에는 즉시 변호인의 조력을 받을 권리를 가진다. 다만, 형사피고인이 스스로 변호인을 구할 수 없을 때에는 법률이 정하는 바에 의하여 국가가 변호인을 붙인다.

형사소송법

제34조 【피고인, 피의자와의 접견, 교통, 수진】 변호인 또는 변호인이 되려는 자는 신체구속을 당한 피고인 또는 피의자와 접견하고 서류 또는 물건을 수수할 수 있으며 의사로 하여금 진료하게 할 수 있다.

제89조 【구속된 피고인과의 접견, 수진】 구속된 피고인은 법률의 범위 내에서 타인과 접견하고 서류 또는 물건을 수수하며 의사의 진료를 받을 수 있다.

제91조 【비변호인과의 접견, 교통의 제한】 법원은 도망하거나 또는 죄증을 인멸할 염려가 있다고 인정할 만한 상당한 이유가 있는 때에는 직권 또는 검사의 청구에 의하여 결정으로 구속된 피고인과 제34조에 규정한 외의 타인과의 접견을 금하거나 수수할 서류 기타 물건의 검열, 수수의 금지 또는 압수를 할 수 있다. 단, **의류, 양식, 의료품의 수수를 금지 또는 압수할 수 없다**.

판례 |

1 '변호인의 조력을 받을 권리'의 의미

① 변호인의 조력을 받을 권리란 국가권력의 일방적인 형벌권 행사에 대항하여 자신에게 부여된 헌법상 · 소송법상 권리를 효율적이고 독립적으로 행사하기 위하여 변호인의 도움을 얻을 피의자 및 피고인의 권리를 말한다. 이러한 변호인의 조력을 받을 권리에는 변호인을 선임하고 변호인과 접견하며, 변호인의 조언과 상담을 받고, **변호인을 통해 방어권 행사에 필요한 사항들을 준비하고 행사하는 것 등이 모두 포함된다**(헌재 2011.5.26, 2009헌마341).

② 헌법 제12조 제4항이 보장하고 있는 신체구속을 당한 사람의 변호인의 조력을 받을 권리는 무죄추정을 받고 있는 피의자 · 피고인에 대하여 신체구속의 상황에서 생기는 여러 가지 폐해를 제거하고 구속이 그 목적의 한도를 초과하여 이용되거나 작용되지 않게끔 보장하기 위한 것으로 여기의 **'변호인의 조력'은 '변호인의 충분한 조력'을 의미한다**(헌재 1992.1.28, 91헌마111).

③ 헌법 제12조 제4항 본문은 신체구속을 당한 사람에 대하여 변호인의 조력을 받을 권리를 규정하고 있는바, 이를 위하여서는 신체구속을 당한 사람에게 변호인과 사이의 충분한 접견교통을 허용함은 물론 교통내용에 대하여 비밀이 보장되고 부당한 간섭이 없어야 하는 것이며, 이러한 취지는 접견의 경우뿐만 아니라 **변호인과 미결수용자 사이의 서신에도 적용되어 그 비밀이 보장되어야 할 것이다**(헌재 1995.7.21, 92헌마144).

2 행정절차에서 구속된 사람에게도 변호인의 조력을 받을 권리가 보장되는지의 여부(적극)

[1] 헌법 제12조 제4항 본문에 규정된 '구속'은 사법절차에서 이루어진 구속뿐 아니라 행정절차에서 이루어진 구속까지 포함하는 개념이므로 헌법 제12조 제4항 본문에 규정된 **변호인의 조력을 받을 권리는 행정절차에서 구속을 당한 사람에게도 즉시 보장된다.** [2] 인천공항출입국·외국인청장이 **난민인정심사불회부 결정을 받은 후** 인천국제공항 송환대기실에 수용된 청구인(수단 국적의 외국인)에 대한 **변호인 접견신청을 거부한 행위는 변호인의 조력을 받을 권리를 침해한다**(헌재 2018.5.31, 2014헌마346).

3 헌법상 보장되는 권리(기본권)에 해당하는 경우

[1] 형사소송법은 **구속된 피고인 또는 피의자**에게 타인과의 접견교통권을 보장하고 있는데 이 중에서도 **변호인과의 접견교통권**은 이를 **헌법상의 기본권**으로 보아야 함은 의문의 여지가 없다.

[2] **구속된 피의자 또는 피고인이 갖는 변호인 아닌 자와의 접견교통권**은 인간으로서의 기본적인 권리에 해당하므로 이는 성질상 **헌법상의 기본권**에 속한다고 보아야 할 것이다.

[3] **미결수용자의 가족이 미결수용자와 접견**하는 것 역시 헌법 제10조가 보장하고 있는 인간으로서의 존엄과 가치 및 행복추구권 가운데 포함되는 **헌법상의 기본권**이라고 보아야 할 것이다(헌재 2003.11.27, 2002헌마193).

4 헌법상 보장되는 권리(기본권)에 해당 여부에 대한 대립

① **변호인의 구속된 피고인 또는 피의자와의 접견교통권**은 피고인 또는 피의자 자신이 가지는 변호인과의 접견교통권과는 성질을 달리하는 것으로서 헌법상 보장된 권리라고는 할 수 없고, **형사소송법 제34조에 의하여 비로소 보장되는 권리**이다(대결 2002.5.6, 2000모112). 15·19. 경찰채용

② 변호인의 피의자 및 피고인을 조력할 권리 중 그것이 보장되지 않으면 그들이 변호인의 조력을 받는다는 것이 유명무실하게 되는 핵심적인 부분(이하 '변호인의 변호권'이라 한다)은 헌법상 기본권으로서 보호되어야 한다. 형사절차에서 피의자신문의 중요성을 고려할 때, **변호인이 피의자신문에 자유롭게 참여할 수 있는 권리는 헌법상 기본권인 변호인의 변호권으로서 보호되어야 한다**(헌재 2017.11.30, 2016헌마503). 18. 경찰채용

③ '변호인이 되려는 자'의 접견교통권은 피의자 등을 조력하기 위한 핵심적인 부분으로서 헌법상의 기본권인 '변호인이 되려는 자'와의 접견교통권과 표리의 관계에 있으므로, 피의자 등이 가지는 '변호인이 되려는 자'의 조력을 받을 권리가 실질적으로 확보되기 위해서는 **'변호인이 되려는 자'의 접견교통권 역시 헌법상 기본권으로서 보장되어야 한다**(헌재 2019.2.28, 2015헌마1204 **접견신청 묵살 사건**).

헌법

제37조 ② 국민의 모든 자유와 권리는 국가안전보장·질서유지 또는 공공복리를 위하여 필요한 경우에 한하여 법률로써 제한할 수 있으며, 제한하는 경우에도 자유와 권리의 본질적인 내용을 침해할 수 없다.

1. 의의

(1) 개념

접견교통권이란 신체구속(체포 · 구속 · 감정유치)을 당한 피의자 · 피고인이 변호인이나 가족 등과 접견하고, 서류 또는 물건을 수수하며 의사의 진료를 받을 수 있는 권리를 말한다(제89조, 제209조). 이는 피의자 · 피고인의 권리일 뿐만 아니라 변호인의 고유권이기도 하다(제34조).

판례 |

1 신체구속을 당하지 않은 피의자에게도 변호인과의 접견교통권이 인정되는지의 여부(적극)

비록 법에는 접견교통권 등 변호인의 조력을 받을 권리의 주체를 체포 또한 구속을 당한 피의자 · 피고인이라고 규정하고 있으나, **신체구속 상태에 있지 않은 피의자도 당연히 접견교통권의 주체가 될 수 있다**(헌재 2004.9.23, 2000헌마138). 14. 법원직 9급, 16 · 17 · 20. 경찰승진, 18. 경찰채용

2 임의동행된 피의자 또는 피내사자에게도 변호인과의 접견교통권이 인정되는지의 여부(적극)

임의동행의 형식으로 수사기관에 연행된 피의자에게도 변호인 또는 변호인이 되려는 자와의 **접견교통권은 당연히 인정**된다고 보아야 하고 **임의동행의 형식으로 연행된 피내사자의 경우에도 이는 마찬가지이다**(대결 1996.6.3, 96모18). 14 · 16. 경찰간부, 15. 경찰승진 · 국가직 7급, 16. 국가직 9급

3 형집행 중에 있는 수형자 등에게도 변호인과의 접견교통권이 인정되는지의 여부(원칙적으로 소극)

① **형사절차가 종료되어 교정시설에 수용 중인 수형자는 원칙적으로 변호인의 조력을 받을 권리의 주체가 될 수 없다**(헌재 1998.8.27, 96헌마398). 14 · 16. 경찰승진

② 형사절차가 종료되어 교정시설에 **수용 중인 수형자나 미결수용자가 형사사건의 변호인이 아닌 민사재판, 행정재판, 헌법재판 등에서** 변호사와 접견할 경우에는 원칙적으로 **헌법상 변호인의 조력을 받을 권리의 주체가 될 수 없다**(헌재 2013.8.29, 2011헌마122). 14. 변호사 · 국가직 7급, 16. 법원행시

(2) 접견교통권의 취지

접견교통권은 신체구속을 당한 피고인의 정신적 · 육체적 고통을 완화하여 인권을 보장해 주고 또한 피고인의 방어권을 보장해 주려는데 그 취지가 있다.

2. 접견교통권의 내용

(1) 변호인과의 접견교통권

① **내용**: 누구든지 체포 · 구속을 당한 때에는 즉시 변호인의 조력을 받을 권리를 가진다(헌법 제12조 제4항). 변호인의 조력을 받을 권리의 핵심이 바로 변호인과의 접견교통권이다. 변호인 또는 변호인이 되려는 자는 신체구속을 당한 피의자 · 피고인과 접견하고 서류 또는 물건을 수수할 수 있으며 의사로 하여금 진료하게 할 수 있다(제34조). 16. 경찰간부

② **접견제한금지의 원칙**

㉠ **접견제한금지**: 변호인과의 접견교통권은 피고인 · 피의자의 인권보장과 방어준비를 위하여 필수불가결한 권리이므로 **'법령에 의한 제한이 없는 한' 수사기관의 처분**은 물론 **법원의 결정으로도 이를 제한할 수 없다.** 따라서 법원 또는 수사기관은 변호인과의 접견을 금지하거나 일시 · 장소를 제한할 수 없으며, 서류 · 물건을 압수 · 검열하거나 수수를 금지할 수 없다. 의사의 진료를 받게하는 수진권(受診權)도 또한 이와 같다. 미결수용자와 변호인간의 접견은 시간과 횟수를 제한하지 아니한다(형집행법 제84조 제2항). 14. 국가직 9급

판례 |

1 '변호인이 되려는 자' 관련 판례

① [1] **변호인이 되려는 의사를 표시한 자가 객관적으로 변호인이 될 가능성이 있다고 인정되는데도**, 형사소송법 제34조에서 정한 '변호인 또는 변호인이 되려는 자'가 아니라고 보아 신체구속을 당한 피고인 또는 피의자와 접견하지 못하도록 제한하여서는 아니 된다. [2] 변호사 A가 노동조합으로부터 근로자들이 연행될 경우 적절한 조치를 취해 줄 것을 부탁한다는 내용의 공문을 받았고 조합원 B에 대한 체포 현장에서 변호사 신분증을 제시하면서 **변호인이 되려는 자로서 접견을 요청하였다면, 형사소송법 제34조에서 정한 접견교통권이 인정된다**(대판 2017.3.9, 2013도16162). 17·20. 국가직 7급, 18. 경찰간부·경찰채용, 19. 해경채용, 20. 경찰승진

② 검사가 甲을 긴급체포하여 조사 중, 甲의 친구인 변호사 A가 甲의 변호인이 되기 위하여 검사에게 접견신청을 하였으나, **검사가 변호인선임신고서의 제출을 요구하면서 변호인접견을 못하게 한 상태에서 검사가 작성한 甲에 대한 피의자신문조서는 甲에 대한 유죄의 증거로 사용할 수 없다**(헌재 2019.2.28, 2015헌마1204 접견신청 묵살 사건). 21. 경찰간부

2 변호인과의 접견교통권을 제한할 수 있는지의 여부(= 법령에 의한 제한이 없는 한 불가)

① **변호인의 접견교통권**은 신체구속을 당한 피고인이나 피의자의 인권보장과 방어준비를 위하여 필수불가결한 권리이므로 **법령에 의한 제한이 없는 한 수사기관의 처분은 물론 법원의 결정으로도 이를 제한할 수 없는 것이다**(대결 1991.3.28, 91모24). 14·16·19. 경찰채용, 16. 경찰승진·경찰간부

② **변호인과의 자유로운 접견**은 신체구속을 당한 사람에게 보장된 변호인의 조력을 받을 권리의 가장 중요한 내용이어서 국가안전보장·질서유지·공공복리 등 **어떠한 명분으로도 제한될 수 있는 성질의 것이 아니다**(헌재 1992.1.28, 91헌마111). 17. 법원직 9급

③ 헌법재판소가 91헌마111 결정에서 미결수용자와 변호인과의 접견에 대해 어떠한 명분으로도 제한할 수 없다고 한 것은 구속된 자와 변호인 간의 접견이 실제로 이루어지는 경우에 있어서의 **'자유로운 접견'**, 즉 '대화내용에 대하여 비밀이 완전히 보장되고 **어떠한 제한, 영향, 압력 또는 부당한 간섭 없이 자유롭게 대화할 수 있는 접견'을 제한할 수 없다**는 것이지, **변호인과의 접견 자체**에 대해 아무런 제한도 가할 수 없다는 것을 의미하는 것이 아니므로 미결수용자의 변호인접견권 역시 국가안전보장·질서유지 또는 공공복리를 위해 필요한 경우에는 **법률로써 제한될 수 있음은 당연하다** (헌재 2011.5.26, 2009헌마341). 14·15. 경찰채용

④ **변호인의 구속된 피고인 또는 피의자와의 접견교통권**은 신체구속을 당한 피고인 또는 피의자의 인권보장과 방어준비를 위하여 필수불가결한 권리이므로 **수사기관의 처분 등에 의하여 이를 제한할 수 없고, 다만 법령에 의하여서만 제한이 가능하다**(대결 2002.5.6, 2000모112). 17. 경찰승진·법원직 9급, 19. 경찰간부

⑤ **변호인의 접견교통의 상대방인 신체구속을 당한 사람이 그 변호인을 자신의 범죄행위에 공범으로 가담시키려고 하였다는 등의 사정**만으로 그 변호인의 신체구속을 당한 사람과의 **접견교통을 금지하는 것이 정당화될 수는 없다**(대결 2007.1.31, 2006모656). 14. 경찰승진, 14·18. 경찰간부, 15·19·20. 국가직 7급, 17·18·19. 경찰채용

3 피의자와의 접견교통 허가 여부의 결정 주체(원칙적으로 교도소장 등. 다만, 피의자신문의 경우에는 검사 또는 사법경찰관)

[1] **수용자에 대한 접견신청이 있는 경우** 이는 수용자의 처우에 관한 사항이므로 그 장소가 교도관의 수용자 계호 및 통제가 요구되는 공간이라면 **교도소장·구치소장 또는 그 위임을 받은 교도관이 그 허가 여부를 결정하는 것이 원칙**이다. [2] 형사소송법 제243조의2 제1항은 피의자신문 중에 변호인 접견신청이 있는 경우에는 검사 또는 사법경찰관으로 하여금 그 허가 여부를 결정하도록 하고 있고, 형사소송법 제34조는 변호인의 접견교통권과 '변호인이 되려는 자'의 접견교통권에 차이를 두지 않고 함께 규정하고 있으므로 **'변호인이 되려는 자'가 피의자신문 중에 형사소송법 제34조에 따라 접견신청을 한 경우에도 그 허가 여부를 결정할 주체는 검사 또는 사법경찰관이다**(헌재 2019.2.28, 2015헌마1204 **접견신청 묵살 사건**).

㉡ **접견의 비밀보장**: 변호인과의 접견교통권 취지에 비추어 보았을 때 접견내용의 비밀이 보장되어야 한다. 따라서 변호인(변호인이 되려고 하는 사람 포함)과의 **접견에는 교도관이 참여하지 못하며 그 내용을 청취 또는 녹취하지 못한다.** 다만, **보이는 거리**에서 미결수용자를 **관찰할 수 있다**(형집행법 제84조 제1항)(《주의 내용을 청취 또는 녹취할 수 있다. ×).

③ **법령에 의한 제한**: **변호인과의 접견교통권**은 **수사기관의 처분 또는 법원의 결정**으로 이를 **제한할 수 없지만, 법령에 의해서는 제한이 가능하다.** 미결수용자와 변호인간의 서신은 교정시설에서 상대방이 변호인임을 확인할 수 없는 경우를 제외하고는 검열할 수 없다(형집행법 제84조 제3항). 수용자의 접견은 매일(공휴일 및 법무부장관이 정한 날은 제외한다) 국가공무원 복무규정 제9조에 따른 근무시간 내에서 한다(형집행법시행령 제58조 제1항). 미결수용자가 형사소송법 제34조, 제89조 및 제209조에 따라 외부의사의 진료를 받는 경우에는 교도관이 참여하고 그 경과를 수용기록부에 기록하여야 한다(형집행법시행령 제106조).

판례 | 법령에 의한 변호인과의 접견교통권 제한으로 위법하지 않은 경우

1 [1] **구치소 내의 변호인접견실에 CCTV를 설치하여 미결수용자와 변호인간의 접견을 관찰한 행위는** 형집행법 제94조 제1항과 제4항에 근거를 두고 이루어진 것으로, 교도관의 육안에 의한 시선계호를 CCTV 장비에 의한 시선계호로 대체한 것에 불과하고 또한 **접견내용의 비밀이 침해되거나 접견교통에 방해가 되지 않으므로 변호인의 조력을 받을 권리를 침해하지 않는다.** 20. 경찰승진
[2] **교도관이 미결수용자와 변호인간에 주고받는 서류를 확인하고 소송관계서류처리부에 그 제목을 기재하여 등재한 행위는** 형집행법 제43조 제3항과 제8항에 근거를 두고 이루어진 것으로, 변호인접견이 종료된 뒤 이루어지고 교도관은 변호인과 미결수용자가 지켜보는 가운데 서류를 확인하여 그 제목 등을 소송관계처리부에 기재하여 등재할 뿐 **내용에 대한 검열이 이루어지는 것이 아니므로 변호인의 조력을 받을 권리나 개인정보자기결정권을 침해하지 않는다**(헌재 2016.4.28, 2015헌마243). 17·18. 경찰채용, 20. 경찰승진

2 [1] 이 사건 접견불허 처분은 형사소송법 제417조의 **준항고로 다툴 수 없고**, 이에 대해 행정쟁송이 허용된다 하더라도 권리구제의 가능성이 없어 불필요한 우회절차를 거치는 것에 불과하므로, 직접 **헌법소원심판을 청구할 수 있다.** [2] 미결수용자 또는 변호인이 원하는 특정한 시점에 접견이 이루어지지 못하였다 하더라도 그것만으로 곧바로 변호인의 조력을 받을 권리가 침해되었다고 단정할 수는 없는 것이고, 변호인의 조력을 받을 권리가 침해되었다고 하기 위해서는 접견이 불허된 특정한 시점을 전후한 수사 또는 재판의 진행 경과에 비추어 보아, 그 시점에 접견이 불허됨으로써 피의자 또는 피고인의 방어권 행사에 어느 정도는 불이익이 초래되었다고 인정할 수 있어야만 하며, 그 시점을 전후한 변호인접견의 상황이나 수사 또는 재판의 진행 과정에 비추어 미결수용자가 방어권을 행사하기 위해 변호인의 조력을 받을 기회가 충분히 보장되었다고 인정될 수 있는 경우에는, 비록 미결수용자 또는 그 상대방인 변호인이 원하는 특정 시점에는 접견이 이루어지지 못하였다 하더라도 변호인의 조력을 받을 권리가 침해되었다고 할 수 없는 것이다. [3] 불구속 상태에서 재판을 받은 후 선고기일에 출석하지 않아 **구속된 피고인을, 국선변호인이 접견하고자 하였으나 공휴일(2009.6.6.)이라는 이유로 접견이 불허되었다가 그로부터 이틀 후 접견이 이루어지고, 다시 그로부터 열흘 넘게 지난 후 공판이 이루어진 경우 피고인의 변호인의 조력을 받을 권리를 침해했다고 할 수 없다**(헌재 2011.5.26, 2009헌마341). 14. 법원직 9급, 15·18. 경찰채용, 16. 법원행시, 19. 해경채용

3 행형법시행령 제176조는 "형사소송법 제34조, 제89조, 제209조의 규정에 의하여 피고인 또는 피의자가 의사의 진찰을 받는 경우에는 교도관 및 의무관이 참여하고 그 경과를 신분장부에 기재하여야 한다."고 규정하고 있는바 행형법시행령 제176조의 규정은 변호인의 수진권 행사에 대한 법령상의 제한에 해당한다고 보아야 할 것이고, 그렇다면 **국가정보원 사법경찰관**이 경찰서 유치장에 구금되어 있던 **피의자에 대하여 의사의 진료를 받게 할 것을 신청한 변호인에게 국가정보원이 추천하는 의사**

의 참여를 요구한 것은 행형법시행령 제176조의 규정에 근거한 것으로서 적법하고 이를 가리켜 변호인의 수진권을 침해하는 **위법한 처분이라고 할 수는 없다**(대결 2002.5.6, 2000모112). 16. 경찰채용, 17 · 18. 경찰승진

④ **변호인의 전견교통권의 포기 허용 여부**: 피의자 등이 헌법 제12조 제4항에서 보장한 기본권의 의미와 범위를 정확히 이해하면서 이성적 판단에 따라 자발적으로 포기할 수 있다.

판례 | 변호인의 접견교통권의 포기 허용 여부(적극)

[1] 변호인의 접견교통권은 피의자 등이 변호인의 조력을 받을 권리를 실현하기 위한 것으로서, **피의자 등이 헌법 제12조 제4항에서 보장한 기본권의 의미와 범위를 정확히 이해하면서도 이성적 판단에 따라 자발적으로 그 권리를 포기한 경우까지** 피의자 등의 의사에 반하여 **변호인의 접견이 강제될 수 있는 것은 아니다.** [2] 그러나 변호인이 피의자 등에 대한 접견신청을 하였을 때 위와 같은 요건이 갖추어지지 않았는데도 수사기관이 접견을 허용하지 않는 것은 변호인의 접견교통권을 침해하는 것이고, 이 경우 국가는 변호인이 입은 정신적 고통을 배상할 책임이 있다(대법원 2018.12.27. 2016다266736 **유우성 접견거부 사건**). 19. 경찰채용

(2) 비변호인과의 접견교통권

① **내용**: 체포 또는 구속된 피의자 · 피고인은 법률의 범위 내에서 타인과 접견하고 서류 또는 물건을 수수하며 의사의 진료를 받을 수 있다(제89조, 제209조). 여기서 타인이란 변호인 아닌 자로서 친척, 친구, 애인 등을 말한다.

② **접견교통권의 제한**: **비변호인과의 접견교통권**은 변호인과의 접견교통권과는 달리 **법원 또는 수사기관의 결정으로 이를 제한할 수 있다.** 법원은 도망하거나 또는 죄증을 인멸할 염려가 있다고 인정할 만한 상당한 이유가 있는 때에는 직권 또는 검사의 청구에 의하여 결정으로 구속된 피의자 · 피고인과 비변호인과의 접견을 금하거나 수수할 서류 기타 물건의 검열, 수수의 금지 또는 압수를 할 수 있다. 다만, **의류 · 양식 · 의료품의 수수를 금지 또는 압수할 수 없다**(제91조, 제209조). 16. 경찰채용, 17. 법원직 9급

판례 | 비변호인과의 접견교통권을 제한할 수 있는지의 여부(= 적극)

검사의 접견금지결정으로 피고인들의 **(비변호인간의) 접견이 제한된 상황하에서 피의자신문조서가 작성**되었다는 사실만으로 바로 그 조서가 임의성이 없는 것이라고는 볼 수 없다(대판 1984.7.10, 84도846). 14. 경찰채용, 15. 경찰승진, 18. 경찰간부

3. 접견교통권 침해에 대한 구제

(1) 접견교통권 침해의 의미

비변호인과의 접견은 제한이 가능하기 때문에 접견교통권 침해는 특히 변호인과의 접견교통권과 관련하여 문제가 된다. 변호인과의 접견교통권은 원칙적으로 절대적으로 보장되는 것이므로, 접견교통권 침해란 법원 또는 수사기관이 변호인과의 접견을 '즉시' 그리고 '자유롭게' 해주지 않는 것을 의미한다. 이러한 의미에서 접견의 금지 · 제한 · 지연, 접견내용의 청취 · 녹취, 구금장소의 임의적 변경 등은 접견교통권 침해로 볼 수 있다.

판례 | 변호인과의 접견교통권을 침해한 경우

1 **접견신청일이 경과하도록 접견이 이루어지지 아니한 것**은 실질적으로 접견불허가처분이 있는 것과 동일시된다고 할 것이다(대결 1991.3.28, 91모24). 15. 경찰간부, 15 · 17. 경찰채용, 16. 경찰승진
2 피의자들에 대한 **접견이 접견신청일로부터 상당한 기간(약 10일)이 경과하도록 허용되지 않고 있는 것은 접견불허처분이 있는 것과 동일시된다고** 봄이 상당하다(대결 1990.2.13, 89모37). 15. 경찰간부 · 국가직 7급, 16. 경찰승진
3 피의자가 국가안전기획부 면회실에서 그의 **변호인과 접견할 때 국가안전기획부 소속 직원이 참여하여 대화내용을 듣거나 기록한 것**은 변호인의 조력을 받을 권리를 침해한 것이다(헌재 1992.1.28, 91헌마111).
4 **변호인이 피의자를 접견할 때 국가정보원 직원이 승낙 없이 사진촬영을 한 것**은 접견교통권 침해에 해당한다(대판 2003.1.10, 2002다56628). 17 법원직 9급
5 미결구금자가 수발하는 서신이 **변호인 또는 변호인이 되려는 자와의 서신**임이 확인되고 미결구금자의 범죄혐의 내용이나 신분에 비추어 소지금지품의 포함 또는 불법내용의 기재 등이 있다고 의심할 만한 **합리적인 이유가 없음에도 그 서신을 검열하는 행위**는 위헌이다(헌재 1995.7.21, 92헌마144).
6 **피의자에 대한 사실상의 구금장소의 임의적 변경**은 청구인의 방어권이나 접견교통권의 행사에 중대한 장애를 초래하는 것이므로 위법하다(대결 1996.5.15, 95모94). 14 · 15 · 16 · 17. 경찰승진, 16. 경찰채용, 19. 해경채용, 20. 국가직 9급

(2) 구제수단

① **항고와 준항고**: 접견교통권에 대한 결정 또는 처분은 '구금에 대한 결정 또는 처분'으로 볼 수 있으므로 ㉠ **법원의 접견교통권 제한결정**에 불복이 있는 경우에는 **보통항고**를 할 수 있고(제403조 제2항), ㉡ **수사기관의 접견교통권 제한결정**에 대하여는 **준항고**로 그 취소 또는 변경을 청구할 수 있다(제417조). 14. 경찰승진, 14 · 16. 경찰채용, 17. 국가직 7급

② **증거능력 부정**: 접견교통권을 침해하여 얻은 자백 또는 진술은 자백배제법칙 또는 위법수집증거배제법칙에 의하여 그 증거능력이 부정된다는 것이 통설과 판례의 입장이다.

판례 |

1 수사기관의 접견교통권 제한처분에 대한 불복방법(= 준항고)
검사 또는 사법경찰관의 구금에 관한 처분에 대하여 불복이 있는 경우 **형사소송법 제417조에 따라 법원에 그 처분의 취소 또는 변경을 청구할 수 있다**(대판 1990.6.8, 90도646). 14. 경찰승진

2 위법한 변호인접견 불허기간 중에 작성된 피의자신문조서의 증거능력 유무(소극)
① **'변호인의 접견교통권' 제한은 헌법이 보장하는 기본권을 침해하는 것**으로서 이러한 위법한 상태에서 얻어진 **피의자의 자백은 그 증거능력을 부인하여 유죄의 증거에서 배제**하여야 하며 이러한 위법증거의 배제는 실질적이고 완전하게 증거에서 제외함을 뜻하는 것이다(대판 2007.12.13, 2007도7257)(同旨 대판 1990.9.25, 90도1586). 19. 경찰채용
② 검사 작성의 피의자신문조서가 검사에 의하여 **피의자에 대한 변호인의 접견이 부당하게 제한**되고 있는 동안에 작성된 경우에는 **증거능력이 없다**(대판 1990.8.24, 90도1285). 14. 경찰승진, 15. 변호사

3 변호인접견 전에 작성된 피의자신문조서의 증거능력 유무(적극)
변호인접견 전에 작성된 검사의 피고인에 대한 피의자신문조서가 **증거능력이 없다고 할 수 없다**(대판 1990.9.25, 90도1613).

☑ SUMMARY | 피의자 · 피고인 석방 절차 ★★★

구분	적부심 석방	피의자보석	피고인보석	구속의 집행정지	구속의 취소
주체	법원	법원	법원	법원 · 검사 · 사법경찰관	법원 · 검사 · 사법경찰관
대상	피의자	피의자	피고인	피의자 · 피고인	피의자 · 피고인
절차	청구	직권	청구 · 직권	직권	청구 · 직권
청구권자	피/변/법 · 배 · 직 · 형 · 가 · 동 · 고	–	피/변/법 · 배 · 직 · 형 · 가 · 동 · 고	–	피/변/검/법 · 배 · 직 · 형
사유	체포 · 구속이 부당한 때	구속적부심사시 법원의 재량	필요적 보석이 원칙	상당한 이유가 있는 때	구속의 사유가 없거나 소멸한 때
검사의 의견청취	명문 규정 없음	명문 규정 없음	의견을 물어야 함 (예외 없음)	의견을 물어야 함 (급속을 요하는 경우 예외)	의견을 물어야 함 (검사 청구 또는 급속을 요하는 경우 예외)
보증금	없음	있음	있을 수 있음	없음	없음
영장의 효력	효력 상실	효력 상실	효력 지속	효력 지속	효력 상실
검사의 불복방법	불복할 수 없음	보통항고	보통항고	보통항고	즉시항고
재수감 요건	도망, 죄증인멸	도망, 죄증인멸염려, 불출석, 조건위반	도망, 죄증인멸염려, 불출석, 해를 가할 염려, 조건위반	도망, 죄증인멸염려, 불출석, 해를 가할 염려, 조건위반	① 피의자: 중요한 증거발견 ② 피고인: 제한없음(구속사유시)
재수감시 영장 요부	재체포 · 재구속 (영장 필요)	재구속 (영장 필요)	보석취소 (영장 불요)	집행정지 취소 (영장 불요)	재구속 (영장 필요)

*** 청구권자**

① 적부심 석방: 피의자 / 변호인 / 법정대리인 · 배우자 · 직계친족 · 형제자매 · 가족 · 동거인 · 고용주

② 피고인보석: 피고인 / 변호인 / 법정대리인 · 배우자 · 직계친족 · 형제자매 · 가족 · 동거인 · 고용주

③ 구속의 취소: 피의자 · 피고인 / 변호인 / 검사 / 법정대리인 · 배우자 · 직계친족 · 형제자매

05 체포 · 구속적부심사제도

형사소송법

제214조의2 【체포와 구속의 적부심사】 ① 체포 또는 구속된 **피의자** 또는 그 **변호인, 법정대리인, 배우자, 직계친족, 형제자매나** 가족, 동거인 또는 고용주는 관할법원에 체포 또는 구속의 적부심사를 청구할 수 있다.

② 피의자를 체포 또는 구속한 검사 또는 사법경찰관은 체포 또는 구속된 피의자와 제1항에 규정된 자 중에서 피의자가 지정하는 자에게 제1항에 따른 적부심사를 청구할 수 있음을 알려야 한다.

③ 법원은 제1항에 따른 청구가 다음 각 호의 어느 하나에 해당하는 때에는 **제4항에 따른 심문 없이 결정으로 청구를 기각할 수 있다.**

1. 청구권자 아닌 자가 청구하거나 동일한 체포영장 또는 구속영장의 발부에 대하여 재청구한 때
2. 공범 또는 공동피의자의 순차청구가 수사방해의 목적임이 명백한 때

④ 제1항의 청구를 받은 법원은 청구서가 접수된 때부터 **48시간 이내**에 체포 또는 구속된 **피의자를 심문**하고 수사관계서류와 증거물을 조사하여 그 청구가 이유없다고 인정한 때에는 결정으로 이를 기각하고, 이유있다고 인정한 때에는 결정으로 체포 또는 구속된 피의자의 석방을 명하여야 한다. **심사청구 후 피의자에 대하여 공소제기가 있는 경우에도 또한 같다.**

⑤ 법원은 **구속된 피의자**(심사청구 후 공소제기된 자를 포함한다)에 대하여 **피의자의 출석을 보증할 만한 보증금의 납입을 조건으로 하여 결정으로 제4항의 석방을 명할 수 있다.** 다만, 다음 각 호에 해당하는 경우에는 그러하지 아니하다.
1. 죄증을 인멸할 염려가 있다고 믿을만한 충분한 이유가 있는 때
2. 피해자, 당해 사건의 재판에 필요한 사실을 알고 있다고 인정되는 자 또는 그 친족의 생명·신체나 재산에 해를 가하거나 가할 염려가 있다고 믿을만한 충분한 이유가 있는 때
⑥ 제5항의 석방결정을 하는 경우에 주거의 제한, 법원 또는 검사가 지정하는 일시·장소에 출석할 의무 기타 적당한 조건을 부가할 수 있다.
⑦ 제99조 및 제100조는 제5항에 따라 보증금의 납입을 조건으로 하는 석방을 하는 경우에 준용한다.
⑧ 제3항과 제4항의 결정에 대하여는 **항고하지 못한다.**
⑨ 검사·변호인·청구인은 제4항의 심문기일에 출석하여 의견을 진술할 수 있다.
⑩ 체포 또는 구속된 피의자에게 **변호인이 없는 때에는 제33조의 규정을 준용한다.**
⑪ 법원은 제4항의 심문을 하는 경우 공범의 분리심문이나 그 밖에 수사상의 비밀보호를 위한 적절한 조치를 취하여야 한다.
⑫ 체포영장 또는 구속영장을 발부한 법관은 제4항부터 제6항까지의 심문·조사·결정에 관여하지 못한다. 다만, 체포영장 또는 구속영장을 발부한 법관 외에는 심문·조사·결정을 할 판사가 없는 경우에는 그러하지 아니하다.
⑬ 법원이 수사관계서류와 증거물을 접수한 때부터 결정 후 검찰청에 반환된 때까지의 기간은 제200조의2 제5항(제213조의2에 따라 준용되는 경우를 포함한다) 및 제200조의4 제1항의 적용에 있어서는 그 제한기간에 산입하지 아니하고, 제202조·제203조 및 제205조의 적용에 있어서는 그 구속기간에 산입하지 아니한다.
⑭ 제201조의2 제6항은 제4항에 따라 피의자를 심문하는 경우에 준용한다.

1. 의의

(1) 개념

체포·구속적부심사란 수사기관에 의해 체포 또는 구속된 피의자에 대하여 법원이 그 체포·구속의 적부 여부를 심사하여 체포·구속이 위법·부당한 경우 피의자를 석방시키는 제도를 말한다(제214조의2).

(2) 구별개념

① **보석과의 구별**: 체포·구속적부심사는 수사단계에서 체포·구속의 적부 여부를 심사하여 체포·구속된 피의자를 석방시키는 제도임에 반하여, 보증금 등의 조건으로 하여 법원의 결정으로 피고인에 대하여 구속의 집행을 정지하는 보석과 구별이 된다.
② **구속취소와의 구별**: 체포·구속적부심사는 법원의 결정으로 피의자를 석방시키는 제도라는 점에서 검사의 결정으로 피의자를 석방시키는 구속취소와 구별이 된다.

2. 체포·구속적부심사의 청구

(1) 청구권자

체포·구속된 **피의자 또는 그 변호인·법정대리인·배우자·직계친족·형제자매·가족·동거인·고용주**는 관할법원에 체포 또는 구속의 적부심사를 청구할 수 있다(제214조의2 제1항)(《주의 피의자 또는 그 변호인·법정대리인·배우자·직계친족·형제자매에 한하여 적부심을 청구할 수 있다. ×). 14·16. 경찰간부, 14·17. 경찰승진, 14·15·17. 경찰채용 피의자를 체포·구속한 검사 또는 사법경찰관은 체포·구속된 피의자와 그 변

호인 · 법정대리인 · 배우자 · 직계친족 · 형제자매 · 가족 · 동거인 · 고용주 중에서 피의자가 지정하는 자에게 적부심사를 청구할 수 있음을 알려야 한다(동조 제2항).

(2) 청구사유

체포 · 구속적부심사 청구사유에는 제한이 없다. **체포 · 구속이 불법**한 경우는 물론 **부당한 경우에도 심사청구를 할 수 있다**. 또한 청구대상 범죄에도 제한이 없다.

(3) 청구방법

체포 · 구속적부심사는 관할법원에 서면으로 청구하여야 한다. 청구서에는 체포 · 구속된 피의자의 성명, 주민등록번호 등, 주거, 체포 · 구속된 일자, 청구의 취지 및 이유, 청구인의 성명 및 체포 · 구속된 피의자와의 관계를 기재하여야 한다(규칙 제102조).

3. 법원의 심사

(1) 심사법원

① 체포 · 구속적부심사의 관할법원은 체포 · 구속된 피의자를 수사하는 검사의 소속 검찰청에 대응하는 지방법원을 말한다. 체포 · 구속적부심사는 지방법원 합의부 또는 단독판사가 관할한다.

② **체포영장 또는 구속영장을 발부한 법관은 심문 · 조사 · 결정에 관여하지 못한다.** 다만, 체포 · 구속영장을 발부한 법관 외에는 심문 · 조사 · 결정을 할 법관이 없는 경우에는 그러하지 아니한다(제214조의2 제12항). 18. 경찰간부 · 국가직 9급

(2) 간이기각결정

법원은 ① 청구권자 아닌 자가 청구하거나 동일한 체포영장 또는 구속영장의 발부에 대하여 재청구한 때, ② 공범 또는 공동피의자의 순차청구가 수사방해의 목적임이 명백한 때에는 심문 없이 청구를 기각할 수 있다(제214조의2 제3항). 14 · 16. 경찰승진, 18. 변호사 · 경찰간부 · 국가직 9급 간이기각결정에 대하여 항고하지 못한다(동조 제8항)(≪주의 적부심청구는 심문 없이 기각할 수 없다. ×).

(3) 법원의 심문

① **법원의 심문**

㉠ 청구를 받은 법원은 청구서가 접수된 때부터 **48시간 이내**에 체포 또는 구속된 피의자를 심문하고 수사관계서류와 증거물을 조사한다(제214조의2 제4항). 14. 경찰승진, 14 · 15 · 16. 경찰채용 법원은 피의자의 심문을 합의부원에게 명할 수 있다(규칙 제105조 제4항)(≪주의 24시간 이내에 심문한다. ×).

㉡ 심사를 청구한 피의자가 제33조의 국선변호인 선정사유에 해당하는 경우에는 법원은 국선변호인을 선정하여야 한다(제214조의2 제10항). 이는 **법원이 심문 없이 청구를 기각할 수 있는 경우에도 동일하다.** 18. 변호사 · 법원직 9급

② **피의자 등의 의견진술**: 피의자의 출석은 절차개시요건이며 검사 · 변호인 · 청구인은 심문기일에 출석하여 의견을 진술할 수 있다(제214조의2 제9항)(≪주의 체포 · 구속적부심사의 심문기일에 출석한 검사 · 변호인은 법원의 심문이 끝난 후에 피의자를 심문할 수 있다. ×).

③ **체포 · 구속적부심사조서의 작성**: 체포 · 구속적부심사의 경우에도 구속 전 피의자심문조서에 준하여 체포 · 구속적부심사조서를 작성하여야 한다(제214조의2 제14항, 제201조의2 제6항).

(4) 체포 · 구속적부심사와 구속기간

법원이 수사관계서류와 증거물을 **접수**한 때부터 결정 후 **검찰청에 반환**될 때까지는 수사기관의 체포 또는 **구속기간에 산입하지 아니한다**(제214조의2 제13항). 14 · 16. 경찰채용, 15. 국가직 9급, 19. 경찰간부 체포 · 구속적부심사 도중 체포 · 구속기간이 만료되어 피의자를 석방할 수밖에 없는 사태를 방지하고 또한 적부심사청구의 남용으로 수사활동에 시간을 빼앗기는 것을 방지하려는데 그 목적이 있다.

(5) 법원의 결정 시한

체포 또는 구속의 적부심사청구에 대한 결정은 체포 또는 구속된 피의자에 대한 **심문이 종료된 때로부터 24시간 이내에 이를 하여야 한다**(규칙 제106조). 14 · 15. 경찰채용, 16. 경찰승진

4. 법원의 결정

(1) 기각결정

법원은 청구가 이유 없다고 인정한 때에는 결정으로 이를 기각한다(제214조의2 제4항). 기각결정에 대하여 항고하지 못한다(동조 제8항)(≪주의 기각결정에 보통항고로 불복할 수 있다. ×). 14 · 15 · 16 · 17. 경찰채용, 16. 경찰승진, 18. 경찰간부 · 법원직 9급

(2) 석방결정

① **의의**: 법원은 청구가 이유 있다고 인정한 때에는 결정으로 체포 또는 구속된 피의자의 석방을 명하여야 한다(제214조의2 제4항 본문). 이는 심사청구 후 피의자에 대하여 공소제기가 있는 경우에도 또한 같다(동항 단서). 14 · 18. 경찰간부, 16 · 19. 경찰채용, 18. 변호사 · 국가직 9급 석방결정으로 영장은 실효가 된다. **석방결정에 대하여 항고하지 못한다**(동조 제8항). 14 · 15. 경찰채용, 16. 경찰승진 · 국가직 9급, 18. 변호사 · 경찰간부 · 법원직 9급

② **재체포 · 재구속 제한**

㉠ **재체포 · 재구속 제한**: 체포 · 구속적부심사결정에 의하여 석방된 피의자가 ⓐ 도망하거나, ⓑ **죄증을 인멸**하는 경우를 제외하고는 동일한 범죄사실에 관하여 재차 체포 또는 구속하지 못한다(제214조의3 제1항). 14 · 15 · 16 · 17. 경찰채용, 18. 변호사 · 경찰간부

㉡ **재체포 · 재구속영장의 청구**: 피의자를 재체포 · 재구속하는 경우 수사기관은 다시 영장을 청구하고 발부받아야 한다. 재체포 · 재구속영장청구서에는 재체포 · 재구속영장청구라는 취지와 제214조의3에 규정한 재체포 · 재구속 사유를 기재하여야 한다(규칙 제99조 제1항 · 제2항)(≪주의 재체포 · 재구속하는 경우 다시 영장을 발부받을 필요가 없다. ×).

(3) 보증금납입조건부 피의자석방결정(피의자보석)

① **의의**: 보증금납입조건부 피의자석방결정이란 구속적부심사청구가 있는 경우 **법원이 출석을 보증할 만한 보증금의 납입을 조건으로 구속된 피의자**(심사청구 후 공소제기된 자를 포함한다)를 **석방**시키는 제도를 말한다(제214조의2 제5항). 15 · 17. 경찰채용 이를 기소 전 보석 또는 피의자보석이라고 한다. 피의자보석은 법원의 직권에 의하여 석방을 명할 수 있을 뿐인 직권 · 재량 보석이기 때문에 **피의자에게 보석청구권이 인정되는 것은 아니다.** 14. 국가직 7급 따라서 보석청구권이 인정되고 예외사유가 없는 한 반드시 보석을 허가해야 하는 피고인보석과 차이가 난다(≪주의 피의자는 구속적부심을 청구할 수 있고, 피의자보석을 청구할 수도 있다. ×).

② **보석허가절차**

㉠ **구속적부심사의 청구**: 법원이 피의자보석을 하기 위해서는 피의자가 구속적부심사를 청구하여야 한다. 피의자는 구속적부심사를 청구함이 없이 피의자보석만을 청구할 수 없고 또한 구속적부심사를 청구하지 않은 피의자에게 법원이 직권으로 보석을 허가할 수도 없다.

㉡ **대상자**: 보증금납입조건부 피의자석방결정은 학설의 견해대립은 있으나 '구속된' 피의자에게만 인정되고 '체포된' 피의자에게는 인정되지 않는다는 것이 판례의 입장이다. 구속적부심사청구 후 공소제기된 피고인도 보증금납입조건부 석방결정의 대상이 된다(제214조의2 제5항)(≪주의 피의자보석은 체포 · 구속된 피의자에게 인정된다. ×).

판례 | 체포적부심사에서 체포된 피의자를 보증금납입을 조건으로 석방할 수 있는지의 여부(소극)

현행법상 체포된 피의자에 대하여는 보증금 납입을 조건으로 한 석방이 허용되지 않는다(대결 1997.8.27, 97모21). 14 · 20. 경찰승진, 14 · 15. 경찰채용, 16. 변호사, 18 · 21. 경찰간부, 18 · 19 · 20. 국가직 9급

㉢ **보석불허사유**: 피의자가 ⓐ 죄증을 인멸할 염려가 있다고 믿을 만한 충분한 사유 있을 때, ⓑ 피해자, 당해 사건의 재판에 필요한 사실을 알고 있다고 인정되는 자 또는 그 가족의 생명 · 신체 · 재산에 해를 가하거나 가할 염려가 있다고 믿을 만한 충분한 이유가 있을 때는 보석결정을 할 수 없다(제214조의2 제5항).

㉣ **보석허가결정에 대한 불복**: 기각결정 또는 단순석방결정과는 달리 보증금납입조건부 피의자석방결정에 대해서는 **보통항고가 허용**된다는 것이 판례의 입장이다(≪주의 적부심의 석방 · 기각결정이나 피의자보석 모두 불복할 수 없다. ×).

판례 | 보증금납입조건부석방(피의자보석) 결정에 대하여 불복할 수 있는지의 여부(= 보통항고)

기소 후 보석결정에 대하여 항고가 인정되는 점에 비추어 그 보석결정과 성질 및 내용이 유사한 기소 전 보증금납입조건부 석방결정에 대하여도 항고할 수 있도록 하는 것이 균형에 맞는 측면도 있다 할 것이므로 **형사소송법 제214조의2 제4항(개정법 제5항)의 석방결정에 대하여는 피의자나 검사가 그 취소의 실익이 있는 한 같은 법 제402조에 의하여 항고할 수 있다**(대결 1997.8.27, 97모21). 15. 국가직 7급

③ **보석집행의 절차**: 피의자보석의 집행절차는 피고인보석의 집행절차에 관한 규정이 준용된다(제99조, 제100조, 제214조의2 제5항).

④ **재체포 · 재구속 제한**

㉠ **재체포 · 재구속 제한**: 피의자보석에 의하여 석방된 피의자에 대하여는 ⓐ **도망**한 때, ⓑ **도망하거나 죄증을 인멸할 염려**가 있다고 믿을만한 충분한 이유가 있는 때, ⓒ 출석요구를 받고 정당한 이유 없이 **출석하지 아니한 때**, ⓓ 주거의 제한 기타 **법원이 정한 조건을 위반**한 때를 제외하고는 동일한 범죄사실에 관하여 재차 체포 또는 구속하지 못한다(제214조의3 제2항).

㉡ **재체포 · 재구속영장의 청구**: 피의자를 재체포 · 재구속하는 경우 수사기관은 다시 영장을 청구하고 발부받아야 한다. 재체포 · 재구속영장청구서에는 재체포 · 재구속영장청구라는 취지와 제214조의3에 규정한 재체포 · 재구속 사유를 기재하여야 한다(규칙 제99조 제1항 · 제2항).

⑤ **보증금의 몰수**

㉠ **임의적 몰수 – 판결확정 전**: 피의자보석으로 **석방된 자**를 **재차 구속**하거나, 공소제기 후 동일한 범죄사실에 관하여 재차 구속할 경우에 직권 또는 검사의 청구에 의하여 결정으로 보증금의 전부 또는 일부를 몰수할 수 있다(제214조의4 제1항)(≪주의 피의자보석으로 석방된 자를 재차 구속하는 경우에는 보증금의 전부 또는 일부를 몰수하여야 한다. ×).

㉡ **필요적 몰수 – 판결확정 후**: 피의자보석에 의하여 **석방된 자**가 동일한 범죄사실에 관하여 형의 선고를 받아 그 **판결이 확정**된 후 집행하기 위한 소환을 받고 정당한 이유 없이 **출석하지 아니하거나 도망**한 때에는 직권 또는 검사의 청구에 의하여 결정으로 보증금의 전부 또는 일부를 몰수하여야 한다(제214조의4 제2항).

06 보석

1. 의의

보석이란 **구속된 피고인**에 대하여 **보증금 납입 등을 조건**으로 **구속의 집행을 정지**하는 제도를 말한다. 보석은 구속의 집행정지라는 점에서 구속영장이 실효되는 구속취소와 구별되고 또한 보증금 납입 등을 조건으로 한다는 점에서 협의의 구속의 집행정지와 구별된다.

2. 보석의 종류

보석에는 필요적 보석과 임의적 보석이 있다. 필요적 보석은 청구보석으로서 피고인의 권리임에 비하여, 임의적 보석은 법원의 직권·재량보석으로 피고인의 권리가 아니다. 보석은 필요적 보석을 원칙으로 하며 임의적 보석은 필요적 보석을 보충하는 제도이다.

(1) 필요적 보석(必要的 保釋)

① **의의**: 보석의 **청구**가 있으면 보석불허가사유가 없는 한 법원은 보석을 허가하여야 한다(제95조)(≪주의 필요적 보석은 법원의 직권·청구에 의하여 인정된다. ×). 예외사유가 없는 한 법원은 의무적으로 보석을 허가하여야 한다는 점에서 이는 피고인의 권리라고 할 수 있지만, 예외사유가 너무 광범위하고 포괄적이어서 보석허가가 법원의 재량사항처럼 운영되고 있다.

② **필요적 보석의 예외사유**

㉠ 피고인이 **사형·무기·장기 10년이 넘는** 징역이나 금고에 해당하는 죄를 범한 때(제1호)(≪주의 사형·무기·장기 10년 이상 ×) 15. 경찰채용

㉡ 피고인이 **누범**에 해당하거나 **상습범**인 죄를 범한 때(제2호)

㉢ **피고인이 구속의 사유에 해당하는 때**

ⓐ 죄증을 인멸하거나 인멸할 염려가 있다고 믿을만한 충분한 이유가 있는 때(제3호)

ⓑ 도망하거나 도망할 염려가 있다고 믿을만한 충분한 이유가 있는 때(제4호)

ⓒ 주거가 분명하지 아니한 때(제5호)

㉣ 피고인이 피해자, 당해 사건의 재판에 필요한 사실을 알고 있다고 인정되는 자 또는 그 친족의 생명·신체·재산에 **해를 가하거나 가할 염려**가 있다고 믿을만한 충분한 이유가 있는 때(제6호)

> **판례 | 다른 사건으로 집행유예기간 중에 있는 피고인에 대하여 보석을 허가할 수 있는지의 여부 (적극)**
>
> 피고인이 집행유예의 기간 중에 있어 집행유예의 결격자라고 하여 보석을 허가할 수 없는 것은 아니고 형사소송법 제95조는 그 제1 내지 5호(개정법 6호) 이외의 경우에는 필요적으로 보석을 허가하여야 한다는 것이지, 여기에 해당하는 경우에는 보석을 허가하지 아니할 것을 규정한 것이 아니므로 **집행유예기간 중에 있는 피고인의 보석을 허가**한 것이 누범과 상습범에 대하여는 보석을 허가하지 아니할 수 있다는 형사소송법 제95조 제2호의 취지에 위배되어 **위법이라고 할 수 없다**(대결 1990.4.18, 90모22). 14. 경찰채용, 16. 경찰승진, 18. 법원직 9급

(2) 임의적 보석(任意的 保釋)

필요적 보석의 예외사유에 해당하는 때에도 법원은 상당한 이유가 있을 때에는 **직권** 또는 보석청구권자의 **청구**에 의하여 결정으로 보석을 허가할 수 있다(제96조). 14. 경찰간부, 18. 국가직 9급 임의적 보석의 대상자에는 제한이 없으므로 **모든 구속된 피고인은 임의적 보석의 대상이 될 수 있다**.

3. 보석의 절차

(1) 보석의 청구

① **청구권자**: 보석의 청구권자는 **피고인, 피고인의 변호인 · 법정대리인 · 배우자 · 직계친족 · 형제자매 · 가족 · 동거인 또는 고용주**이다(제94조). 14 · 16 · 17. 경찰승진, 18. 국가직 9급 피고인 이외의 자의 보석청구권은 독립대리권이다. 검사는 보석을 청구할 수 없다.

② **청구의 방법**: 보석의 청구는 일정한 사항을 기재한 서면에 의하여야 한다(규칙 제53조). 보석의 청구인은 적합한 보석조건에 관한 의견을 밝히고 이에 관한 소명자료를 낼 수 있다(규칙 제53조의2 제1항). 보석의 청구인은 보석조건을 결정함에 있어 이행가능한 조건인지 여부를 판단하기 위하여 필요한 범위 내에서 피고인(피고인이 **미성년자인 경우에는 그 법정대리인** 등)의 **자력 또는 자산 정도에 관한 서면을 제출**하여야 한다(동조 제2항).

(2) 검사의 의견청취

재판장은 보석에 관한 결정을 하기 전에 **검사의 의견을 물어야 한다**(제97조 제1항)(«주의 급속을 요하는 경우에는 검사의 의견을 묻지 않을 수 있다. ×). 17. 법원직 9급 검사는 재판장의 의견요청에 대하여 지체 없이(늦어도 요청을 받은 날의 다음날까지) 의견을 표명하여야 한다(동조 제3항, 규칙 제54조 제1항).

> **판례 | 검사의 의견청취절차를 거치지 아니한 보석허가결정의 효력(한정적극)**
>
> 검사의 의견청취의 절차는 보석에 관한 결정의 본질적 부분이 되는 것은 아니므로 설사 **법원이 검사의 의견을 듣지 아니한 채 보석에 관한 결정**을 하였다고 하더라도 그 **결정이 적정한 이상 절차상의 하자만을 들어 그 결정을 취소할 수는 없다**(대결 1997.11.27, 97모88). 14. 경찰채용, 17. 법원직 9급, 18. 국가직 7급, 19. 해경채용 · 경찰승진

(3) 법원의 심리

① **법원의 심리**: 보석청구를 받은 법원은 지체 없이 심문기일을 정하여 구속된 피고인을 심문하여야 한다. 다만, ㉠ 청구권자 이외의 사람이 보석을 청구한 때, ㉡ 동일한 피고인에 대하여 중복하여 보석을 청구하거나 재청구한 때, ㉢ 공판준비 또는 공판기일에 피고인에게 그 이익되는 사실을 진술할 기회를 준 때, ㉣ 이미 제출한 자료만으로 보석을 허가하거나 불허가할 것이 명백한 때에는 그러하지 아니하다(규칙 제54조의2 제1항). 14. 경찰간부, 18. 국가직 7급, 19. 국가직 9급

② **피고인심문과 이해관계인의 자료제출**: 심문기일을 정한 법원은 즉시 검사 · 변호인 · 보석청구인 및 피고인을 구금하고 있는 관서의 장에게 심문기일과 장소를 통지하여야 하고, 피고인을 구금하고 있는 관서의 장은 위 심문기일에 피고인을 출석시켜야 한다(규칙 제54조의2 제2항).

(4) 보석의 결정

법원은 특별한 사정이 없는 한 보석청구를 받은 날로부터 **7일** 이내에 그에 관한 결정을 하여야 한다(규칙 제55조). 15. 국가직 9급, 17. 법원직 9급, 18. 국가직 7급, 19. 해경채용

① **기각결정**: 보석청구가 이유 없을 때에는 보석청구기각결정을 하여야 한다. 보석을 허가하지 아니하는 결정을 하는 때에는 결정이유에 보석의 예외사유 중 어느 사유에 해당하는 지를 명시하여야 한다(규칙 제55조의2).

② **보석허가결정**

㉠ **보석의 조건**: 법원은 보석청구가 이유 있을 때에는 보석허가결정을 하여야 하고, 필요하고 상당한 범위 안에서 다음 조건 중 하나 이상의 조건을 정하여야 한다(제98조).

> ⓐ 법원이 지정하는 일시·장소에 출석하고 증거를 인멸하지 아니하겠다는 서약서를 제출할 것(제1호)
> ⓑ 법원이 정하는 보증금 상당의 금액을 납입할 것을 약속하는 약정서를 제출할 것(제2호)
> ⓒ 피고인 외의 자가 작성한 출석보증서를 제출할 것(제5호)
> ⓓ 법원이 지정하는 방법으로 피해자의 권리회복에 필요한 금원을 공탁하거나 그에 상당한 담보를 제공할 것(제7호)
> ⓔ 피고인 또는 법원이 지정하는 자가 보증금을 납입하거나 담보를 제공할 것(제8호)
> 위는 선이행 조건이고, 아래는 원칙적으로 후이행 조건에 해당한다.
> ⓕ 법원이 지정하는 장소로 주거를 제한하고 이를 변경할 필요가 있는 경우에는 법원의 허가를 받는 등 도주를 방지하기 위하여 행하는 조치를 수인할 것(제3호)
> ⓖ 피해자, 당해 사건의 재판에 필요한 사실을 알고 있다고 인정되는 자 또는 그 친족의 생명·신체·재산에 해를 가하는 행위를 하지 아니하고 주거·직장 등 그 주변에 접근하지 아니할 것(제4호)
> ⓗ 법원의 허가 없이 외국으로 출국하지 아니할 것을 서약할 것(제6호)
> ⓘ 그 밖에 피고인의 출석을 보증하기 위하여 법원이 정하는 적당한 조건을 이행할 것(제9호)

㉡ **보석조건결정시 고려사항**: 법원은 보석조건을 정함에 있어서 **범죄의 성질 및 죄상**, **증거의 증명력**, 피고인의 **전과·성격·환경 및 자산**, **피해자에 대한 배상** 등 **범행 후의 정황**에 관련된 사항을 고려하여야 한다(제99조 제1항)(《주의 증거의 증거능력을 고려하여야 한다. ×). 법원은 피고인의 자력 또는 자산 정도로는 이행할 수 없는 조건을 정할 수 없다(동조 제2항).

㉢ **보석조건의 변경 등**: 법원은 직권 또는 피고인 등의 신청에 따라 결정으로 피고인의 보석조건을 변경하거나 일정기간 동안 당해 조건의 이행을 유예할 수 있다(제102조 제1항). 14. 경찰간부 법원은 보석을 허가한 후 보석조건을 변경하거나 보석조건의 이행을 유예하는 결정을 한 경우에는 지체 없이 그 취지를 검사에게 통지하여야 한다(규칙 제55조의4)(《주의 보석조건을 변경하거나 보석조건의 이행을 유예할 수 없다. ×).

㉣ **보석조건의 실효**: **구속영장의 효력이 소멸**한 때에는 **보석조건은 즉시 그 효력을 상실**한다(제104조의2 제1항). 14·16·17. 경찰승진, 18. 법원직 9급, 19. 해경채용 보석이 취소된 경우에도 보석조건은 즉시 그 효력을 상실하지만, 제98조 제8호(보증금)의 조건은 예외로 한다(동조 제2항). 18. 국가직 7급

(5) 불복방법

보석청구기각결정과 보석허가결정에 대하여 피고인과 검사는 각각 보통항고 할 수 있다(제403조 제2항)(《주의 보석허가결정이나 기각결정에 불복 할 수 없다. ×). 16. 변호사

(6) 보석의 집행

① **선이행·후석방 방식**: 제98조 제1호(본인 서약서)·제2호(본인 보증금 약정서)·제5호(제3자의 출석보증서)·제7호(피해액 공탁 조건) 및 제8호(보증금 또는 담보 제공)의 조건은 이를 이행한 후가 아니면 보석허가결정을 집행하지 못한다(제100조 제1항 전단).

② **선석방 · 후이행 방식**: 제98조 제3호 · 제4호 · 제6호 · 제9호는 보석허가결정 집행 후 이행하여야 할 조건이지만, 법원은 필요하다고 인정하는 때에는 그 이행 이후 보석허가결정을 집행하도록 정할 수 있다(제100조 제1항 후단).

③ **기타**: 법원은 보석청구자 이외의 자에게 보증금의 납입을 허가할 수 있다(제100조 제2항). 법원은 유가증권 또는 피고인 외의 자가 제출한 보증서로써 보증금에 갈음함을 허가할 수 있고, 이 보증서에는 보증금액을 언제든지 납입할 것을 기재하여야 한다(동조 제3항 · 제4항). 법원은 보석허가결정에 따라 석방된 피고인이 보석조건을 준수하는데 필요한 범위 안에서 관공서나 그 밖의 공사단체에 대하여 적절한 조치를 취할 것을 요구할 수 있다(동조 제5항). 19. 법원직 9급

(7) 보석의 실효

보석은 보석의 취소 또는 구속영장의 실효에 의하여 실효된다.

4. 제재 및 보석의 취소

(1) 조건 위반시 제재

① **출석보증인에 대한 제재**: 법원은 **제3자**의 출석보증서(제98조 제5호)의 조건을 정한 보석허가결정에 따라 석방된 피고인이 정당한 사유 없이 기일에 불출석하는 경우에는 결정으로 그 출석보증인에 대하여 **500만원 이하의 과태료**를 부과할 수 있다(제100조의2 제1항)(≪주의 출석보증인에게 과태료 또는 감치를 부과할 수 있다. ×). 14. 경찰채용, 19. 법원직 9급 이 결정에 대하여는 즉시항고를 할 수 있다(동조 제2항).

② **피고인에 대한 제재**: 법원은 **피고인**이 정당한 사유 없이 보석조건을 위반한 경우에는 결정으로 피고인에 대하여 **1천만원 이하의 과태료**를 부과하거나 **20일 이내의 감치**에 처할 수 있다(제102조 제3항). 15. 국가직 9급, 17. 경찰승진, 18. 국가직 7급 이 결정에 대하여는 즉시항고를 할 수 있다(동조 제4항). 15. 국가직 9급, 17. 경찰승진, 18. 국가직 7급

(2) 보석의 취소와 피고인 재구금 절차

① **보석의 취소**: 피고인이 ㉠ **도망**한 때, ㉡ **도망하거나 죄증을 인멸할 염려**가 있다고 믿을만한 충분한 이유가 있는 때, ㉢ 소환을 받고 정당한 이유 없이 **출석하지 아니한 때,** ㉣ 피해자, 당해 사건의 재판에 필요한 사실을 알고 있다고 인정되는 자 또는 그 친족의 생명 · 신체 · 재산에 **해를 가하거나 가할 염려**가 있다고 믿을만한 충분한 이유가 있는 때, ㉤ **법원이 정한 조건을 위반**한 때에는 법원은 직권 또는 검사의 청구에 의하여 결정으로 보석을 취소할 수 있다(제102조 제2항). 15. 국가직 9급

② **피고인 재구금 절차**: 보석이 취소되면 피고인은 다시 구속당한다. 보석취소결정이 있는 때에는 검사는 그 **취소결정등본에 의하여 피고인을 재구금**하여야 한다(규칙 제56조 제1항 본문)(≪주의 보석이 취소되면 다시 구속영장을 발부받아 피고인을 재구금한다. ×). 14. 경찰채용, 18 · 19. 법원직 9급

판례 | 보석취소와 피고인 재구금

보석허가결정의 취소는 그 취소결정을 고지하거나 결정 법원에 대응하는 검찰청 검사에게 결정서를 교부 또는 송달함으로써 즉시 집행할 수 있는 것이고, 그 결정등본이 피고인에게 송달 또는 고지되어야 집행할 수 있는 것은 아니다(대결 1983.4.21, 83모19).

(3) 보증금 등의 몰취와 환부

① 보증금 등의 몰취

㉠ **임의적 몰취 - 판결확정 전**: 법원은 보석을 취소하는 때에는 직권 또는 검사의 청구에 따라 결정으로 보증금 또는 담보의 전부 또는 일부를 몰취할 수 있다(제103조 제1항). 14. 경찰승진, 18. 국가직 9급, 19. 해경채용

> **판례 | 보석보증금 몰수결정은 반드시 보석취소와 동시에 해야 하는지의 여부(소극)**
>
> 보석보증금을 몰수하려면 반드시 보석취소와 동시에 하여야만 가능한 것이 아니라 **보석취소 후에 별도로 보증금몰수결정을 할 수도 있다**[대결 2001.5.29, 2000모22(전합)]. 16. 변호사·국가직 9급

㉡ **필요적 몰취 - 판결확정 후**: 법원은 보증금의 납입 또는 담보제공을 조건으로 석방된 피고인이 동일한 범죄사실에 관하여 형의 선고를 받고 그 판결이 확정된 후 집행하기 위한 소환을 받고 정당한 사유 없이 출석하지 아니하거나 도망한 때에는 직권 또는 검사의 청구에 따라 결정으로 보증금 또는 담보의 전부 또는 일부를 몰취하여야 한다(제103조 제2항). 18. 국가직 9급

② **보증금 등의 환부**: 구속 또는 보석을 취소하거나 구속영장의 효력이 소멸된 때에는 몰취하지 아니한 보증금 또는 담보를 청구한 날로부터 **7일 이내에 환부**하여야 한다(제104조). 14·16. 경찰승진

07 구속의 집행정지, 구속의 취소, 구속의 실효

1. 구속의 집행정지

(1) 의의

구속의 집행정지란 **법원 또는 수사기관**이 상당한 이유가 있는 때에 결정으로 구속된 **피고인·피의자**를 친족, 보호단체 기타 적당한 자에게 부탁하거나 피고인·피의자의 주거를 제한하여 **구속의 집행을 정지**시키는 제도를 말한다(제101조 제1항, 제209조). 보증금 납입 등을 조건으로 하지 않는다는 점에서 보석과 구별된다.

(2) 구속집행정지의 절차

① 피고인에 대한 구속집행정지

㉠ 피고인에 대한 구속집행정지는 법원이 직권으로 행한다. 법원이 피고인에 대하여 구속의 집행정지결정을 함에는 급속을 요하는 경우를 제외하고는 검사의 의견을 물어야 한다(제101조 제2항). 검사는 법원으로부터 구속집행정지에 관한 의견요청이 있을 때에는 의견서와 소송서류 및 증거물을 지체 없이(늦어도 요청을 받은 날의 다음날까지) 법원에 제출하여야 한다(규칙 제54조 제1항). 구속의 집행정지결정에 대하여 검사에게 즉시항고권을 인정하는 제101조 제3항은 헌법에 위반된다는 것이 판례의 입장이다(«주의 구속집행정지결정에 검사는 즉시항고로 불복 할 수 있다. ×). 17. 경찰승진, 18. 법원직 9급

판례 | 구속집행정지결정에 대한 검사의 즉시항고권을 인정한 형사소송법 제101조 제3항이 헌법에 위반되는지의 여부(적극)

구속집행정지결정에 대한 검사의 즉시항고를 인정하는 형사소송법 제101조 제3항은 검사의 불복을 피고인에 대한 구속집행을 정지할 필요가 있다는 법원의 판단보다 우선시킬 뿐만 아니라, 사실상 법원의 구속집행정지결정을 무의미하게 할 수 있는 권한을 검사에게 부여한 것이라는 점에서 **헌법 제12조 제1항의 적법절차 원칙 및 제12조 제3항의 영장주의 원칙에 위배될 뿐만 아니라**, 법원의 판단에 따라 잠시 석방될 필요가 있는 피고인이 검사의 즉시항고에 의하여 석방되지 못하게 되는 불이익보다 구속집행정지된 피고인이 도망하거나 증거를 인멸하는 것을 예방하기 위한 공익이 크다고 할 수 없으므로 **과잉금지원칙에도 위배된다**(헌재 2012.6.27, 2011헌가36).

ⓛ 헌법 제44조에 의하여 구속된 국회의원에 대한 석방요구가 있으면 **당연히 구속영장의 집행이 정지**된다(《주의 국회의원에 대한 석방요구가 있으면 법원은 구속집행정지결정을 한 후 검찰총장은 석방을 지휘한다. ×). 석방요구의 통고를 받은 검찰총장은 즉시 석방을 지휘하고 그 사유를 수소법원에 통지하여야 한다(제101조 제4항 · 제5항).

② **피의자에 대한 구속집행정지**: 피의자에 대한 구속집행정지는 검사 또는 사법경찰관이 직권으로 행한다. 사법경찰관 등의 신청에 따라 구속집행정지를 결정하는 경우에는 구속집행정지결정서에 따른다(검찰사건사무규칙 제86조 제1항)(《주의 피의자에 대한 구속집행정지는 검사는 할 수 있으나 사법경찰관은 할 수 없다. ×).

(3) 구속집행정지의 취소

① **피고인에 대한 구속집행정지의 취소**

㉠ 법원은 피고인이 ⓐ 도망한 때, ⓑ 도망하거나 죄증을 인멸할 염려가 있다고 믿을만한 충분한 이유가 있는 때, ⓒ 소환을 받고 정당한 이유 없이 출석하지 아니한 때, ⓓ 피해자, 당해 사건의 재판에 필요한 사실을 알고 있다고 인정되는 자 또는 그 친족의 생명 · 신체나 재산에 해를 가하거나 가할 염려가 있다고 믿을만한 충분한 이유가 있는 때, ⓔ **법원이 정한 조건**을 위반한 때는 **직권 또는 검사의 청구**가 있는 때에는 결정으로 구속의 집행정지를 취소할 수 있다(제102조 제2항 본문)(《주의 검사가 정한 조건을 위반한 경우 구속의 집행정지를 취소할 수 있다. ×, 보석조건을 위반한 경우 구속의 집행정지를 취소할 수 있다. ×).

ⓛ 국회의원이 국회의 동의에 의해 석방된 경우에는 구속영장의 집행정지는 그 회기 중 취소하지 못한다(제102조 제2항 단서).

② **피의자에 대한 구속집행정지의 취소**: 검사 또는 사법경찰관은 피의자에게 ①과 같은 취소사유가 있을 때에는 구속의 집행정지를 취소할 수 있다(제209조, 제102조 제2항 본문). 다만, 국회의원이 국회의 동의에 의해 석방된 경우에는 구속영장의 집행정지는 그 회기 중 취소하지 못한다(동항 단서).

2. 구속의 취소

(1) 의의

구속의 취소란 법원 또는 수사기관이 구속의 사유가 없거나 소멸된 때에 직권 또는 청구에 의하여 구속된 피고인 또는 피의자를 석방하는 것을 말한다(제93조, 제209조). 14. 경찰승진 **구속의 취소로 구속영장이 실효된다.**

(2) 구속취소의 사유와 절차

① **구속취소의 사유**: 구속취소의 사유는 구속의 사유가 없거나 소멸된 때이다(제93조, 제209조). 주거부정을 이유로 구속한 피고인에게 일정한 주거가 생겼다거나, 증거인멸의 염려를 이유로 구속하였는데 법원이 충분한 증거를 확보하여 더 이상 구속의 필요성이 없는 경우 등이 이에 해당한다.

> **판례 |**
>
> **1 구속영장이 실효된 경우 구속취소를 할 수 있는지의 여부(소극)**
>
> 다른 사유로 **이미 구속영장이 실효된 경우**에는 피고인이 계속 구금되어 있더라도 **구속의 취소결정을 할 수 없다**(대판 1999.9.7, 99초355 · 99도3454).
>
> **2 구속취소 사유에 해당하는 경우**
>
> ① 피고인의 상고가 기각되더라도 **제1심과 항소심판결선고 전 구금일수만으로도 구속을 필요로 하는 본형 형기(징역 1년)를 초과할 것이 명백한 경우**(대결 1991.4.11, 91모25)
> ② 피고인의 상고가 기각되더라도 **제1심과 항소심판결선고 전 구금일수만으로도 본형 형기(징역 6월) 전부에 산입되고도 남는 경우**(대결 1990.9.13, 90모48)
> ③ 피고인에 대한 형이 그대로 확정된다고 **하더라도 잔여형기가 8일 이내이고 또한 피고인의 주거가 일정할 뿐 아니라 증거인멸이나 도망의 염려도 없는 경우**(대결 1983.8.18, 83모42)
>
> **3 구속취소 사유에 해당하지 않는 경우**
>
> ① 항소심이 제1심판결을 파기하고 징역형을 선고하면서 산입한 제1심판결선고 전의 구금일수와 법정통산되는 항소심판결선고 전의 구금일수에 상고제기기간 만료일까지의 **구금일수를 합하여도 항소심의 형기에는 미달되는 경우**(대결 1991.8.9, 91모52)
> ② 체포 · 구금 당시에 헌법 및 형사소송법에 규정된 사항(**체포 · 구금의 이유 및 변호인의 조력을 받을 권리) 등을 고지받지 못하였고**, 그 후의 **구금기간 중 면회거부 등의 처분을 받은 경우**(대결 1991.12.30, 91모76) 18. 국가직 7급

② 구속취소의 절차

㉠ **피고인에 대한 구속취소**: 법원은 구속의 사유가 없거나 소멸된 때에는 직권 또는 검사 · 피고인 · 변호인과 피고인의 법정대리인 · 배우자 · 직계친족 · 형제자매의 청구에 의하여 결정으로 구속을 취소하여야 한다(제93조). 15. 경찰채용, 18. 경찰승진 구속취소에 관한 결정을 함에는 재판장은 검사의 청구에 의하거나 급속을 요하는 경우 외에는 검사의 의견을 물어야 한다(제97조 제1항 · 제2항). 검사는 재판장의 의견요청에 대하여 지체 없이(늦어도 요청을 받은 날의 다음날까지) 의견을 표명하여야 한다(동조 제3항, 규칙 제54조 제1항). **구속취소결정에 대하여 검사는 즉시항고를 할 수 있다**(동조 제4항). 16. 변호사, 17. 경찰승진

㉡ **피의자에 대한 구속취소**: 검사 또는 사법경찰관은 구속의 사유가 없거나 소멸된 때에는 직권 또는 피의자 · 변호인과 피의자의 법정대리인 · 배우자 · 직계친족 · 형제자매의 청구에 의하여 구속을 취소하여야 한다(제209조, 제93조). 검사는 사법경찰관 등의 구속피의자 석방건의서 또는 승인요청서를 접수한 때에는 석방지휘(승인)서에 따라 지휘 또는 승인한다(검찰사건사무규칙 제87조 제2항).

3. 구속의 실효

구속의 실효에는 구속의 취소와 구속의 당연실효가 있다.

(1) 구속의 취소

구속의 취소에 대하여는 앞에서 상술하였다.

(2) 구속의 당연실효

① **구속기간의 만료**: 구속기간이 만료되면 구속영장의 효력은 당연히 상실된다는 것이 통설의 견해이나, 판례는 구속영장의 효력이 당연히 실효되는 것은 아니라고 하여 많은 비판을 받는다.

> **판례 | 구속기간 만료와 구속영장의 효력**
>
> 군법회의법 제132조의 제한을 넘어 구속기간을 갱신한 경우에 있어서도 불법구속한 자에 대하여 형법상·민법상의 책임을 물을 수는 있어도 **구속영장의 효력이 당연히 실효되는 것은 아니다**(대판 1964.11. 17, 64도428).

② 구속영장의 실효

㉠ **무죄·면소·형의 면제·형의 선고유예·형의 집행유예·공소기각 또는 벌금·과료를 과하는 판결이 '선고'**된 때에는 **구속영장은 효력을 잃는다**(제331조). 14. 국가직 9급, 14·15·18. 법원직 9급, 15. 경찰간부 판결선고와 동시에 바로 구속영장의 효력이 상실되므로 그 확정을 기다릴 필요없이 즉시 피고인을 석방시켜야 한다(«주의 관할위반의 경우에도 구속영장의 효력은 상실된다. ×). 관할위반판결은 선고되어도 구속영장의 효력은 유지가 되는 것으로 해석된다.

㉡ **사형 또는 자유형(실형)의 판결이 '확정'**된 때에도 **구속영장의 효력은 상실된다**. 사형·자유형 판결이 확정되면 구속영장은 그 기능을 상실하고 그 이후에는 형집행에 의한 구금이 개시되기 때문이다(«주의 사형 또는 자유형이 선고된 때에 구속영장의 효력은 상실된다. ×).

제3절 압수·수색·검증

대물적 강제처분이란 증거물이나 몰수물의 수집과 보전을 목적으로 하는 강제처분을 말하며 그 직접적 대상이 물건이라는 점에서 대인적 강제처분과 구별된다. 이에는 압수·수색·검증이 있다. 다만, 법원이 행하는 검증은 증거조사의 일종으로 수사상 검증과는 성질을 달리한다. 형사소송법은 법원의 압수·수색·검증에 관한 내용을 규정하고, 이를 수사기관의 압수·수색·검증에 준용하는 형식을 취하고 있다.

01 압수와 수색

1. 의의

(1) 압수

압수란 증거물이나 몰수물의 점유를 취득하는 강제처분을 말한다. 압수에는 압류·영치·제출명령의 세가지가 있다.

① **압류(押留)**: 강제력을 행사하여 유체물의 점유를 점유자 또는 소유자의 의사에 반하여 수사기관 또는 법원에 이전하는 강제처분을 말한다. 좁은 의미의 압수란 바로 압류를 말한다.

② **영치(領置)**: 소유자 등이 임의로 제출한 물건이나 유류한 물건을 반환하지 아니하고 계속하여 점유하는 것을 말한다. 점유취득 과정에서 강제력을 행사하지는 않지만, 일단 영치된 물건은 소유자 등에게 반환하지 않고 법원 또는 수사기관이 강제적으로 계속 점유하므로 이는 강제처분에 해당한다는 것이 통설의 입장이다.

③ **제출명령(提出命令)**: 일정한 물건의 제출을 명하는 법원의 강제처분을 말한다(제106조 제2항). 제출명령에 의하여 지정된 물건이 제출되었을 때에는 당연히 압수의 효력이 발생한다. 제출명령은 상대방에게 제출의무를 부과한다는 점에서 강제처분에 해당하지만, 의무위반에 대한 제재가 없기 때문에 상대방에 이에 응하지 않는 경우 압류(押留)절차에 의하여 목적물의 점유를 취득할 수밖에 없다. 제출명령은 법원만이 할 수 있다. 비록 형사소송법 제219조와 제106조 제2항에 의하여 수사기관도 제출명령을 할 수 있는 것처럼 보이지만 영장주의 원칙상 **수사기관은 제출명령을 할 수 없다**는 것이 통설의 입장이다.

(2) 수색

수색이란 압수할 물건이나 피의자 · 피고인을 발견하기 위하여 사람의 신체 또는 일정한 장소를 뒤지는 강제처분을 말한다. 수색은 주로 압수와 함께 행하여지고 실무상 압수 · 수색영장이라는 단일영장에 의해 행하여지고 있다.

2. 압수 · 수색의 대상

(1) 압수의 대상

압수의 대상은 증거물 또는 몰수할 것으로 사료하는 물건으로 점유가 가능한 유체물이다(제106조 제1항, 제219조). 15. 경찰간부 부동산도 점유가 가능한 유체물이므로 압수의 대상에 포함된다.

판례 | 압수와 몰수의 관계

1 몰수는 반드시 압수되어 있는 물건에 대하여서만 하는 것이 아니므로 **몰수대상 물건이 압수되어 있는가 하는 점 및 적법한 절차에 의하여 압수되었는가 하는 점은 몰수의 요건이 아니라고 할 것**이다(대판 2003.5.30, 2003도705). 15. 국가직 9급, 16. 경찰간부, 19 · 20. 경찰채용

2 피고인의 주거에 대한 압수 · 수색을 실시하여 그 집행을 종료함으로써 압수 · 수색영장이 효력을 상실하였음에도 위 압수 · 수색영장에 기하여 다시 피고인의 주거에 대한 압수 · 수색을 실시하여 **현금 6,000만원을 압수한 것은 위법하지만, 그에 대한 몰수의 효력에는 영향을 미치지 아니한다**(대판 2003.5.30, 2003도705).

3 피고인 소유의 물건으로서 압수되었다가 검찰에 의하여 **피고인에게 환부된 물건**은 피고인이 소지하고 있다 할 것이니(몰수는 압수되어 있는 물건에 대하여서만 하는 것이 아니다) 이를 피고인으로부터 **몰수한 조치는 정당하다**(대판 1977.5.24, 76도4001).

(2) 수색의 대상

수색의 대상은 피고인 · 피의자의 신체 · 물건 또는 주거 기타 장소이다(제109조 제1항, 제219조). 피고인 · 피의자 아닌 자의 신체 · 물건 또는 주거 기타 장소에 관하여는 압수할 물건이 있음을 인정할 수 있는 경우에 한하여 수색할 수 있다(제109조 제2항, 제215조). 15. 경찰간부

3. 압수 · 수색의 요건

(1) 범죄혐의

수사기관은 피의자가 죄를 범하였다고 의심할 만한 정황이 있을 때에 압수 · 수색을 할 수 있다(제215조). 비록 명문의 규정은 없지만 법원의 압수 · 수색의 경우에도 범죄혐의는 당연히 필요한 요건으로 보아야 한다.

(2) 압수 · 수색의 필요성 및 사건과의 관계성

① **법원의 압수 · 수색**: 법원은 필요한 때에는 피고사건과 관계가 있다고 인정할 수 있는 것에 한정하여 증거물 또는 몰수할 것으로 사료하는 물건을 압수하거나, 피고인의 신체 · 물건 또는 주거 기타 장소를 수색할 수 있다(제106조 제1항, 제109조 제1항).

② **수사기관의 압수 · 수색**: 수사기관은 범죄수사에 필요한 때에는 해당 사건과 관계가 있다고 인정할 수 있는 것에 한정하여 압수 · 수색을 할 수 있다(제215조). 17. 국가직 9급

판례 |

1 '범죄수사에 필요한 때'의 의미 등

'**범죄수사에 필요한 때**'라 함은 단지 수사를 위해 필요할 뿐만 아니라 강제처분으로서 **압수를 행하지 않으면 수사의 목적을 달성할 수 없는 경우**를 말하고, 그 필요성이 인정되는 경우에도 무제한적으로 허용되는 것은 아니며, 압수물이 증거물 내지 몰수하여야 할 물건으로 보이는 것이라 하더라도 범죄의 형태나 경중, 압수물의 증거가치 및 중요성, 증거인멸의 우려 유무, 압수로 인하여 피압수자가 받을 불이익의 정도 등 **제반 사정을 종합적으로 고려하여 판단해야 할 것이다**(대결 2004.3.23, 2003모126). 17. 경찰간부

2 필요한 한도를 초과하여 압수가 위법한 경우

원심은 검사가 피의자들의 **폐수무단방류 혐의**가 인정된다는 이유로 피의자들의 **공장부지, 건물, 기계류 일체 및 폐수운반차량 7대에 대하여 한 압수처분**은 수사상의 필요에서 행하는 압수의 본래의 취지를 넘는 것으로 상당성이 없을 뿐만 아니라 **비례성의 원칙에 위배되어 위법하다**고 판단하였는바 원심의 위와 같은 판단은 정당하다(대결 2004.3.23, 2003모126). 15. 경찰채용, 17. 경찰간부

3 압수 · 수색에 있어 '사건과의 관련성'의 의미

[1] 압수 · 수색영장의 범죄 혐의사실과 관계있는 범죄라는 것은 압수 · 수색영장에 기재한 혐의사실과 **객관적 관련성이 있고 압수 · 수색영장 대상자와 피의자 사이에 인적 관련성이 있는 범죄를 의미한다.** [2] 그 중 혐의사실과의 **객관적 관련성**은 압수 · 수색영장에 기재된 **혐의사실 자체** 또는 그와 **기본적 사실관계가 동일한 범행과 직접 관련되어 있는 경우**는 물론 범행 동기와 경위, 범행 수단과 방법, 범행 시간과 장소 등을 증명하기 위한 **간접증거나 정황증거** 등으로 사용될 수 있는 경우에도 인정될 수 있다. 그 관련성은 압수 · 수색영장에 기재된 혐의사실의 내용과 수사의 대상, 수사 경위 등을 종합하여 구체적 · 개별적 연관관계가 있는 경우에만 인정된다고 보아야 하고, 혐의사실과 단순히 **동종 또는 유사 범행이라는 사유만으로 관련성이 있다고 할 것은 아니다.** [3] 그리고 피의자와 사이의 **인적 관련성**은 압수 · 수색영장에 기재된 대상자의 **공동정범이나 교사범 등 공범이나 간접정범**은 물론 **필요적 공범** 등에 대한 피고사건에 대해서도 **인정될 수 있다**(대판 2017.12.5, 2017도13458). 19 · 20. 경찰채용

4 사건과의 관련성을 인정할 수 없는 경우 증거능력을 인정할 수 있는지의 여부(소극)

① 영장 발부의 사유로 된 범죄 혐의사실과 **무관한 별개의 증거를 압수하였을 경우 이는 원칙적으로 유죄 인정의 증거로 사용할 수 없다.** 그러나 압수 · 수색의 목적이 된 범죄나 이와 관련된 범죄의 경우에는 그 압수 · 수색의 결과를 유죄의 증거로 사용할 수 있다(대판 2017.12.5, 2017도13458). 17 · 21. 법원직 9급

② [1] 압수 · 수색은 영장 발부의 사유로 된 범죄 혐의사실과 관련된 증거에 한하여 할 수 있는 것이므로 영장 발부의 사유로 된 범죄 혐의사실과 무관한 별개의 증거를 압수하였을 경우 이는 원칙적으로 유죄 인정의 증거로 사용할 수 없다. [2] 다만 수사기관이 그 별개의 증거를 피압수자 등에게 환부하고 후에 이를 **임의제출받아 다시 압수하였다면 그 증거를 압수한 최초의 절차 위반행위와 최종적인 증거수집 사이의 인과관계가 단절되었다고 평가할 수 있는 사정이 될 수 있으나**, 환부 후 다시 제출하는 과정에서 수사기관의 우월적 지위에 의하여 임의제출의 명목으로 실질적으로 강제적인 압수가 행하여질 수 있으므로 그 **제출에 임의성이 있다는 점**에 관하여는 **검사가 합리적 의심을 배제할 수 있을 정도로 증명하여야 하고**, 임의로 제출된 것이라고 볼 수 없는 경우에는 그 증거능력을 인정할 수 없다(대판 2016.3.10, 2013도11233). 16 · 17 · 20. 국가직 7급, 법원직 9급, 18. 국가직 9급

5 사건과의 관련성을 인정할 수 없어 증거능력이 부정되는 경우

① 압수 · 수색영장의 '압수할 물건'란에 甲의 기부금품의 모집 및 사용에 관한 법률 위반, 업무방해죄, 횡령죄와 관련하여 甲이 소유하거나 보관 중인 물건들이 열거되어 있음에도, 압수한 전자정보가 '청와대 인사안, 청와대 및 행정 각부의 보고서, **대통령 일정 관련 자료, 대통령 말씀자료, 외교관계자료 등'으로서 영장 기재 범죄사실에 대한 직접 또는 간접증거로서의 가치가 있다고 보기 어렵다면 전자정보 출력물은 위법수집증거에 해당하여 유죄의 증거로 쓸 수 없다**(대판 2018.4.26, 2018도2624).

② 압수영장의 발부 사유가 된 혐의사실이 "피고인 甲은 2014년 5월에서 6월 사이 피고인 乙의 선거사무소에서 전화홍보원들에게 선거운동과 관련하여 금품을 제공하였다."는 것임에도 불구하고 그 영장을 통하여 압수한 증거물이 '2012년 8월에서 2013년 11월 사이 피고인 甲, 乙, 丙 등이 대전미래경제연구포럼을 설립 · 운영하고 회비를 조성한 것과 관련하여 유사기관 설치와 사전선거운동으로 인한 공직선거법 위반, 정치자금법 위반의 혐의'와 관련이 있는 것이라면 압수영장으로 압수한 증거물은 압수영장 발부의 사유가 된 **범죄 혐의사실과 관련이 없으므로 이들은 유죄 인정의 증거로 사용할 수 없다**(대판 2017.11.14, 2017도3449).

③ 수사관들이(집행현장에서 혐의사실과 관련된 부분만을 문서로 출력하거나 수사기관이 휴대한 저장매체에 복사하는 것이 현저히 곤란한 상황이어서) 압수 · 수색영장 기재에 따라 외장 하드디스크 자체를 수사기관 사무실로 반출한 후, 영장에 기재된 범죄혐의와 관련된 전자정보를 탐색하여 해당 전자정보만을 출력 또는 복사하는 것을 넘어, 위 범죄혐의와 자금 조성의 주체 · 목적 · 시기 · 방법 등이 **전혀 다른 전자정보인 인센티브 보너스 추가지급 관련 전산자료까지 출력한 후, 이를 제시하면서 관련자들을 조사하여 진술을 받아낸 경우**, 전산자료 출력물은 증거능력이 없는 **위법수집증거에 해당하고**, 이러한 위법수집증거를 제시하여 수집된 관련자들의 진술 등도 위법수집증거에 기한 2차적 증거에 해당하므로 증거능력이 부정된다(대판 2014.2.27, 2013도12155).

④ '피의자: 甲, 압수할 물건: 乙이 소지하고 있는 휴대전화 등, 범죄사실: 甲은 공천과 관련하여 **새누리당 공천심사위원**에게 돈 봉투를 제공하였다 등'이라고 기재된 압수 · 수색영장에 의하여 검찰청 수사관이 乙의 주거지에서 그의 휴대전화를 압수하고 그 휴대전화에서 추출한 전자정보를 분석하던 중 피고인 乙, 丙 사이의 대화가 녹음된 녹음파일을 통하여 피고인들에 대한 공직선거법 위반의 혐의점을 발견하고 수사를 개시하였으나, **피고인들로부터 녹음파일을 임의로 제출받거나 새로운 압수 · 수색영장을 발부받지 아니한 경우**, 그 녹음파일은 압수 · 수색영장에 의하여 압수할 수 있는 물건 내지 전자정보로 볼 수 없으므로(형사소송법 제215조 제1항에 규정된 '해당사건'과 관계가 있다고 인정할 수 있는 것에 해당한다고 할 수 없으므로) **피고인들의 공소사실**(피고인 乙, 丙 사이의 정당 후보자 추천 및 선거운동 관련 대가제공 요구 및 약속 범행)**에 대해서는 증거능력이 부정된다**(대판 2014.1.16, 2013도7101). 14 · 15. 국가직 9급, 15. 변호사 · 경찰승진, 15 · 16 · 20. 경찰채용, 17. 경찰간부 · 법원직 9급

⑤ 검찰청 수사관이 2009.2.6.자 압수·수색영장에 의하여 甲으로부터 'PC 1대, 서류 23박스, 매입·매출 등 전산자료 저장 USB 1개 등'을 압수하였으나 그 압수물들이 영장 기재 혐의사실과 무관한 것임에도(또한 압수목록을 작성·교부하지 않았고 압수조서도 작성하지 않았음), 검사는 甲에게 반환하는 등의 조치를 취하지 않고 보유하고 있다가 2009.5.1.에 이르러 피고인 丙의 동생 乙을 검사실로 불러 '일시 보관 서류 등의 목록', '압수물건 수령서 및 승낙서'를 작성하게 한 다음(이 서류에는 USB는 기재되어 있지 않았음) 당시 검사실로 오게 한 세무공무원 丁에게 이를 제출하도록 한 경우, 설령 乙이 USB를 세무공무원에게 제출하였다고 하더라도 그 제출에 임의성이 있는지가 증명되었다고 할 수 없다면 乙이 압수물건 수령서 및 승낙서를 제출하였다는 사정만으로 영장 기재 혐의사실과 무관한 USB가 압수되었다는 절차위반행위와 최종적인 증거수집 사이의 인과관계가 단절되었다고 보기 어려워 **USB 및 그에 저장되어 있던 영업실적표는 증거능력이 없다**(대판 2016.3.10, 2013도11233).

4. 압수·수색의 제한

(1) 비밀의 압수·수색 제한

① **군사상 비밀**: 군사상 비밀을 요하는 장소는 그 책임자의 승낙 없이는 압수·수색할 수 없다. 이 경우 책임자는 **국가의 중대한 이익을 해하는 경우를 제외하고는 승낙을 거부하지 못한다**(제110조, 제219조).

② **공무상 비밀**: 공무원 또는 공무원이었던 자가 소지 또는 보관하는 물건에 관하여는 본인 또는 그 해당 공무소가 직무상의 **비밀에 관한 것임을 신고**한 때에는 그 소속 공무소 또는 당해 감독관공서의 승낙 없이는 압수하지 못한다. 소속 공무소 또는 당해 감독관공서는 **국가의 중대한 이익을 해하는 경우를 제외하고는 승낙을 거부하지 못한다**(제111조, 제219조).

③ **업무상 비밀**: 변호사·변리사·공증인·공인회계사·세무사·대서업자·의사·한의사·치과의사·약사·약종상·조산사·간호사·종교의 직에 있는 자 또는 이러한 직에 있던 자가 그 업무상 위탁을 받아 소지 또는 보관하는 물건으로 타인의 비밀에 관한 것은 압수를 거부할 수 있다. 단, 그 **타인의 승낙이 있거나 중대한 공익상 필요가 있는 때에는 예외로 한다**(제112조, 제219조)(«주의 중대한 공익상 필요가 있는 경우에도 압수를 거부할 수 있다. ×).

(2) 정보 및 우체물의 압수·수색 제한

검사와 사법경찰관의 상호협력과 일반적 수사준칙에 관한 규정

제41조【전자정보의 압수·수색 또는 검증 방법】 ① 검사 또는 사법경찰관은 법 제219조에서 준용하는 법 제106조 제3항에 따라 컴퓨터용디스크 및 그 밖에 이와 비슷한 정보저장매체(이하 이 항에서 '정보저장매체 등'이라 한다)에 기억된 정보(이하 '전자정보'라 한다)를 압수하는 경우에는 해당 정보저장매체 등의 소재지에서 수색 또는 검증한 후 **범죄사실과 관련된 전자정보의 범위를 정하여 출력하거나 복제하는 방법으로 한다**.

② 제1항에도 불구하고 제1항에 따른 압수 방법의 실행이 불가능하거나 그 방법으로는 압수의 목적을 달성하는 것이 현저히 곤란한 경우에는 압수·수색 또는 검증 현장에서 정보저장매체 등에 들어 있는 전자정보 전부를 복제하여 그 **복제본을 정보저장매체 등의 소재지 외의 장소로 반출할 수 있다**.

③ 제1항 및 제2항에도 불구하고 제1항 및 제2항에 따른 **압수 방법의 실행이 불가능하거나 그 방법으로는 압수의 목적을 달성하는 것이 현저히 곤란한 경우에는** 피압수자 또는 법 제123조에 따라 압수·수색영장을 집행할 때 참여하게 해야 하는 사람(이하 '피압수자 등'이라 한다)이 참여한 상태에서 정보저장매체 등의 **원본을 봉인(封印)하여 정보저장매체 등의 소재지 외의 장소로 반출할 수 있다**.

제42조 【전자정보의 압수 · 수색 또는 검증 시 유의사항】 ① 검사 또는 사법경찰관은 전자정보의 탐색 · 복제 · 출력을 완료한 경우에는 지체 없이 피압수자 등에게 압수한 전자정보의 목록을 교부해야 한다.
② 검사 또는 사법경찰관은 제1항의 목록에 포함되지 않은 전자정보가 있는 경우에는 해당 전자정보를 지체 없이 삭제 또는 폐기하거나 반환해야 한다. 이 경우 삭제 · 폐기 또는 반환확인서를 작성하여 피압수자 등에게 교부해야 한다.
③ 검사 또는 사법경찰관은 전자정보의 복제본을 취득하거나 전자정보를 복제할 때에는 해시값(파일의 고유값으로서 일종의 전자지문을 말한다)을 확인하거나 압수 · 수색 또는 검증의 과정을 촬영하는 등 **전자적 증거의 동일성과 무결성(無缺性)을 보장할 수 있는 적절한 방법과 조치를 취해야 한다.**
④ 검사 또는 사법경찰관은 압수 · 수색 또는 검증의 **전 과정에 걸쳐 피압수자 등이나 변호인의 참여권을 보장해야 하며,** 피압수자 등과 변호인이 참여를 거부하는 경우에는 신뢰성과 전문성을 담보할 수 있는 상당한 방법으로 압수 · 수색 또는 검증을 해야 한다.
⑤ 검사 또는 사법경찰관은 제4항에 따라 참여한 피압수자 등이나 변호인이 압수 대상 전자정보와 사건의 관련성에 관하여 의견을 제시한 때에는 이를 조서에 적어야 한다.

① **컴퓨터저장 정보의 압수**: 법원 또는 수사기관은 압수의 목적물이 **컴퓨터용디스크 그 밖에 이와 비슷한 정보저장매체**인 경우에는 기억된 정보의 **범위를 정하여 출력하거나 복제하여 제출**받아야 한다. 다만, 범위를 정하여 출력 또는 복제하는 방법이 불가능하거나 압수의 목적을 달성하기에 현저히 곤란하다고 인정되는 때에는 정보저장매체 등을 압수할 수 있다(제106조 제3항, 제219조) 19. 경찰채용 (《주의 원칙적으로 저장매체 자체를 수사기관 사무실로 옮긴다. ×). 법원 또는 수사기관은 정보를 제공받은 경우 개인정보보호법에 따른 정보주체에게 해당 사실을 지체 없이 알려야 한다(제106조 제4항, 제219조). 컴퓨터용디스크 그 밖에 이와 비슷한 정보저장매체에 기억된 문자정보를 증거자료로 하는 경우에는 읽을 수 있도록 출력하여 인증한 등본을 낼 수 있다. 컴퓨터디스크 등에 기억된 문자정보를 증거로 하는 경우에 증거조사를 신청한 당사자는 법원이 명하거나 상대방이 요구한 때에는 컴퓨터디스크 등에 입력한 사람과 입력한 일시, 출력한 사람과 출력한 일시를 밝혀야 한다(규칙 제134조의7 제1항 · 제2항).

판례 | 전자정보(컴퓨터 파일 등)에 대한 압수 · 수색영장 집행의 적법성 인정요건

1 [1] 전자정보에 대한 압수 · 수색에 있어 그 저장매체 자체를 외부로 반출하거나 하드카피 · 이미징 등의 형태로 복제본을 만들어 외부에서 그 저장매체나 복제본에 대하여 압수 · 수색이 허용되는 예외적인 경우에도 혐의사실과 관련된 전자정보 이외에 이와 **무관한 전자정보를 탐색 · 복제 · 출력하는 것은 원칙적으로 위법한 압수 · 수색에 해당하므로 허용될 수 없다.** [2] 그러나 전자정보에 대한 압수 · 수색이 종료되기 전에 혐의사실과 관련된 전자정보를 적법하게 탐색하는 과정에서 **별도의 범죄혐의와 관련된 전자정보를 우연히 발견한 경우라면,** 수사기관으로서는 더 이상의 추가 탐색을 중단하고 법원으로부터 **별도의 범죄혐의에 대한 압수 · 수색영장을 발부받은 경우에 한하여 그러한 정보에 대하여도 적법하게 압수 · 수색을 할 수 있다.** 나아가 이러 경우에도 별도의 압수 · 수색 절차는 최초의 압수 · 수색 절차와 구별되는 별개의 절차이고, 별도 범죄혐의와 관련된 전자정보는 최초의 압수 · 수색영장에 의한 압수 · 수색의 대상이 아니어서 저장매체의 원래 소재지에서 별도의 압수 · 수색영장에 기해 압수 · 수색을 진행하는 경우와 마찬가지로 **피압수자는 최초의 압수 · 수색 이전부터 해당 전자정보를 관리하고 있던 자라 할 것이므로, 특별한 사정이 없는 한 그 피압수자에게 형사소송법 제219조, 제121조, 제129조에 따라 참여권을 보장하고 압수한 전자정보 목록을 교부하는 등 피압수자의 이익을 보호하기 위한 적절한 조치가 이루어져야 한다.** [3] 준항고인이 전체 압수 · 수색 과정을 단계적 · 개별적으로 구분하여 **각 단계의 개별 처분의 취소를 구하더라도 준항고법원은 특별한 사정이 없는 한 구분된 개별 처분의 위법이나 취소 여부를 판단할 것이 아니라 당해 압수 · 수색 과**

정 전체를 하나의 절차로 파악하여 그 과정에서 나타난 위법이 압수·수색 절차 전체를 위법하게 할 정도로 중대한지 여부에 따라 전체적으로 압수·수색 처분을 취소할 것인지를 가려야 한다. 여기서 위법의 중대성은 위반한 절차조항의 취지, 전체과정 중에서 위반행위가 발생한 과정의 중요도, 위반사항에 의한 법익침해 가능성의 경중 등을 종합하여 판단하여야 한다[대결 2015.7.19, 2011모1839(전합)]. 14·15·19. 변호사, 15·18. 경찰승진, 15·16·17·19·20. 경찰채용, 16·21. 법원직 9급, 16. 국가직 7급, 16·20. 국가직 9급

2 [1] 전자정보에 대한 압수·수색영장의 집행에 있어서는 원칙적으로 **영장 발부의 사유로 된 혐의사실과 관련된 부분만을 문서 출력물로 수집하거나 수사기관이 휴대한 저장매체에 해당 파일을 복사하는 방식으로 이루어져야 하고,** 집행현장의 사정상 위와 같은 방식에 의한 집행이 불가능하거나 현저히 곤란한 부득이한 사정이 존재하더라도 그와 같은 경우에 그 저장매체 자체를 직접 혹은 하드카피나 이미징 등 형태로 수사기관 사무실 등 외부로 반출하여 해당 파일을 압수·수색할 수 있도록 영장에 기재되어 있고 실제 그와 같은 사정이 발생한 때에 한하여 예외적으로 허용될 수 있을 뿐이다. [2] 나아가 **이처럼 저장매체 자체를 수사기관 사무실 등으로 옮긴 후 영장에 기재된 범죄혐의 관련 전자정보를 탐색하여 해당 전자정보**를 문서로 출력하거나 파일을 복사하는 과정 역시 전체적으로 압수·수색영장 집행의 일환에 포함된다고 보아야 한다. 따라서 그러한 경우의 **문서출력 또는 파일복사의 대상 역시 혐의사실과 관련된 부분으로 한정**되어야 함은 헌법 제12조 제1항·제3항, 형사소송법 제114조, 제215조의 적법절차 및 영장주의의 원칙상 당연하다. 그러므로 수사기관 사무실 등으로 옮긴 **저장매체에서 범죄혐의와의 관련성에 대한 구분 없이 저장된 전자정보 중 임의로 문서출력 혹은 파일복사를 하는 행위는 특별한 사정이 없는 한 영장주의 등 원칙에 반하는 위법한 집행이 된다**(대결 2011.5.26, 2009모1190). 14·15. 변호사, 15·18. 경찰승진, 15·16·17. 경찰채용, 16. 법원직 9급·국가직 7급·국가직 9급, 19. 경찰간부

② **우체물의 압수**: 법원 또는 수사기관은 우체물 또는 전기통신에 관한 것으로서 필요한 때에는 피고사건(피의사건)과 관계가 있다고 인정할 수 있는 것에 한정하여 체신관서 기타 관련기관 등이 소지 또는 보관하는 물건의 제출을 명하거나 압수를 할 수 있다(제107조 제1항, 제219조). 이러한 처분을 할 때에는 발신인이나 수신인에게 그 취지를 통지하여야 한다. 단, 심리에 방해될 염려가 있는 경우에는 예외로 한다(제107조 제3항, 제219조).

판례 |

[1] 피의자의 컴퓨터 등 정보처리장치 내에 저장된 이메일 등 전자정보에 대한 압수·수색이 허용되는지의 여부(적극)

㉠ **인터넷서비스이용자**는 인터넷서비스제공자와 체결한 서비스이용계약에 따라 그 인터넷서비스를 이용하여 개설한 이메일 계정과 관련 서버에 대한 접속권한을 가지고, 해당 이메일 계정에서 생성한 이메일 등 전자정보에 관한 작성·수정·열람·관리 등의 처분권한을 가지며, 전자정보의 내용에 관하여 사생활의 비밀과 자유 등의 권리보호이익을 가지는 주체로서 **해당 전자정보의 소유자 내지 소지자라고 할 수 있다. 또한 인터넷서비스제공자**는 서비스이용약관에 따라 전자정보가 저장된 서버의 유지·관리책임을 부담하고, 해당 서버 접속을 위해 **입력된 아이디와 비밀번호 등이 인터넷서비스이용자가 등록한 것과 일치하면** 접속하려는 자가 인터넷서비스이용자인지 여부를 확인하지 아니하고 접속을 허용하여 해당 **전자정보를 정보통신망으로 연결되어 있는 컴퓨터 등 다른 정보처리장치로 이전, 복제 등을 할 수 있도록 하는 것이 일반적이다.** ㉡ 따라서 수사기관이 인터넷서비스이용자인 피의자를 상대로 피의자의 **컴퓨터 등 정보처리장치 내에 저장되어 있는 이메일 등 전자정보를 압수·수색하는 것은 전자정보의 소유자 내지 소지자를 상대로 해당 전자정보를 압수·수색하는 대물적 강제처분으로 허용된다.** 18·19. 경찰채용, 19. 변호사

[2] 이메일 등 전자정보가 수색장소에 있는 컴퓨터 등 정보처리장치 내에 있지 않고 원격지(遠隔地) 서버 등의 저장매체에 저장되어 있는 경우에도 이메일 등 전자정보에 대한 압수 · 수색이 허용되는지의 여부(적극)

압수 · 수색할 전자정보가 압수 · 수색영장에 기재된 수색장소에 있는 컴퓨터 등 정보처리장치 내에 있지 아니하고 그 정보처리장치와 정보통신망으로 연결되어 제3자가 관리하는 **원격지의 서버 등 저장매체에 저장되어 있는 경우에**도, 수사기관이 피의자의 이메일 계정에 대한 접근권한에 갈음하여 발부받은 영장에 따라 영장 기재 수색장소에 있는 컴퓨터 등 정보처리장치를 이용하여 적법하게 취득한 피의자의 이메일 계정 아이디와 비밀번호를 입력하는 등 **피의자가 접근하는 통상적인 방법에 따라 그 원격지의 저장매체에 접속하고 그곳에 저장되어 있는 피의자의 이메일 관련 전자정보를 수색장소의 정보처리장치로 내려받거나 그 화면에 현출시키는 것 역시**(이는 형사소송법 제120조 제1항에서 정한 '압수 · 수색영장의 집행에 필요한 처분'에 해당한다) **피의자의 소유에 속하거나 소지하는 전자정보를 대상으로 이루어지는 것이므로 그 전자정보에 대한 압수 · 수색도 허용되고,** 이는 원격지의 저장매체가 국외에 있는 경우라 하더라도 달리 볼 것은 아니다. 18 · 19. 경찰채용

[3] 적법한 원격지 이메일 압수 · 수색에 해당하는 경우

수사기관이 압수 · 수색영장에 따라 피의자와 변호인에게 영장을 제시하여 참여의 기회를 부여하고, **압수 · 수색영장에 기재된 수색장소인 한국인터넷진흥원에 설치된 인터넷용 컴퓨터에서** 한국인터넷진흥원 소속 직원인 전문가와 일반인 포렌식 전문가가 참여 · 입회한 가운데 외국계 이메일 홈페이지 로그인 입력창에 사전에 적법하게 취득한 아이디와 비밀번호를 입력하여 **피의자가 이용하는 외국계 이메일 계정에 접속한 후** 위 컴퓨터 화면에 현출된 **이메일 본문 및 첨부문서 중 범죄 혐의사실과 관련된 부분만을 출력하거나 캡처, 저장하는 등의 방법으로 선별 압수 · 수색한 것은 적법하다**(대판 2017.11.29, 2017도9747 **원격 이메일 압수 · 수색 사건**). 20. 경찰채용, 21. 경찰간부

5. 압수 · 수색의 절차

(1) 영장의 발부

① 영장의 발부

㉠ **법원의 압수 · 수색**: 법원의 공판정 내에서의 압수 · 수색은 영장이 필요 없으나 공판정 외에서의 압수 · 수색은 영장을 요한다(제113조). 19. 경찰간부 법원은 압수 · 수색을 합의부원에게 명할 수 있고 그 목적물의 소재지를 관할하는 지방법원판사에게 촉탁할 수 있다(제136조 제1항).

㉡ **수사기관의 압수 · 수색**: 검사는 범죄수사에 필요한 때에는 피의자가 죄를 범하였다고 의심할만한 정황이 있고 해당 사건과 관계가 있다고 인정할 수 있는 것에 한정하여 지방법원판사에게 청구하여 발부받은 영장에 의하여 압수 · 수색을 할 수 있다(제215조 제1항). 17. 국가직 9급 사법경찰관은 검사에게 신청하고 검사의 청구로 지방법원판사가 발부한 영장에 의하여 압수 · 수색을 할 수 있다(동조 제2항).

판례 | 지방법원판사의 압수영장 발부재판에 대하여 불복할 수 있는지의 여부(소극)

지방법원판사가 한 압수영장발부의 재판에 대하여는 준항고로 불복할 수 없고 나아가 형사소송법 제402조, 제403조에서 규정하는 항고는 법원이 한 결정을 그 대상으로 하는 것이므로 법원의 결정이 아닌 지방법원판사가 한 압수영장발부의 재판에 대하여 그와 같은 **항고의 방법으로도 불복할 수 없다**(대결 1997.9.29, 97모66). 16. 변호사, 18 경찰채용

② **압수·수색과 영장주의**: 압수·수색의 대상물은 특정되어야 하며 이것이 특정되지 않고 막연히 '피고인이 소유하는 전체물건' 식의 **일반영장(一般令狀)은 무효**이다. 19. 경찰간부 영장의 유효기간 내일지라도 **동일한 영장으로 수회 같은 장소에서 압수·수색을 할 수 없다**. 또한 영장에 기재된 사실과 별개의 사실에 대하여 영장을 유용할 수 없고 이른바 별건 압수·수색도 금지된다.

판례 |

1 다시 압수·수색을 할 수 없는 경우

수사기관이 압수·수색영장을 제시하고 집행에 착수하여 압수·수색을 실시하고 그 집행을 종료하였다면 이미 그 영장은 목적을 달성하여 효력이 상실되는 것이고, 동일한 장소 또는 목적물에 대하여 다시 압수·수색할 필요가 있는 경우라면 그 필요성을 소명하여 법원으로부터 새로운 압수·수색영장을 발부 받아야 하는 것이지, 앞서 발부 받은 **압수·수색영장의 유효기간이 남아있다고 하여 이를 제시하고 다시 압수·수색을 할 수는 없다**(대결 1999.12.1, 99모161). 14·18·20. 경찰채용, 15·19. 경찰간부, 16·17·19. 변호사, 16·17·18. 경찰승진, 17. 국가직 7급·국가직 9급

2 다시 압수·수색을 할 수 있는 경우

압수·수색·검증영장의 **'압수·수색·검증할 장소 및 신체'란에 피고인의 주거지와 피고인의 신체 등이 기재**되어 있으므로, 비록 영장이 제시되어 **피고인의 신체에 대한 압수·수색이 종료**되었다고 하더라도, 국가정보원 수사관들이 영장에 의하여 **피고인의 주거지에 대한 압수·수색을 집행한 조치는 위법한 것이라 할 수 없다**(대판 2013.7.26, 2013도2511).

③ 영장의 기재사항

㉠ 압수·수색영장에는 피고인(피의자)의 성명·죄명·압수할 물건·수색할 장소·신체·물건·발부년월일·유효기간과 그 기간을 경과하면 집행에 착수하지 못하며 영장을 반환하여야 한다는 취지 등을 기재하고 재판장 또는 수명법관(지방법원판사)이 서명날인하여야 한다. 다만, 압수·수색할 물건이 전기통신에 관한 것인 경우에는 작성기간을 기재하여야 한다(제114조 제1항, 제219조). 14. 경찰간부, 16. 경찰승진

㉡ 압수·수색영장의 유효기간은 **7일**로 한다. 다만, 법원 또는 법관이 상당하다고 인정하는 때에는 **7일을 넘는 기간을 정할 수 있다**(규칙 제178조).

판례 | 압수·수색영장에 압수대상물을 압수·수색 장소에 '보관 중인' 물건으로 기재한 경우, 이를 '현존하는'이라고 해석할 수 있는지의 여부(소극)

법관이 압수·수색영장을 발부하면서 '압수할 물건'을 특정하기 위하여 기재한 문언은 이를 엄격하게 해석하여야 하고 함부로 피압수자 등에게 불리한 내용으로 확장 또는 유추 해석하는 것은 허용될 수 없다. 압수·수색영장에서 압수할 물건을 **'압수장소에 보관 중인 물건'**이라고 기재하고 있는 것을 **'압수장소에 현존하는 물건'으로 해석할 수 없다**(대판 2009.3.12, 2008도763). 14. 변호사, 14·16·18. 경찰채용, 14·17·18. 경찰승진, 14·18. 경찰간부

(2) 영장의 집행

① **집행기관**: 압수·수색영장은 검사의 지휘에 의하여 사법경찰관리가 집행한다. 단, 필요한 경우에는 재판장은 법원사무관 등에게 그 집행을 명할 수 있다(제219조, 제115조 제1항). 법원사무관 등은 압수·수색영장의 집행에 관하여 필요한 때에는 사법경찰관리에게 보조를 구할 수 있다(제117조).

② 집행방법

검사와 사법경찰관의 상호협력과 일반적 수사준칙에 관한 규정

제38조【압수 · 수색 또는 검증영장의 제시】 ① 검사 또는 사법경찰관은 법 제219조에서 준용하는 법 제118조에 따라 영장을 제시할 때에는 피압수자에게 법관이 발부한 영장에 따른 압수 · 수색 또는 검증이라는 사실과 영장에 기재된 범죄사실 및 수색 또는 검증할 장소 · 신체 · 물건, 압수할 물건 등을 명확히 알리고, **피압수자가 해당 영장을 열람할 수 있도록 해야 한다.**
② 압수 · 수색 또는 검증의 **처분을 받는 자가 여럿인 경우에는 모두에게 개별적으로 영장을 제시해야 한다.**

제39조【압수 · 수색 또는 검증영장의 재청구 · 재신청 등】 압수 · 수색 또는 검증영장의 재청구 · 재신청(압수 · 수색 또는 검증영장의 청구 또는 신청이 기각된 후 다시 압수 · 수색 또는 검증영장을 청구하거나 신청하는 경우와 이미 발부받은 압수 · 수색 또는 검증영장과 동일한 범죄사실로 다시 압수 · 수색 또는 검증영장을 청구하거나 신청하는 경우를 말한다)과 반환에 관해서는 제31조(**체포 · 구속영장의 재청구 · 재신청**) 및 제35조(**체포 · 구속영장의 반환**)를 준용한다.

제40조【압수조서와 압수목록】 검사 또는 사법경찰관은 증거물 또는 몰수할 물건을 압수했을 때에는 압수의 일시 · 장소, 압수 경위 등을 적은 압수조서와 압수물건의 품종 · 수량 등을 적은 압수목록을 작성해야 한다. 다만, 피의자신문조서, 진술조서, 검증조서에 압수의 취지를 적은 경우에는 그렇지 않다.

㉠ 압수 · 수색영장의 집행에 있어서는 타인의 비밀을 보지(保持)하여야 하며 처분받은 자의 명예를 해하지 아니하도록 주의하여야 한다(제116조).

㉡ 영장은 처분을 받는 자에게 **반드시 사전에 제시**하여야 한다(제118조, 제219조)(《주의 급속을 요하는 경우에는 집행 후에 압수 · 수색영장을 제시할 수 있다. ×). 14. 경찰채용, 14 · 15. 경찰승진, 경찰간부 따라서 체포 · 구속영장의 집행시 인정되는 긴급집행은 압수 · 수색영장의 집행에서는 인정되지 아니한다.

판례 |

1 압수 · 수색영장의 제시 방법

① 압수 · 수색영장을 집행하는 수사기관은 피압수자로 하여금 법관이 발부한 영장에 의한 압수 · 수색이라는 사실을 확인함과 동시에 형사소송법이 **압수 · 수색영장에 필요적으로 기재하도록 정한 사항이나 그와 일체를 이루는 사항을 충분히 알 수 있도록 압수 · 수색영장을 제시하여야 한다**(대판 2017.9.21, 2015도12400). 19 · 21. 경찰채용, 20. 경찰간부 · 경찰승진

② 압수 · 수색영장은 처분을 받는 자에게 반드시 제시하여야 하는바, 현장에서 압수 · 수색을 당하는 사람이 여러 명일 경우에는 그 사람들 모두에게 **개별적으로 영장을 제시해야 하는 것이 원칙**이고, 수사기관이 압수 · 수색에 착수하면서 그 장소의 **관리책임자에게 영장을 제시하였다고 하더라도** 물건을 소지하고 있는 다른 사람으로부터 이를 **압수하고자 하는 때에는 그 사람에게 따로 영장을 제시하여야 한다**(대판 2009.3.12, 2008도763). 14 · 18. 경찰간부, 14 · 16 · 17. 국가직 9급, 14 · 15 · 16 · 18. 경찰채용, 15 · 17 · 18. 경찰승진, 16. 국가직 7급, 17. 변호사

2 적법하게 압수·수색영장을 제시하지 않아 증거능력이 부정되는 경우

① 사법경찰관이 피압수자인 乙(보은군수 甲의 비서실장)에게 압수·수색영장을 제시하면서 표지에 해당하는 **첫 페이지와 乙의 혐의사실이 기재된 부분만을 보여주고**, 영장의 내용 중 압수·수색·검증할 물건, 압수·수색·검증할 장소, 압수·수색·검증을 필요로 하는 사유, 압수대상 및 방법의 제한 등 필요적 기재 사항 및 그와 일체를 이루는 부분을 확인하지 못하게 한 것은 적법한 압수·수색영장의 제시라고 볼 수 없어, 이에 따라 압수된 동향보고 서류와 乙의 휴대전화 출력물은 **적법한 절차에 따르지 아니하고 수집된 증거로서 증거능력이 없다**(대판 2017.9.21, 2015도12400). 19. 변호사

② 수사기관이 이메일에 대한 압수·수색영장을 집행할 당시 피압수자인 네이버 주식회사에 팩스로 영장 사본을 송신했을 뿐 그 원본을 제시하지 않았고, 압수조서와 압수물 목록을 작성하여 피압수·수색 당사자에게 교부하였다고 볼 수 없는 경우, 이러한 방법으로 압수된 이메일은 **위법수집 증거로 원칙적으로 유죄의 증거로 삼을 수 없다**(대판 2017.9.7, 2015도10648). 19. 변호사, 21. 경찰간부

3 압수·수색영장을 제시하지 않은 것이 위법하지 않은 경우

형사소송법 제219조가 준용하는 제118조는 '압수·수색영장은 처분을 받는 자에게 **반드시 제시하여야 한다'고 규정하고 있으나, 이는 영장제시가 현실적으로 가능한 상황을 전제로 한 규정으로 보아야 하고**, 피처분자가 현장에 없거나 현장에서 그를 발견할 수 없는 경우 등 영장제시가 현실적으로 불가능한 경우에는 **영장을 제시하지 아니한 채 압수·수색을 하더라도 위법하다고 볼 수 없다**[대판 2015.1.22, 2014도10978(전합)]. 15·18·20. 경찰채용, 16·17. 변호사, 16·17·18·19. 경찰승진, 16·18. 경찰간부

4 영장주의의 예외에 해당하는 경우에도 영장을 제시해야 하는지의 여부(소극)

압수·수색영장의 제시에 관한 형사소송법 제118조는 사후에 영장을 받아야 하는 경우에 관한 형사소송법 제216조 등에 대하여는 **적용되지 아니한다**(대판 2014.9.4, 2014도3263).

③ 당사자와 책임자 등의 참여

㉠ **서기관·서기 등의 참여**: 법원이 압수·수색을 할 때에는 법원사무관 등을 참여하게 하여야 하고, 법원사무관 등 또는 사법경찰관리가 압수·수색영장에 의하여 압수수색을 할 때에는 다른 법원사무관 등 또는 사법경찰관리를 참여하게 하여야 한다(규칙 제60조). 검사가 압수·수색을 함에는 검찰청수사관 또는 서기관이나 서기를 참여하게 하여야 하고, 사법경찰관이 압수·수색을 함에는 사법경찰관리를 참여하게 하여야 한다(규칙 제110조, 법 제243조).

㉡ **당사자의 참여**: 검사·피의자·피고인·변호인은 압수·수색영장의 집행에 참여할 수 있다(제121조, 제219조). 14. 경찰채용 압수·수색영장을 집행함에는 미리 집행의 일시와 장소를 이들에게 통지하여야 한다. 다만, **당사자가 참여하지 아니한다는 의사를 명시한 때** 또는 **급속을 요하는 때에는 예외**로 한다(제122조, 제219조)(《주의 급속을 요하는 경우 통지하지 않을 수 있다는 형사소송법 제122조 단서는 명확성 원칙에 위배되어 위헌이다. ×).

㉢ **책임자 등의 참여**: 공무소, 군사용의 항공기 또는 선차 내에서 압수·수색영장을 집행함에는 그 책임자에게 참여할 것을 통지하여야 한다(제123조 제1항, 제219조). 기타 타인의 주거·간수자 있는 가옥·건조물·항공기 또는 선차 내에서 압수·수색영장을 집행함에는 주거주 등을 참여하게 하여야 한다(제123조 제2항, 제219조). 이상의 자를 참여하게 하지 못할 때에는 **인거인(隣居人) 또는 지방공공단체의 직원을 참여**하게 하여야 한다(제123조 제3항, 제219조)(《주의 동행한 경찰관을 참여하게 하여 압수·수색할 수 있다. ×).

판례 |

1 **전자정보 압수 후에 별도로 피압수자 측에게 참여의 기회를 보장해 주어야 하는지의 여부(소극)**
수사기관이 정보저장매체에 기억된 정보 중에서 키워드 또는 확장자 검색 등을 통해 **범죄 혐의사실과 관련 있는 정보를 선별한 다음** 정보저장매체와 동일하게 비트열 방식으로 복제하여 생성한 파일(이하 '이미지 파일'이라 한다)을 제출받아 압수하였다면 이로써 압수의 목적물에 대한 압수·수색 절차는 종료된 것이므로, 수사기관이 **수사기관 사무실에서 위와 같이 압수된 이미지 파일을 탐색·복제·출력하는 과정에서도 피의자 등에게 참여의 기회를 보장하여야 하는 것은 아니다**(대판 2018.2.8, 2017도13263). 18. 국가직 7급, 18·19·20. 경찰채용, 20. 해경채용·경찰승진

2 **압수·수색영장 집행시 사전통지를 생략할 수 있는 '급속을 요하는 때'의 의미 등**
[1] 형사소송법 제122조 단서에 규정된 **'급속을 요하는 때'라고 함은** 압수·수색영장 집행 사실을 **미리 알려주면 증거물을 은닉할 염려 등이 있어 압수·수색의 실효를 거두기 어려울 경우라고 해석함이 옳고**, 그와 같이 합리적인 해석이 가능하므로 형사소송법 제122조 단서가 명확성의 원칙 등에 반하여 위헌이라고 볼 수 없다. [2] 형사소송법 제122조 단서가 위헌이라거나 수사기관이 이메일 압수·수색영장 집행시 급속을 요하는 때에 해당한다고 보아 사전통지를 생략한 것이 위법하다는 피고인들의 주장을 배척한 제1심판결을 그대로 유지한 원심의 조치는 정당하다(대판 2012.10.11, 2012도7455).

3 형사소송법 제219조, 제121조가 규정한 **변호인의 참여권은 피압수자의 보호를 위하여 변호인에게 주어진 고유권이다.** 따라서 설령 피압수자가 수사기관에 압수·수색영장의 집행에 참여하지 않는다는 의사를 명시하였다고 하더라도 특별한 사정이 없는 한 **그 변호인에게는** 형사소송법 제219조, 제122조에 따라 **미리 집행의 일시와 장소를 통지하는 등으로 압수·수색영장의 집행에 참여할 기회를 별도로 보장하여야 한다**(대판 2020.11.26, 2020도10729 **노래방 화장실 몰카 사건**). 21. 경찰채용

ⓔ **성년의 여자의 참여**: 여자의 신체에 대하여 수색할 때에는 성년의 여자를 참여하게 하여야 한다(제124조, 제219조)(≪주의 여자의 신체를 수색할 때는 의사 또는 성년의 여자를 참여하게 하여야 한다. ×, 성년의 여자가 수색하여야 한다. ×). 15. 경찰승진

④ **야간집행의 제한**

㉠ **원칙**: 일출 전, 일몰 후에는 압수·수색영장에 야간집행을 할 수 있는 기재가 없으면 그 영장을 집행하기 위하여 타인의 주거·간수자 있는 가옥·건조물·항공기·선차 내에 들어가지 못한다(제125조, 제219조).

㉡ **예외**: 압수·수색영장에 야간집행을 할 수 있는 기재가 없더라도 ⓐ 도박 기타 풍속을 해하는 행위에 상용된다고 인정하는 장소, ⓑ 여관, 음식점 기타 야간에 공중이 출입할 수 있는 장소(단, **공개한 시간 내에 한한다**)는 이러한 제한 없이 압수·수색을 할 수 있다(제126조, 제219조)(≪주의 여관, 음식점 기타 야간에 공중이 출입할 수 있는 장소는 아무런 제한 없이 야간에도 압수·수색할 수 있다. ×).

⑤ **압수조서·수색증명서·압수목록의 작성 등**: 압수·수색에 관하여는 조서를 작성하여야 한다. 압수조서에는 품종, 외형상의 특징과 수량을 기재하여야 한다(제49조). 압수한 경우에는 목록을 작성하여 소유자·소지자·보관자 기타 이에 준하는 자에게 교부하여야 한다(제129조, 제219조)(≪주의 압수목록을 작성하여 편철하고 압수조서를 피압수자에게 교부한다. ×). 15. 경찰승진 수색한 경우에 증거물 또는 몰수할 물건이 없는 때에는 그 취지의 증명서를 교부하여야 한다(제128조, 제219조).

> **판례 | 압수목록 작성·교부의 방법 및 시기**
>
> 1 압수물 목록은 피압수자 등이 압수처분에 대한 준항고를 하는 등 권리행사절차를 밟는 가장 기초적인 자료가 되므로, 수사기관은 이러한 권리행사에 지장이 없도록 압수 직후 현장에서 압수물 목록을 바로 작성하여 교부해야 하는 것이 원칙이다. 그리고 **압수된 정보의 상세목록에는 정보의 파일 명세가 특정되어 있어야 하고,** 수사기관은 **이를 출력한 서면을 교부하거나 전자파일 형태로 복사해 주거나 이메일을 전송하는 등의 방식으로도 할 수 있다**(대판 2018.2.8, 2017도13263). 18. 경찰채용·국가직 9급, 20. 해경채용
>
> 2 공무원인 수사기관이 작성하여 피압수자 등에게 교부해야 하는 **압수물 목록**에는 작성연월일이 기재되고 그 내용도 사실에 부합하여야 한다. 또 압수물 목록은 피압수자 등이 압수물에 대한 환부·가환부신청을 하거나 압수처분에 대한 준항고를 하는 등 권리행사절차를 밟는 가장 기초적인 자료가 되므로 이러한 권리행사에 지장이 없도록 **압수 직후 현장에서 바로 작성하여 교부해야 하는 것이 원칙이다**(대판 2009.3.12, 2008도763). 16. 변호사, 19. 경찰채용

> **판례 | 이른바 동일성과 무결성(無缺性, integrity)의 증명방법**
>
> 전자문서를 수록한 파일 등의 경우에는, 그 성질상 작성자의 서명 혹은 날인이 없을 뿐만 아니라 작성자·관리자의 의도나 특정한 기술에 의하여 그 내용이 편집·조작될 위험성이 있음을 고려하여, **원본임이 증명되거나 혹은 원본으로부터 복사한 사본일 경우에는 복사 과정에서 편집되는 등 인위적 개작 없이 원본의 내용 그대로 복사된 사본임이 증명되어야만 하고,** 그러한 증명이 없는 경우에는 쉽게 그 증거능력을 인정할 수 없다. 그리고 증거로 제출된 전자문서 파일의 사본이나 출력물이 복사·출력 과정에서 편집되는 등 인위적 개작 없이 원본 내용을 그대로 복사·출력한 것이라는 사실은 **전자문서 파일의 사본이나 출력물의 생성과 전달 및 보관 등의 절차에 관여한 사람의 증언이나 진술, 원본이나 사본 파일 생성 직후의 해시값의 비교, 전자문서 파일에 대한 검증·감정 결과 등 제반 사정을 종합하여 판단할 수 있다.** 이러한 원본 동일성은 증거능력의 요건에 해당하므로 검사가 그 존재에 대하여 구체적으로 주장·증명해야 한다(대판 2018.2.8, 2017도13263 **유흥주점 조세포탈 사건**).

6. 압수·수색·검증과 영장주의의 예외

> **형사소송법**
>
> **제216조【영장에 의하지 아니한 강제처분】** ① 검사 또는 사법경찰관은 제200조의2·제200조의3·제201조 또는 제212조의 규정에 의하여 피의자를 체포 또는 구속하는 경우에 필요한 때에는 영장 없이 다음 처분을 할 수 있다.
>
> 1. 타인의 주거나 타인이 간수하는 가옥, 건조물, 항공기, 선차 내에서의 피의자 수색. 다만, 제200조의2 또는 제201조에 따라 피의자를 체포 또는 구속하는 경우의 피의자 수색은 미리 수색영장을 발부받기 어려운 긴급한 사정이 있는 때에 한정한다.
> 2. 체포현장에서의 압수·수색·검증
>
> ③ 범행 중 또는 범행직후의 범죄장소에서 긴급을 요하여 법원판사의 영장을 받을 수 없는 때에는 영장 없이 압수·수색·검증을 할 수 있다. 이 경우에는 사후에 지체 없이 영장을 받아야 한다.
>
> **제217조【영장에 의하지 아니하는 강제처분】** ① 검사 또는 사법경찰관은 제200조의3에 따라 체포된 자가 소유·소지 또는 보관하는 물건에 대하여 긴급히 압수할 필요가 있는 경우에는 **체포한 때부터 24시간** 이내에 한하여 영장 없이 압수·수색 또는 검증을 할 수 있다.

② 검사 또는 사법경찰관은 제1항 또는 제216조 제1항 제2호에 따라 압수한 물건을 계속 압수할 필요가 있는 경우에는 **지체 없이 압수 · 수색영장을 청구**하여야 한다. 이 경우 압수 · 수색영장의 청구는 **체포한 때부터 48시간 이내**에 하여야 한다.

③ 검사 또는 사법경찰관은 제2항에 따라 청구한 **압수 · 수색영장을 발부받지 못한 때에는 압수한 물건을 즉시 반환하여야 한다.**

제218조【영장에 의하지 아니한 압수】 검사 또는 사법경찰관은 피의자 기타인의 유류한 물건이나 소유자 · 소지자 · 보관자가 임의로 제출한 물건을 영장 없이 압수할 수 있다.

제222조【변사자의 검시】 ② 검시로 범죄의 혐의를 인정하고 긴급을 요할 때에는 **영장 없이 검증할 수 있다.**

제220조【요급처분】 제216조의 규정에 의한 처분을 하는 경우에 급속을 요하는 때에는 제123조 제2항, 제125조의 규정에 의함을 요하지 아니한다.

✎ 위 규정은 수사단계에서 수사기관이 영장 없이 하는 압수 · 수색 · 검증에 관한 조항이고, 아래 규정은 공판단계에서 법원이나 집행기관이 영장 없이 하는 압수 · 수색 · 검증에 관한 조항이다.

제108조【임의제출물 등의 압수】 소유자, 소지자 또는 보관자가 임의로 제출한 물건 또는 유류한 물건은 영장 없이 압수할 수 있다.

제113조【압수 · 수색영장】 공판정 외에서는 압수 또는 수색을 함에는 영장을 발부하여 시행하여야 한다.

제137조【구속영장집행과 수색】 검사, 사법경찰관리 또는 제81조 제2항의 규정에 의한 법원사무관 등이 구속영장을 집행할 경우에 필요한 때에는 미리 수색영장을 발부받기 어려운 긴급한 사정이 있는 경우에 한정하여 타인의 주거, 간수자 있는 가옥, 건조물, 항공기, 선차 내에 들어가 피고인을 수색할 수 있다.

제216조【영장에 의하지 아니한 강제처분】 ① 검사 또는 사법경찰관은 제200조의2 · 제200조의3 · 제201조 또는 제212조의 규정에 의하여 피의자를 체포 또는 구속하는 경우에 필요한 때에는 영장 없이 다음 처분을 할 수 있다.

1. <생략>
2. 체포현장에서의 압수 · 수색 · 검증

② 전항 제2호의 규정은 검사 또는 사법경찰관이 피고인에 대한 구속영장의 집행의 경우에 준용한다.

판례 | 체포영장 집행시 필요한 때에 타인의 주거 등 내에서 피의자 수색을 할 수 있도록 한 형사소송법 제216조 제1항 제1호 중 제200조의2에 관한 부분이 헌법에 위반되는지의 여부(적극, 헌법불합치)

[1] 헌법 제12조 제3항과는 달리 **헌법 제16조 후문은** "주거에 대한 압수나 수색을 할 때에는 검사의 신청에 의하여 법관이 발부한 영장을 제시하여야 한다."라고 규정하고 있을 뿐 **영장주의에 대한 예외를 명문화하고 있지 않으나,** 그 장소에 범죄혐의 등을 입증할 자료나 피의자가 존재할 개연성이 있고, 사전에 영장을 발부받기 어려운 긴급한 사정이 있는 경우에는 **제한적으로 영장주의의 예외를 허용할 수 있다고 보는 것이 타당하다.** [2] **형사소송법 제216조 제1항 제1호 중 제200조의2에 관한 부분**은 체포영장을 발부받아 피의자를 체포하는 경우에 '필요한 때'에는 영장 없이 타인의 주거 등 내에서 피의자 수사를 할 수 있다고 규정함으로써, 별도로 영장을 발부받기 어려운 긴급한 사정이 있는지 여부를 구별하지 아니하고 피의자가 소재할 개연성이 있으면 영장 없이 타인의 주거 등을 수색할 수 있도록 허용하고 있는데, **이는 체포영장이 발부된 피의자가 타인의 주거 등에 소재할 개연성은 인정되나, 수색에 앞서 영장을 발부받기 어려운 긴급한 사정이 인정되지 않는 경우에도 영장 없이 피의자 수색을 할 수 있다는 것이므로 헌법 제16조의 영장주의 예외 요건을 벗어난다**(헌재 2018.4.26, 2015헌바370).

✎ 심판대상 조항(형사소송법 제216조 제1항 제1호 중 제200조의2에 관한 부분)은 2020.3.31.을 시한으로 국회가 법률을 개정할 때까지 형식적으로는 존재하지만 그 내용이 위헌이므로 **'체포영장이 발부된 피의자가 타인의 주거 등에 소재할 개연성이 소명되고, 그 장소를 수색하기에 앞서 별도로 수색영장을 발부받기 어려운 긴급한 사정이 있는 경우에 한하여'** 적용된다. 경찰이나 검찰은 이러한 요건이 구비된 경우에 한하여 영장 없이 수색이 가능하고, 그 요건이 구비되지 않았음에도 영장 없이 수색을 하면 그것은 위법한 공무집행이 된다. 18. 국가직 7급, 18 · 19. 경찰채용

☑ SUMMARY | 압수 · 수색 · 검증에 있어 영장주의의 예외 ★★★

구분	내용
체포 · 구속 목적 타인주거 등 수색	검사 또는 사법경찰관은 피의자를 체포하거나 피의자 · 피고인을 구속하는 경우에 필요한 때에는 영장 없이 타인의 주거 등에서 피의자 · 피고인을 **수사(수색)**할 수 있음. 다만, 제200조의2 또는 제201조에 따라 피의자를 체포 또는 구속하는 경우의 피의자 수색은 미리 수색영장을 발부받기 어려운 긴급한 사정이 있는 때에 한정함
체포 · 구속 현장에서의 압수 · 수색 · 검증	검사 또는 사법경찰관은 피의자를 체포하거나 피의자 · 피고인을 구속하는 경우에 필요한 때에는 영장 없이 체포현장에서 **압수 · 수색 · 검증**을 할 수 있음
범죄장소에서의 긴급 압수 · 수색 · 검증	검사 또는 사법경찰관은 범행 중 또는 범행직후의 범죄장소에서 긴급을 요하여 판사의 영장을 받을 수 없는 때에는 영장 없이 **압수 · 수색 · 검증**을 할 수 있음
긴급체포된 자의 소유물 등에 대한 압수 · 수색 · 검증	검사 또는 사법경찰관은 긴급체포된 자가 소유 · 소지 또는 보관하는 물건에 대하여 긴급히 압수할 필요가 있는 경우에는 체포한 때부터 **24시간 이내에 한하여** 영장 없이 **압수 · 수색 · 검증**을 할 수 있음
임의제출물 또는 유류물의 압수	법원, 검사 또는 사법경찰관은 피고인 · 피의자 기타인이 유류한 물건이나 소유자 · 소지자 · 보관자가 임의로 제출한 물건을 영장 없이 **압수**할 수 있음
법원의 공판정 내에서의 압수 · 수색	법원은 공판정 내에서 영장 없이 **압수 · 수색**할 수 있음
변사자에 대한 긴급검증	검사 또는 사법경찰관은 변사자검시로 범죄의 혐의를 인정하고 긴급을 요할 때에는 영장 없이 **검증**을 할 수 있음

수사상 압수 · 수색 · 검증은 사전영장에 의하는 것이 원칙이다(제215조). 그러나 압수 · 수색 · 검증에 있어서는 사태의 긴급성을 고려하여 광범위하게 영장주의의 예외를 인정하고 있다. 제216조 규정에 의하여 영장 없이 압수 · 수색 · 검증을 하는 경우에는 관계인의 참여에 관한 규정(제123조 제2항)과 야간집행의 제한규정(제125조)이 적용되지 아니한다(제220조).

(1) 체포 · 구속 목적 타인주거 등 수색

① **의의**: 검사 또는 사법경찰관은 피의자를 체포하거나 피고인 · 피의자를 구속하는 경우에 필요한 때에는 미리 수색영장을 발부받기 어려운 긴급한 사정이 있는 경우에 한정하여 영장 없이 타인의 주거나 타인이 간수하는 가옥 · 건조물 · 항공기 · 선차 내에서 피의자 · 피고인을 수사(수색)할 수 있다(제216조 제1항 제1호, 제137조). 15 · 18. 경찰승진, 15 · 16. 경찰채용, 17. 법원직 9급 다만, 제200조의2 또는 제201조에 따라 피의자를 체포 또는 구속하는 경우의 피의자 수색은 미리 수색영장을 발부받기 어려운 긴급한 사정이 있는 때에 한정한다.

② **취지**: 피의자 · 피고인이 타인주거 등에 숨어있는 경우 그를 체포 · 구속하기 위해서는 그 수색이 불가피하기 때문에 영장주의의 예외를 인정한 것이다.

③ **사후영장의 요부**: 이 경우 사후영장을 발부받을 필요가 없다.

④ **요급처분**: 급속을 요하는 때에는 공무소, 군사용의 항공기 또는 선차 이외의 타인의 주거, 간수자 있는 가옥, 건조물, 항공기 또는 선차 내에서 압수 · 수색영장을 집행함에는 주거주, 간수자 또는 이에 준하는 자를 참여하게 하여야 한다(제123조 제2항).
일출 전, 일몰 후에는 압수 · 수색영장에 야간집행을 할 수 있는 기재가 없으면 그 영장을 집행하기 위하여 타인의 주거, 간수자 있는 가옥, 건조물, 항공기 또는 선차 내에 들어가지 못한다(제125조)는 규정에 의하지 않을 수 있다.

(2) 체포 · 구속 현장에서의 압수 · 수색 · 검증

① **의의:** 검사 또는 사법경찰관은 피의자를 체포하거나 피고인 · 피의자를 구속하는 경우에 필요한 때에는 영장 없이 체포현장에서 압수 · 수색 · 검증을 할 수 있다(제216조 제1항 제2호, 동조 제2항). 14 · 16. 경찰승진, 15 · 16. 경찰채용, 17. 국가직 9급 · 법원직 9급, 18. 경찰간부

② **취지:** 영장주의의 예외를 인정한 취지에 관하여 ㉠ 가장 강력한 기본권 침해형태인 체포 · 구속에 관하여 이미 사전 · 사후영장에 의하여 권리보호기능이 이루어지므로 이보다 기본권 침해가 덜한 압수 · 수색 · 검증은 별도의 영장이 필요없다는 대소포함설(大小包含說)과 ㉡ 체포 · 구속하는 자의 안전을 위하고, 피의자 등의 증거인멸을 방지하기 위하여 긴급행위로서 인정된다는 긴급행위설(緊急行爲說)이 대립한다.

③ **사후영장의 요부:** 검사 또는 사법경찰관은 압수한 물건을 계속 압수할 필요가 있는 경우에는 **지체 없이** 압수 · 수색영장을 청구하여야 한다. 이 경우 영장의 청구는 **체포한 때부터 48시간 이내**에 하여야 한다(제217조 제2항)(《주의 압수한 때부터 48시간 이내에 하여야 한다. ×). 17. 법원직 9급, 17 · 18. 국가직 9급, 18. 경찰간부 검사 또는 사법경찰관은 청구한 압수 · 수색영장을 발부받지 못한 때에는 압수한 물건을 즉시 반환하여야 한다(동조 제3항). **피고인 구속현장에서의 압수 · 수색 · 검증의 경우에는 사후영장은 필요하지 않다**(제217조 제2항 반대해석).

④ **요급처분:** 급속을 요하는 때에는 공무소, 군사용의 항공기 또는 선차 이외의 타인의 주거, 간수자 있는 가옥, 건조물, 항공기 또는 선차 내에서 압수 · 수색영장을 집행함에는 주거주, 간수자 또는 이에 준하는 자를 참여하게 하여야 한다(제123조 제2항). 일출 전, 일몰 후에는 압수 · 수색영장에 야간집행을 할 수 있는 기재가 없으면 그 영장을 집행하기 위하여 타인의 주거, 간수자 있는 가옥, 건조물, 항공기 또는 선차 내에 들어가지 못한다(제125조)는 규정에 의하지 않을 수 있다.

판례 | 체포현장에서의 압수 · 수색 · 검증과 사후영장

1 (사법경찰관이 피의자를 긴급체포하면서 그 체포현장에서 물건을 압수한 경우) **형사소송법 제217조 제2항, 제3항에 위반하여 압수 · 수색영장을 청구하여 이를 발부받지 아니하고도 즉시 반환하지 아니한 압수물**은 이를 유죄 인정의 증거로 사용할 수 없는 것이고, 헌법과 형사소송법이 선언한 영장주의의 중요성에 비추어 볼 때 피고인이나 변호인이 이를 **증거로 함에 동의하였다고 하더라도 달리 볼 것은 아니다**(대판 2009.12.24, 2009도11401). 14 · 16 · 20 · 21. 경찰채용, 17. 경찰승진, 19. 경찰간부, 20. 국가직 9급 · 해경채용

2 정보통신망법상 음란물 유포의 범죄혐의를 이유로 압수 · 수색영장을 발부받은 사법경찰리가 피고인의 주거지를 수색하는 과정에서 대마를 발견하자, **피고인을 마약류관리법 위반죄의 현행범으로 체포하면서 대마를 압수**하였으나, 그 다음날 피고인을 석방하였음에도 **사후 압수 · 수색영장을 발부받지 않은 경우, 위 압수물과 압수조서는 형사소송법상 영장주의를 위반하여 수집한 증거로서 증거능력이 부정**된다(대판 2009.5.14, 2008도10914). 14. 변호사 · 경찰채용, 15 · 18 · 19 경찰승진, 17. 국가직 9급

(3) 범죄장소에서의 긴급압수 · 수색 · 검증

① **의의:** 범행 중 또는 범행직후의 범죄장소에서 긴급을 요하여 판사의 영장을 받을 수 없는 때에는 영장 없이 압수 · 수색 · 검증을 할 수 있다(제216조 제3항). 15. 경찰간부, 15 · 17. 경찰승진, 15 · 16 · 18. 경찰채용, 17. 법원직 9급, 19. 국가직 9급

② **취지:** 범죄현장에서의 증거의 인멸 · 파괴를 방지하기 위한 제도로서 피의자가 체포되거나 현장에 있을 것을 요하지 않는다. 예를 들어 범죄신고를 받고 사법경찰관이 출동하였으나 범인이 이미 도주한 경우에 영장이 없더라도 현장에 남아있는 증거물 등을 압수할 수 있고 또한 검증도 할 수 있다.

③ **사후영장의 요부**: 이 경우에는 사후에 **지체 없이** 압수 · 수색 · 검증영장을 발부받아야 한다(제216조 제3항)(«주의 체포한 때로부터 48시간 이내 ×). 15. 경찰간부, 15 · 17. 법원직 9급, 17. 경찰승진, 16 · 18. 경찰채용

④ **요급처분**: 급속을 요하는 때에는 공무소, 군사용의 항공기 또는 선차 이외의 타인의 주거, 간수자 있는 가옥, 건조물, 항공기 또는 선차 내에서 압수 · 수색영장을 집행함에는 주거주, 간수자 또는 이에 준하는 자를 참여하게 하여야 한다(제123조 제2항). 일출 전, 일몰 후에는 압수 · 수색영장에 야간집행을 할 수 있는 기재가 없으면 그 영장을 집행하기 위하여 타인의 주거, 간수자 있는 가옥, 건조물, 항공기 또는 선차 내에 들어가지 못한다(제125조)는 규정에 의하지 않을 수 있다.

판례 |

1 범죄장소에서의 압수 · 수색 · 검증

① [1] 음주운전 중 교통사고를 야기한 후 피의자가 의식불명 상태에 빠져 있는 등으로 호흡조사에 의한 음주측정이 불가능하고 혈액채취에 대한 동의를 받을 수도 없을 뿐만 아니라 법원으로부터 혈액채취에 대한 감정처분허가장이나 사전 압수영장을 발부받을 시간적 여유도 없는 긴급한 상황이 생길 경우 [2] 피의자의 신체 내지 의복류에 주취로 인한 냄새가 강하게 나는 등 형사소송법 제211조 제2항 제3호가 정하는 **범죄의 증적이 현저한 준현행범인으로서의 요건이 갖추어져 있고 교통사고 발생 시각으로부터 사회통념상 범행직후라고 볼 수 있는 시간 내라면** [3] 피의자의 생명 · 신체를 구조하기 위하여 사고현장으로부터 곧바로 후송된 병원 응급실 등의 **장소는 형사소송법 제216조 제3항의 범죄장소에 준한다 할 것이므로**, 검사 또는 사법경찰관은 피의자의 혈중알콜농도 등 증거의 수집을 위하여 의료법상 의료인의 자격이 있는 자로 하여금 의료용 기구로 의학적인 방법에 따라 필요최소한의 한도 내에서 피의자의 **혈액을 채취하게 한 후 그 혈액을 영장 없이 압수할 수 있다**. 다만, 이 경우 **사후에 지체 없이** 강제채혈에 의한 압수의 사유 등을 기재한 영장청구서에 의하여 법원으로부터 **압수영장을 받아야 한다**(대판 2012.11.15, 2011도15258). 14 · 16 · 18 변호사, 18. 경찰채용, 21. 경찰간부

② 범행 중 또는 범행직후의 범죄장소에서 긴급을 요하여 법원 판사의 영장을 받을 수 없는 때에는 영장 없이 압수 · 수색 또는 검증을 할 수 있으나, 사후에 지체 없이 영장을 받아야 한다(형사소송법 제216조 제3항). **형사소송법 제216조 제3항의 요건 중 어느 하나라도 갖추지 못한 경우에 그러한 압수 · 수색 또는 검증은 위법하며, 이에 대하여 사후에 법원으로부터 영장을 발부받았다고 하여 그 위법성이 치유되지 아니한다**(대판 2017.11.29, 2014도16080). 19 · 21. 경찰채용

③ **주취운전**이라는 범죄행위로 당해 음주운전자를 구속 · 체포하지 아니한 경우에도 필요하다면 **그 차량열쇠는 범행 중 또는 범행직후의 범죄장소에서의 압수로서 형사소송법 제216조 제3항에 의하여 영장 없이 이를 압수할 수 있다**(대판 1998.5.8, 97다54482). 15. 국가직 9급, 16. 경찰간부, 19. 경찰승진

2 범죄장소에서의 압수 · 수색 · 검증과 사후영장

① 형사소송법 규정에 위반하여 **수사기관이 법원으로부터 영장 또는 감정처분허가장을 발부받지 아니한 채 피의자의 동의 없이 피의자의 신체로부터 혈액을 채취**하고 더구나 **사후적으로도 지체 없이 이에 대한 영장을 발부받지 아니하고서** 위와 같이 강제채혈한 피의자의 혈액 중 알코올농도에 관한 감정이 이루어졌다면 이러한 감정결과보고서 등은 피고인이나 변호인의 증거동의 여부를 불문하고 **유죄인정의 증거로 사용할 수 없다**(대판 2012.11.15, 2011도15258). 14 · 17. 국가직 9급, 15 · 16 · 18. 경찰승진, 16 · 18. 경찰채용, 18. 변호사

② 사법경찰관사무취급이 행한 검증이 사건발생 후 범행장소에서 긴급을 요하여 판사의 영장 없이 시행된 것이라면 이는 **형사소송법 제216조 제3항에 의한 검증**이라 할 것임에도 불구하고 기록상 **사후영장을 받은 흔적이 없다면 이러한 검증조서는 유죄의 증거로 할 수 없다**(대판 1984.3.13, 83도3006)(同旨 대판 1989.3.14, 88도1399). 18. 경찰채용

(4) 긴급체포된 자의 소유물 등에 대한 압수 · 수색 · 검증

① **의의**: 검사 또는 사법경찰관은 **긴급체포된 자**가 **소유 · 소지 또는 보관하는 물건**에 대하여 긴급히 압수할 필요가 있는 경우에는 체포한 때부터 **24시간 이내**에 한하여 **영장 없이 압수 · 수색 또는 검증을 할 수 있다**(제217조 제1항)(《주의 48시간 이내에 한하여 영장 없이 압수 · 수색 또는 검증을 할 수 있다. ×). 14 · 15 · 17 · 18 · 19. 경찰승진, 14 · 19. 국가직 9급, 15 · 16 · 19. 경찰채용, 15 · 18 · 19. 경찰간부, 15 · 17. 법원직 9급, 18. 변호사

② **취지**: 긴급체포의 긴급성과 범죄의 중대성을 고려하여 일단 긴급체포한 후라도 다시 일정한 기간 동안 영장 없는 압수 · 수색 · 검증을 인정한 것이다.

③ **사후영장의 여부**: 검사 또는 사법경찰관은 압수한 물건을 계속 압수할 필요가 있는 경우에는 지체 없이 압수 · 수색영장을 청구하여야 한다. 이 경우 영장의 청구는 체포한 때부터 48시간 이내에 하여야 한다(제217조 제2항). 15 · 19. 경찰채용, 17 · 18. 경찰승진, 18. 변호사, 19. 경찰간부 · 국가직 9급 검사 또는 사법경찰관은 청구한 압수 · 수색영장을 발부받지 못한 때에는 압수한 물건을 즉시 반환하여야 한다(동조 제3항).

④ **요급처분의 여부**: 이 경우 요급처분(제220조)의 준용규정이 없으므로 적용되지 않는다.

판례 |

1 형사소송법 제217조 제1항의 규정 취지 등

① 형사소송법 제217조는 수사기관이 피의자를 긴급체포한 상황에서 피의자가 체포되었다는 사실이 공범이나 관련자들에게 알려짐으로써 관련자들이 증거를 파괴하거나 은닉하는 것을 방지하고, 범죄사실과 관련된 증거물을 신속히 확보할 수 있도록 하기 위한 것이다. 이 규정에 따른 압수 · 수색 또는 검증은 체포현장에서의 압수 · 수색 또는 검증을 규정하고 있는 형사소송법 제216조 제1항 제2호와 달리, **체포현장이 아닌 장소에서도 긴급체포된 자가 소유 · 소지 또는 보관하는 물건을 대상으로 할 수 있다**(대판 2017.9.12, 2017도10309). 19. 변호사, 20. 경찰승진

② 구 형사소송법 제217조 제1항 등에 의하면 검사 또는 사법경찰관은 피의자를 긴급체포한 경우 체포한 때부터 48시간(개정법 24시간) 이내에 한하여 영장 없이, 긴급체포의 사유가 된 범죄사실 수사에 필요한 최소한의 범위 내에서 당해 범죄사실과 관련된 증거물 또는 몰수할 것으로 판단되는 피의자의 소유, 소지 또는 보관하는 물건을 압수할 수 있다. 이때, 어떤 물건이 긴급체포의 사유가 된 범죄사실 수사에 필요한 최소한의 범위 내의 것으로서 압수의 대상이 되는 것인지는 당해 범죄사실의 구체적인 내용과 성질, 압수하고자 하는 물건의 형상, 성질, 당해 범죄사실과의 관련 정도와 증거가치, 인멸의 우려는 물론 압수로 인하여 발생하는 불이익의 정도 등 압수 당시의 여러 사정을 **종합적으로 고려하여 객관적으로 판단하여야 한다**(대판 2008.7.10, 2008도2245).

2 긴급체포된 자의 소유물 등에 대하여 적법하게 압수한 경우

① 경찰관들이 저녁 8시경 도로에서 위장거래자와 만나서 마약류 거래를 하고 있는 피고인을 긴급체포하면서 현장에서 메트암페타민을 압수하고, 저녁 8시 24분경 체포현장에서 **약 2km 떨어진 피고인의 주거지에서 메트암페타민 약 4.82g을 추가로 찾아내어 이를 압수**한 다음 법원으로부터 사후 압수 · 수색영장을 발부받은 경우, 피고인에 대한 긴급체포 사유, 압수 · 수색의 시각과 경위, 사후 영장의 발부 내역 등에 비추어 피고인의 주거지에서 긴급 압수한 메트암페타민 4.82g은 긴급체포의 사유가 된 범죄사실 수사에 필요한 범위 내의 것으로서 **적법하게 압수되었다고 할 것이다**(대판 2017.9.12, 2017도10309). 21. 경찰간부

② 경찰관이 이른바 **전화사기죄** 범행의 혐의자를 긴급체포하면서 그가 보관하고 있던 다른 사람의 주민등록증, 운전면허증 등을 압수한 경우, 이는 구 형사소송법 제217조 제1항에서 규정한 해당 범죄사실의 **수사에 필요한 범위 내의 압수로서 적법하므로 이를 위 혐의자의 점유이탈물횡령죄 범행에 대한 증거로 사용할 수 있다**(대판 2008.7.10, 2008도2245). 14 · 16 · 18. 경찰승진, 15. 경찰채용, 16. 변호사, 17 · 18. 경찰간부

(5) 임의제출물 또는 유류물의 압수

① **의의**: 검사 또는 사법경찰관은 피의자 기타인이 유류한 물건이나 소유자·소지자·보관자가 임의로 제출한 물건을 영장 없이 압수할 수 있다(제218조). 15·16·17. 경찰승진, 15·20. 경찰채용 법원도 소유자·소지자·보관자가 임의로 제출한 물건 또는 유류한 물건을 영장 없이 압수할 수 있다(제108조).

② **사후영장의 요부**: 이 경우 **사후영장을 발부받을 필요가 없다**(주의 임의제출한 물건에 대하여 지체 없이 영장을 발부받아야 한다. ×). 15. 경찰승진, 18. 경찰채용

판례 |

1 검사가 교도관으로부터 보관 중이던 재소자의 비망록을 증거자료로 임의로 제출받아 압수한 것이 적법절차에 위반되는지의 여부(소극)

교도관이 재소자가 맡긴 비망록을 수사기관에 임의로 제출하였다면 그 비망록의 증거사용에 대하여도 재소자의 사생활의 비밀 기타 인격적 법익이 침해되는 등의 특별한 사정이 없는 한 반드시 그 재소자의 동의를 받아야 하는 것은 아니고 따라서 검사가 교도관으로부터 보관하고 있던 **피고인의 비망록**을 뇌물수수 등의 증거자료로 **임의로 제출받아 이를 압수한 경우 그 압수절차가 피고인의 승낙 및 영장 없이 행하여졌다고 하더라도 이에 적법절차를 위반한 위법이 있다고 할 수 없다**(대판 2008.5.15, 2008도1097). 14·17. 변호사 15·18. 경찰간부, 18. 경찰채용·국가직 7급, 21. 경찰간부

2 경찰관이 간호사로부터 진료 목적으로 채혈된 피고인의 혈액 중 일부를 임의로 제출받아 압수한 것이 적법절차에 위반되는지의 여부(소극)

의료인이 진료 목적으로 채혈한 환자의 혈액을 수사기관에 임의로 제출하였다면 그 혈액의 증거사용에 대하여도 환자의 사생활의 비밀 기타 인격적 법익이 침해되는 등의 특별한 사정이 없는 한 반드시 그 환자의 동의를 받아야 하는 것이 아니고 따라서 **경찰관이 간호사로부터 진료 목적**으로 이미 채혈되어 있던 **피고인의 혈액 중 일부**를 주취운전 여부에 대한 감정을 목적으로 **임의로 제출 받아 이를 압수한 경우 그 압수절차가 피고인 또는 피고인의 가족의 동의 및 영장 없이 행하여졌다고 하더라도 이에 적법절차를 위반한 위법이 있다고 할 수 없다**(대판 1999.9.3, 98도968). 15. 경찰간부·국가직 9급, 18. 경찰채용

3 현행범 체포현장이나 범죄장소에서 임의제출 압수가 적접절차에 위반되는지 여부(소극)

현행범 체포현장이나 범죄장소에서도 소지자 등이 임의로 제출하는 물건은 형사소송법 제218조에 의하여 **영장 없이 압수할 수 있고**, 이 경우에는 검사나 사법경찰관이 사후에 영장을 받을 필요가 없다(대판 2016.2.18, 2015도13726). 17·20. 국가직 9급, 18·19. 경찰채용, 19. 변호사

4 위법한 임의제출물의 압수

형사소송법 제217조는 '사법경찰관은 소유자, 소지자 또는 보관자가 임의로 제출한 물건을 영장 없이 압수할 수 있다'고 규정하고 있는바, 위 규정에 위반하여 **소유자, 소지자 또는 보관자가 아닌 자로부터 제출받은 물건을 영장 없이 압수한 경우 그 압수물 및 압수물을 찍은 사진은 이를 유죄 인정의 증거로 사용할 수 없는 것**이고, 헌법과 형사소송법이 선언한 영장주의의 중요성에 비추어 볼 때 피고인이나 변호인이 이를 **증거로 함에 동의하였다고 하더라도 달리 볼 것은 아니다**(대판 2010.1.28, 2009도10092). 15·16·18·20. 경찰채용, 15·17. 경찰간부, 16·17. 경찰승진, 17. 국가직 9급, 18. 변호사

(6) 법원의 공판정 내에서의 압수·수색

법원의 공판정 내에서의 압수·수색에는 영장이 필요 없다(제113조 반대해석). 물론 사후영장도 필요 없다.

(7) 변사자에 대한 긴급검증

변사자검시로 범죄의 혐의를 인정하고 긴급을 요할 때에는 영장 없이 검증을 할 수 있다(제222조 제2항).

7. 압수물의 처리

형사소송법

제130조【압수물의 보관과 폐기】 ① 운반 또는 보관에 불편한 압수물에 관하여는 간수자를 두거나 소유자 또는 적당한 자의 승낙을 얻어 보관하게 할 수 있다.
② **위험발생의 염려가 있는 압수물은 폐기할 수 있다.**
③ 법령상 생산·제조·소지·소유 또는 유통이 금지된 압수물로서 부패의 염려가 있거나 보관하기 어려운 압수물은 소유자 등 권한 있는 자의 **동의를 받아 폐기할 수 있다.**

제131조【주의사항】 압수물에 대하여는 그 상실 또는 파손 등의 방지를 위하여 상당한 조치를 하여야 한다.

제132조【압수물의 대가보관】 ① **몰수**하여야 할 압수물로서 **멸실·파손·부패 또는 현저한 가치 감소의 염려**가 있거나 보관하기 어려운 압수물은 매각하여 **대가를 보관할 수 있다.**
② 환부하여야 할 압수물 중 **환부를 받을 자가 누구인지 알 수 없거나 그 소재가 불명**한 경우로서 그 압수물의 **멸실·파손·부패 또는 현저한 가치 감소의 염려**가 있거나 보관하기 어려운 압수물은 매각하여 **대가를 보관할 수 있다.**

제133조【압수물의 환부, 가환부】 ① 압수를 계속할 필요가 없다고 인정되는 압수물은 피고사건종결 전이라도 결정으로 환부하여야 하고 증거에 공할 압수물은 소유자, 소지자, 보관자 또는 제출인의 청구에 의하여 가환부할 수 있다.
② **증거에만 공할 목적**으로 압수한 물건으로서 그 소유자 또는 소지자가 계속 사용하여야 할 물건은 사진촬영 기타 **원형보존의 조치를 취하고 신속히 가환부**하여야 한다.

제134조【압수장물의 피해자환부】 압수한 장물은 피해자에게 환부할 이유가 명백한 때에는 피고사건의 종결 전이라도 결정으로 피해자에게 환부할 수 있다.

제135조【압수물처분과 당사자에의 통지】 전3조의 결정을 함에는 검사, 피해자, 피고인 또는 변호인에게 미리 통지하여야 한다.

제333조【압수장물의 환부】 ① 압수한 장물로서 피해자에게 환부할 이유가 명백한 것은 판결로써 피해자에게 환부하는 선고를 하여야 한다.
② 전항의 경우에 장물을 처분하였을 때에는 판결로써 그 대가로 취득한 것을 피해자에게 교부하는 선고를 하여야 한다.
③ **가환부한 장물**에 대하여 **별단의 선고가 없는 때에는 환부의 선고가 있는 것으로 간주**한다.
④ 전3항의 규정은 이해관계인이 민사소송절차에 의하여 그 권리를 주장함에 영향을 미치지 아니한다.

✎ 위 규정은 법원의 압수물 처리에 관한 조항이고, 아래 규정은 수사기관의 압수물 처리에 관한 조항이다.

제218조의2【압수물의 환부, 가환부】 ① 검사는 사본을 확보한 경우 등 압수를 계속할 필요가 없다고 인정되는 압수물 및 증거에 사용할 압수물에 대하여 공소제기 전이라도 소유자, 소지자, 보관자 또는 제출인의 청구가 있는 때에는 환부 또는 가환부하여야 한다.
② 제1항의 청구에 대하여 검사가 이를 거부하는 경우에는 신청인은 해당 검사의 소속 검찰청에 대응한 법원에 압수물의 환부 또는 가환부 결정을 청구할 수 있다.
③ 제2항의 청구에 대하여 법원이 환부 또는 가환부를 결정하면 검사는 신청인에게 압수물을 환부 또는 가환부하여야 한다.
④ 사법경찰관의 환부 또는 가환부 처분에 관하여는 제1항부터 제3항까지의 규정을 준용한다. 다만, 이 경우 사법경찰관은 검사의 지휘를 받아야 한다.

제219조【준용규정】 (중략) 제118조부터 제132조까지, 제134조, 제135조, 제140조, 제141조, 제333조 제2항, 제486조의 규정은 검사 또는 사법경찰관의 본장의 규정에 의한 압수, 수색 또는 검증에 준용한다. 단, 사법경찰관이 제130조 및 제132조 및 제134조까지의 규정에 따른 처분을 함에는 검사의 지휘를 받아야 한다.

SUMMARY | 압수물의 처리 ★★★

구분		대상
자청보관		압수물 처리의 원칙
위탁보관		운반 또는 보관에 불편한 압수물
폐기처분		① 위험발생의 염려가 있는 압수물 ② 법령상 생산·제조·소지·소유 또는 유통이 금지된 압수물로서 부패의 염려가 있거나 보관하기 어려운 압수물
대가보관		① 몰수하여야 할 압수물로서 멸실·파손·부패 또는 현저한 가치 감소의 염려가 있거나 보관하기 어려운 압수물 ② 환부하여야 할 압수물 중 환부를 받을 자가 누구인지 알 수 없거나 그 소재가 불명한 경우로서 그 압수물의 멸실·파손·부패 또는 현저한 가치 감소의 염려가 있거나 보관하기 어려운 압수물
가환부	법원	① 증거에 공할 압수물 ② 증거에만 공할 목적으로 압수한 물건
	수사기관	① 사본을 확보한 경우 등 압수를 계속할 필요가 없다고 인정되는 압수물 ② 증거에 사용할 압수물
환부	법원	압수를 계속할 필요가 없다고 인정되는 압수물
	수사기관	① 사본을 확보한 경우 등 압수를 계속할 필요가 없다고 인정되는 압수물 ② 증거에 사용할 압수물

(1) 자청보관(自廳保管)

압수물은 이를 압수한 기관의 청사로 운반하여 보관하는 것이 원칙이다. 이를 자청보관의 원칙이라고 한다. 압수물에 대하여는 그 상실 또는 파손 등의 방지를 위하여 상당한 조치를 하여야 한다(제131조, 제219조).

(2) 위탁보관(委託保管)

운반 또는 보관에 불편한 압수물에 관하여는 간수자를 두거나 소유자 또는 적당한 자의 승낙을 얻어 보관하게 할 수 있다(제130조 제1항, 제219조). 17. 경찰승진 사법경찰관이 위탁보관을 하기 위해서는 미리 검사의 지휘를 받아야 한다(제219조 단서).

(3) 폐기처분(廢棄處分)

① 대상물

㉠ 위험발생의 염려가 있는 압수물은 **폐기할 수 있다**(제130조 제2항, 제219조)(«주의 위험발생의 염려가 있는 압수물은 폐기하여야 한다. ×). 18. 경찰승진

㉡ 법령상 생산·제조·소지·소유 또는 유통이 금지된 압수물로서 부패의 염려가 있거나 보관하기 어려운 압수물은 소유자 등 권한 있는 자의 **동의를 받아 폐기할 수 있다**(제130조 제3항, 제219조). 15. 경찰채용

② **절차**: 사법경찰관이 폐기처분을 하기 위해서는 미리 **검사의 지휘**를 받아야 한다(제219조 단서).

판례 | '위험발생의 염려가 있는 압수물'의 의미 및 위험발생의 염려가 없는 압수물임에도 임의로 폐기한 행위가 헌법에 위반되는지의 여부(적극)

[1] **'위험발생의 염려가 있는 압수물'**이란 사람의 생명, 신체, 건강, 재산에 위해를 줄 수 있는 물건으로서 **보관 자체가 대단히 위험하여 종국판결이 선고될 때까지 보관하기 매우 곤란한 압수물을 의미**하는 것으로 보아야 할 것이고, 이러한 사유에 해당하지 아니하는 압수물에 대하여는 설사 피압수자의 소유권포기가 있다 하더라도 폐기가 허용되지 아니한다고 해석하여야 할 것인데, [2] 피청구인(경기부천원미경찰서장)은 압수물이 **종국판결까지 보관하는 것 자체가 위험하다고 볼 수 없을 뿐만 아니라 이를**

보관하는 데 아무런 불편이 없는 물건임이 명백함에도 위험발생의 염려가 있다는 이유로 또한 압수물에 대한 소유권포기가 있다는 이유로 이를 사건종결 전에 폐기하였는바, 피청구인의 행위는 **적법절차의 원칙을 위반한 것이고** 피압수자인 청구인의 **공정한 재판을 받을 권리를 침해한 것이다**(헌재 2012.12. 27, 2011헌마351).

(4) 대가보관(代價保管)

① **의의**: 몰수물 또는 환부불능물로써 멸실 · 파손 · 부패의 염려가 있거나 보관하기 불편한 경우에는 이를 매각하여 대가를 보관할 수 있다(제132조, 제219조). 이를 대가보관(代價保管) 또는 환가처분(換價處分)이라고 한다.

② **대상물**

㉠ **몰수**하여야 할 압수물로서 멸실 · 파손 · 부패 또는 현저한 가치 감소의 염려가 있거나 보관하기 어려운 압수물은 매각하여 대가를 보관할 수 있다(제132조 제1항, 제219조). 17. 경찰승진

㉡ 환부하여야 할 압수물 중 **환부를 받을 자가 누구인지 알 수 없거나 그 소재가 불명한 경우**로서 그 압수물의 멸실 · 파손 · 부패 또는 현저한 가치 감소의 염려가 있거나 보관하기 어려운 압수물은 매각하여 대가를 보관할 수 있다(제132조 제2항, 제219조).

③ **절차**: 대가보관을 할 때에는 미리 검사 · 피해자 · 피의자 · 피고인 · 변호인에게 통지해야 한다(제135조, 제219조). 사법경찰관이 대가보관을 하기 위해서는 미리 검사의 지휘를 받아야 한다(제219조 단서).

(5) 가환부(假還付)

① **의의**: **가환부**란 **압수의 효력을 존속**시키면서 압수물을 소유자 · 소지자 · 보관자 · 제출인에게 잠정적으로 환부하는 제도를 말한다(제133조 제1항 후단 · 제2항, 제218조의2).

② **대상**

㉠ **법원의 가환부**: 제133조 제1항 후단의 가환부의 대상은 증거물로서의 성격과 몰수할 것으로 사료되는 물건으로서의 성격을 가진 압수물이고, 제133조 제2항의 가환부의 대상은 증거에만 공할 압수물이다(제133조 제1항 후단 · 제2항).

㉡ **수사기관의 가환부**: 사본을 확보한 경우 등 압수를 계속할 필요가 없다고 인정되는 압수물 및 증거에 사용할 압수물이다(제218조의2 제1항 · 제4항). 16 · 18. 경찰채용, 19. 경찰승진

판례 |

1 압수물 가환부 여부의 판단기준

증거에 공할 압수물을 가환부 할 것인지의 여부는 범죄의 태양, 경중, 압수물의 증거로서의 가치, 압수물의 은닉, 인멸, 훼손될 위험, 수사나 공판수행상의 지장 유무, 압수에 의하여 받는 피압수자 등의 불이익의 정도 등 여러 사정을 검토하여 **종합적으로 판단**하여야 할 것이다(대결 1994.8.18, 94모42) 16. 경찰채용

2 형사소송법 제133조 제1항 소정의 '증거에 공할 압수물'의 의미(= 증거물로서의 성격과 몰수물로서의 성격을 가진 압수물)

[1] 형사소송법 제133조 제1항 후단이, 제2항의 '증거에만 공할' 목적으로 압수할 물건과는 따로이 '증거에 공할' 압수물에 대하여 법원의 재량에 의하여 가환부할 수 있도록 규정한 것을 보면 **'증거에 공할 압수물'에는 증거물로서의 성격과 몰수할 것으로 사료되는 물건으로서의 성격을 가진 압수물이 포함되어 있다고 해석함이 상당**하다. [2] 몰수할 것이라고 사료되어 압수한 물건 중 법률의 특별한 규정에 의하여 필요적으로 몰수할 것에 해당하거나 누구의 소유도 허용되지 아니하여 몰수할 것에

해당하는 물건에 대한 압수는 몰수재판의 집행을 보전하기 위하여 한 것이라는 의미도 포함된 것이므로 그와 같은 압수 물건은 **가환부의 대상이 되지 않지만**, 그 밖의 **형법 제48조에 해당하는 물건**에 대하여는 이를 몰수할 것인지는 법원의 재량에 맡겨진 것이므로 특별한 사정이 없다면 수소법원이 피고 본안사건에 관한 종국판결에 앞서 이를 **가환부함에 법률상의 지장이 없는 것**으로 보아야 한다(대결 1998.4.16, 97모25). 17. 법원직 9급, 18. 경찰승진, 19. 경찰간부

3 필요적 몰수대상인 압수물을 가환부할 수 있는지의 여부(소극)

① **관세법 위반 피고사건의 몰수대상이 된 물품**은 증거에 공할 목적 외에 몰수를 위한 집행보전의 목적도 있다고 할 것이므로 가사 그 물품이 피고인이 아닌 자의 소유라고 할지라도 **가환부를 할 수 없다**(대결 1966.1.28, 65모21).

② **(위조된) 약속어음**은 범죄행위로 인하여 생긴 위조문서로서 아무도 이를 소유하는 것이 허용되지 않는 물건이므로 몰수가 될 뿐 **환부나 가환부할 수 없고** 다만 검사는 몰수의 선고가 있은 뒤에 형사소송법 제485조에 의하여 **위조의 표시를 하여 환부할 수 있다**(대결 1984.7.24, 84모43). 14. 경찰승진

③ 절차

㉠ **법원의 가환부**: 증거에 공할 압수물은 소유자 · 소지자 · 보관자 · 제출인의 청구에 의하여 법원의 결정에 의하여 가환부할 수 있다(제133조 제1항 후단). 17. 경찰승진 · 법원직 9급 **증거에만 공할 목적**으로 압수한 물건으로서 그 소유자 또는 소지자가 계속 사용하여야 할 물건은 사진촬영 기타 **원형보존의 조치를 취하고 신속히 가환부하여야 한다**(제133조 제2항). 15 · 16 · 19. 경찰승진, 18. 경찰채용 가환부를 할 때에는 미리 검사 · 피해자 · 피고인 · 변호인에게 통지해야 한다(제135조).

㉡ **수사기관의 가환부**: 검사 또는 사법경찰관은 사본을 확보한 경우 등 압수를 계속할 필요가 없다고 인정되는 압수물 및 증거에 사용할 압수물에 대하여 공소제기 전이라도 소유자 · 소지자 · 보관자 또는 제출인의 청구가 있는 때에는 가환부하여야 한다(제218조의2 제1항 · 제4항). 16 · 18. 경찰채용 사법경찰관이 가환부를 하기 위해서는 미리 검사의 지휘를 받아야한다(제218조의2 제4항 단서). **가환부를 할 때에는 미리 검사 · 피해자 · 피의자 · 변호인에게 통지**해야 한다(제135조, 제219조). 16. 경찰채용

판례 |

1 피고인에 대한 통지없이 한 가환부 결정의 적부(소극)

피고인에게 의견을 진술할 기회를 주지 아니한 채 한 가환부 결정은 형사소송법 제135조에 위배하여 위법하고 **이 위법은 재판의 결과에 영향을 미쳤다 할 것이다**(대결 1980.2.5, 80모3). 14. 경찰승진

2 증거에 사용할 압수물에 대한 가환부 청구가 있는, 수사기관이 이를 가환부해 주어야 하는지의 여부(=원칙적으로 적극)

검사는 증거에 사용할 압수물에 대하여 가환부의 청구가 있는 경우 가환부를 거부할 수 있는 특별한 사정이 없는 한 형사소송법 제218조의2 제1항에 의하여 가환부에 응하여야 한다. 그리고 그러한 특별한 사정이 있는지 여부는 범죄의 태양, 경중, 몰수대상인지 여부, 압수물의 증거로서의 가치, 압수물의 은닉 · 인멸 · 훼손될 위험, 수사나 공판수행상의 지장 유무, 압수에 의하여 받는 피압수자 등의 불이익의 정도 등 여러 사정을 검토하여 종합적으로 판단하여야 한다(대결 2017.9.29, 2017모236). 18. 국가직 7급, 20. 경찰채용

④ **효력**: 압수물을 가환부한 경우에도 압수의 효력은 그대로 유지가 된다. 따라서 가환부를 받은 자는 법원 또는 수사기관의 요구가 있으면 이를 제출할 의무를 부담하게 된다. 15. 경찰승진, 19. 경찰간부 **가환부한 장물에 대하여 별단의 선고가 없는 때에는 환부의 선고가 있는 것으로 간주**한다(제333조 제3항). 19. 경찰승진

> **판례 | 압수물 가환부 결정의 효력**
>
> **가환부의 결정**이 있는 경우에도 **압수의 효력은 지속**되므로 가환부를 받은 자는 법원의 요구가 있으면 즉시 압수물을 제출할 의무가 있고 그 압수물에 대하여 보관의무를 부담하며 소유자라 하더라도 그 압수물을 처분할 수는 없는 것이다(대결 1994.8.18, 94모42).

(6) 환부(還付)

① **의의**: 압수물을 종국적으로 소유자·소지자·보관자·제출인에게 반환하는 법원 또는 수사기관의 처분을 말한다. 환부는 압수를 당한 자 또는 제출인에게 하여야 하는데 이를 제출인환부의 원칙이라고 한다.

> **판례 | 압수물환부의 상대방(= 원칙적으로 제출인)**
>
> **검사가 수사를 계속하다가 사건을 불기소처분으로 종결**하는 경우에는 당해 사건에 관하여 압수한 압수물은 피압수자나 제출인에게 환부하는 것을 원칙으로 할 것이고 **피해자에게 환부할 이유가 명백한 경우를 제외하고는 피압수자나 제출인 외의 누구에게도 이를 환부할 수 없다**(대판 1969.5.27, 68다824).

② 대상

㉠ **법원의 환부**: 환부의 대상은 '압수를 계속할 필요가 없는 물건'이다(제133조 제1항 본문). 17. 경찰승진·법원직 9급 따라서 증거에 공할 압수물이나 몰수하여야 할 압수물은 환부의 대상이 되지 못한다.

> **판례 |**
>
> **1 증거에 공할 압수물을 환부할 수 있는지의 여부(소극)**
>
> 압수물이 범죄사실의 **증거에 공할 물건**인 경우에는 이를 **가환부함은 모르되 환부는 할 수 없다**(대결 1966.9.12, 66모58).
>
> **2 압수물에 대한 몰수의 선고가 없는 판결이 확정된 경우 검사에게 압수물을 환부해야 할 의무가 당연히 발생하는지의 여부(적극)**
>
> 형사소송법 제332조에 의하면 '압수한 서류 또는 물품에 대하여 몰수의 선고가 없는 때에는 압수를 해제한 것으로 간주한다'고 규정되어 있으므로 어떠한 **압수물에 대한 몰수의 선고가 포함되지 않은 판결이 선고되어 확정**되었다면 **검사에게 그 압수물을 제출자나 소유자 기타 권리자에게 환부하여야 할 의무가 당연히 발생**하는 것이고, 권리자의 환부신청에 의한 검사의 환부결정 등 어떤 처분에 의하여 비로소 환부의무가 발생하는 것은 아니다(대판 2001.4.10, 2000다49343).

㉡ **수사기관의 환부**: 사본을 확보한 경우 등 압수를 계속할 필요가 없다고 인정되는 압수물 및 증거에 사용할 압수물이다(제218조의2 제1항 · 제4항). 16 · 18. 경찰채용

판례 | 압수를 계속할 필요가 없어 환부를 해야 하는 경우

1 외국산 물품(다이아몬드)을 관세장물의 혐의가 있다고 보아 압수하였다 하더라도 그것이 언제, 누구에 의하여 관세포탈된 물건인지 알 수 없어 **기소중지처분을 한 경우**[대결 1996.8.16, 94모51(전합)] 14. 경찰승진, 20. 경찰채용 · 국가직 7급
2 압수된 금괴가 외국산이라고 하여도 언제, 누구에 의하여 관세포탈된 물건인지 알 수 없어 검사가 **기소중지처분을 한 경우**(대결 1991.4.22, 91모10)
3 세관이 외국산 시계를 관세장물의 혐의가 있다고 하여 압수하였던 것을 검사가 그것이 관세포탈품인지를 확인할 수 없어 그 사건을 **기소중지처분을 한 경우**(대결 1988.12.14, 88모55) 18. 경찰승진
4 외국산 제품이라 하여도 그것이 언제 누구에 의하여 관세포탈된 물건인지 알 수 없어 검사가 그 사건을 **불기소처분한 경우**(대결 1984.12.21, 84모61)

③ 절차
㉠ **법원의 환부**: 환부는 법원의 직권에 의한다. 환부를 할 때에는 미리 검사 · 피해자 · 피고인 · 변호인에게 통지해야 한다(제135조). 압수한 서류 또는 물품에 대하여 법원의 몰수의 선고가 없는 때에는 압수를 해제한 것으로 간주한다(제332조). 15. 법원직 9급, 16. 경찰승진, 19. 해경간부
㉡ **수사기관의 환부**: 검사 또는 사법경찰관은 사본을 확보한 경우 등 압수를 계속할 필요가 없다고 인정되는 압수물 및 증거에 사용할 압수물에 대하여 공소제기 전이라도 소유자 · 소지자 · 보관자 또는 제출인의 청구가 있는 때에는 환부하여야 한다(제218조의2 제1항 · 제4항). 16 · 18. 경찰채용
사법경찰관이 환부를 하기 위해서는 미리 검사의 지휘를 받아야한다(제218조의2 제4항 단서). 환부를 할 때에는 미리 검사 · 피해자 · 피의자 · 변호인에게 통지해야 한다(제135조, 제219조).

④ 효력: **환부에 의하여 압수는 그 효력을 상실**한다. 압수물의 환부는 압수의 효력을 해제하여 압수 이전의 상태로 **환원시키는 효력**만 있을 뿐이므로 **환부를 받은 자에게 소유권 기타 실체법상 권리를 확인하거나 창설하는 효력은 없다**.

판례 |

1 환부의 효력(= 압수를 해제하여 압수 이전의 상태로 환원시키는 것)
압수물의 환부는 환부를 받는 자에게 환부된 물건에 대한 소유권 기타 실체법상의 권리를 부여하거나 그러한 권리를 확정하는 것이 아니라 **단지 압수를 해제하여 압수 이전의 상태로 환원시키는 것뿐**으로서 이는 실체법상의 권리와 관계없이 압수 당시의 소지인에 대하여 행하는 것이므로 실체법인 민법(사법)상 권리의 유무나 변동이 압수물의 환부를 받을 자의 절차법인 형사소송법(공법)상 지위에 어떠한 영향을 미친다고는 할 수 없다[대결 1996.8.16, 94모51(전합)].

2 압수해제 또는 환부된 물건을 다시 압수 또는 몰수할 수 있는지의 여부(적극)
① 범인으로부터 압수한 물품에 대하여 몰수의 선고가 없어 그 **압수가 해제**된 것으로 간주된다고 하더라도 공범자에 대한 범죄수사를 위하여 여전히 그 물품의 압수가 필요하다거나 공범자에 대한 재판에서 그 물품이 몰수될 가능성이 있다면 검사는 **그 압수해제된 물품을 다시 압수할 수도 있다**(대결 1997.1.9, 96모34).
② 피고인 소유의 물건으로서 압수되었다가 검찰에 의하여 **피고인에게 환부된 물건**은 피고인이 소지하고 있다 할 것이니(몰수는 압수되어 있는 물건에 대하여서만 하는 것이 아니다) **이를 피고인으로부터 몰수한 조치는 정당하다**(대판 1977.5.24, 76도4001).

⑤ **피압수자의 소유권 포기와 압수물의 환부 · 가환부**: 수사기관의 압수물환부는 실체법상 권리와는 상관없는 수사기관의 공법상 의무이므로 피압수자가 압수 후에 **소유권포기의 의사표시를 하여도 수사기관의 압수물반환의무에 대응하는 압수물환부청구권은 소멸하지 않는다**는 것이 판례의 입장이다(《주의》 소유권포기의 의사표시가 있으면 수사기관의 압수물환부의무는 소멸한다. ×).

판례 | 피압수자가 압수물에 대한 소유권을 포기한 경우, 수사기관의 압수물환부의무가 면제되는지의 여부(소극) 및 피압수자의 압수물환부청구권이 소멸하는지의 여부(소극)

1 **피압수자 등 환부를 받을 자가 압수 후 그 소유권을 포기하는 등에 의하여 실체법상의 권리를 상실하더라도 그 때문에 압수물을 환부하여야 하는 수사기관의 의무에 어떠한 영향을 미칠 수 없고** 또한 **수사기관에 대하여 형사소송법상의 환부청구권을 포기한다는 의사표시를 하더라도 그 효력이 없어** 그에 의하여 수사기관의 필요적 환부의무가 면제된다고 볼 수는 없으므로 **압수물의 소유권이나 그 환부청구권을 포기하는 의사표시로 인하여 위 환부의무에 대응하는 압수물에 대한 환부청구권이 소멸하는 것은 아니다**[대결 1996.8.16, 94모51(전합)]. 14 · 15. 경찰승진, 14. 국가직 9급, 15 · 16. 경찰채용, 16. 경찰간부, 17. 변호사 · 법원직 9급, 19. 해경간부

2 **수사단계에서 소유권을 포기한 압수물**에 대하여 형사재판에서 몰수형이 선고되지 않은 경우, **피압수자는 국가에 대하여 민사소송으로 그 반환을 청구할 수 있다**(대판 2000.12.22, 2000다27725). 15. 경찰채용 · 법원행시, 19. 해경간부

⑥ 압수장물의 피해자환부

㉠ 압수한 장물은 피해자에게 환부할 이유가 명백한 때에는 피고사건 또는 피의사건 종결 전이라도 법원 또는 수사기관의 결정으로 피해자에게 환부할 수 있다(제134조, 제219조). 14. 국가직 9급, 15 · 17. 경찰승진, 17. 국가직 7급, 19. 해경간부 수사기관이 장물을 처분하였을 때에는 그 대가로 취득한 것을 피해자에게 교부하여야 한다(제219조, 제333조 제2항).

㉡ 압수한 장물로서 피해자에게 **환부할 이유가 명백**한 것은 판결로써 피해자에게 환부하는 선고를 하여야 한다(제333조 제1항). 14. 경찰간부, 16. 경찰승진, 18. 경찰채용, 19. 해경간부 장물을 처분하였을 때에는 판결로써 그 대가로 취득한 것을 피해자에게 교부하는 선고를 하여야 한다(동조 제2항). 14. 경찰간부 가환부한 장물에 대하여 별단의 선고가 없는 때에는 환부의 선고가 있는 것으로 간주한다(동조 제3항). 14. 경찰간부 **압수장물의 피해자환부**는 **이해관계인**이 민사소송절차에 의하여 그 **권리를 주장함에 영향을 미치지 아니한다**(동조 제4항). 14. 경찰간부, 14 · 16. 경찰승진

판례 |

1 압수장물의 피해자 환부의 요건인 '환부할 이유가 명백한 때'의 의미

형사소송법 제134조 소정의 **'환부할 이유가 명백한 때'**라 함은 **사법상 피해자가 그 압수된 물건의 인도를 청구할 수 있는 권리가 있음이 명백한 경우**를 의미하고 위 인도청구권에 관하여 사실상, 법률상 다소라도 의문이 있는 경우에는 환부할 명백한 이유가 있는 경우라고는 할 수 없다(대결 1984.7.16, 84모38).

2 장물의 처분대가를 피해자에게 교부해야 하는 경우

① **장물을 처분하여 그 대가로 취득한 압수물**은 몰수할 것이 아니라 **피해자에게 교부**하여야 할 것이다(대판 1969.1.21, 68도1672).

② 피고인이 **편취한 자전거를 처분하여 취득한 대가**는 피고인에게 환부할 성질의 것이 아니고 오히려 형사소송법 제333조 제2항의 규정에 의하여 **피해자에게 교부**하는 선고를 하여야 한다(대판 1967.12.5, 67도1309).

> 3 장물의 처분대가를 피해자에게 교부해서는 안되는 경우
> 형사소송법 제333조 제2항의 규정취지는 범인이 장물을 처분하여 버림으로써 피해자가 장물의 반환을 받을 수 없게 되는 경우, 그 대가로 취득한 것을 피해자에게 교부함으로써 전부 또는 일부의 피해회복을 받도록 하고자하는 피해자 보호의 견지에서 제정된 것이라 할 것이므로 **이미 장물을 환부받은 피해자에게 그 장물의 처분대가마저 교부할 수는 없다**(대판 1985.1.29, 84도2941).

8. 압수처분에 대한 불복방법

(1) 수소법원의 처분에 대한 불복

법원의 압수나 압수물의 환부에 관한 결정에 대해서는 보통항고로 불복할 수 있다(제403조 제2항).

(2) 재판장 또는 수명법관의 처분에 대한 불복

재판장 또는 수명법관의 압수 또는 압수물의 환부에 관한 재판에 불복이 있으면 그 법관 소속의 법원에 준항고로 불복할 수 있다(제416조 제1항).

(3) 수사기관의 처분에 대한 불복

① **환부 및 가환부 처분**: 압수물의 환부 또는 가환부 청구에 대하여 검사 또는 사법경찰관이 이를 거부하는 경우에는 신청인은 해당 검사 또는 사법경찰관의 소속 검찰청에 대응한 법원에 압수물의 환부 또는 가환부 결정을 청구할 수 있다(제218조의2 제2항). 법원이 환부 또는 가환부를 결정하면 검사 또는 사법경찰관은 신청인에게 압수물을 환부 또는 가환부하여야 한다(동조 제3항).

② **기타 압수물 처분**: 검사 또는 사법경찰관의 압수 또는 압수물의 환부에 관한 처분에 대하여 불복이 있으면 그 직무집행지의 관할법원 또는 검사의 소속 검찰청에 대응하는 법원에 준항고로 불복할 수 있다(제417조).

02 수사상 검증(檢證)과 감정(鑑定)

1. 검증의 의의

(1) 개념

검증이란 사람 · 장소 · 물건의 성질 · 형상을 **오관(五官)의 작용**에 의하여 **인식하는 강제처분**을 말한다. 수사기관의 검증은 증거를 수집 · 보전하기 위한 강제처분으로 영장주의가 적용된다(제215조). 그러나 **법원의 검증은 증거조사의 일종**으로 행하여지고 **영장을 요하지 아니한다**(제139조). 이하에서는 수사기관의 검증을 설명하고 법원의 검증은 '증거조사' 편에서 별도로 설명한다.

(2) 검증의 대상

검증의 목적물에는 원칙적으로 제한이 없다. 오관의 작용에 의하여 인식가능한 것이면 유체물 또는 무체물을 가리지 아니한다. 사람의 신체는 물론 사체 기타 장소 등 어떤 것이라도 상관이 없고 검증목적물의 소유관계도 불문한다.

2. 검증의 절차

(1) 영장의 발부

검사는 범죄수사에 필요한 때에는 피의자가 죄를 범하였다고 의심할만한 정황이 있고 해당 사건과 관계가 있다고 인정할 수 있는 것에 한정하여 지방법원판사에게 청구하여 발부받은 영장에 의하여 검증을 할 수 있고(제215조 제1항), 사법경찰관은 검사에게 신청하여 검사의 청구로 지방법원판사가 발부한 검증영장에 의하여 검증을 할 수 있다(동조 제2항). 14. 경찰간부 검증영장의 청구절차는 압수·수색영장의 청구절차와 유사하다.

(2) 영장주의의 예외

검증의 경우에도 압수·수색과 마찬가지로 영장 없이 이를 할 수 있다(제216조 내지 제218조). 이에 관하여는 01 **6. 압수·수색·검증과 영장주의의 예외**에서 상술하였다.

(3) 검증의 내용

검증을 함에는 신체의 검사·사체의 해부·분묘의 발굴·물건의 파괴 기타 필요한 처분을 할 수 있다(제219조, 제140조). 압수·수색에 관한 규정은 검증에 준용된다(제219조).

(4) 검증조서의 작성

검증 후에는 검증조서를 작성하여야 한다(제49조 제1항). 검증조서에는 검증목적물의 현상을 명확하게 하기 위하여 도화나 사진을 첨부할 수 있다(동조 제2항). 검증조서에는 조사·처분의 연월일시와 장소를 기재하고 그 조사·처분을 행한 자와 참여한 서기관 또는 사법경찰관이 기명날인 또는 서명하여야 한다(제50조). 검증조서는 일정한 요건하에 증거능력이 인정이 된다(제312조 제6항).

3. 신체검사

(1) 의의

신체검사란 신체자체를 대상으로 하는 강제처분을 말한다. 신체의 외부에서 증거물을 찾는 신체수색과는 구별된다. 신체검사는 원칙적으로 검증으로서의 성질을 가지나 혈액채취나 X-선 촬영 등은 일반적으로 감정에 해당한다.

(2) 절차

신체검사를 함에는 검사를 당하는 자의 성별·연령·건강상태 기타 사정을 고려하여 그 사람의 건강과 명예를 해하지 아니하도록 주의하여야 한다(제141조 제1항). **피의자 아닌 자**의 **신체검사**는 **증적의 존재를 확인할 수 있는 현저한 사유가 있는 경우에 한하여 할 수 있다**(동조 제2항). 19. 경찰채용 사체의 해부 또는 분묘의 발굴을 하는 때에는 예를 잊지 아니하도록 주의하고 미리 유족에게 통지하여야 한다(동조 제4항). **여자의 신체를** 검사하는 경우에는 **의사나 성년의 여자를 참여**하게 하여야 한다(동조 제3항)(≪주의 여자의 신체를 검사하는 경우에는 성년의 여자를 참여하게 하여야 한다. ×). 14. 경찰간부

4. 감정처분

(1) 의의

감정인이 감정에 관하여 필요한 때에 판사의 허가를 얻어 신체검사, 사체해부 등의 강제처분을 하는 것을 말한다.

(2) 절차

① **허가의 청구**: 감정의 위촉을 받은 자는 감정처분을 하기 위하여 판사의 허가를 얻어야 한다(제221조의4 제1항). 판사에 대한 허가청구는 검사가 하여야 한다(동조 제2항). 판사는 청구가 상당하다고 인정할 때에는 허가장을 발부하여야 한다(동조 제3항). 허가장에는 피의자의 성명, 죄명, 들어갈 장소, 검사할 신체, 해부할 사체, 발굴할 분묘, 파괴할 물건, 감정인의 성명과 유효기간을 기재하여야 한다(제221조의4 제1항, 제173조 제2항).

② **감정처분**: 감정인은 타인의 주거 · 간수자 있는 가옥 · 건조물 · 항공기 · 선차 내에 들어 갈 수 있고, 신체의 검사 · 사체의 해부 · 분묘의 발굴 · 물건의 파괴를 할 수 있다(제221조의4 제1항, 제173조 제1항). 감정인은 처분을 받는 자에게 감정처분허가장을 제시하여야 한다(제221조의4 제1항, 제173조 제3항). 신체검사의 경우 검증의 신체검사에 관한 규정이 준용된다(제221조의4 제2항, 제173조 제5항, 제141조, 제143조).

판례 |

[1] 강제채뇨의 의의와 허용 요건

㉠ **강제채뇨**는 피의자가 임의로 소변을 제출하지 않는 경우 피의자에 대하여 강제력을 사용해서 **도뇨관(導尿管, catheter)을 요도를 통하여 방광에 삽입한 뒤 체내에 있는 소변을 배출시켜 소변을 취득 · 보관하는 행위이다.** ㉡ 피의자에게 범죄 혐의가 있고 그 범죄가 중대한지, 소변성분 분석을 통해서 범죄 혐의를 밝힐 수 있는지, 범죄 증거를 수집하기 위하여 피의자의 신체에서 소변을 확보하는 것이 필요한 것인지, 채뇨가 아닌 다른 수단으로는 증명이 곤란한지 등을 고려하여 **범죄 수사를 위해서 강제채뇨가 부득이하다고 인정되는 경우에 최후의 수단으로 적법한 절차에 따라 허용된다고 보아야 하고**, 이때 의사, 간호사, 그 밖의 숙련된 의료인 등으로 하여금 소변 채취에 적합한 의료장비와 시설을 갖춘 곳에서 피의자의 신체와 건강을 해칠 위험이 적고 피의자의 굴욕감 등을 최소화하는 방법으로 소변을 채취하여야 한다. 20. 해경채용

[2] 수사기관이 피의자의 동의 없이 강제채뇨를 하는 방법(= 감정처분 또는 압수)

수사기관이 범죄 증거를 수집할 목적으로 피의자의 동의 없이 피의자의 소변을 채취하는 것은 법원으로부터 감정허가장을 받아 형사소송법 제221조의4 제1항, 제173조 제1항에서 정한 **'감정에 필요한 처분'으로 할 수 있지만**(피의자를 병원 등에 유치할 필요가 있는 경우에는 형사소송법 제221조의3에 따라 법원으로부터 감정유치장을 받아야 한다), 형사소송법 제219조, 제106조 제1항, 제109조에 따른 **압수 · 수색의 방법으로도 할 수 있고**, 이러한 압수 · 수색의 경우에도 수사기관은 원칙적으로 형사소송법 제215조에 따라 판사로부터 압수 · 수색영장을 적법하게 발부받아 집행해야 한다. 20. 해경채용

[3] 강제채뇨를 함에 있어 유형력의 행사가 허용되는지의 여부

압수 · 수색의 방법으로 소변을 채취하는 경우 압수대상물인 피의자의 소변을 확보하기 위한 수사기관의 노력에도 불구하고, 피의자가 인근 병원 응급실 등 소변 채취에 적합한 장소로 이동하는 것에 동의하지 않거나 저항하는 등 임의동행을 기대할 수 없는 사정이 있는 때에는 **수사기관으로서는 소변 채취에 적합한 장소로 피의자를 데려가기 위해서 필요최소한의 유형력을 행사하는 것이 허용되는데,** 이는 형사소송법 제219조, 제120조 제1항에서 정한 '압수 · 수색영장의 집행에 필요한 처분'에 해당한다. 19. 경찰채용, 20. 해경채용

[4] 적법한 강제채뇨에 해당하는 경우

피고인에 대한 피의사실(필로폰 투약)이 중대하고 객관적 사실에 근거한 명백한 범죄혐의가 있었다고 볼 수 있는 상황에서, 경찰관의 장시간에 걸친 설득에도 불구하고 **피고인이 소변의 임의제출을 거부하면서 압수영장의 집행에 저항하자 경찰관이 다른 방법으로 수사 목적을 달성하기 곤란하**

다고 판단하여 강제로 피고인을 인근 병원 응급실로 데리고 가 의사의 지시를 받은 응급구조사로 하여금 강제로 소변을 채취하도록 하였고, 그 과정에서 피고인에 대한 강제력의 행사가 필요 최소한도를 벗어나지 않았다면 경찰관의 이러한 조치는 형사소송법 제219조, 제120조 제1항에서 정한 '압수영장의 집행에 필요한 처분'으로서 허용된다고 보는 것이 타당하다(대판 2018.7.12, 2018도6219). 20. 경찰채용 · 해경채용 · 변호사

03 통신비밀보호법과 통신제한조치

1. 의의

(1) 개념

헌법은 제18조는 "모든 국민은 통신의 비밀을 침해받지 아니한다."라고 규정하여 통신의 비밀을 국민의 기본권으로 보장하고 있다. 따라서 우편물의 검열이나 전기통신의 도청 · 감청 등은 이러한 통신의 비밀을 침해하는 것으로 허용되지 아니한다. 그러나 수사기관이 범죄수사라는 공익을 달성하기 위하여 부득이하게 도청 · 감청 등을 할 필요성이 존재한다. 이렇게 국민의 통신의 비밀을 보호하는 한편 공익상 필요한 도청 · 감청 등에 필요한 법적절차를 규율하기 위하여 제정된 법이다.

(2) 통신비밀보호법의 목적(제1조)

통신비밀보호법은 통신 및 대화의 비밀과 자유에 대한 제한은 그 대상을 한정하고 엄격한 법적절차를 거치도록 함으로써 통신비밀을 보호하고 통신의 자유를 신장함을 목적으로 한다.

(3) 용어정의(제2조)

① '통신'이란 우편물 및 전기통신을 말한다. 16. 경찰승진

② '우편물'이란 우편법에 의한 통상우편물과 소포우편물을 말한다.

③ '전기통신'이란 전화 · 전자우편 · 회원제정보서비스 · 모사전송 · 무선호출 등과 같이 유선 · 무선 · 광선 및 기타의 전자적 방식에 의하여 모든 종류의 음향 · 문언 · 부호 또는 영상을 송신하거나 수신하는 것을 말한다. 15. 경찰승진

④ '당사자'란 우편물의 발송인과 수취인, 전기통신의 송신인과 수신인을 말한다.

⑤ '검열'이란 우편물에 대하여 당사자의 동의 없이 이를 개봉하거나 기타의 방법으로 그 내용을 지득 또는 채록하거나 유치하는 것을 말한다.

⑥ '감청'이란 전기통신에 대하여 당사자의 동의 없이 전자장치 · 기계장치 등을 사용하여 통신의 음향 · 문언 · 부호 · 영상을 청취 · 공독하여 그 내용을 지득 또는 채록하거나 전기통신의 송 · 수신을 방해하는 것을 말한다.

판례 |

1 타인간의 '대화'의 의미 등

[1] 통신비밀보호법에서 보호하는 타인간의 '대화'는 원칙적으로 현장에 있는 당사자들이 육성으로 말을 주고받는 의사소통행위를 가리킨다. 따라서 사람의 육성이 아닌 사물에서 발생하는 음향은 타인간의 '대화'에 해당하지 않고 또한 사람의 목소리라고 하더라도 상대방에게 의사를 전달하는 말이 아닌 단순한 비명소리나 탄식 등은 타인과 의사소통을 하기 위한 것이 아니라면 특별한 사정이 없는 한 타인 간의 '대화'에 해당한다고 볼 수 없다. [2] 甲이 乙과 통화를 마친 후 전화가 끊기지 않은 상태에서 휴대전화를 통하여 **'우당탕'**, **'악'** 소리를 들었는데, '우당탕' 소리는 사물에서 발생하는 음향일

뿐 사람의 목소리가 아니므로 타인간의 '대화'에 해당하지 않고, '악' 소리도 사람의 목소리이기는 하나 단순한 비명소리에 지나지 않아 그것만으로 상대방에게 의사를 전달하는 말이라고 보기는 어려워 특별한 사정이 없는 한 **타인간의 '대화'에 해당한다고 볼 수 없다**(대판 2017.3.15, 2016도19843). 19. 국가직 9급·국가직 7급

2 전기통신과 대화의 구별

① **무전기와 같은 무선전화기를 이용한 통화**가 통신비밀보호법에서 규정하고 있는 **전기통신에 해당함**은 전화통화의 성질 및 법 규정 내용에 비추어 명백하므로 이를 같은 법 제3조 제1항 소정의 **'타인간의 대화'에 포함된다고 할 수 없다**(대판 2003.11.13, 2001도6213). 14. 경찰채용, 14·16·20. 경찰승진, 16. 국가직 7급, 18. 경찰간부, 19. 해경간부

② **전화통화**가 통신비밀보호법에서 규정하고 있는 **전기통신에 해당함**은 전화통화의 성질 및 법 규정 내용에 비추어 명백하므로 이를 법 제3조 제1항 소정의 **'타인간의 대화'에 포함시킬 수는 없다**(대판 2002.10.8, 2002도123).

3 통신비밀보호법 제5조 제2항 중 '인터넷회선을 통하여 송·수신하는 전기통신'에 관한 부분('이 사건 법률조항'이라고 한다)이 헌법에 위반되는지의 여부(적극, 헌법불합치)

이 사건 법률조항은 인터넷회선 감청의 특성을 고려하여 그 집행 단계나 집행 이후에 수사기관의 권한 남용을 통제하고 관련 기본권의 침해를 최소화하기 위한 제도적 조치가 제대로 마련되어 있지 않은 상태에서, 범죄수사 목적을 이유로 인터넷회선 감청을 통신제한조치 허가 대상 중 하나로 정하고 있으므로 침해의 최소성 요건을 충족한다고 할 수 없다. 이러한 여건하에서 **인터넷회선의 감청을 허용하는 것**은 개인의 통신 및 사생활의 비밀과 자유에 심각한 위협을 초래하게 되므로 이 사건 법률조항으로 인하여 달성하려는 공익과 제한되는 사익 사이의 법익 균형성도 인정되지 아니한다. 그러므로 이 사건 법률조항은 과잉금지원칙에 위반하는 것으로 **청구인의 기본권을 침해한다**(헌재 2018.8.30, 2016헌마263).

4 이미 수신이 완료된 전기통신의 내용을 지득하는 행위가 '감청'에 포함되는지의 여부(소극)

① 통신비밀보호법상 **'감청'이란 대상이 되는 전기통신의 송·수신과 동시에 이루어지는 경우만을 의미**하고, 이미 **수신이 완료된 전기통신의 내용을 지득하는 등의 행위는 포함되지 않는다**(대판 2012.10.25, 2012도4644). 14. 경찰채용, 16. 국가직 7급, 18. 경찰간부

② **'전기통신의 감청'은 현재 이루어지고 있는 전기통신의 내용을 지득·채록하는 경우와 통신의 송·수신을 직접적으로 방해하는 경우를 의미**하는 것이지 전자우편이 송신되어 수신인이 이를 확인하는 등으로 **이미 수신이 완료된 전기통신에 관하여 남아 있는 기록이나 내용을 열어보는 등의 행위는 포함하지 않는다**(대판 2013.11.28, 2010도12244). 14. 법원행시, 17. 변호사·국가직 9급, 19. 해경간부·경찰채용

5 허가된 '감청'의 방식이 아닌 다른 방식으로 취득한 전기통신 내용의 증거능력 유무(소극)

허가된 통신제한조치의 종류가 전기통신의 '감청'인 경우, 수사기관 또는 수사기관으로부터 통신제한조치의 집행을 위탁받은 통신기관 등은 통신비밀보호법이 정한 감청의 방식으로 집행하여야 하고 그와 다른 방식으로 집행하여서는 아니 된다. 한편 수사기관이 통신기관 등에 통신제한조치의 집행을 위탁하는 경우에는 그 집행에 필요한 설비를 제공하여야 한다(통신비밀보호법시행령 제21조 제3항). 그러므로 수사기관으로부터 통신제한조치의 집행을 위탁받은 통신기관 등이 그 집행에 필요한 설비가 없을 때에는 수사기관에 그 설비의 제공을 요청하여야 하고, 그러한 요청 없이 **통신제한조치허가서에 기재된 사항을 준수하지 아니한 채 통신제한조치를 집행하였다면**, 그러한 집행으로 인하여 취득한 전기통신의 내용 등은 적법한 절차를 따르지 아니하고 수집한 증거에 해당하므로 이는 **유죄 인정의 증거로 할 수 없다**(대판 2016.10.13, 2016도8137). 17. 경찰채용, 19·20. 경찰승진

2. 통신 및 대화비밀의 보호

(1) 통신 및 대화비밀의 보호

(통신비밀보호법 · 형사소송법 등 법령에 의해서 예외적으로 허용되는 경우를 제외하고는) 누구든지 우편물의 검열 · 전기통신의 감청 또는 통신사실 확인자료의 제공을 하거나 공개되지 아니한 타인간의 대화를 녹음 또는 청취하지 못한다(제3조 제1항). 또한 누구든지 공개되지 아니한 타인간의 대화를 녹음하거나 전자장치 또는 기계적 수단을 이용하여 청취할 수 없다(제14조 제1항).

(2) 증거능력 부정

불법검열에 의하여 취득한 우편물이나 그 내용 및 불법감청에 의하여 지득 또는 채록된 전기통신의 내용은 **재판 또는 징계절차에서 증거로 사용할 수 없다**(제4조). 공개되지 아니한 타인간의 대화를 녹음하거나 전자장치 또는 기계적 수단을 이용하여 청취한 내용도 재판 또는 징계절차에서 증거로 사용할 수 없다(제4조, 제14조).

판례 |

1 불법감청 등에 해당하여 증거능력이 부정되는 경우(이른바 '제3자녹음'에 해당)

① 녹음테이프 검증조서의 기재 중 **피고인과 무속인간의 대화를 녹음한 부분은 공개되지 아니한 타인간의 대화를 녹음한 것**이므로 통신비밀보호법 제14조 제2항 및 제4조의 규정에 의하여 그 증거능력이 없고, **피고인들간의 전화통화를 녹음한 부분은 피고인의 동의 없이 불법감청한 것**이므로 그 증거능력이 없다(대판 2001.10.9, 2001도3106).

② 음식점 내부에 감시용 카메라와 도청마이크 등을 설치하여 **타인간의 대화를 녹음하려 시도하거나 청취**한 경우, 위 음식점 내에서 이루어진 타인간의 대화는 통신비밀보호법 제3조 제1항의 '공개되지 아니한 타인간의 대화'에 해당한다(대판 2007.12.27, 2007도9053).

③ 렉카 회사가 무전기를 이용하여 **한국도로공사의 상황실과 순찰차간의 무선전화통화를 청취**한 경우 무전기를 설치함에 있어 한국도로공사의 정당한 계통을 밟은 결재가 있었던 것이 아닌 이상 전기통신의 당사자인 한국도로공사의 동의가 있었다고는 볼 수 없으므로 통신비밀보호법상의 감청에 해당한다(대판 2003.11.13, 2001도6213).

④ **제3자의 경우**는 설령 **전화통화 당사자 일방의 동의를 받고 그 통화 내용을 녹음하였다 하더라도 그 상대방의 동의가 없었던 이상 통신비밀보호법 제3조 제1항 위반**이 되고, 이와 같이 불법감청에 의하여 녹음된 전화통화의 내용은 증거능력이 없다. 이는 피고인이나 변호인이 이를 증거로 함에 동의하였다고 하더라도 달리 볼 것은 아니다(대판 2010.10.14, 2010도9016)(同旨 대판 2002.10.8, 2002도123). 14 · 17 · 18 · 20. 변호사, 14 · 16 · 20. 국가직 7급, 14 · 18 · 21. 경찰채용, 18 · 21. 경찰간부, 20. 경찰승진

⑤ **甲, 乙이 A와의 통화 내용을 녹음하기로 합의한 후 甲이 스피커폰으로 A와 통화하고 乙이 옆에서 이를 녹음한 경우**, 전화통화의 당사자는 甲과 A이고, 乙은 제3자에 해당하므로 乙이 전화통화 당사자 일방인 甲의 동의를 받고 통화 내용을 녹음하였다고 하더라도 상대방인 A의 동의가 없었던 이상 이는 통신비밀보호법 제3조 제1항에 위반한 '전기통신의 감청'에 해당하여 그 녹음파일은 **증거로 사용할 수 없고**, 이는 A가 녹음파일 및 이를 채록한 녹취록에 대하여 증거동의를 하였다 하더라도 마찬가지이다(대판 2019.3.14, 2015도1900 **변호사 매형, 검사 처남 사건**).

2 불법감청 등에 해당하지 않아 증거능력이 부정되지 않는 경우(이른바 '당사자녹음'에 해당)

① 전기통신에 해당하는 **전화통화 당사자의 일방이 상대방 모르게 통화내용을 녹음(채록)**하는 것은 감청에 해당하지 아니한다. 따라서 전화통화 당사자의 일방이 상대방 몰래 통화내용을 녹음하더라도 대화 당사자 일방이 상대방 모르게 그 대화내용을 녹음한 경우와 마찬가지로 통신비밀보호법 제3조 제1항 위반이 되지 아니한다(대판 2002.10.8, 2002도123). 14. 경찰채용, 16. 경찰승진

② [1] 전기통신에 해당하는 **전화통화의 당사자 일방이 상대방과의 통화내용을 녹음**하는 것은 위법조에 정한 '감청' 자체에 해당하지 아니한다. [2] 골프장 운영업체가 예약전용 전화선에 녹취시스템을 설치하여 예약담당 직원과 고객간의 골프장 예약에 관한 통화내용을 녹취한 행위는 통신비밀보호법 제3조 제1항 위반죄에 해당하지 않는다(대판 2008.10.23, 2008도1237).

③ **사인이 피고인 아닌 사람과의 대화내용을 대화 상대방 몰래 녹음**하였다고 하더라도 그 녹음테이프가 위법하게 수집된 증거로서 증거능력이 없다고 할 수 없으며, 사인이 피고인 아닌 사람과의 대화내용을 상대방 몰래 비디오로 촬영·녹음한 경우에도 그 비디오테이프의 진술부분에 대하여도 위와 마찬가지로 취급하여야 할 것이다(대판 1999.3.9, 98도3169). 15. 경찰간부, 16. 변호사·국가직 9급

④ **피고인의 동료 교사가 학생들과의 사적인 대화 중**에 피고인이 수업시간에 학생들에게 북한을 찬양·고무하는 발언을 하였다는 사실에 대한 **학생들의 대화 내용을 학생들 모르게 녹음**한 녹음테이프에 대하여 실시한 검증의 경우 (중략) 검증조서의 기재 중 학생들의 진술내용을 공소사실을 인정하기 위한 증거자료로 사용하기 위하여서는 형사소송법 제313조 제1항에 따라 공판준비나 공판기일에서 원진술자인 학생들의 진술에 의하여 이 사건 녹음테이프에 녹음된 각자의 진술내용이 자신이 진술한 대로 녹음된 것이라는 점이 인정되어야 한다(대판 1997.3.28, 96도2417).

⑤ **피고인이 범행 후 피해자에게 전화를 걸어오자 피해자가 증거를 수집하려고 그 전화내용을 녹음**한 경우, 그 녹음테이프가 피고인 모르게 녹음된 것이라 하여 이를 위법하게 수집된 증거라고 할 수 없다(대판 1997.3.28, 97도240). 14·18·19. 경찰간부, 15·16·20. 경찰승진, 16. 경찰채용, 16·19 국가직 9급, 20. 법원직 9급

⑥ **3인간의 대화에서 그 중 한 사람이 그 대화를 녹음 또는 청취**하는 경우에 다른 두 사람의 발언은 그 녹음자 또는 청취자에 대한 관계에서 통신비밀보호법 제3조 제1항에서 정한 '타인간의 대화'라고 할 수 없으므로, 이러한 녹음 또는 청취하는 행위 및 그 내용을 공개하거나 누설하는 행위가 **통신비밀보호법 제16조 제1항에 해당한다고 볼 수 없다**(대판 2014.5.16, 2013도16404)(同旨 대판 2006.10.12, 2006도4981). 14. 경찰채용·법원행시, 15. 국가직 9급, 17. 변호사

⑦ **녹음파일의 대화당사자가 A와 甲, 乙이고, 당시 甲과 乙이 이 3인간의 대화를 녹음한 경우**, 녹음파일은 통신비밀보호법 제3조 제1항에서 규정한 **'타인간의 대화'를 녹음한 경우에 해당하지 않고**, 이들이 丙의 권유 또는 지시에 따라 녹음을 하였다고 하더라도 甲과 乙이 녹음의 주체이므로 제3자의 녹음행위로 볼 수 없다(대판 2019.3.14, 2015도1900 **변호사 매형, 검사 처남 사건**).

3. 통신제한조치

(1) 의의

통신제한조치란 수사기관이 범죄수사 또는 국가안전보장을 위하여 우편물을 검열하거나 전기통신을 감청하는 **강제수사**를 말한다. 통신제한조치는 **보충적인 수단**으로 이용되어야 하며, 국민의 통신비밀에 대한 침해가 최소한에 그치도록 노력하여야 한다(제3조 제2항). 통신제한조치는 범죄수사를 위한 경우와 국가안전보장을 위한 경우로 구분이 된다. 또한 통신제한조치는 강제처분이므로 미리 허가서(영장)를 발부받아 집행해야 하지만, 긴급을 요하는 경우에는 사후에 허가 또는 승인을 받을 수도 있다.

(2) 범죄수사를 위한 통신제한조치

① **대상범죄**(제5조 제1항) 14·15·18. 경찰승진

구분	내용
형법	㉠ 내란, 외환(제92조 내지 제101조), 국교(제107조, 제108조, 제111조 내지 제113조), 공안(제114조, 제115조), 폭발물 ㉡ 공무원 직무(제127조, 제129조 내지 제133조), 도주·범인은닉, 방화·실화(제164조 내지 제167조, 제172조 내지 제173조, 제174조, 제175조), 아편, 통화, 유가증권·우표·인지(제214조 내지 제217조, 제223조, 제224조) ㉢ 살인, 체포·감금, 협박(제283조 제1항, 제284조, 제285조, 제286조), 약취·유인·인신매매, 강간·추행(제297조 내지 제301조의2, 제305조), 신용·업무·경매(제315조), 권리행사방해(제324조의2 내지 제324조의4, 제324조의5), 절도·강도(제329조 내지 제331조, 제332조, 제333조 내지 제341조, 제342조), **공갈, 상습장물**(주의 사기, 상해, 공무집행방해, 직무유기 ×)
특별법	㉠ 군형법에 규정된 범죄(제6장·제10장 제외) ㉡ 국가보안법, 군사기밀보호법, 군사시설보호법에 규정된 범죄 ㉢ 마약류관리법에 규정된 범죄(제58조 내지 제62조) ㉣ 폭력행위처벌법에 규정된 범죄(제4조, 제5조) ㉤ 총포화약법에 규정된 범죄(제70조, 제71조 제1호 내지 제3호) ㉥ 특정범죄가중법에 규정된 범죄(제2조 내지 제8조, 제10조 내지 제12조) ㉦ 특정경제범죄법에 규정된 범죄(제3조 내지 제9조) ㉧ 국제뇌물방지법에 규정된 범죄(제3조 및 제4조)

② **통신제한조치의 요건**: 통신제한조치는 대상범죄를 계획 또는 실행하고 있거나 실행하였다고 의심할 만한 충분한 이유가 있고, 다른 방법으로는 그 범죄의 실행을 저지하거나 범인의 체포 또는 증거의 수집이 어려운 경우에 한하여 허가할 수 있다(제5조 제1항). 19. 경찰간부 통신제한조치는 요건에 해당하는 자가 발송·수취하거나 송·수신하는 특정한 우편물이나 전기통신 또는 그 해당자가 일정한 기간에 걸쳐 발송·수취하거나 송·수신하는 우편물이나 전기통신을 대상으로 허가될 수 있다(동조 제2항).

③ **통신제한조치의 절차**

㉠ **검사**는 요건이 구비된 경우에는 법원에 대하여 **각 피의자별 또는 각 피내사자별로 통신제한조치를 허가**하여 줄 것을 청구할 수 있다(제6조 제1항). 사법경찰관은 검사에 대하여 각 피의자별 또는 각 피내사자별로 통신제한조치에 대한 허가를 신청하고, 검사는 법원에 대하여 그 허가를 청구할 수 있다(동조 제2항).

㉡ 통신제한조치 청구사건의 관할법원은 그 통신제한조치를 받을 통신당사자의 쌍방 또는 일방의 주소지·소재지, 범죄지 또는 통신당사자와 공범관계에 있는 자의 주소지·소재지를 관할하는 지방법원 또는 지원으로 한다(제6조 제3항).

㉢ 통신제한조치청구는 통신제한조치의 종류·목적·대상·범위·기간·집행장소·방법 및 당해 통신제한조치가 허가요건을 충족하는 사유 등의 청구이유를 기재한 서면으로 하여야 하며, 청구이유에 대한 소명자료를 첨부하여야 한다(제6조 제4항).

㉣ 법원은 청구가 이유 있다고 인정하는 경우에는 각 피의자별 또는 각 피내사자별로 통신제한조치를 허가하고, 허가서를 청구인에게 발부한다(제6조 제5항). 허가서에는 통신제한조치의 종류·그 목적·대상·범위·기간 및 집행장소와 방법을 특정하여 기재하여야 한다(동조 제6항). 법원은 청구가 이유 없다고 인정하는 경우에는 청구를 기각하고 이를 청구인에게 통지한다(동조 제9항).

ⓜ 통신제한조치의 기간은 **2개월**을 초과하지 못하고, 그 기간 중 통신제한조치의 **목적이 달성되었을 경우에는 즉시 종료하여야 한다**(제6조 제7항). 14 · 16. 경찰승진, 19. 경찰간부

ⓗ 통신제한조치 허가요건이 존속하는 경우에는 소명자료를 첨부하여 2개월의 범위에서 통신제한조치기간의 연장을 청구할 수 있다(제6조 제7항 단서).

ⓢ 검사 또는 사법경찰관이 통신제한조치의 연장을 청구하는 경우에 통신제한조치의 총 연장기간은 **1년**을 초과할 수 없다(제6조 제8항).

ⓞ 다만 아래의 범죄의 경우에는 통신제한조치의 총 연장기간이 **3년**을 초과할 수 없다(제6조 제8항 단서).

> ⓐ 형법 제2편 중 제1장 내란의 죄, 제2장 외환의 죄 중 제92조부터 제101조까지의 죄, 제4장 국교에 관한 죄 중 제107조, 제108조, 제111조부터 제113조까지의 죄, 제5장 공안을 해하는 죄 중 제114조, 제115조의 죄 및 제6장 폭발물에 관한 죄
> ⓑ 군형법 제2편 중 제1장 반란의 죄, 제2장 이적의 죄, 제11장 군용물에 관한 죄 및 제12장 위령의 죄 중 제78조 · 제80조 · 제81조의 죄
> ⓒ 국가보안법에 규정된 죄
> ⓓ 군사기밀보호법에 규정된 죄
> ⓔ 군사기지 및 군사시설보호법에 규정된 죄

판례 | 총 기간 내지 총 연장횟수의 제한을 두지 않고 무제한 통신제한조치의 연장을 허가할 수 있도록 규정한 통신비밀보호법 제6조 제7항 단서 규정이 헌법에 위반되는지의 여부(적극, 헌법불합치)

통신제한조치의 총 연장기간이나 총 연장횟수를 제한하지 않고 계속해서 통신제한조치가 연장될 수 있도록 한 통신비밀보호법 제6조 제7항 단서 조항은 **최소침해성원칙을 위반한 것이다**. 이 사건 법률조항은 추구하고자 하는 범죄 수사목적에 비해 개인의 통신비밀의 보호법익이 과도하게 제한되므로 **법익균형성을 갖추었다고 볼 수 없다**(헌재 2010.12.28, 2009헌가30). 14. 법원행시

통신비밀보호법

제6조 【범죄수사를 위한 통신제한조치의 허가절차】 ⑦ 통신제한조치의 기간은 2월을 초과하지 못하고, 그 기간 중 통신제한조치의 목적이 달성되었을 경우에는 즉시 종료하여야 한다. 다만, 허가요건이 존속하는 경우에는 소명자료를 첨부하여 2월의 범위 안에서 통신제한조치기간의 연장을 청구할 수 있다.

④ 범죄수사를 위한 통신사실 확인자료제공의 절차

㉠ 검사 또는 사법경찰관은 수사 또는 형의 집행을 위하여 필요한 경우 전기통신사업법에 의한 전기통신사업자에게 통신사실 확인자료의 열람이나 제출을 요청할 수 있다(제13조 제1항).

㉡ 검사 또는 사법경찰관은 수사를 위하여 통신사실 확인자료 중 **실시간 추적자료나 특정한 기지국에 대한 통신사실 확인자료**가 필요한 경우에는 다른 방법으로는 범죄의 실행을 저지하기 어렵거나 범인의 발견 · 확보 또는 증거의 수집 · 보전이 어려운 경우에만 전기통신사업자에게 해당 자료의 열람이나 제출을 요청할 수 있다. 다만, 범죄수사를 위한 통신제한조치 대상범죄에 해당하는 범죄 또는 전기통신을 수단으로 하는 범죄에 대한 통신사실 확인자료가 필요한 경우에는 열람이나 제출을 요청할 수 있다(제13조 제2항).

㉢ 통신사실 확인자료제공을 요청하는 경우에는 요청사유, 해당 가입자와의 연관성 및 필요한 자료의 범위를 기록한 서면으로 관할 지방법원 또는 지원의 허가를 받아야 한다. 다만, 관할 지방법원 또는 지원의 허가를 받을 수 없는 긴급한 사유가 있는 때에는 통신사실 확인자료제공을 요청한 후 지체 없이 그 허가를 받아 전기통신사업자에게 송부하여야 한다(제13조 제3항).

㉣ 긴급한 사유로 통신사실 확인자료를 제공받았으나 지방법원 또는 지원의 허가를 받지 못한 경우에는 지체 없이 제공받은 통신사실 확인자료를 폐기하여야 한다(제13조 제4항).

㉤ 검사 또는 사법경찰관은 제3항의 규정에 따라 통신사실 확인자료제공을 받은 때에는 해당 통신사실 확인자료제공 요청사실 등 필요한 사항을 기재한 대장과 통신사실 확인자료제공 요청서 등 관련자료를 소속기관에 비치하여야 한다(제13조 제5항).

㉥ 지방법원 또는 지원은 통신사실 확인자료제공 요청허가청구를 받은 현황, 이를 허가한 현황 및 관련된 자료를 보존하여야 한다(제13조 제6항).

㉦ 전기통신사업자는 검사, 사법경찰관 또는 정보수사기관의 장에게 통신사실 확인자료를 제공한 때에는 자료제공현황 등을 **연 2회** 과학기술정보통신부장관에게 보고하고, 해당 통신사실 확인자료 제공사실 등 필요한 사항을 기재한 대장과 통신사실 확인자료제공 요청서 등 관련자료를 통신사실 확인자료를 제공한 날부터 **7년간 비치**하여야 한다(제13조 제7항).

(3) 국가안보를 위한 통신제한조치

① **통신제한조치의 요건**: 정보수사기관의 장은 ㉠ 국가안전보장에 대한 상당한 위험이 예상되는 경우 또는 국민보호와 공공안전을 위한 테러방지법 제2조 제6호의 대테러활동에 필요한 경우에 한하여, ㉡ 그 위해를 방지하기 위하여 이에 관한 정보수집이 특히 필요한 때에 통신제한조치를 할 수 있다(제7조 제1항). 정보수사기관이란 정보 · 보안업무와 정보사범 등의 수사업무를 취급하는 각급 국가기관을 말한다.

② **통신제한조치의 절차**

㉠ **정보수사기관의 장**은 통신의 일방 또는 쌍방당사자가 내국인인 때에는 **고등법원 수석판사의 허가**를 받아야 한다(제7조 제1항 제1호). 19. 경찰간부 대한민국에 적대하는 국가, 반국가활동의 혐의가 있는 외국의 기관 · 단체와 외국인, 대한민국의 통치권이 사실상 미치지 아니하는 한반도내의 집단이나 외국에 소재하는 그 산하단체의 구성원의 통신인 때 및 작전수행을 위한 군용전기통신인 때에는 서면으로 **대통령의 승인**을 얻어야 한다(동항 제2호)(«주의 쌍방당사자가 내국인인 때에는 고등법원 수석판사의 허가를 받고 일방당사자가 내국인인 때에는 대통령의 승인을 얻어야 한다. ×).

㉡ 통신제한조치의 기간은 **4월**을 초과하지 못하고, 그 기간 중 통신제한조치의 **목적이 달성되었을 경우에는 즉시 종료하여야 한다**(제7조 제2항).

(4) 긴급통신제한조치

① **범죄수사를 위한 긴급통신제한조치**

㉠ **요건**: 검사 · 사법경찰관 · 정보수사기관의 장은 국가안보를 위협하는 음모행위, 직접적인 사망이나 심각한 상해의 위험을 야기할 수 있는 범죄 또는 조직범죄 등 중대한 범죄의 계획이나 실행 등 긴박한 상황에 있고, 제5조 제1항 또는 제7조 제1항 제1호의 요건을 구비한 자에 대하여, 제6조 또는 제7조 제1항 · 제3항의 규정에 의한 절차를 거칠 수 없는 긴급한 사유가 있는 때에는 법원의 허가 없이 통신제한조치를 할 수 있다(제8조 제1항).

㉡ **절차**: 검사·사법경찰관·정보수사기관의 장은 **긴급통신제한조치의 집행착수 후 지체 없이 법원에 허가청구**를 하여야 하며, 그 긴급통신제한조치를 한 때부터 **36시간 이내**에 **법원의 허가**를 받지 못한 때에는 즉시 이를 중지하여야 한다(제8조 제2항)(《주의 48시간 이내 ×).
사법경찰관이 긴급통신제한조치를 할 경우에는 미리 검사의 지휘를 받아야 한다. 다만, 특히 급속을 요하여 미리 지휘를 받을 수 없는 사유가 있는 경우에는 긴급통신제한조치의 집행착수 후 지체 없이 검사의 승인을 얻어야 한다(동조 제3항).

② **국가안보를 위한 긴급통신제한조치**

㉠ **요건**: 정보수사기관의 장은 ⓐ 국가안보를 위협하는 음모행위, 직접적인 사망이나 심각한 상해의 위험을 야기할 수 있는 범죄 또는 조직범죄 등 중대한 범죄의 계획이나 실행 등 긴박한 상황에 있고, ⓑ 제7조 제1항 제2호에 해당하는 자에 대하여, ⓒ 대통령의 승인을 얻을 시간적 여유가 없거나 통신제한조치를 긴급히 실시하지 아니하면 국가안전보장에 대한 위해를 초래할 수 있다고 판단되는 때에는 소속 장관(국가정보원장 포함)의 승인을 얻어 통신제한조치를 할 수 있다(제8조 제8항).

㉡ **절차**: 긴급통신제한조치를 한 때에는 지체 없이 대통령의 승인을 얻어야 하며, **36시간 이내**에 대통령의 승인을 얻지 못한 때에는 즉시 그 긴급통신제한조치를 중지하여야 한다(제8조 제9항).

(5) (긴급)통신제한조치의 집행

① **집행기관**: 통신제한조치는 이를 청구 또는 신청한 검사·사법경찰관·정보수사기관의 장이 집행한다. 이 경우 체신관서 기타 관련기관 등에 그 집행을 위탁하거나 집행에 관한 협조를 요청할 수 있다(제9조 제1항).

② **집행에 관한 통지와 그 유예**

㉠ ⓐ 검사 또는 사법경찰관은 통신제한조치를 집행한 사건에 관하여 공소제기, 불기소 또는 불입건의 처분을 한 때에는 그 처분을 한 날부터(사법경찰관은 그 처분통보를 받은 날로부터 또는 불입건을 한 날로부터), ⓑ 정보수사기관의 장은 통신제한조치를 종료한 날부터 각각 30일 이내에 우편물 검열의 경우에는 그 대상자에게, 감청의 경우에는 그 대상이 된 전기통신의 가입자에게 **통신제한조치를 집행한 사실과 집행기관 및 그 기간 등을 서면으로 통지하여야 한다**(제9조의2 제1항·제2항·제3항). 15. 경찰승진
다만, 고위공직자범죄 수사처검사는 서울중앙지방검찰청 소속 검사에게 관계 서류와 증거물을 송부한 사건에 관하여 이를 처리하는 검사로부터 공소제기, 불기소 처분의 통보를 받은 경우에도 그 통보를 받은 날부터 30일 이내에 서면으로 통지하여야 한다(제9조의2 제1항 단서).

㉡ 검사·사법경찰관·정보수사기관의 장은 통신제한조치를 통지할 경우 ⓐ 국가의 안전보장·공공의 안녕질서를 위태롭게 할 현저한 우려가 있는 때, ⓑ 사람의 생명·신체에 중대한 위험을 초래할 염려가 현저한 때에는 그 사유가 해소될 때까지 통지를 유예할 수 있다(제9조의2 제4항). 그 사유가 해소된 때에는 그 사유가 **해소된 날부터 30일 이내에 통지를 하여야 한다**(동조 제6항)(《주의 통신제한조치를 통지하는 것이 수사에 방해가 되는 경우에는 통지를 생략할 수 있다. ×). 19. 해경간부

③ **통신제한조치로 취득한 자료의 사용제한**: 통신제한조치의 집행으로 인하여 취득된 우편물 또는 그 내용과 전기통신의 내용은 ㉠ 통신제한조치의 목적이 된 범죄나 이와 관련되는 범죄를 수사·소추하거나 그 범죄를 예방하기 위하여 사용하는 경우, ㉡ 위 ㉠ 범죄로 인한 징계절차에 사용하는 경우, ㉢ 통신의 당사자가 제기하는 손해배상소송에서 사용하는 경우, ㉣ 기타 다른 법률의 규정에 의하여 사용하는 경우 외에는 이를 사용할 수 없다(제12조).

판례 | 통신제한조치로 취득한 자료의 사용 제한(= 통신제한조치의 목적이 된 범죄와 그와 관련된 범죄에 한정)

1 [1] 통신사실 확인자료제공 요청에 의하여 취득한 통신사실 확인자료를 범죄의 수사·소추 또는 예방을 위하여 사용하는 경우 그 **대상범죄는 통신사실 확인자료제공 요청의 목적이 된 범죄나 이와 관련된 범죄에 한정된다**. [2] 검사가 통화내역(甲과 乙에 대한 공직선거법 위반 사건의 수사과정에서 SK텔레콤이 강원정선경찰서장에게 제공한 것)을 취득하는 과정에서 지방법원 또는 지원의 허가를 받았더라도 **피고인에 대한 정치자금법 위반의 공소사실은 甲과 乙의 공직선거법 위반죄와는 아무 관련이 없으므로 이를 증거로 사용할 수 없다**(대판 2014.10.27, 2014도2121).

2 **甲의 국가보안법 위반죄에 대한 증거의 수집을 위하여 발부된 통신제한조치허가서**에 의하여 피고인(乙)과 丙 사이 또는 피고인(乙)과 丁 사이의 통화내용을 감청하여 작성한 녹취서는 위 통신제한조치의 목적이 된 **甲의 국가보안법 위반죄나 그와 관련된 범죄를 위하여 사용**되어야 한다(대판 2002.10.22, 2000도5461).

3 통신비밀보호법 제9조의 규정에 의한 **통신제한조치의 집행으로 인하여 취득된 전기통신의 내용**은 **같은 법 제12조 제1호 소정의 범죄나 이와 관련되는 범죄를 수사·소추하기 위하여 사용**할 수 있다(대판 1996.12.23, 96도2354).

④ 범죄수사를 위하여 인터넷 회선에 대한 통신제한조치로 취득한 자료의 관리

㉠ 검사는 인터넷 회선을 통하여 송신·수신하는 전기통신을 대상으로 통신제한조치를 집행한 경우 그 전기통신을 제12조 제1호에 따라 사용하거나 사용을 위하여 보관(하고자 하는 때에는 집행종료일부터 **14일** 이내에 보관 등이 필요한 전기통신을 선별하여 통신제한조치를 허가한 법원에 보관 등의 승인을 청구하여야 한다(제12조의2 제1항).

㉡ 사법경찰관은 인터넷 회선을 통하여 송신·수신하는 전기통신을 대상으로 통신제한조치를 집행한 경우 그 전기통신의 보관 등을 하고자 하는 때에는 집행종료일부터 **14일** 이내에 보관 등이 필요한 전기통신을 선별하여 검사에게 보관 등의 승인을 신청하고, 검사는 신청일부터 **7일** 이내에 통신제한조치를 허가한 법원에 그 승인을 청구할 수 있다(제12조의2 제2항). 20. 경찰채용

㉢ 승인청구는 통신제한조치의 집행경위, 취득한 결과의 요지, 보관 등이 필요한 이유를 기재한 서면으로 하여야 하며, 관련 서류를 첨부하여야 한다(제12조의2 제3항).

㉣ 법원은 청구가 이유 있다고 인정하는 경우에는 보관 등을 승인하고 이를 증명하는 서류를 발부하며, 청구가 이유 없다고 인정하는 경우에는 청구를 기각하고 이를 청구인에게 통지한다(제12조의2 제4항).

㉤ 검사 또는 사법경찰관은 청구나 신청을 하지 아니하는 경우에는 집행종료일부터 **14일**(검사가 사법경찰관의 신청을 기각한 경우에는 그 날부터 **7일**) 이내에 통신제한조치로 취득한 전기통신을 폐기하여야 하고, 법원에 승인청구를 한 경우(취득한 전기통신의 일부에 대해서만 청구한 경우를 포함한다)에는 법원으로부터 승인서를 발부받거나 청구기각의 통지를 받은 날부터 **7일** 이내에 승인을 받지 못한 전기통신을 폐기하여야 한다(제12조의2 제5항).

㉥ 검사 또는 사법경찰관은 제5항에 따라 통신제한조치로 취득한 전기통신을 폐기한 때에는 폐기의 이유와 범위 및 일시 등을 기재한 폐기결과보고서를 작성하여 피의자의 **수사기록 또는 피내사자의 내사사건기록에 첨부하고**, 폐기일부터 **7일** 이내에 통신제한조치를 허가한 법원에 송부하여야 한다(제12조의2 제6항).

⑤ **통신사실 확인자료제공 통지**

㉠ 검사 또는 사법경찰관은 통신사실 확인자료제공을 받은 사건에 관하여 아래의 구분에 따라 정한 기간 내에 통신사실 확인자료제공을 받은 사실과 제공요청기관 및 그 기간 등을 통신사실 확인자료제공의 대상이 된 당사자에게 **서면으로 통지**하여야 한다(제13조의3 제1항).

> ⓐ 공소를 제기하거나, 공소의 제기 또는 입건을 하지 아니하는 처분(기소중지결정 · 참고인중지결정은 제외한다)을 한 경우: 그 처분을 한 날부터 **30일** 이내
> 다만, 수사처검사가 서울중앙지방검찰청 소속 검사에게 관계 서류와 증거물을 송부한 사건에 관하여 이를 처리하는 검사로부터 공소를 제기하거나 제기하지 아니하는 처분의 통보를 받은 경우: 그 통보를 받은 날부터 30일 이내
> ⓑ **기소중지결정 · 참고인중지결정 처분**을 한 경우: 그 처분을 한 날부터 **1년**(제6조 제8항 각 호의 어느 하나에 해당하는 범죄인 경우에는 **3년**)이 경과한 때부터 **30일** 이내
> 다만, 수사처검사가 서울중앙지방검찰청 소속 검사에게 관계 서류와 증거물을 송부한 사건에 관하여 이를 처리하는 검사로부터 기소중지결정, 참고인중지결정 처분의 통보를 받은 경우: 그 통보를 받은 날로부터 1년(제6조 제8항 각 호의 어느 하나에 해당하는 범죄인 경우에는 3년)이 경과한 때부터 30일 이내
> ⓒ **수사가 진행 중**인 경우: 통신사실 확인자료제공을 받은 날부터 **1년**(제6조 제8항 각 호의 어느 하나에 해당하는 범죄인 경우에는 **3년**)이 경과한 때부터 **30일** 이내

㉡ 아래의 사유가 있는 경우에는 그 사유가 해소될 때까지 같은 항에 따른 통지를 유예할 수 있다(제13조의3 제2항).

> ⓐ 국가의 안전보장, 공공의 안녕질서를 위태롭게 할 우려가 있는 경우
> ⓑ 피해자 또는 그 밖의 사건관계인의 생명이나 신체의 안전을 위협할 우려가 있는 경우
> ⓒ 증거인멸, 도주, 증인 위협 등 공정한 사법절차의 진행을 방해할 우려가 있는 경우
> ⓓ 피의자, 피해자 또는 그 밖의 사건관계인의 명예나 사생활을 침해할 우려가 있는 경우

㉢ 검사 또는 사법경찰관은 제2항에 따라 통지를 유예하려는 경우에는 소명자료를 첨부하여 미리 관할 지방검찰청 검사장의 승인을 받아야 한다. 다만, 수사처검사가 제2항에 따라 통지를 유예하려는 경우에는 소명자료를 첨부하여 미리 수사처장의 승인을 받아야 한다(제13조의3 제3항).

㉣ 검사 또는 사법경찰관은 사유가 해소된 때에는 그 날부터 30일 이내에 통지를 하여야 한다(제13조의3 제4항).

㉤ 검사 또는 사법경찰관으로부터 통신사실 확인자료제공을 받은 사실 등을 통지받은 당사자는 해당 통신사실 확인자료제공을 요청한 사유를 알려주도록 서면으로 신청할 수 있다(제13조의3 제5항).

㉥ 검사 또는 사법경찰관은 신청을 받은 날부터 30일 이내에 해당 통신사실 확인자료제공 요청의 사유를 서면으로 통지하여야 한다(제13조의3 제6항).

제4절 판사에 의한 강제처분

SUMMARY | 증거보전 vs 참고인에 대한 증인신문 ★★★

구분	증거보전	증인신문
공통점	① 제1회 공판기일 전까지 청구 가능 ② 수임판사에 의하여 행하여지며 판사의 권한도 동일함 ③ 청구한 자의 소명을 요함 ④ 작성된 조서는 당연히 증거능력이 인정됨 ⑤ 당사자의 참여권이 인정됨	
요건	증거의 사용곤란 (증거물의 멸실, 증명력 변화 등)	참고인의 출석 또는 진술의 거부
청구권자	검사, 피고인, 피의자, 변호인	검사
청구내용	압수·수색·검증·감정·증인신문	증인신문
작성된 조서	증거보전을 한 판사소속 법원이 보관	검사에게 송부
열람등사권	인정	부정
판사의 결정에 대한 불복	항고할 수 있음	항고할 수 없음

01 증거보전

형사소송법

제184조 【증거보전의 청구와 그 절차】 ① **검사, 피고인, 피의자 또는 변호인**은 미리 증거를 보전하지 아니하면 그 증거를 사용하기 곤란한 사정이 있는 때에는 **제1회 공판기일 전**이라도 판사에게 **압수·수색·검증·증인신문 또는 감정**을 청구할 수 있다.

② 전항의 청구를 받은 판사는 그 처분에 관하여 **법원 또는 재판장과 동일한 권한**이 있다.

③ 제1항의 청구를 함에는 서면으로 그 사유를 소명하여야 한다.

④ 제1항의 청구를 기각하는 결정에 대하여는 3일 이내에 항고할 수 있다.

제185조 【서류의 열람 등】 검사, 피고인, 피의자 또는 변호인은 판사의 허가를 얻어 전조의 처분에 관한 서류와 증거물을 **열람 또는 등사할 수 있다.**

1. 의의

증거보전이란 수소법원이 공판정에서 정상적으로 증거를 조사할 때까지 기다려서는 그 증거의 사용이 불가능하거나 현저히 곤란하게 될 염려가 있는 경우에 검사·피고인·피의자·변호인이 청구하여 판사가 미리 증거를 조사하고 그 결과를 보전하여 공판절차에서 사용할 수 있게 하는 제도를 말한다.

2. 증거보전의 요건과 청구시기

증거보전은 미리 증거를 보전하지 아니하면 그 증거를 사용하기 곤란한 사정이 있는 경우에 제1회 공판기일 전에 한하여 인정이 된다(제184조 제1항).

(1) 증거보전의 요건

증거보전은 미리 증거를 보전하지 아니하면 그 증거를 사용하기 곤란한 사정, 즉 '증거보전의 필요성'이 있을 때에 할 수 있다. **수소법원에 의한 증거조사가 불가능하거나 증명력에 변화가 올 경우**를 말한다. 증거물의 멸실·분산, 증인의 사망임박·질병·해외거주 또는 검증대상 목적물의 현장보전 불가능 등이 이에 해당된다.

(2) 청구시기

증거보전은 **제1회 공판기일 전에** 한하여 이를 청구할 수 있다. 14·15·16. 경찰채용, 15·16·17·18. 경찰승진, 18. 변호사, 19. 경찰간부 제1회 공판기일 전인 이상 공소제기 전후를 불문한다. 따라서 다만, 피의자가 형사입건되기 전에는 청구할 수 없고, 제1회 공판기일 이후의 절차에서도 청구할 수 없다(«주의 공소제기 전에 한정된다. ×).

판례 | 형사입건 전에 또는 재심청구사건에서 증거보전을 청구할 수 있는지의 여부(소극)

1 증거보전은 피고인 또는 피의자가 **형사입건도 되기 전**에는 청구할 수 없다(대판 1979.6.12, 79도792). 16. 경찰간부

2 **재심청구사건**에서는 증거보전청구는 허용되지 아니한다(대결 1984.3.29, 84모15). 14·16. 경찰승진, 15. 국가직 7급, 17. 경찰채용

3. 증거보전의 절차

(1) 증거보전의 청구

① **청구권자**: 증거보전의 청구권자는 **검사·피의자·피고인·변호인**이다(제184조 제1항). 14·15·16. 경찰채용, 16. 경찰간부, 16·17·18. 경찰승진, 18. 변호사 변호인의 청구권은 피의자·피고인의 명시한 의사에 반해서 행사할 수 있는 독립대리권이다. 피내사자·피해자 또는 사법경찰관은 증거보전을 청구할 수 없다(«주의 증거보전 청구권자는 피의자, 피고인과 그의 변호인에 한정된다. ×).

② **청구의 방식**: 증거보전의 청구는 ㉠ 압수할 물건의 소재지, ㉡ 수색 또는 검증할 장소·신체 또는 물건의 소재지, ㉢ 증인의 주거지 또는 현재지, ㉣ 감정대상의 소재지 또는 현재지를 관할하는 지방법원판사에게 하여야 한다(규칙 제91조 제1항). 증거보전청구는 서면으로 하여야 하며 이에는 사건의 개요·증명할 사실·증거 및 보전의 방법·증거보전을 필요로 하는 사유를 기재하여야 한다(규칙 제91조 제2항). 또한 증거보전청구 사유는 **서면으로 소명**하여야 한다(제184조 제3항)(«주의 서면 또는 구술로 소명하여야 한다. ×). 14·15·16·17. 경찰승진, 15·16·17. 경찰채용, 19. 경찰간부

③ **청구의 내용**: 증거보전으로 청구할 수 있는 것은 **압수·수색·검증·감정·증인신문**이다(제184조 제1항). 15·17·18. 경찰승진, 19. 경찰간부 따라서 증거보전의 방법으로 **피의자신문 또는 피고인신문을 청구할 수 없다**(«주의 압수·수색·검증·감정·증인신문·피의자신문을 청구 할 수 있다. ×). 그러나 **공동피고인이나 공범자를 증인으로 신문할 수는 있다**는 것이 판례의 입장이다.

판례 |

1 증거보전에서 피고인신문 또는 피의자신문을 청구할 수 있는지의 여부(소극)

피의자신문 또는 피고인신문에 해당하는 사항을 증거보전의 방법으로 청구할 수 없다(대판 1979.6.12, 79도792). 14·18. 경찰승진, 14·16·19. 경찰간부, 14·15. 경찰채용, 15. 국가직 9급

2 증거보전절차에서 작성된 조서에 기재된 '피의자 진술' 부분의 증거능력 유무(소극)

① 증인신문조서가 증거보전절차에서 피고인이 증인으로서 증언한 내용을 기재한 것이 아니라 증인 甲의 증언내용을 기재한 것이고 다만 **피의자였던 피고인이 당사자로 참여하여 자신의 범행사실을 시인하는 전제하에 위 증인에게 반대신문한 내용**이 기재되어 있을 뿐이라면 위 조서는 공판준비 또는 공판기일에 피고인 등의 진술을 기재한 조서도 아니고 반대신문 과정에서 피의자가 한 진술에 관한 한 형사소송법 제184조에 의한 증인신문조서도 아니므로 위 조서 중 **피의자의 진술 기재 부분에 대하여는 형사소송법 제311조에 의한 증거능력을 인정할 수 없다**(대판 1984.5.15, 84도508). 14. 변호사, 15. 경찰간부, 16. 경찰채용, 18. 경찰승진

② 피의자신문을 증거보전 방법으로 청구할 수 없고 **증거보전기록 중에 있는 '피의자의 진술기재'는 증거능력이 없는 것**이므로 검증조서의 기재 중 피의자의 진술을 기재한 부분은 증거능력이 없다(대판 1977.12.13, 77도2770).

3 수사단계에서 검사가 증거보전을 위하여 공범관계에 있는 공동피고인을 증인으로 신문할 수 있는지의 여부(적극)

① **공동피고인과 피고인이 뇌물을 주고받은 사이로 필요적 공범관계**에 있다고 하더라도 검사는 수사단계에서 피고인에 대한 증거를 미리 보전하기 위하여 필요한 경우에는 판사에게 **공동피고인을 증인으로 신문할 것을 청구할 수 있다**(대판 1988.11.8, 86도1646). 14·17·18. 경찰채용, 15·17. 국가직 7급, 16. 경찰승진·경찰간부, 17·18. 변호사

② **피고인이 수사단계에서 다른 공동피고인에 대한 증거보전을 위하여 증인으로서 증언한 증인신문조서**는 그 다른 공동피고인에 대하여 **증거능력이 있다**(대판 1966.5.17, 66도276).

(2) 증거보전의 처분

① **지방법원 판사의 결정과 불복**: 청구를 받은 판사는 청구가 적법하고 또 증거보전의 필요성이 인정되면 증거보전을 한다. 청구가 부적법하거나 필요 없다고 인정되면 청구기각결정을 한다. **청구기각결정**에 대하여는 **3일 이내에 항고**할 수 있다(제184조 제4항). 14·16·17·18. 경찰승진, 14·18. 경찰채용, 17. 국가직 7급, 18. 변호사, 19. 경찰간부·국가직 9급

② **판사의 권한**: 증거보전의 청구를 받은 판사는 법원 또는 재판장과 동일한 권한이 있다(제184조 제2항). 14. 경찰채용, 16·18. 경찰승진 따라서 공판절차에서의 압수·수색·검증·감정·증인신문의 규정은 그대로 증거보전절차에서의 증거조사와 증거보전에 적용이 된다. 판사는 증인신문의 전제가 되는 소환을 할 수 있고, 영장을 발부하여 구인, 압수·수색·검증·감정, 증인신문을 할 수 있다.

③ **당사자의 참여권**: 증거보전절차에서 판사가 압수·수색·검증·감정·증인신문을 할 때에는 검사·피의자·피고인·변호인의 참여권을 보장해 주어야 한다(제184조 제3항, 제163조 등).

판례 |

1 **당사자의 참여권을 보장하지 않은 상태에서 작성한 증인신문조서의 증거능력 유무(= 원칙적으로 증거능력이 없음)**

증거보전절차에서 증인신문을 하면서, **증인신문의 일시와 장소를 피의자 및 변호인에게 미리 통지하지 아니하여** 증인신문에 참여할 수 있는 기회를 주지 아니하였고 또 변호인이 제1심 공판기일에 증인신문조서의 증거조서에 관하여 이의신청을 하였다면 **증인신문조서는 증거능력이 없다**(대판 1992.2.28, 91도2337). 15. 경찰승진 · 국가직 7급, 16. 경찰간부, 17. 경찰채용

2 **당사자의 참여권을 보장하지 않은 상태에서 작성한 증인신문조서라도 책문권을 포기하여 증거능력이 인정되는 경우**

판사가 형사소송법 제184조에 의한 증거보전절차로 증인신문을 하는 경우에는 동법 제221조의2에 의한 증인신문의 경우와는 달라 동법 제163조에 따라 검사, 피의자 또는 변호인에게 증인신문의 시일과 장소를 미리 통지하여 증인신문에 참여할 수 있는 기회를 주어야 하나, **참여의 기회를 주지 아니한 경우라도 피고인과 변호인이 증인신문조서를 증거로 할 수 있음에 동의하여 별다른 이의 없이 적법하게 증거조사를 거친 경우**에는 위 증인신문조서는 증인신문절차가 위법하였는지의 여부에 관계없이 **증거능력이 부여된다**(대판 1988.11.8, 86도1646). 18. 국가직 9급

4. 증거보전 후의 절차

(1) 서류 · 물건의 보전과 열람 · 등사권

증거보전에 의하여 압수한 물건 또는 작성한 조서(증인신문조서, 검증조서 등)는 증거보전을 한 판사가 속하는 법원에 보관한다. 검사 · 피고인 · 피의자 또는 변호인은 **판사의 허가를 얻어서** 그 서류와 증거물을 **열람 또는 등사할 수 있다**(제185조)(«주의 법원의 허가를 얻어서 열람 또는 등사할 수 있다. ×, 증거보전조서 등은 열람 또는 등사 할 수 없다. ×). 15 · 16. 경찰채용, 19. 경찰간부

(2) 조서의 증거능력

증거보전절차에서 작성된 조서는 법관의 조서로서 당연히 증거능력이 인정된다(제311조 단서)(«주의 제315조에 의하여 증거능력이 인정된다. ×). 14. 경찰채용, 18. 변호사 증거보전에 의하여 보전된 증거를 이용하려면 검사 · 피고인 · 피의자 · 변호인이 그 증거에 대한 증거신청을 하여야 하며(제294조) 수소법원은 증거보전을 한 법원으로부터 그 기록을 송부받아 증거조사를 하여야 한다.

02 참고인에 대한 증인신문

형사소송법

제221조 【제3자의 출석요구 등】 ① 검사 또는 사법경찰관은 수사에 필요한 때에는 피의자가 아닌 자의 출석을 요구하여 진술을 들을 수 있다. 이 경우 그의 동의를 받아 영상녹화할 수 있다.

제221조의2 【증인신문의 청구】 ① 범죄의 수사에 없어서는 아니될 사실을 안다고 명백히 인정되는 자가 전조의 규정에 의한 출석 또는 진술을 거부한 경우에는 **검사**는 **제1회 공판기일 전**에 한하여 판사에게 그에 대한 증인신문을 청구할 수 있다.
② 삭제 <2007.6.1.>
③ 제1항의 청구를 함에는 서면으로 그 사유를 소명하여야 한다.
④ 제1항의 청구를 받은 판사는 증인신문에 관하여 **법원 또는 재판장과 동일한 권한**이 있다.
⑤ 판사는 제1항의 청구에 따라 증인신문기일을 정한 때에는 피고인·피의자 또는 변호인에게 이를 통지하여 증인신문에 참여할 수 있도록 하여야 한다.
⑥ 판사는 제1항의 청구에 의한 증인신문을 한 때에는 지체 없이 이에 관한 서류를 검사에게 송부하여야 한다.

1. 의의

증인신문청구는 참고인이 출석 또는 진술을 거부할 경우에 제1회 공판기일 전에 한하여 검사의 청구에 의하여 판사가 그를 증인으로 신문하고 그 증언을 보전하는 처분을 말한다(제221조의2)(«주의 피의자의 청구에 의하여 ×).

2. 증인신문청구의 요건과 청구시기

증인신문청구는 증인신문의 필요성이 인정되는 경우 제1회 공판기일 전에 한하여 허용된다.

(1) 증인신문청구의 요건

범죄의 수사에 없어서는 아니될 사실을 안다고 명백히 인정되는 자가 수사기관의 **출석요구에 응하지 아니하거나 진술을 거부하는 경우**이다(제221조의2 제1항). 14. 경찰채용, 18. 변호사 진술 번복의 염려가 있는 경우에도 증인신문을 청구할 수 있었으나 위헌결정된 후 삭제되었다(제221조의2 제2항)(«주의 출석요구에 응하지 않거나, 진술을 거부하거나, 진술 번복의 염려가 있을 때 청구 할 수 있다. ×). 증인신문을 청구하기 위해서는 그 증인의 진술로서 증명할 대상인 피의사실이 존재해야 한다.

(2) 청구시기

증인신문청구도 제1회 공판기일 전에 한하여 이를 청구할 수 있다. 제1회 공판기일 전인 이상 공소제기 전후를 불문한다(«주의 공소제기 전에 할 수 있다. ×). 16. 경찰간부

판례 | 증인신문청구시 증인의 진술로서 증명할 대상인 피의사실이 존재해야 하는지의 여부(적극)

증인신문청구를 하려면 증인의 진술로서 증명할 대상인 피의사실이 존재하여야 하고, 피의사실은 수사기관이 어떤 자에 대하여 내심으로 혐의를 품고 있는 정도의 상태만으로는 존재한다고 할 수 없고 고소, 고발 또는 자수를 받거나 또는 수사기관 스스로 범죄의 혐의가 있다고 보아 **수사를 개시하는 범죄의 인지 등 수사의 대상으로 삼고 있음을 외부적으로 표현한 때에 비로소 그 존재를 인정할 수 있다**(대판 1989.6.20, 89도648).

3. 증인신문의 절차

(1) 증인신문의 청구

① **청구권자**: 증인신문청구는 증거보전과는 달리 **검사**만이 할 수 있다(제221조의2 제1항).

② **청구의 방식**: 증인신문청구서는 증인의 성명·직업·주거, 피의자 또는 피고인의 성명·죄명 및 범죄사실의 요지·증명할 사실 등을 기재하여야 한다(규칙 제111조 제1항). 증인신문을 청구할 때에는 **서면으로 그 사유를 소명**하여야 한다(제221조의2 제3항).

(2) 증인신문

① **지방법원판사의 결정**: 청구가 적법하거나 요건이 구비된 경우 판사는 증인신문을 하여야 한다. 심사결과 청구가 부적법하거나 요건이 구비되지 않은 경우 판사는 청구기각결정을 한다. 청구기각결정 시 증거보전과 달리 불복할 수 없다(《주의 증거보전기각결정과 증인신문기각결정에 대하여 3일 이내의 항고로 불복할 수 있다. ×). 18. 변호사

② **판사의 권한**: 증인신문청구를 받은 판사는 법원 또는 재판장과 동일한 권한이 있다(제221조의2 제4항). 14. 경찰채용, 16. 경찰승진 따라서 판사의 증인신문에는 법원 또는 재판장의 증인신문규정이 그대로 적용된다.

③ **당사자의 참여권**: 판사는 검사의 청구에 따라 증인신문기일을 정한 때에는 피고인·피의자 또는 변호인에게 이를 통지하여 증인신문에 참여할 수 있도록 하여야 한다(제221조의2 제5항). 14. 경찰간부, 16. 경찰승진, 18. 변호사

4. 증인신문 후의 절차

(1) 증인신문조서의 송부와 열람·등사권

증인신문을 할 때에는 판사는 지체 없이 이에 관한 서류를 **검사에게 송부**하여야 한다(제221조의2 제6항). 18. 국가직 7급 이 증인신문조서는 피고인·피의자 등에게 열람등사권이 인정되지 아니한다(《주의 법원에 송부 ×, 증인신문조서는 열람·등사할 수 있다. ×).

(2) 증인신문조서의 증거능력

증인신문조서는 법관의 면전조서로서 당연히 증거능력이 인정된다(제311조 단서).

제3장 수사의 종결

제1절 검사의 수사종결

01 수사종결의 의의

1. 개념

수사는 공소제기 여부를 판단할 수 있을 정도로 범죄의 혐의가 명백하게 되었거나 또는 수사를 계속할 필요가 없는 경우에 종결된다. 수사의 종결은 공소의 제기 또는 불기소의 형태로 나타난다. 공소를 제기한 후에도 검사는 공소유지를 위하여 수사를 할 수 있으며, 불기소처분 후에도 얼마든지 수사를 재개할 수 있다.

2. 사법경찰관의 1차적 수사종결

형사소송법

제245조의5【사법경찰관의 사건송치 등】 사법경찰관은 고소·고발 사건을 포함하여 범죄를 수사한 때에는 다음 각 호의 구분에 따른다.
1. 범죄의 혐의가 있다고 인정되는 경우에는 지체 없이 검사에게 사건을 송치하고, 관계 서류와 증거물을 검사에게 송부하여야 한다.
2. 그 밖의 경우에는 그 이유를 명시한 서면과 함께 관계 서류와 증거물을 지체 없이 검사에게 송부하여야 한다. 이 경우 검사는 송부받은 날부터 90일 **이내에 사법경찰관에게 반환하여야 한다.**

검사와 사법경찰관의 상호협력과 일반적 수사준칙에 관한 규정

제51조【사법경찰관의 결정】 ① 사법경찰관은 사건을 수사한 경우에는 다음 각 호의 구분에 따라 결정해야 한다.
1. 법원송치
2. 검찰송치
3. 불송치
   가. 혐의없음
      1) 범죄인정안됨
      2) 증거불충분
   나. 죄가안됨
   다. 공소권없음
   라. 각하
4. 수사중지
   가. 피의자중지
   나. 참고인중지
5. 이송

② 사법경찰관은 하나의 사건 중 피의자가 여러 사람이거나 피의사실이 여러 개인 경우로서 분리하여 결정할 필요가 있는 경우 그중 일부에 대해 제1항 각 호의 결정을 할 수 있다.
③ 사법경찰관은 제1항 제3호 나목 또는 다목에 해당하는 사건이 다음 각 호의 어느 하나에 해당하는 경우에는 해당 사건을 검사에게 이송한다.
1. 형법 제10조 제1항에 따라 벌할 수 없는 경우
2. 기소되어 사실심 계속 중인 사건과 포괄일죄를 구성하는 관계에 있는 경우
④ 사법경찰관은 제1항 제4호에 따른 **수사중지 결정을 한 경우 7일 이내에 사건기록을 검사에게 송부해야 한다**. 이 경우 검사는 사건기록을 송부받은 날부터 **30일** 이내에 반환해야 하며, 그 기간 내에 법 제197조의3에 따라 시정조치요구를 할 수 있다.
⑤ 사법경찰관은 제4항 전단에 따라 검사에게 사건기록을 송부한 후 피의자 등의 소재를 발견한 경우에는 소재 발견 및 수사 재개 사실을 검사에게 통보해야 한다. 이 경우 통보를 받은 검사는 지체 없이 사법경찰관에게 사건기록을 반환해야 한다.

제57조【송치사건 관련 자료 제공】 검사는 사법경찰관이 송치한 사건에 대해 검사의 공소장, 불기소결정서, 송치결정서 및 법원의 판결문을 제공할 것을 요청하는 경우 이를 사법경찰관에게 지체 없이 제공해야 한다.

제58조【사법경찰관의 사건송치】 ① 사법경찰관은 관계 법령에 따라 검사에게 사건을 송치할 때에는 송치의 이유와 범위를 적은 송치 결정서와 압수물 총 목록, 기록목록, 범죄경력 조회회보서, 수사경력 조회회보서 등 관계 서류와 증거물을 함께 송부해야 한다.
② 사법경찰관은 피의자 또는 참고인에 대한 조사과정을 영상녹화한 경우에는 해당 영상녹화물을 봉인한 후 검사에게 사건을 송치할 때 봉인된 영상녹화물의 종류와 개수를 표시하여 사건기록과 함께 송부해야 한다.
③ 사법경찰관은 사건을 송치한 후에 새로운 증거물, 서류 및 그 밖의 자료를 추가로 송부할 때에는 이전에 송치한 사건명, 송치 연월일, 피의자의 성명과 추가로 송부하는 서류 및 증거물 등을 적은 추가송부서를 첨부해야 한다.

제62조【사법경찰관의 사건불송치】 ① 사법경찰관은 법 제245조의5 제2호(**사건불송치**) 및 이 영 제51조 제1항 제3호(**불송치**)에 따라 불송치 결정을 하는 경우 불송치의 이유를 적은 불송치 결정서와 함께 압수물 총 목록, 기록목록 등 관계 서류와 증거물을 검사에게 송부해야 한다.
② 제1항의 경우 영상녹화물의 송부 및 새로운 증거물 등의 추가 송부에 관하여는 제58조 제2항 및 제3항을 준용한다.

(1) 사법경찰관의 송치와 불송치

① 송치

사법경찰관은 고소·고발사건을 포함하여 범죄를 수사한 때에 **범죄의 혐의가 있다고 인정되는 경우에는** 지체 없이 **검사에게 사건을 송치하고**, 관계 서류와 증거물을 송부하여야 한다(제245조의5 제1호). 이 경우 검사에 의한 2차적 수사가 개시된다. 검사는 자신이 직접 수사할 수도 있고, 사법경찰관에게 보완수사를 요구할 수도 있다(제197조의2 제1항 제1호 참고).

② 불송치

사법경찰관은 범죄를 수사한 때에 **범죄의 혐의가 있다고 인정되는 경우 외에는** 그 이유를 명시한 서면과 함께 **관계 서류와 증거물을 지체 없이 검사에게 송부하여야 한다**. 이 경우 검사는 송부받은 날로부터 90일 이내에 사법경찰관에게 반환하여야 한다(제245조의5 제2호). 이 경우 (검사의 재수사 요청이나 고소인 등의 이의신청이 없으면) 일응 수사가 종결된다.

(2) 검사의 재수사요청

형사소송법

제245조의8 【재수사요청 등】 ① 검사는 제245조의5 제2호(**사건불송치**)의 경우에 사법경찰관이 사건을 송치하지 아니한 것이 **위법 또는 부당한 때에는 그 이유를 문서로 명시하여 사법경찰관에게 재수사를 요청할 수 있다**.

② 사법경찰관은 제1항의 요청이 있는 때에는 사건을 재수사하여야 한다.

검사와 사법경찰관의 상호협력과 일반적 수사준칙에 관한 규정

제63조 【재수사요청의 절차 등】 ① 검사는 법 제245조의8에 따라 사법경찰관에게 재수사를 요청하려는 경우에는 법 제245조의5 제2호에 따라 관계 서류와 증거물을 송부받은 날부터 **90일** 이내에 해야 한다. 다만, 다음 각 호의 어느 하나에 해당하는 경우에는 관계 서류와 증거물을 송부받은 날부터 **90일이 지난 후에도 재수사를 요청할 수 있다**.

1. 불송치결정에 영향을 줄 수 있는 **명백히 새로운 증거 또는 사실이 발견**된 경우
2. **증거 등의 허위, 위조 또는 변조를 인정할 만한 상당한 정황**이 있는 경우

② 검사는 제1항에 따라 재수사를 요청할 때에는 그 내용과 이유를 구체적으로 적은 서면으로 해야 한다. 이 경우 법 제245조의5 제2호에 따라 송부받은 관계 서류와 증거물을 사법경찰관에게 반환해야 한다.

③ 검사는 법 제245조의8에 따라 재수사를 요청한 경우 그 사실을 고소인 등에게 통지해야 한다.

제64조 【재수사 결과의 처리】 ① 사법경찰관은 법 제245조의8 제2항에 따라 재수사를 한 경우 다음 각 호의 구분에 따라 처리한다.

1. 범죄의 혐의가 있다고 인정되는 경우: 법 제245조의5 제1호에 따라 검사에게 사건을 송치하고 관계 서류와 증거물을 송부
2. 기존의 불송치결정을 유지하는 경우: 재수사 결과서에 그 내용과 이유를 구체적으로 적어 검사에게 통보

② 검사는 사법경찰관이 제1항 제2호에 따라 **재수사 결과를 통보한 사건에 대해서 다시 재수사를 요청을 하거나 송치요구를 할 수 없다**. 다만, 사법경찰관의 재수사에도 불구하고 **관련 법리에 위반되거나 송부받은 관계 서류 및 증거물과 재수사 결과만으로도 공소제기를 할 수 있을 정도로 명백히 채증법칙에 위반되거나 공소시효 또는 형사소추의 요건을 판단하는 데 오류가 있어 사건을 송치하지 않은 위법 또는 부당이 시정되지 않은 경우에는** 재수사 결과를 통보받은 날부터 30일 이내에 법 제197조의3에 따라 **사건송치를 요구할 수 있다**.

제65조 【재수사 중의 이의신청】 사법경찰관은 법 제245조의8 제2항에 따라 재수사 중인 사건에 대해 법 제245조의7 제1항에 따른 이의신청이 있는 경우에는 재수사를 중단해야 하며, 같은 조 제2항에 따라 **해당 사건을 지체 없이 검사에게 송치하고 관계 서류와 증거물을 송부해야 한다**.

① **검사는** 사법경찰관이 사건을 송치하지 않은 경우에 사법경찰관이 사건을 송치하지 아니한 것이 위법 또는 부당한 때에는 그 이유를 문서로 명시하여 사법경찰관에게 **재수사를 요청할 수 있다**(제245조의8 제1항).

② **사법경찰관은** 검사로부터 재수사의 요청이 있는 때에는 **재수사하여야 한다**(제245조의8 제2항).

(3) 고소인 등에 대한 통지와 이의신청

형사소송법

제245조의6【고소인 등에 대한 송부통지】 사법경찰관은 제245조의5 제2호의 경우에는 그 송부한 날부터 7일 이내에 서면으로 고소인·고발인·피해자 또는 그 법정대리인(피해자가 사망한 경우에는 그 배우자·직계친족·형제자매를 포함한다)에게 사건을 **검사에게 송치하지 아니하는 취지와 그 이유를 통지하여야 한다.**

제245조의7【고소인 등의 이의신청】 ① 제245조의6의 통지를 받은 사람은 해당 **사법경찰관의 소속 관서의 장에게 이의를 신청할 수 있다.**

② 사법경찰관은 제1항의 신청이 있는 때에는 **지체 없이 검사에게 사건을 송치하고 관계 서류와 증거물을 송부하여야 하며, 처리결과와 그 이유를 제1항의 신청인에게 통지하여야 한다.**

검사와 사법경찰관의 상호협력과 일반적 수사준칙에 관한 규정

제53조【수사결과의 통지】 ① 검사 또는 사법경찰관은 제51조 또는 제52조에 따른 결정을 한 경우에는 그 내용을 고소인·고발인·피해자 또는 그 법정대리인(피해자가 사망한 경우에는 그 배우자·직계친족·형제자매를 포함한다. 이하 '고소인 등'이라 한다)과 피의자에게 통지해야 한다. 다만, 제51조 제1항 제4호 가목에 따른 **피의자중지 결정** 또는 제52조 제1항 제3호에 따른 **기소중지 결정을 한 경우에는 고소인 등에게만 통지한다.** 21. 경찰채용

② 고소인 등은 법 제245조의6에 따른 통지를 받지 못한 경우 사법경찰관에게 불송치 통지서로 통지해 줄 것을 요구할 수 있다.

③ 제1항에 따른 통지의 구체적인 방법·절차 등은 법무부장관, 경찰청장 또는 해양경찰청장이 정한다.

제54조【수사중지 결정에 대한 이의제기 등】 ① 제53조에 따라 사법경찰관으로부터 제51조 제1항 제4호에 따른 수사중지 결정의 통지를 받은 사람은 해당 **사법경찰관이 소속된 바로 위 상급경찰관서의 장에게 이의를 제기할 수 있다.**

② 제1항에 따른 이의제기의 절차·방법 및 처리 등에 관하여 필요한 사항은 경찰청장 또는 해양경찰청장이 정한다.

③ 제1항에 따른 통지를 받은 사람은 해당 **수사중지 결정이 법령위반, 인권침해 또는 현저한 수사권 남용이라고 의심되는 경우 검사에게** 법 제197조의3 제1항(**시정조치요구**)에 따른 신고를 할 수 있다.

④ 사법경찰관은 제53조에 따라 고소인 등에게 제51조 제1항 제4호에 따른 **수사중지 결정**의 통지를 할 때에는 **제3항에 따라 신고할 수 있다는 사실을 함께 고지해야 한다.**

제68조【사건 통지시 주의사항 등】 검사 또는 사법경찰관은 제12조에 따라 수사 진행상황을 통지하거나 제53조에 따라 수사결과를 통지할 때에는 해당 사건의 피의자 또는 사건관계인의 명예나 권리 등이 부당하게 침해되지 않도록 주의해야 한다.

① **사법경찰관은** 불송치 이유를 명시한 서면, 관계 서류와 증거물을 검사에게 송부한 날로부터 7일 이내에 서면으로 고소인·고발인·피해자 또는 그 법정대리인(피해자가 사망한 경우에는 그 배우자·직계친족·형제자매를 포함한다)에게 **사건을 검사에게 송치하지 아니하는 취지와 그 이유를 통지하여야 한다**(제245조의6).

② 사법경찰관으로부터 **불송치 통지를 받은 사람은 해당 사법경찰관의 소속 관서의 장에게 이의를 신청할 수 있다**(제245조의7 제1항).

③ **사법경찰관은 이의신청이 있는 때에는** 지체 없이 **검사에게 사건을 송치하고** 관계 서류와 증거물을 송부하여야 하며, 처리결과와 그 이유를 신청인에게 통지하여야 한다(제245조의7 제2항). 이 경우 검사에 의한 2차적 수사가 개시된다.

④ 수사중지 결정에 대한 이의제기

> **검사와 사법경찰관의 상호협력과 일반적 수사준칙에 관한 규정**
>
> **제54조【수사중지 결정에 대한 이의제기 등】** ① 제53조에 따라 사법경찰관으로부터 제51조 제1항 제4호에 따른 수사중지 결정의 통지를 받은 사람은 해당 **사법경찰관이 소속된 바로 위 상급경찰관서의 장에게 이의를 제기할 수 있다.**
> ② 제1항에 따른 이의제기의 절차·방법 및 처리 등에 관하여 필요한 사항은 경찰청장 또는 해양경찰청장이 정한다.
> ③ 제1항에 따른 통지를 받은 사람은 **해당 수사중지 결정이 법령위반, 인권침해 또는 현저한 수사권 남용이라고 의심되는 경우 검사에게** 법 제197조의3 제1항(**시정조치요구**)에 따른 신고를 할 수 있다.
> ④ 사법경찰관은 제53조에 따라 고소인 등에게 제51조 제1항 제4호에 따른 **수사중지 결정**의 통지를 할 때에는 **제3항에 따라 신고할 수 있다는 사실을 함께 고지해야 한다.**

3. 검사의 2차적 수사종결

검사는 직접 수사한 사건 또는 사법경찰관으로부터 송치받은 사건에 대하여 공소제기 또는 불기소처분 등의 수사종결처분을 한다(제246조 등).

4. 서류 등의 송부

사법경찰관이 고소·고발을 받은 때에는 신속히 조사하여 관계 서류와 증거물을 **검사에게 송부**하여야 한다(제238조)(≪주의 법원에 송부하여야 한다. ×).

02 검사의 사건처리

> **검사와 사법경찰관의 상호협력과 일반적 수사준칙에 관한 규정**
>
> **제52조【검사의 결정】** ① 검사는 사법경찰관으로부터 사건을 송치받거나 직접 수사한 경우에는 다음 각 호의 구분에 따라 결정해야 한다.
> 1. 공소제기
> 2. 불기소
>   가. 기소유예
>   나. 혐의없음
>   1) 범죄인정안됨
>   2) 증거불충분
>   다. 죄가안됨
>   라. 공소권없음
>   마. 각하
> 3. 기소중지
> 4. 참고인중지
> 5. 보완수사요구
> 6. 공소보류
> 7. 이송
> 8. 소년보호사건송치

9. 가정보호사건송치
10. 성매매보호사건송치
11. 아동보호사건송치
② 검사는 하나의 사건 중 피의자가 여러 사람이거나 피의사실이 여러 개인 경우로서 분리하여 결정할 필요가 있는 경우 그중 일부에 대해 제1항 각 호의 결정을 할 수 있다.

SUMMARY | 검사의 사건처리 ★★★

<table>
<tr><th>구분</th><th colspan="3">내용</th></tr>
<tr><td>공소의 제기</td><td colspan="3">범죄의 객관적 혐의가 충분하고 소송조건을 구비하여 유죄판결을 받을 수 있다고 인정되어 법원에 공소를 제기하는 것</td></tr>
<tr><td rowspan="7">불기소처분</td><td rowspan="4">협의의 불기소처분</td><td>혐의 없음</td><td>피의사실이 인정되지 아니하거나 충분한 증거가 없는 경우 또는 범죄를 구성하지 아니하는 경우</td></tr>
<tr><td>죄가 안 됨</td><td>피의사실에 법률상 범죄의 성립을 조각하는 사유가 있는 경우</td></tr>
<tr><td>공소권 없음</td><td>피의사실에 대하여 소송조건이 구비되지 않은 경우나 형면제의 사유가 있는 경우</td></tr>
<tr><td>각하</td><td>고소·고발 사건에서 혐의 없음·죄가 안 됨·공소권 없음 사유가 있음이 명백한 경우 등</td></tr>
<tr><td>기소유예
(공소보류)</td><td colspan="2">피의사실이 인정되나 형법 제51조 각 호의 사항을 참작하여 공소를 제기하지 아니하는 처분(공소보류는 국가보안법상 기소유예제도)</td></tr>
<tr><td>기소중지</td><td colspan="2">피의자의 소재불명 등의 사유로 수사를 종결할 수 없는 경우에 그 사유가 해소될 때까지 내리는 잠정적 수사종결처분</td></tr>
<tr><td>참고인중지</td><td colspan="2">참고인·고소인·고발인 또는 같은 사건 피의자의 소재불명으로 수사를 종결할 수 없는 경우에 그 사유가 해소될 때까지 내리는 처분</td></tr>
<tr><td>송치</td><td colspan="3">타관송치, 군검찰관 송치, 소년부송치, 가정보호사건송치, 성매매보호사건송치 등</td></tr>
</table>

SUMMARY | 공소권 없음 vs 각하 ★★★

<table>
<tr><th>공소권 없음</th><th>각하</th></tr>
<tr><td>① 확정판결이 있는 경우, 통고처분이 이행된 경우 또는 보호처분이 확정된 경우
② 사면이 있는 경우
③ 공소의 시효가 완성된 경우
④ 범죄 후 법령의 개폐로 형이 폐지된 경우 19. 해경채용
⑤ 법률의 규정에 의하여 형이 면제된 경우
⑥ 피의자에 관하여 재판권이 없는 경우
⑦ 동일사건에 관하여 이미 공소가 제기된 경우(공소를 취소한 경우 포함)
⑧ 친고죄 및 전속고발범죄에 있어 고소·고발이 없거나 고소·고발이 무효 또는 취소된 경우
⑨ 반의사불벌죄에 있어 처벌을 희망하지 아니하는 의사표시가 있거나 처벌을 희망하는 의사표시가 철회된 경우
⑩ 피의자가 사망하거나 피의자인 법인이 존속하지 아니하게 된 경우 19. 해경채용</td><td>고소·고발이 있는 사건에 관하여
① 혐의 없음, 죄가 안 됨 또는 공소권 없음 사유에 해당함이 명백한 경우
② 고소·고발이 형사소송법 제224조, 제232조 제2항 또는 제235조에 위반한 경우
③ 동일사건에 관하여 검사의 불기소처분이 있는 경우 19. 해경채용
④ 고소권자가 아닌 자가 고소한 경우
⑤ 고소·고발장 제출 후 고소·고발인의 진술을 청취할 수 없는 경우 19. 해경채용
⑥ 피고소·피고발인의 책임이 경미하고 수사와 소추할 공공의 이익이 없거나 극히 적어 수사의 필요성이 인정되지 아니하는 경우</td></tr>
</table>

1. 공소의 제기

검사는 수사결과 범죄의 객관적 혐의가 충분하고 소송조건을 구비하여 유죄판결을 받을 수 있다고 인정되면 공소를 제기한다(제246조). 다만, 검사는 벌금·과료·몰수에 해당하는 사건에 대하여는 약식명령을 청구할 수 있는데 **약식명령은 공소제기와 동시에 서면으로 한다**(제449조).

2. 불기소처분

불기소처분이란 피의자에 대하여 공소를 제기하지 아니하는 처분을 말한다. 이에는 협의의 불기소처분, 기소중지, 참고인중지가 있다.

(1) 불기소처분

불기소결정의 주문과 그 사유는 다음과 같다(검찰사건사무규칙 제115조 제3항). 15. 경찰승진, 17. 변호사, 18 · 19 경찰간부

① **기소유예**: 피의사실이 인정되나 형법 제51조 각 호의 사항을 참작하여 소추를 필요로 하지 아니하는 경우

② **혐의 없음**

㉠ **범죄인정 안 됨**: 피의사실이 범죄를 구성하지 아니하거나 인정되지 아니하는 경우

㉡ **증거 불충분**: 피의사실을 인정할 만한 충분한 증거가 없는 경우

③ **죄가 안 됨**: 피의사실이 범죄구성요건에 해당하나 법률상 범죄의 성립을 조각하는 사유(위법성조각사유 또는 책임조각사유)가 있어 범죄를 구성하지 아니하는 경우

④ **공소권 없음**: 상단의 ☑ **SUMMARY** 참고

⑤ **각하**: 상단의 ☑ **SUMMARY** 참고

(2) 기소중지

검사가 피의자의 소재불명 또는 참고인중지결정사유 외의 사유로 수사를 종결할 수 없는 경우에는 그 사유가 해소될 때까지 불기소 사건기록 및 불기소 결정서, 불기소 사건기록 및 불기소 결정서(간이)에 따라 기소중지의 결정을 할 수 있다(검찰사건사무규칙 제120조). 이는 수사를 잠정적으로 중지함으로써 공소제기 여부의 결정을 유보하는 것이라고 할 수 있다.

(3) 참고인중지

검사가 참고인 · 고소인 · 고발인 또는 같은 사건 피의자의 소재불명으로 수사를 종결할 수 없는 경우에는 그 사유가 해소될 때까지 불기소 사건기록 및 불기소 결정서, 불기소 사건기록 및 불기소 결정서(간이)에 따라 참고인중지의 결정을 할 수 있다(검찰사건사무규칙 제121조).

3. 송치

(1) 타관송치

검사는 사건이 그 소속 검찰청에 대응한 법원의 관할에 속하지 아니한 때에는 사건을 서류와 증거물과 함께 관할 법원에 대응하는 검찰청검사에게 송치하여야 한다(제256조).

(2) 군검찰관 송치

검사는 사건이 군사법원의 재판권에 속하는 때에는 사건을 서류와 증거물과 함께 재판권을 가진 관할 군사법원검찰부 **군검사에게** 송치하여야 한다. 이 경우 송치 전에 행한 소송행위는 송치 후에도 그 효력에 영향이 없다(제256조의2).

(3) 소년부송치

검사는 소년에 대한 피의사건을 수사한 결과 보호처분에 해당하는 사유가 있다고 인정한 경우에는 사건을 관할 소년부에 송치하여야 한다(소년법 제49조 제1항).

(4) 가정보호사건송치

검사는 가정폭력범죄로서 사건의 성질 · 동기 및 결과, 가정폭력행위자의 성행 등을 고려하여 이 법에 따른 보호처분을 하는 것이 적절하다고 인정하는 경우에는 가정보호사건으로 처리할 수 있다(가정폭력처벌법 제9조 제1항). 검사는 가정보호사건으로 처리하는 경우에는 그 사건을 관할 가정법원 또는 지방법원에 송치하여야 한다(동법 제11조 제1항).

(5) 성매매보호사건송치

검사는 성매매를 한 자에 대하여 사건의 성격 · 동기, 행위자의 성행 등을 고려하여 보호처분에 처함이 상당하다고 인정하는 때에는 특별한 사정이 없는 한 보호사건으로 관할법원에 송치하여야 한다(성매매처벌법 제12조 제1항).

03 검사의 처분통지

검사와 사법경찰관의 상호협력과 일반적 수사준칙에 관한 규정

제53조【수사결과의 통지】 ① 검사 또는 사법경찰관은 제51조 또는 제52조에 따른 결정을 한 경우에는 그 내용을 고소인 · 고발인 · 피해자 또는 그 법정대리인(피해자가 사망한 경우에는 그 배우자 · 직계친족 · 형제자매를 포함한다. 이하 '고소인 등'이라 한다)과 피의자에게 통지해야 한다. 다만, 제51조 제1항 제4호 가목에 따른 피의자중지 결정 또는 제52조 제1항 제3호에 따른 기소중지 결정을 한 경우에는 고소인 등에게만 통지한다.

② 고소인 등은 법 제245조의6에 따른 통지를 받지 못한 경우 사법경찰관에게 불송치 통지서로 통지해 줄 것을 요구할 수 있다.

③ 제1항에 따른 통지의 구체적인 방법 · 절차 등은 법무부장관, 경찰청장 또는 해양경찰청장이 정한다.

1. 고소인 · 고발인에 대한 통지

(1) 고소 · 고발사건의 처리

검사가 고소 · 고발에 의하여 범죄를 수사할 때에는 고소 · 고발을 수리한 날로부터 **3월 이내**에 수사를 완료하여 공소제기 여부를 결정하여야 한다(제257조). 17. 경찰간부

(2) 고소인 · 고발인에 대한 처분통지

검사는 고소 · 고발 사건에 관하여 **공소를 제기**하거나 **제기하지 아니하는 처분**, **공소의 취소** 또는 **타관송치**를 한 때에는 그 처분을 한 날로부터 **7일** 이내에 **서면**으로 **고소인 · 고발인에게 그 취지를 통지**하여야 한다(제258조 제1항). 14 · 18. 경찰승진, 17. 국가직 9급, 19. 경찰간부

(3) 불기소처분의 이유 설명

검사는 고소 · 고발 사건에 관하여 불기소처분을 한 경우에 고소인 · 고발인의 **청구**가 있는 때에는 **7일** 이내에 고소인 · 고발인에게 그 이유를 서면으로 설명하여야 한다(제259조)(«주의 직권 또는 청구가 있을 때 불기소이유를 서면으로 설명하여야 한다. ×). 18. 경찰승진

2. 피의자에 대한 통지

검사는 불기소처분 또는 타관송치를 한 때에는 **피의자에게 즉시** 그 취지를 **통지**하여야 한다(제258조 제2항)(«주의 피해자에게 통지 ×, 7일 이내 통지 ×, 고소 · 고발 사건에 한하여 피의자에게 통지 ×). 15 · 16. 경찰승진, 17. 국가직 9급, 19. 경찰간부

판례 | **고소·고발 사건 이외의 사건에 대해서도 검사가 불기소처분을 한 경우 피의자에게 그 취지를 통지해야 하는지의 여부(적극)**

형사소송법 제258조 제2항은 고소 관련 조항들 가운데 규정되어 있기는 해도 제1항과 달리 제2항은 법문 자체가 고소·고발 있는 사건에 대한 불기소처분으로 한정하고 있지 아니하므로 동조항 소정의 '불기소처분'을 고소·고발 있는 사건에 대한 불기소처분만을 의미한다고 보아야 할 이유는 없으므로 **검사는 불기소처분을 하는 경우 모든 피의자에게 불기소처분의 취지를 통지하여야 할 것이다**(헌재 2001.12.20, 2001헌마39).

3. 피해자에 대한 통지

검사는 범죄로 인한 피해자 또는 그 법정대리인(피해자가 사망한 경우에는 그 배우자·직계친족·형제자매를 포함한다)의 **신청이 있는 때**에는 당해 사건의 공소제기 여부, 공판의 일시·장소, **재판결과**, 피의자·피고인의 구속·석방 등 구금에 관한 사실 등을 신속하게 통지하여야 한다(제259조의2)(주의 법원이 피해자에 통지 ×, 직권 또는 신청시 피해자에 통지 ×, 재판경과를 통지하여야 한다. ×). 14·17. 국가직 9급, 16. 법원직 9급, 17. 국가직 7급, 18. 경찰승진

제2절 불기소처분에 대한 불복

SUMMARY | 검찰항고 vs 재정신청 vs 헌법소원 ★★★

구분	검찰항고	재정신청	헌법소원
관할	고등검찰청, 대검찰청	고등법원	헌법재판소
청구권자	① 항고: 고소인·고발인 ② 재항고: 원칙적으로 고발인	① 고소권자로서 고소한 자 ② 고발인(형법 제123조 내지 제126조의 죄만 가능)	고소하지 않은 피해자
대상범죄	제한 없음	① 모든 고소사건 ② 형법 제123조 내지 제126조의 죄(고발인의 경우)	제한 없음
공소시효 정지 여부	정지 안 됨	정지됨	정지 안 됨
고소인 등의 비용부담	비용부담 없음	비용부담 가능	비용부담 없음
기각결정사건 기소 제한	제한 없음	다른 중요한 증거 발견시에만 기소 가능	제한 없음
기소 후 공소취소 가능 여부	공소취소 가능	공소취소 불가	공소취소 가능

SUMMARY | 불기소처분에 대한 불복주체, 대상 및 절차 ★★★

구분	불복대상	불복절차
고소권자로써 고소한 자	모든 불기소처분	검찰항고 → 재정신청
고소하지 않은 범죄피해자		헌법소원
형법 제123조 내지 제126조 범죄의 고발인		검찰항고 → 재정신청
나머지 범죄의 고발인		검찰항고 → 검찰재항고

01 검찰항고(檢察抗告)

1. 의의

검찰항고란 검사의 불기소처분에 대하여 고소인 · 고발인이 그 검사 소속 고등검찰청 검사장 또는 대검찰청 검찰총장에게 불복을 신청하는 제도를 말한다.

2. 내용

(1) 항고 – 고소인 · 고발인 모두 가능

① **절차**: 검사의 불기소처분에 불복하는 **고소인이나 고발인**은 그 검사가 속한 지방검찰청 또는 지청을 거쳐 서면으로 관할 고등검찰청 검사장에게 항고할 수 있다(제10조 제1항 본문). 14 · 18. 국가직 9급 **기소유예처분을 받은 피의자에게 검찰항고를 인정하지 않는 검찰청법 제10조 제1항은 헌법에 위반되지 않는다**는 것이 판례의 입장이다(헌재 2012.7.26, 2010헌마642). 이 경우 해당 지방검찰청 또는 지청의 검사는 항고가 이유 있다고 인정하면 그 처분을 경정하여야 한다(동조 제1항 단서).

② **기간**: 항고는 **검사로부터 불기소처분을 받은 날부터 30일 이내**에 이를 하여야 한다(제10조 제4항). 다만, 항고를 한 자에게 책임이 없는 사유로 인하여 그 기간 이내에 항고를 하지 못한 것을 소명한 때에는 그 사유가 해소된 때부터 기산한다(동조 제6항). 기간을 경과하여 접수된 항고는 기각하여야 한다. 다만, 중요한 증거가 새로 발견된 경우 고소인이나 고발인이 그 사유를 소명하였을 때에는 그러하지 아니하다(동조 제7항).

③ **검사장의 처리**: 고등검찰청 검사장은 항고가 이유 있다고 인정하면 소속 검사로 하여금 지방검찰청 또는 지청 검사의 불기소처분을 직접 경정하게 할 수 있다. 이 경우 고등검찰청 검사는 지방검찰청 또는 지청의 검사로서 직무를 수행하는 것으로 본다(제10조 제2항).

(2) 재항고 – 형법 제123조 내지 제126조의 죄를 제외한 나머지 고발인만 가능

① **절차**: 고등검찰청이 항고를 기각하는 처분에 불복하거나 항고를 한 날부터 항고에 대한 처분이 이루어지지 아니하고 3개월이 지났을 때에는 항고인(형사소송법상 재정신청을 할 수 있는 자는 제외)은 그 검사 소속 고등검찰청을 거쳐 서면으로 대검찰청 검찰총장에게 재항고할 수 있다(제10조 제3항 본문). 이 경우 해당 고등검찰청의 검사는 재항고가 이유 있다고 인정하면 그 처분을 경정하여야 한다(동조 제3항 단서).

② **기간**: 재항고는 항고기각결정의 통지를 받은 날 또는 항고 후 항고에 대한 처분이 행하여지지 아니하고 3개월이 지난 날부터 30일 이내에 하여야 한다(제10조 제5항). 다만, 재항고를 한 자가 자신에게 책임이 없는 사유로 정해진 기간 이내에 항고 또는 재항고를 하지 못한 것을 소명하면 그 항고 또는 재항고기간은 그 사유가 해소된 때부터 기산한다(동조 제6항). 기간을 경과하여 접수된 재항고는 기각하여야 한다. 다만, 중요한 증거가 새로 발견된 경우 고소인이나 고발인이 그 사유를 소명하였을 때에는 그러하지 아니하다(동조 제7항).

③ **검찰총장의 처리**: 재항고를 받은 대검찰청 검찰총장은 재항고가 이유 있다고 인정하는 때에는 인용하는 처분을 하여야 하고, 이유 없다고 인정하는 때에는 재항고를 기각하여야 한다.

02 재정신청(裁定申請)

형사소송법

제260조【재정신청】 ① 고소권자로서 고소를 한 자(형법 제123조부터 제126조까지의 죄에 대하여는 고발을 한 자를 포함한다. 이하 이 조에서 같다)는 검사로부터 공소를 제기하지 아니한다는 통지를 받은 때에는 그 검사 소속의 지방검찰청 소재지를 관할하는 고등법원(이하 '관할 고등법원'이라 한다)에 그 당부에 관한 재정을 신청할 수 있다. 다만, 형법 제126조의 죄에 대하여는 피공표자의 명시한 의사에 반하여 재정을 신청할 수 없다.

② 제1항에 따른 재정신청을 하려면 **검찰청법 제10조에 따른 항고를 거쳐야 한다.** 다만, 다음 각 호의 어느 하나에 해당하는 경우에는 그러하지 아니하다.

1. 항고 이후 재기수사가 이루어진 다음에 **다시 공소를 제기하지 아니한다는 통지를** 받은 경우
2. 항고신청 후 항고에 대한 처분이 행하여지지 아니하고 3개월**이 경과**한 경우
3. 검사가 **공소시효** 만료일 30일 전까지 공소를 제기하지 아니하는 경우

③ 제1항에 따른 재정신청을 하려는 자는 항고기각 결정을 통지받은 날 또는 제2항 각 호의 사유가 발생한 날부터 **10일 이내**에 지방검찰청검사장 또는 지청장에게 재정신청서를 제출하여야 한다. 다만, 제2항 제3호의 경우에는 **공소시효 만료일 전날**까지 재정신청서를 제출할 수 있다.

④ 재정신청서에는 재정신청의 대상이 되는 사건의 범죄사실 및 증거 등 재정신청을 이유있게 하는 사유를 기재하여야 한다.

제261조【지방검찰청검사장 등의 처리】 제260조 제3항에 따라 재정신청서를 제출받은 지방검찰청검사장 또는 지청장은 재정신청서를 제출받은 날부터 7일 **이내**에 재정신청서 · 의견서 · 수사 관계 서류 및 증거물을 관할 고등검찰청을 경유하여 관할 고등법원에 송부하여야 한다. 다만, 제260조 제2항 각 호의 어느 하나에 해당하는 경우에는 지방검찰청검사장 또는 지청장은 다음의 구분에 따른다.

1. 신청이 이유 있는 것으로 인정하는 때에는 즉시 공소를 제기하고 그 취지를 관할 고등법원과 재정신청인에게 통지한다.
2. 신청이 이유 없는 것으로 인정하는 때에는 30일 **이내**에 관할 고등법원에 송부한다.

제262조【심리와 결정】 ① 법원은 재정신청서를 송부받은 때에는 송부받은 날부터 **10일 이내**에 피의자에게 그 사실을 통지하여야 한다. 21. 경찰채용

② 법원은 재정신청서를 송부받은 날부터 3개월 이내에 항고의 절차에 준하여 다음 각 호의 구분에 따라 결정한다. 이 경우 필요한 때에는 증거를 조사할 수 있다.

1. 신청이 법률상의 방식에 위배되거나 이유 없는 때에는 신청을 기각한다.
2. 신청이 이유 있는 때에는 사건에 대한 공소제기를 결정한다.

③ 재정신청사건의 심리는 특별한 사정이 없는 한 **공개하지 아니한다.**

④ 제2항 제1호의 결정에 대하여는 **제415조에 따른 즉시항고를 할 수 있고,** 제2항 제2호의 결정에 대하여는 불복할 수 없다. 제2항 제1호의 결정이 확정된 사건에 대하여는 **다른 중요한 증거를 발견한 경우를 제외하고는 소추할 수 없다.**

⑤ 법원은 제2항의 결정을 한 때에는 즉시 그 정본을 재정신청인 · 피의자와 관할 지방검찰청검사장 또는 지청장에게 송부하여야 한다. 이 경우 제2항 제2호의 결정을 한 때에는 관할 지방검찰청검사장 또는 지청장에게 사건기록을 함께 송부하여야 한다.

⑥ 제2항 제2호의 결정에 따른 재정결정서를 송부받은 관할 지방검찰청 검사장 또는 지청장은 지체 없이 담당 검사를 지정하고 지정받은 검사는 공소를 제기하여야 한다.

제262조의2【재정신청사건 기록의 열람 · 등사 제한】 재정신청사건의 심리 중에는 **관련 서류 및 증거물을 열람 또는 등사할 수 없다.** 다만, 법원은 제262조 제2항 후단의 증거조사과정에서 작성된 서류의 전부 또는 일부의 열람 또는 등사를 허가할 수 있다.

제262조의3【비용부담 등】 ① 법원은 제262조 제2항 제1호의 결정 또는 제264조 제2항의 취소가 있는 경우에는 결정으로 **재정신청인에게 신청절차에 의하여 생긴 비용의 전부 또는 일부를 부담하게 할 수 있다.**
② 법원은 직권 또는 피의자의 신청에 따라 **재정신청인에게 피의자가 재정신청절차에서 부담하였거나 부담할 변호인선임료 등 비용의 전부 또는 일부의 지급을 명할 수 있다.**
③ 제1항 및 제2항의 결정에 대하여는 **즉시항고**를 할 수 있다.
④ 제1항 및 제2항에 따른 비용의 지급범위와 절차 등에 대하여는 대법원규칙으로 정한다.

제262조의4【공소시효의 정지 등】 ① 제260조에 따른 재정신청이 있으면 제262조에 따른 **재정결정이 확정 때까지 공소시효의 진행이 정지된다.**
② 제262조 제2항 제2호의 결정이 있는 때에는 공소시효에 관하여 그 결정이 있는 날에 공소가 제기된 것으로 본다.

제263조 삭제 <2007.6.1.>

제264조【대리인에 의한 신청과 1인의 신청의 효력, 취소】 ① 재정신청은 **대리인에 의하여 할 수 있으며 공동신청권자 중 1인의 신청은 그 전원을 위하여 효력을 발생한다.**
② 재정신청은 제262조 제2항의 결정이 있을 때까지 취소할 수 있다. **취소한 자는 다시 재정신청을 할 수 없다.**
③ 전항의 **취소는 다른 공동신청권자에게 효력을 미치지 아니한다.**

제264조의2【공소취소의 제한】 검사는 제262조 제2항 제2호의 결정에 따라 공소를 제기한 때에는 이를 취소할 수 없다.

형법

제123조【직권남용】 공무원이 직권을 남용하여 사람으로 하여금 의무 없는 일을 하게 하거나 사람의 권리행사를 방해한 때에는 5년 이하의 징역, 10년 이하의 자격정지 또는 1천만원 이하의 벌금에 처한다.

제124조【불법체포, 불법감금】 ① 재판, 검찰, 경찰 기타 인신구속에 관한 직무를 행하는 자 또는 이를 보조하는 자가 그 직권을 남용하여 사람을 체포 또는 감금한 때에는 7년 이하의 징역과 10년 이하의 자격정지에 처한다.

제125조【폭행, 가혹행위】 재판, 검찰, 경찰 기타 인신구속에 관한 직무를 행하는 자 또는 이를 보조하는 자가 그 직무를 행함에 당하여 형사피의자 또는 기타 사람에 대하여 폭행 또는 가혹한 행위를 가한 때에는 5년 이하의 징역과 10년 이하의 자격정지에 처한다.

제126조【피의사실공표】 검찰, 경찰 기타 범죄수사에 관한 직무를 행하는 자 또는 이를 감독하거나 보조하는 자가 그 직무를 행함에 당하여 지득한 피의사실을 공판청구 전에 공표한 때에는 3년 이하의 징역 또는 5년 이하의 자격정지에 처한다.

1. 의의

재정신청이란 검사가 불기소처분을 한 경우 고소인(형법 제123조부터 제126조까지의 죄에 대하여는 '고발인'도 포함)이 관할 고등법원에 신청하여 고등법원의 결정으로 검찰에 공소제기를 강제시키는 제도를 말한다(제260조 이하). 17. 경찰승진, 18. 경찰간부

2. 재정신청 절차

(1) 신청권자와 그 대상

① **재정신청권자**: **재정신청**은 **고소권자**로서 고소를 한 자가 할 수 있다. 다만, **형법 제123조부터 제126조까지의 죄에 대하여는 고발을 한 자**도 할 수 있다. 다만, 제126조의 **피의사실공표죄** 경우에는 **피공표자의 명시한 의사에 반하여 재정신청을 할 수 없다**(제260조 제1항)(《주의 직무유기죄도 재정신청을 할 수 있다. ×). 14·16·18·19. 경찰승진, 14·15. 경찰간부, 15. 변호사·경찰채용, 18. 국가직 9급 또한 공직선거법에 규정된 일정한 범죄에 대해서는 고발을 한 후보자와 정당 및 해당 선거관리위원회도 재정신청을 할 수 있다(공직선거법 제273조). 재정신청은 대리인에 의해서도 가능하다(제264조 제1항). 16. 경찰승진

② **재정신청의 대상**: 재정신청의 대상은 불기소처분이다. 불기소처분의 이유에는 제한이 없으므로 협의의 불기소처분은 물론 **기소유예에 대해서도 재정신청을 할 수 있다.** 15. 변호사, 16. 국가직 9급, 17. 법원직 9급 검사의 공소제기나 공소취소는 불기소처분이 아니므로 재정신청의 대상이 되지 아니한다. 15. 변호사 또한 진정사건에 대한 검사의 **내사종결처리도 불기소처분이 아니므로 재정신청의 대상이 되지 아니한다.**

판례 |

1 불기소처분 당시 공소시효가 완성된 경우, 불기소처분에 대하여 재정신청이 허용되는지의 여부(소극)
검사의 **불기소처분 당시의 공소시효가 완성**되어 공소권이 없는 경우에는 위 불기소처분에 대한 **재정신청은 허용되지 않는다**(대결 1990.7.16, 90모34).

2 검사의 내사종결처리가 재정신청의 대상이 되는 불기소처분인지의 여부(소극)
대통령에게 제출한 청원서를 대통령비서실로부터 이관받은 검사가 진정사건으로 내사 후 내사종결처리한 경우 위 **내사종결처리**는 고소 또는 고발사건에 대한 불기소처분이라고 볼 수 없어 **재정신청의 대상이 되지 아니한다**(대결 1991.11.5, 91모68). 14·21. 경찰간부, 15·20. 경찰승진

3 공소제기 결정의 잘못을 그 본안사건에서 다툴 수 있는지의 여부(원칙적 소극)
재정법원이 형사소송법 제262조 제2항 제2호에 위반하여 재정신청의 대상인 고소사실이 아닌 사실에 대하여 공소제기결정을 한 관계로 그에 따른 공소가 제기되어 본안사건의 절차가 개시된 후에는, 다른 특별한 사정이 없는 한 이제 **그 본안사건에서 위와 같은 잘못을 다툴 수는 없다**고 할 것이다. 그렇지 아니하고 위와 같은 잘못을 본안사건에서 다툴 수 있다고 한다면 이는 재정신청에 대한 결정에 대하여 그것이 기각결정이든 인용결정이든 불복할 수 없도록 한 법 제262조 제4항의 규정취지에 위배하여 형사소송절차의 안정성을 해칠 우려가 있기 때문이다. 또한 위와 같은 잘못은 본안사건에서 공소사실 자체에 대하여 무죄, 면소, 공소기각 등을 할 사유에 해당하는지를 살펴 무죄 등의 판결을 함으로써 그 잘못을 바로잡을 수 있는 것이다. 뿐만 아니라 본안사건에서 심리한 결과 범죄사실이 유죄로 인정되는 때에는 이를 처벌하는 것이 오히려 형사소송의 이념인 실체적 정의를 구현하는 데 보다 충실하다는 점도 고려하여야 한다(대판 2010.11.25, 2009도3563).

(2) 재정신청의 방법과 효력

① **검찰항고전치주의**(檢察抗告前置主義)

㉠ 재정신청인이 **재정신청을 하려면 검찰청법 제10조에 따른 항고를 거쳐야 한다**(제260조 제2항 본문). 16·18. 경찰간부, 17. 변호사

㉡ 다만, 검찰항고를 반드시 거치도록 하는 것이 부적절하다고 인정되는 아래 3가지 경우에는 예외를 인정하여 검찰항고를 거치지 않고 곧장 재정신청을 제기할 수 있다(제260조 제2항 단서). 14. 경찰승진·경찰채용, 17. 변호사

ⓐ 항고 이후 재기수사가 이루어진 다음에 **다시 공소를 제기하지 아니한다는 통지**를 받은 경우
ⓑ 항고신청 후 항고에 대한 처분이 행하여지지 아니하고 **3개월이 경과**한 경우
ⓒ 검사가 **공소시효 만료일 30일 전**까지 공소를 제기하지 아니하는 경우

② **재정신청의 기간 및 방법**

㉠ 재정신청을 하려는 자는 검찰항고의 기각결정을 통지받은 날 또는 검찰항고전치주의의 예외사유가 발생한 날부터 **10일 이내**에 **지방검찰청검사장 또는 지청장에게 재정신청서를 제출**하여야 한다. 14. 경찰채용 다만, 제260조 제2항 제3호의 경우(검사가 공소시효 만료일 30일 전까지 공소를 제기하지 아니하는 경우)에는 **공소시효 만료일 전날**까지 재정신청서를 제출할 수 있다(제260조 제3항)(≪주의 공소시효 만료일날까지 재정신청서를 제출할 수 있다. ×). 19. 경찰승진

㉡ 재정신청서에는 재정신청의 대상이 되는 사건의 범죄사실 및 증거 등 재정신청을 이유있게 하는 사유를 기재하여야 한다(제260조 제4항).

판례 |

1 재정신청 제기기간 경과 후에 재정신청 대상을 추가할 수 있는지의 여부(소극)
재정신청 제기기간이 경과된 후에 재정신청보충서를 제출하면서 원래의 재정신청에 재정신청 대상으로 포함되어 있지 않은 고발사실을 재정신청의 대상으로 추가한 경우, 그 재정신청보충서에서 추가한 부분에 관한 재정신청은 법률상 방식에 어긋난 것으로서 **부적법**하다(대결 1997.4.22, 97모30). 15. 경찰간부, 19. 법원직 9급

2 재정신청서의 경우 재소자의 특칙이 적용되는지의 여부(소극)
① **재정신청서에 대하여는 형사소송법에 제344조 제1항과 같은 특례규정이 없으므로** 재정신청서는 같은 법 제260조 제2항(개정법 제3항)이 정하는 기간 안에 불기소처분을 한 검사가 소속한 지방검찰청의 검사장 또는 지청장에게 도달하여야 하고, 설령 구금 중인 고소인이 재정신청서를 그 기간 안에 교도소장 또는 그 직무를 대리하는 사람에게 제출하였다 하더라도 재정신청서가 위의 기간 안에 불기소처분을 한 검사가 소속한 지방검찰청의 검사장 또는 지청장에게 도달하지 아니한 이상 이를 적법한 재정신청서의 제출이라고 할 수 없다(대결 1998.12.14, 98모127). 18. 경찰채용
② 재정신청 기각결정에 대한 재항고나 그 재항고 기각결정에 대한 즉시항고로서의 재항고에 대한 법정기간의 준수 여부는 도달주의 원칙에 따라 재항고장이나 즉시항고장이 법원에 도달한 시점을 기준으로 판단하여야 하고, 거기에 **재소자 피고인 특칙은 준용되지 아니한다**(대결 2015.7.16, 2013모2347). 17. 국가직 9급

3 공소제기 결정의 잘못을 그 본안사건에서 다툴 수 있는지의 여부(원칙적 소극)
법원이 재정신청서에 재정신청을 이유 있게 하는 사유가 기재되어 있지 않음에도 이를 간과한 채 형사소송법 제262조 제2항 제2호 소정의 공소제기결정을 한 관계로 그에 따른 공소가 제기되어 본안사건의 절차가 개시된 후에는, 다른 특별한 사정이 없는 한 이제 **그 본안사건에서 위와 같은 잘못을 다툴 수 없다**고 할 것이다(대판 2010.11.11, 2009도224). 17 · 19. 경찰승진, 19. 법원직 9급

③ **재정신청의 효력**: 재정신청이 있으면 고등법원의 재정결정이 확정 때까지 공소시효의 진행이 정지된다(제262조의4 제1항). 15 · 18. 경찰채용, 17. 경찰간부 · 법원직 9급, 18. 변호사 · 경찰승진 · 국가직 9급 재정신청권자가 수인인 경우에 공동신청권자 중 **1인의 신청은 그 전원을 위하여 효력이 발생**한다(제264조 제1항). 14. 경찰채용, 15. 변호사, 16. 국가직 9급, 16 · 18. 경찰승진

④ **재정신청의 취소**: 재정신청은 고등법원의 재정결정이 있을 때까지 취소할 수 있다. 취소한 자는 다시 재정신청을 할 수 없다(제264조 제2항). 15. 변호사, 16. 경찰승진 **재정신청의 취소**는 **다른 공동신청권자에게 효력이 미치지 아니한다**(동조 제3항). 15. 변호사 · 경찰간부, 18. 경찰승진

(3) 검사장 · 지청장의 처리

① **검찰항고를 거친 경우**: 재정신청서를 제출받은 지방검찰청검사장 또는 지청장은 재정신청서를 제출받은 날부터 **7일 이내**에 재정신청서 · 의견서 · 수사 관계 서류 및 증거물을 관할 고등검찰청을 경유하여 관할 고등법원에 송부하여야 한다(제261조 본문). 14. 국가직 9급

② **검찰항고를 안 거친 경우**: 신청이 이유 있는 것으로 인정하는 때에는 즉시 공소를 제기하고 그 취지를 관할 고등법원과 재정신청인에게 통지하고, 신청이 이유 없는 것으로 인정하는 때에는 **30일 이내**에 재정신청서 · 의견서 · 수사 관계 서류 및 증거물을 관할 고등법원에 송부한다(제261조 단서).

3. 고등법원의 처리

(1) 고등법원의 심리

① **심리의 방법**: **고등법원은 재정신청서를 송부받은 때**에는 송부받은 날부터 **10일 이내**에 **피의자 및 재정신청인에게 그 사실을 통지**하여야 한다(제262조 제1항, 규칙 제120조)(«주의 고등법원은 피의자에게만 통지하면 되고 재정신청인에게 통지할 필요가 없다. ×). 16. 국가직 9급, 21. 법원직 9급 법원은 재정신청서를 송부받은 날부터 3개월 이내에 항고의 절차에 준하여 재정결정을 하여야 한다(제262조 제2항 본문). 18. 경찰승진 이 경우 필요한 때에는 증거를 조사할 수 있다(제262조 제2항 단서). 17. 국가직 9급, 18. 경찰승진 따라서 법원은 필요한 때에는 피의자신문이나 참고인조사 등을 할 수 있고, 구속 · 압수 · 수색 · 검증 등의 강제처분을 할 수 있다.

② **심리의 비공개**: 재정신청사건의 심리는 특별한 사정이 없는 한 **공개하지 아니한다**(제262조 제3항)(«주의 재정신청은 공개한다. ×). 재정신청사건의 심리 중에는 관련 서류 및 증거물을 열람 또는 등사할 수 없다. 다만, 법원은 제262조 제2항 후단의 증거조사과정에서 작성된 서류의 전부 또는 일부의 열람 또는 등사를 허가할 수 있다(제262조의2). 이는 헌법에 위반되지 않는다는 것이 판례의 입장이다(헌재 2011.11.24, 2009헌마41, 2009헌마98)(«주의 열람 또는 등사하는 것이 원칙이다. ×). 17 · 21. 법원직 9급, 19. 경찰간부

(2) 재정결정

① 기각결정

㉠ 재정신청이 법률상의 방식에 위배하거나 이유 없는 때에는 신청을 기각한다(제262조 제2항 제1호). 18. 경찰간부 법률상의 방식에 위배되는 때란 신청기간의 경과, 신청권자가 아닌 자의 신청 등을 말하고, 재정신청이 이유 없는 때란 검사의 불기소처분이 정당한 경우를 말한다. 기각결정을 한 때에는 즉시 그 정본을 재정신청인 · 피의자와 관할 지방검찰청검사장 또는 지청장에게 송부하여야 한다(제262조 제5항).

> **판례 | 검사의 무혐의 불기소처분이 위법하다 하더라도 기소유예를 할 만한 사건이라고 인정되는 경우, 재정신청을 기각할 수 있는지의 여부(적극)**
>
> 검사의 **무혐의 불기소처분이 위법하다 하더라도** 기록에 나타난 여러 가지 사정을 고려하여 **기소유예의 불기소처분을 할 만한 사건이라고 인정되는 경우에는 재정신청을 기각할 수 있다**(대결 1997.4.22, 97모30). 15 · 19. 경찰간부, 17. 경찰승진, 18. 경찰채용

㉡ 재정신청을 기각하는 결정이 있었던 사건에 대하여는 다른 중요한 증거를 발견한 경우를 제외하고는 검사는 소추하지 못한다(제262조 제4항 단서). 이는 헌법에 위반되지 않는다는 것이 판례의 입장이다(헌재 2011.10.25, 2010헌마243). 14 · 17. 국가직 9급, 17. 경찰간부

판례 | 재기소를 제한한 '재정신청 기각결정이 확정된 사건'의 의미

다른 중요한 증거를 발견한 경우를 제외하고는 소추할 수 없도록 규정한 형사소송법 제262조 제4항 후문에서 말하는 **'제2항 제1호의 결정(재정신청 기각결정)이 확정된 사건'**은 재정신청사건을 담당하는 **법원에서 공소제기의 가능성과 필요성 등에 관한 심리와 판단이 현실적으로 이루어져 재정신청 기각결정의 대상이 된 사건만을 의미하므로,** 재정신청 기각결정의 대상이 되지 않은 사건은 '제2항 제1호의 결정이 확정된 사건'이라고 할 수 없고, 설령 재정신청 기각결정의 대상이 되지 않은 사건이 고소인의 고소내용에 포함되어 있었다 하더라도 이와 달리 볼 수 없다(대판 2015.9.10, 2012도14755). 17. 변호사, 18. 경찰승진, 19. 법원직 9급

판례 | 형사소송법 제262조 제4항 후문의 '다른 중요한 증거를 발견한 경우'의 의미

형사소송법 제262조 제4항 후문의 **'다른 중요한 증거를 발견한 경우'란 재정신청 기각결정 당시에 제출된 증거에 새로 발견된 증거를 추가하면 충분히 유죄의 확신을 가지게 될 정도의 증거가 있는 경우를 말하고, 단순히 재정신청 기각결정의 정당성에 의문이 제기되거나 범죄피해자의 권리를 보호하기 위하여 형사재판절차를 진행할 필요가 있는 정도의 증거가 있는 경우는 여기에 해당하지 않는다.** 그리고 관련 민사판결에서의 사실인정 및 판단은, 그러한 사실인정 및 판단의 근거가 된 증거자료가 새로 발견된 증거에 해당할 수 있음은 별론으로 하고, 그 자체가 새로 발견된 증거라고 할 수는 없다(대판 2018.12.28, 2014도17182 **관련 민사판결 발견 사건**). 21. 경찰간부 · 법원직 9급

② **공소제기결정**

㉠ 재정신청이 이유 있는 때에는 사건에 대한 공소제기를 결정한다(제262조 제2항 제2호). 18. 경찰간부 공소제기결정을 한 때에는 즉시 그 정본과 사건기록을 재정신청인 · 피의자와 관할 지방검찰청검사장 또는 지청장에게 송부하여야 한다(제262조 제5항).

㉡ 재정결정서를 송부받은 관할 지방검찰청 검사장 또는 지청장은 지체 없이 담당 검사를 지정하고 지정받은 **검사는 공소를 제기하여야 한다**(제262조 제6항)(«주의 재정신청은 기소독점주의의 예외이다. ×). 14. 국가직 9급, 17. 변호사

㉢ 공소제기결정이 있는 때에는 공소시효에 관하여 그 결정이 있는 날에 공소가 제기된 것으로 본다(제262조의4 제2항). 15 · 18. 경찰채용, 18. 국가직 9급

(3) 재정결정에 대한 불복

고등법원의 **공소제기결정에 대하여는 불복할 수 없다**(제262조 제4항 본문). 그러나 **재정신청 기각결정**에 대하여는 그 결정이 법령에 위반된 경우에는 **대법원에 즉시항고를 할 수 있다**(제262조 제4항 본문)(«주의 공소제기결정과 기각결정에 대하여 대법원에 불복할 수 없다. ×). 14 · 17. 국가직 9급, 17. 경찰채용 · 법원직 9급, 18. 변호사, 18 · 19. 경찰간부

판례 |

1 공소제기결정에 대하여 불복할 수 있는지의 여부(소극)

공소제기결정에 잘못이 있는 경우에는 그 공소제기에 따른 본안사건의 절차가 개시되어 본안사건 자체의 재판을 통하여 대법원의 최종적인 판단을 받는 길이 열려 있으므로 이와 같은 공소제기의 결정에 대한 재항고를 허용하지 않는다고 하여 재판에 대하여 최종적으로 대법원의 심사를 받을 수 있는 권리가 침해되는 것은 아니고 따라서 형사소송법 제262조 제2항 제2호의 **공소제기결정에 대하여는 제415조의 재항고가 허용되지 않는다**(대결 2012.10.29, 2012모1090). 20. 법원직 9급

2 재정신청 기각결정에 대하여 불복할 수 있는지의 여부(적극)

① **재정신청 기각결정에 대하여 법령 위반을 이유로 한 형사소송법 제415조의 재항고를 허용하지 아니하는 것은** 재정신청 기각결정의 법적 성격에도 부합하지 않으며, 나아가서 재정신청인의 **재판청구권과 평등권을 침해한다**(헌재 2011.11.24, 2008헌마578).

판례의 취지에 비추어 보았을 때 재정신청 기각결정에 대하여는 형사소송법 제415조에 의한 재항고가 허용된다.

② 형사소송법 제262조 제2항, 제4항은 검사의 불기소처분에 따른 재정신청에 대한 **법원의 재정신청 기각 또는 공소제기의 결정에 불복할 수 없다고 규정**하고 있으나, 위 규정은 그 취지에 비추어 **재정신청이 법률상의 방식을 준수하였음에도 법원이 방식위배의 신청이라고 잘못 보아 그 신청 이유에 대한 실체판단 없이 형식적인 사유로 기각한 경우에는 그 적용이 없다** 할 것이다(대결 2011.2.1, 2009모407).

(4) 재정신청의 비용부담

① **국가비용**: 법원은 재정신청 기각결정 또는 재정신청의 취소가 있는 경우에는 결정으로 재정신청인에게 '신청절차에 의하여 생긴 비용'의 **전부 또는 일부를 부담하게 할 수 있다**(제262조의3 제1항). 17. 국가직 9급, 17 · 19. 경찰승진, 18 · 19. 경찰간부 이 결정에 대하여는 즉시항고를 할 수 있다(동조 제3항)(«주의 전부 또는 일부를 부담하게 하여야 한다. ×). 19. 경찰간부

② **피의자비용**: 법원은 직권 또는 피의자의 신청에 따라 재정신청인에게 '피의자가 재정신청절차에서 **부담하였거나 부담할 변호인선임료 등 비용'의 전부 또는 일부의 지급을 명할 수 있다**(제262조의3 제2항). 14. 경찰채용, 16. 경찰승진 이 결정에 대하여는 즉시항고를 할 수 있다(동조 제3항).

4. 검사의 공소제기 등

(1) 검사의 공소제기

고등법원으로부터 재정결정서를 송부받은 관할 지방검찰청 검사장 또는 지청장은 지체 없이 담당 검사를 지정하고 지정받은 **검사는 공소를 제기하여야 한다**(제262조 제6항). 고등법원이 공소제기 의무를 부여하므로 이는 기소편의주의의 예외에 해당한다.

(2) 공소취소의 제한

검사는 고등법원의 공소제기결정에 따라 공소를 제기한 때에는 이를 취소할 수 없다(제264조의2). 14 · 16 · 19 국가직 9급, 17. 변호사 · 경찰승진, 18. 경찰채용, 19. 경찰간부 공소제기결정에 따라 제기한 공소를 검사가 임의로 취소할 수 있도록 한다면 재정신청 제도의 취지가 없어지기 때문이다.

03 헌법소원(憲法訴願)

1. 의의

(1) 개념

검사의 불기소처분에 대한 불복방법으로 검찰항고와 재정신청 이외에 헌법재판소에 대한 헌법소원의 청구도 있다. 즉, 공권력의 행사 또는 불행사로 인하여 헌법상 기본권을 침해받은 자는 헌법소원을 청구할 수 있는데, 검사의 불기소처분은 '공권력의 행사'에 해당하므로 이에 불복하는 자는 헌법소원을 청구할 수 있는 것이다(헌법재판소법 제68조 제1항).

(2) 재정신청과 헌법소원의 관계

2007.6.1. 형사소송법이 개정 이후에는 모든 고소사건에 대해서 재정신청이 허용되고, 일단 '법원의 재판'인 **재정신청을 거친 후에는 헌법소원이 허용되지 않는다.** 따라서 재정신청을 제기할 수 있는 자(고소권자로써 고소한 자)는 헌법소원을 청구할 수 없다. 그러나 이에 해당하지 않는 자, 즉 **피해자이지만 고소하지 않는 자**는 검찰항고나 재정신청을 제기할 수 없으므로 이들은 **헌법소원을 청구할 수 있는 것이다.**

2. 절차

(1) 청구권자

① **고소하지 않는 범죄피해자:** 고소한 범죄피해자는 검찰항고와 재정신청 등의 불복방법이 있기 때문에 이들은 헌법소원이 허용되지 않는다. 고소하지 않은 범죄피해자는 다른 구제수단이 없으므로 이들은 헌법소원에 의하여 불복할 수 있다. 왜냐하면 범죄의 피해자는 헌법상 평등권과 재판절차진술권이 보장되어 있기 때문이다. 이러한 헌법상 기본권이 검사의 자의적인 불기소처분에 의하여 침해되었을 때 범죄의 피해자는 헌법소원을 청구할 수 있다. 이에 비하여 고발인은 자기관련성이 없기 때문에 청구인적격이 부정된다.

② **피의자:** 범죄의 피해자 이외에도 피의자도 검사의 '기소유예'에 대하여 헌법소원을 청구할 수 있다. 검사의 기소유예 처분은 범죄가 성립하는 것을 전제로 하므로 스스로 무죄라고 주장하는 피의자의 평등권과 행복추구권을 침해하기 때문이다.

판례 |

1 고소를 제기한 바 없는 피해자가 불기소처분에 대하여 곧바로 헌법소원심판을 청구할 수 있는지의 여부(적극)

범죄피해자는 그가 고소를 제기한 바 없었어도 검사의 불기소처분에 대하여 헌법소원심판을 청구할 자격이 있는 한편, 그는 고소인이 아니므로 불기소처분에 대하여 검찰청법에 정한 항고, 재항고의 제기에 의한 구제를 받을 방법이 없고 '고소권자로서 고소한 자'에 해당하지 않아 형사소송법 제260조 제1항 소정의 **재정신청 절차를 취할 수도 없으므로 곧바로 헌법소원심판을 청구할 수 있다**(헌재 2008.11.27, 2008헌마399). 14. 국가직 9급, 16. 변호사

2 기소유예처분에 대하여 피의자도 헌법소원을 청구할 수 있는지의 여부(적극)

(피의자인 청구인의 폭행 혐의에 대한 피해자 진술의 신빙성에 상당한 의심의 여지가 있고, 나아가 청구인의 행위가 정당방위 내지 소극적 방어행위에 해당할 여지가 있음에도) 검사는 경찰 송치 후 이러한 점에 관하여 아무런 추가 조사 없이 피해자의 진술만을 받아들여 청구인의 혐의를 인정하였는바, 이와 같은 수사미진의 잘못은 기소유예처분의 결정에 영향을 미침으로써 **피의자**인 청구인의 평등권과 행복추구권을 침해하였다 할 것이다(헌재 2012.7.26, 2010헌마642). 16. 변호사

3 불기소처분에 대하여 고발인도 헌법소원을 청구할 수 있는지의 여부(소극)

검사의 불기소처분에 대하여 기소처분을 구하는 취지에서 헌법소원을 제기할 수 있는 자는 원칙적으로 헌법상 재판절차진술권의 주체인 형사피해자에 한하므로, **범죄피해자가 아닌 고발인에게는 개인적 주관적 권리나 재판절차에서의 진술권 등의 기본권이 허용될 수 없으므로** 검사가 자의적으로 불기소처분을 하였다고 하여 달리 특별한 사정이 없으면 자기관련성이 없다(헌법소원을 청구할 수 없다)(헌재 2013.10.24, 2012헌마41). 17. 국가직 9급

☑ SUMMARY | 헌법소원의 청구권자★

구분	내용
청구권자 O	① 고소를 하지 않은 범죄피해자(헌재 2008.11.27, 2008헌마399) ② 피해자가 사망한 경우 그 부모 또는 배우자(헌재 1993.3.11, 92헌마48, 헌재 1996.10.31, 95헌마74) 14. 경찰채용, 15. 국가직 9급 ③ (기소유예처분에 대하여) 자신의 범죄혐의를 부인하는 피의자(헌재 2012.7.26, 2010헌마642)
청구권자 ×	① 고소를 한 범죄피해자(형사소송법 제260조 제1항, 헌법재판소법 제68조 제1항 단서) ② 피해자가 상해를 입은 경우 그 부모(헌재 1998.6.25, 97헌마379) ③ 고소를 제기하였다가 고소를 취소한 고소인(헌재 2005.5.10, 2005헌마388) ④ 범죄피해자가 아닌 고발인(헌재 2005.4.28, 2005헌마52)

(2) 청구의 대상

헌법소원의 대상은 공권력의 행사 또는 불행사이다. 형사소송법상 검사의 불기소처분은 공권력의 행사이므로 이 역시 헌법소원의 대상이 된다. 여기에는 협의의 불기소처분은 이외에도 기소유예와 기소중지 등도 포함된다.

검사의 내사종결처리는 공권력행사에 해당하지 않아 헌법소원의 대상이 되지 아니하고, 검사의 공소제기는 공권력의 행사에 해당하지만 그에 대하여 일반 법원에서 심판을 받을 기회가 보장되므로 이 역시 헌법소원의 대상에서 제외된다.

☑ SUMMARY | 헌법소원 청구의 대상★

구분	내용
대상 O	① 협의의 불기소처분(혐의 없음)(헌재 2008.11.27, 2008헌마399) ② 협의의 불기소처분(죄가 안 됨)(헌재 2007.10.4, 2007헌마113) ③ 협의의 불기소처분(공소권 없음)(헌재 2005.4.28, 2004헌마844) ④ 협의의 불기소처분(각하)(헌재 2008.11.27, 2007헌마1344) ⑤ 기소유예 불기소처분(헌재 2012.7.26, 2010헌마642) ⑥ 기소중지 불기소처분(헌재 2008.2.28, 2007헌마327) ⑦ 참고인중지 불기소처분(헌재 2007.6.28, 2007헌마371)
대상 ×	① 공소제기처분(헌재 2009.8.18, 2009헌마404) ② 약식명령청구(약식기소)(헌재 1998.6.25, 97헌마271) ③ 공소취소처분(헌재 2005.5.31, 2005헌마481) ④ 진정사건에 대한 진정종결처분(헌재 2007.1.7, 2006헌마1424) ⑤ 진정사건에 대한 내사종결처리(헌재 2006.7.4, 2006헌마696) 14. 경찰간부, 15. 경찰승진, 16. 변호사

(3) 청구의 절차

① **청구기간**: 불기소처분에 대하여 불복이 있는 자(고소하지 않은 범죄피해자 및 피의자)는 불기소처분이 있음을 안 날부터 90일 이내에, 그 사유가 있은 날부터 1년 이내에 청구하여야 한다. 다만, 다른 법률에 의한 구제절차를 거친 헌법소원의 심판은 그 최종결정을 통지받은 날로부터 30일 이내에 청구하여야 한다(제69조 제1항).

② **공소시효 정지 여부**: 헌법소원을 청구하거나 심판회부의 결정이 있더라도 공소시효는 정지되지 않는다는 것이 판례의 입장이다(헌재 2004.8.26, 2003헌마882).

3. 효과

(1) 헌법재판소의 결정

헌법소원의 청구를 받은 헌법재판소는 청구가 이유 없으면 기각결정을 하고, 청구가 이유 있으면 인용결정을 한다. 헌법소원을 인용할 때에는 인용결정서의 주문에서 침해된 기본권과 침해의 원인이 된 공권력의 행사 또는 불행사를 특정하여야 한다(제75조 제2항).

(2) 인용결정의 효력

검사의 불기소처분이 헌법에 위반된 경우 헌법재판소는 검사의 불기소처분을 취소할 수 있다(제75조 제3항). 검사의 불기소처분을 취소하는 결정이 있는 때에는 검사는 헌법재판소가 그 결정의 주문 및 이유에서 밝힌 취지에 맞게 성실히 수사하여 결정하여야 한다. 즉, 헌법재판소가 검사의 불기소처분을 취소하더라도 그것만으로 공소제기가 의제되는 것은 아니다.

제3절 공소제기 후의 수사

01 의의

수사결과 검사가 피의자의 혐의를 인정하여 공소를 제기하면 수사는 원칙적으로 종결된다. 그러나 공소제기 후에도 검사가 공소유지를 위하여 또는 공소유지 여부를 결정하기 위하여 수사를 해야 할 필요성이 여전히 인정된다. 다만, 공소제기 후의 수사는 법원의 심리에 지장을 줄 수 있고 또한 피고인의 당사자적 지위를 위협할 수 있기 때문에 무제한 허용되는 것은 아니다.

02 공소제기 후의 강제수사

1. 피고인구속

공소제기 후의 피고인구속은 수소법원의 권한에 속하므로 **수사기관은 피고인을 구속할 수 없다**(제70조). 불구속으로 기소된 피고인이 도망하거나 증거를 인멸할 염려가 있는 경우에는 검사는 수소법원에 직권에 의한 피고인구속을 촉구할 수 있을 뿐이다.

2. 압수 · 수색 · 검증

(1) 원칙

공소제기에 의하여 사건은 법원에 계속되므로 압수 · 수색 · 검증은 법원의 권한에 속한다. 즉, 공소제기 후 1회 공판기일 전에는 증거보전절차가 별도로 규정되어 있고 1회 공판기일 후에는 수소법원에 의한 압수 · 수색 · 검증이 가능하므로 수사기관에 의한 압수 · 수색 · 검증이 허용되지 않는다.

판례 | 공소제기 후 피고사건에 대한 강제처분 등의 권한(= 원칙적으로 법원이 행사함)

1 공소가 제기된 후에는 그 피고사건에 관한 형사절차의 모든 권한이 사건을 주재하는 수소법원의 권한에 속하게 되며, 수사의 대상이던 피의자는 검사와 대등한 당사자인 피고인으로서의 지위에서 방어권을 행사하게 되므로, 공소제기 후 구속 · 압수 · 수색 등 피고인의 기본적 인권에 직접 영향을

미치는 강제처분은 원칙적으로 수소법원의 판단에 의하여 이루어지지 않으면 안된다(대판 2011.4.28, 2009도10412). 17. 국가직 7급, 20. 경찰채용

2 공소제기된 **피고인의 구속상태를 계속 유지할 것인지 여부**에 관한 판단은 전적으로 당해 **수소법원의 전권에 속하는 것이다**(대결 1997.11.27, 97모88). 17. 경찰승진

(2) 예외

피고인에 대한 구속영장을 집행하는 경우 수사기관은 체포현장에서 영장 없이 압수·수색·검증을 할 수 있고(제216조 제2항) 공소제기 후에도 수사기관은 임의제출물 또는 유류물을 영장 없이 압수할 수 있다(제218조). 19. 경찰승진

03 공소제기 후의 임의수사

1. 피고인 조사(신문)

(1) 학설

공소제기 이후에 수사기관이 피고인을 소환하여 조사(신문)할 수 있는가에 관하여 견해가 대립한다. 이에 대하여 ① 제200조는 '피의자'신문만을 규정하고 있으므로 피고인은 이에 포함되지 않고, ② 수사기관에 의한 피고인신문을 인정하는 것은 피고인의 방어권을 침해하고 피고인의 당사자적 지위를 위협하며, ③ 공판중심주의를 침해한다는 점을 근거로 이를 부정하는 소극설이 통설의 입장이다. 이외에도 피의자신문은 임의수사이고 임의수사는 제199조 제1항에 의할 때 시기제한이 없으므로 이를 인정하는 적극설과 일정한 요건하에 제1회 공판기일 전에 한하여 검사에 의한 피고인 조사(신문)가 허용된다는 절충설이 있다.

(2) 판례

판례는 공소제기 후 수사기관에 의한 피고인조사(신문)를 허용하는 입장을 취하고 있다. 즉, 판례에 의할 때 공소제기 이후에 검사가 피고인을 소환·신문하여 작성한 피고인진술조서는 그 증거능력이 부정되지 아니한다.

판례 | 공소제기 후 검사가 작성한 피고인에 대한 진술조서의 증거능력 유무(적극)

검사 작성의 **피고인에 대한 진술조서가 공소제기 후에 작성**된 것이라는 이유만으로는 곧 **그 증거능력이 없다고 할 수 없다**(대판 1984.9.25, 84도1646). 15·16·17·19. 경찰승진, 16. 경찰간부, 18. 변호사

2. 참고인 조사

참고인조사는 임의수사로서 공소제기 후에도 허용된다. 다만, 피고인에게 유리한 증언을 한 증인을 수사기관이 법정 외에서 다시 참고인으로 조사하여 **법정진술을 번복시키는 것**은 적법절차위반으로 허용되지 않는다는 것이 통설과 판례의 입장이다. 이렇게 작성한 참고인진술조서는 **피고인이 증거로 할 수 있음에 동의하지 않는 한 증거능력이 없다.**

판례 | 증언을 마친 증인을 검사가 소환한 후 피고인에게 유리한 증언내용을 추궁하여 일방적으로 번복시키는 방식으로 작성한 참고인진술조서 등의 증거능력 유무(= 증거로 할 수 있음에 동의하지 않는 한 증거능력이 없음)

1 [1] 공판준비 또는 공판기일에서 **이미 증언을 마친 증인을 검사가 소환한 후 피고인에게 유리한 그 증언 내용을 추궁하여 이를 일방적으로 번복시키는 방식으로 작성한 진술조서를 유죄의 증거로 삼**는 것은 **당사자주의 · 공판중심주의 · 직접주의를 지향하는 현행 형사소송법의 소송구조에 어긋나는 것일 뿐만 아니라,** 헌법 제27조가 보장하는 기본권, 즉 법관의 면전에서 모든 증거자료가 조사 · 진술되고 이에 대하여 피고인이 공격 · 방어할 수 있는 기회가 실질적으로 부여되는 **재판을 받을 권리를 침해하는 것이므로 이러한 진술조서는 피고인이 증거로 할 수 있음에 동의하지 아니하는 한 그 증거능력이 없다**고 하여야 할 것이고, [2] 그 후 원진술자인 종전 증인이 다시 법정에 출석하여 증언을 하면서 그 진술조서의 성립의 진정함을 인정하고 피고인측에 반대신문의 기회가 부여되었다고 하더라도 그 증언 자체를 유죄의 증거로 할 수 있음은 별론으로 하고 위와 같은 진술조서의 증거능력이 없다는 결론은 달리할 것이 아니다[대판 2000.6.15, 99도1108(전합)](同旨 대판 2008.9.25, 2008도6985). 14. 경찰채용, 14 · 16 · 17. 경찰승진, 14 · 17. 변호사, 15 · 21. 법원직 9급, 16 · 17. 국가직 7급, 17. 경찰간부, 18. 국가직 9급

2 **1의 [1]과 같은 법리는** 검사가 공판준비기일 또는 공판기일에서 이미 증언을 마친 증인을 소환하여 피고인에게 유리한 그 증언 내용을 추궁한 다음 진술조서를 작성하는 대신 그로 하여금 본인의 증언 내용을 번복하는 내용의 **진술서를 작성하도록 하여 법원에 제출한 경우에도 마찬가지로 적용된다**(대판 2012.6.14, 2012도534). 17. 변호사

3 1의 [1]과 같은 법리는 검사가 공판준비 또는 공판기일에서 이미 증언을 마친 증인에게 수사기관에 출석할 것을 요구하여 그 증인을 상대로 **위증의 혐의를 조사한 내용을 담은 피의자신문조서의 경우도 마찬가지이다**(대판 2013.8.14, 2012도13665). 14. 법원직 9급

4 공판준비 또는 공판기일에서 이미 증언을 마친 증인을 검사가 소환한 후 피고인에게 유리한 그 증언 내용을 추궁하여 이를 일방적으로 번복시키는 방식으로 작성한 진술조서 또는 그 증인을 상대로 위증의 혐의를 조사한 내용을 담은 피의자신문조서는 피고인이 증거로 할 수 있음에 동의하지 아니하는 한 그 증거능력이 없다고 할 것이나, 그 후 **원진술자인 종전 증인이 다시 법정에 출석하여 증언을 하였다면 그 증언 자체는 유죄의 증거로 할 수 있다**(대판 2017.5.31, 2017도1660).

3. 감정 · 통역 · 번역의 위촉과 공무소 등에 조회

감정 · 통역 · 번역의 위촉과 공무소 등에 조회는 임의수사로서 공소제기 후에도 얼마든지 허용된다.

해커스경찰
police.Hackers.com

제3편
19.6%

경찰공무원 5개년 출제비중

19.6%

제3편

제3편 증거

제3편 증거

제1절 증거의 의의와 종류

01 증거의 의의

1. 개념

형사소송에 있어서 사실인정에 사용되는 객관적인 자료를 증거(證據)라고 한다. 형사소송에서 사실을 밝혀내는 것처럼 중요한 것은 없다. 합리적인 사실인정을 위해서는 법관이 주관적인 심증형성에 따라 자의적으로 사실을 인정해서는 안 되고 항상 객관적인 자료를 기초로 해야하는데, 이러한 객관적인 자료가 바로 증거이다. 증거에 통해 사실관계 존부에 대하여 법관이 심증을 형성하거나 또는 소송관계인이 법관으로 하여금 심증을 형성하게 하는 것을 증명(證明)이라 한다.

2. 증거방법과 증거자료

증거는 증거방법(證據方法)과 증거자료(證據資料)를 포함하는 개념이다. 증거방법이란 증거로 사용되는 유형물 자체를 말하며, 피고인 · 증인 · 증거물 등이 이에 해당한다. 증거자료란 증거방법을 조사하여 알게된 내용을 말하며, 자백 · 증언 · 증거물의 성질, 형상 등이 이에 해당한다.

3. 증거법의 지도이념

사실의 인정은 증거에 의하여야 한다(제307조 제1항). 사실이란 바로 실체적 진실을 의미하는데, 증거법은 바로 사실을 합리적으로 인정하기 위한 제도로서 증거법의 지도이념은 실체적 진실의 발견에 있다.

02 증거의 종류

1. 직접증거와 간접증거

(1) 직접증거(直接證據)

직접증거란 요증사실(범죄사실)을 직접 증명하는데 사용되는 증거를 말한다(예 **피고인의 자백, 범행목격자의 증언, 통화위조죄에 있어 위조통화, 무고죄에 있어 무고문서** 등).

(2) 간접증거(間接證據)

간접증거란 요증사실(범죄사실)을 간접적으로 추인케 하는 증거를 말한다. 정황증거(情況證據)라고도 한다(예 **범행현장에서 채취된 피고인의 지문, 상해사건에서 진단서, 피고인 옷에 묻은 피해자의 혈흔** 등).

(3) 양자의 관계

직접증거와 간접증거의 구별은 그렇게 명백한 것은 아니며 상대적인 차이밖에 없다. 또한 증거의 증명력을 법관이 자유롭게 판단하는 자유심증주의하에서는 **직접증거와 간접증거간의 증명력의 우열은 없다** (제308조)(주의 직접증거가 간접증거보다 증명력이 우월하다. ×). 법관은 반드시 직접증거에 의해서가 아니라 간접증거에 의해서도 사실을 인정할 수 있다. 직접증거를 배척하고 간접증거를 채택할 수도 있고 그 역(逆)도 동일하다.

판례 | 진단서 등의 증거가치

1 상해사건의 경우 상처를 진단한 **의사의 진술이나 진단서**는 폭행, 상해 등의 사실자체에 대한 직접적인 증거가 되는 것은 아니고, **다른 증거에 의하여 폭행, 상해의 가해행위가 인정되는 경우에 그에 대한 상해의 부위나 정도의 점에 대한 증거가 된다**(대판 1983.2.8, 82도3021).

2 [1] 상해죄의 피해자가 제출하는 상해진단서는 일반적으로 의사가 당해 피해자의 진술을 토대로 상해의 원인을 파악한 후 의학적 전문지식을 동원하여 관찰·판단한 상해의 부위와 정도 등을 기재한 것으로서 거기에 기재된 상해가 곧 피고인의 범죄행위로 인하여 발생한 것이라는 사실을 직접 증명하는 증거가 되기에 부족한 것이지만, [2] 그 상해에 대한 진단일자 및 상해진단서 작성일자가 상해 발생시점과 시간상으로 근접하고 상해진단서 발급 경위에 특별히 신빙성을 의심할 만한 사정이 없으며 거기에 기재된 상해 부위와 정도가 피해자가 주장하는 상해의 원인 내지 경위와 일치하는 경우에는, 그 무렵 피해자가 제3자로부터 폭행을 당하는 등으로 달리 상해를 입을 만한 정황이 발견되거나 의사가 허위로 진단서를 작성한 사실이 밝혀지는 등의 특별한 사정이 없는 한, 그 **상해진단서는 피해자의 진술과 더불어 피고인의 상해사실에 대한 유력한 증거가 되고, 합리적인 근거 없이 그 증명력을 함부로 배척할 수 없다**(대판 2011.1.27, 2010도12728).

2. 인증 · 물증 · 서증

(1) 인증(人證)

인증이란 사람의 구두진술이 증거가 되는 것을 말한다. 인증은 인적증거 또는 구술증거라고도 한다. 증인의 증언, 감정인의 감정 또는 피고인의 자백 · 진술 등이 이에 해당한다.

(2) 물증(物證)

물건의 존재 및 성질 · 형상이 증거가 되는 것을 말한다. 물증은 물적증거 또는 증거물이라고도 한다. 범행에 사용된 흉기, 장물, 지문 등이 이에 해당한다.

(3) 서증(書證)

① **증거물인 서면**: 서류의 존재 및 의미 · 내용이 증거가 되는 것을 말한다. 협박죄에 있어 협박문서, 위조죄에 있어서 위조문서, 손괴죄에 있어 손괴된 문서 등이 이에 해당한다. 증거물인 서면은 증거물과 증거서류의 성질을 모두 갖춘 경우로써 이에 대한 증거조사방법은 **원칙적으로 제시 및 낭독**이다(제292조, 제292조의2, 대판 2013.7.26, 2013도2511 등).

② **증거서류**: 서류의 의미 · 내용이 증거가 되는 것을 말한다. 즉, 서류의 존재 자체는 증거가 되지 아니한다. 법원(법관) 작성 공판조서, 검증조서, 증인신문조서 등이 이에 해당한다. 증거서류에 대한 증거조사 방법은 원칙적으로 낭독이다(제292조 제1항).

3. 본증과 반증

(1) 본증(本證)

본증이란 거증책임을 부담하는 당사자가 제출하는 증거를 말한다. 형사소송에서는 원칙적으로 검사가 거증책임을 부담하므로 검사가 제출하는 증거가 본증이 된다. 예외적으로 피고인에게 거증책임이 있는 경우에 피고인이 제출하는 증거가 본증이 된다.

(2) 반증(反證)

반증이란 본증에 의하여 증명될 사실을 부정하기 위하여 제출하는 증거를 말한다. 원칙적으로 피고인이 제출하는 증거가 반증이 된다.

4. 진술증거와 비진술증거

(1) 진술증거(陳述證據)

진술증거란 사람의 진술내용이 증거가 되는 것을 말한다. 진술증거에는 구두에 의한 진술증거와 서면에 의한 진술증거가 있다(예 피고인의 자백, 증인의 증언, 피의자신문조서, 검증조서, 진술서 등). 진술증거에는 전문법칙(傳聞法則)이 적용된다.

(2) 비진술증거(非陳述證據)

비진술증거는 진술증거 이외에 서증과 물증을 말한다(예 흉기, 장물, 지문 등). **비진술증거에는 전문법칙이 적용되지 아니한다**(«주의 진술증거와 비진술증거에 전문법칙이 적용된다. ×).

5. 실질증거와 보조증거

(1) 실질증거(實質證據)

실질증거란 요증사실(범죄사실)의 존부를 증명하는데 사용되는 증거를 말한다. 예컨대 범행을 목격한 증인의 증언은 실질증거에 해당한다.

(2) 보조증거(補助證據)

보조증거란 실질증거의 증명력을 다투거나 보강하기 위한 증거를 말한다. 보조증거에는 보강증거(補强證據)와 탄핵증거(彈劾證據)가 있다. 보강증거란 실질증거의 증명력을 보강하기 위한 보조증거이고, 탄핵증거는 실질증거의 증명력을 다투기 위한 보조증거를 말한다.

03 증거능력과 증명력

1. 증거능력(證據能力)

(1) 의의

증거능력이란 **엄격한 증명의 자료로 사용될 수 있는 법률상의 자격**을 말한다. 증거능력이 없는 증거는 사실인정의 자료가 될 수 없다. 증거능력은 법률에 의하여 형식적으로 규정되어 있기 때문에 법관의 자유심증이 허용되지 아니한다(«주의 증거능력은 법관의 자유심증으로 판단한다. ×).

(2) 증거능력 관련 증거법칙

① **증거재판주의**: 사실의 인정은 증거에 의하여야 한다(제307조 제1항). 사실의 인정은 '증거능력'이 있고 정식의 증거조사절차를 거친 증거에 의하여야 한다는 것이 제307조 제1항의 규범적인 의미이다.

② **자백배제법칙**: 피고인의 자백이 고문 등 강제에 의하여 임의로 진술한 것이 아니라고 의심할 만한 이유가 있는 때에는 이를 유죄의 증거로 하지 못한다(제309조). 즉, 임의성에 의심이 있는 자백은 '증거능력'이 없다.

③ **위법수집증거배제법칙**: 적법한 절차에 따르지 아니하고 수집한 증거는 증거로 할 수 없다(제308조의2). 즉, 위법하게 수집된 증거는 '증거능력'이 없다.

④ **전문법칙**: 요증사실은 경험한 자가 직접 이를 진술하지 아니하고 간접적으로 전달할 때 그 증거를 전문증거라고 하고 전문증거는 전문법칙에 의하여 원칙적으로 '증거능력'이 없다(제310조의2).

⑤ **당사자의 동의와 증거능력**: 증거능력 없는 전문증거라도 당사자가 증거로 함에 동의하고 법원이 진정한 것으로 인정하면 '증거능력'이 인정된다(제318조).

2. 증명력(證明力)

(1) 의의

증명력이란 증거가 가지는 실질적인 가치를 말한다. 증명력을 신빙성(信憑性) 또는 증거가치(證據價値)라고도 한다. 증거의 증명력은 법관의 자유판단에 맡겨져 있다(≪주의 증거의 증명력은 법률에 미리 규정되어 있다. ×).

(2) 증명력 관련 증거법칙

① **자유심증주의**: 증거의 증명력은 법관의 자유판단에 의한다(제308조). 즉, 증거의 '증명력'은 법률에 의해 형식적으로 규정되어 있는 것이 아니라 법관이 자유롭게 판단한다.

② **자백의 보강법칙**: 피고인의 자백이 그 피고인에게 불이익한 유일한 증거인 때에는 이를 유죄의 증거로 하지 못한다(제310조). 따라서 자백의 '증명력'을 보강하는 보강증거가 없는 경우에는 피고인에게 유죄판결을 선고할 수 없다.

③ **탄핵증거**: 탄핵증거란 진술증거의 '증명력'을 탄핵하기 위하여 제출하는 증거를 말한다(제318조의2).

④ **공판조서의 증명력**: 공판기일의 소송절차로서 공판조서에 기재된 것은 그 조서만으로써 증명한다(제56조). 즉, 공판조서에 기재된 소송절차에 관한 사항에 대해서는 절대적 '증명력'이 인정된다.

3. 양자의 관계

엄격한 증명에 있어서 증거능력은 증명력 판단의 전제가 된다. 증거능력 없는 증거는(그것은 증거가 아니므로) 증명력을 따져볼 이유가 없다. 즉, 증거능력이 없는 증거는 법관의 심증형성을 위하여 공판정에 현출시킬 수 없음이 원칙이다. 또한 증거능력이 있다고 하여 언제나 증명력이 강한 것은 아니고, 증명력이 강하다고 하여 언제나 증거능력이 있는 것은 아니다. **증거능력은 법률에 형식적으로 규정되어 있고 증명력은 법관의 자유판단에 의할 뿐이다.**

판례 | 증거능력과 증명력의 관계

1 검찰에서의 **피고인의 자백이 임의성이 있어 그 증거능력이 부여된다 하여 자백의 진실성과 신빙성까지도 당연히 인정되어야 하는 것은 아니므로** 그 자백이 증명력이 있다고 하기 위해서는 그 자백의 진술내용 자체가 객관적인 합리성을 띠고 있는가, 그 자백의 동기나 이유 및 자백에 이르게 된 경위가 어떠한가, 자백 외의 정황증거 중 자백과 저촉되거나 모순되는 것이 없는가 하는 점을 합리적으로 따져 보아야 한다(대판 2007.9.6, 2007도4959).

2 **증거능력이란 증거가 엄격한 증명의 자료로 사용될 수 있는 자격을 의미할 뿐이고, 당해 증거가 가지는 실질적 가치인 증명력과는 엄격히 구별되는 개념으로서** 비록 증거능력이 인정되는 증거라고 하더라도 그것이 과연 믿을 만한 것인가의 문제, 즉 증명력의 유무는 오로지 법관의 자유심증에 맡겨진 것이어서 피고인은 자유로운 방법으로 그 증명력을 탄핵할 수 있으므로 어떤 증거의 증거능력의 유무와 그에 의한 요증사실의 증명 내지는 범죄사실의 인정과는 필연적인 연관성이 있는 것도 아니다(헌재 1995.6.29, 93헌바45).

제2절 증명의 기본원칙

01 증거재판주의(證據裁判主義)

1. 의의

(1) 형사소송법 제307조 제1항의 취지

형사소송법 제307조 제1항은 "사실의 인정은 증거에 의하여야 한다."라고 규정하고 있다. 사실의 인정은 증거에 의하여야 하는데 이는 '범죄사실 등 주요사실은 증거능력 있고 정식의 증거조사를 거친 증거에 의하여야 한다'라는 규범적인 의미가 담겨져 있는데 이를 증거재판주의(證據裁判主義)라고 한다.

판례 |

1 증거재판주의의 의의

① 범죄사실의 인정은 **증거능력이 있고 적법한 증거조사를 거친 증거**에 의한 증명(이른바 엄격한 증명)에 의하여야 한다(대판 1989.10.10, 87도966). 15. 법원직 9급

② 형사재판에 있어서 유죄의 인정은 법원에 증거로 제출되어 **적법한 증거조사를 거친 증거능력이 있는 증거**에 의하여야 할 것이다(대판 1996.10.15, 96도1301).

③ 구성요건에 해당하는 사실은 엄격한 증명에 의하여 이를 인정하여야 하고, **증거능력이 없는 증거**는 구성요건 사실을 추인하게 하는 **간접사실이나** 구성요건 사실을 입증하는 **직접증거의 증명력을 보강하는 보조사실의 인정자료로도 사용할 수 없다**(대판 2010.5.27, 2008도2344)(同旨 대판 2008.12.11, 2008도7112). 18. 국가직 7급·국가직 9급

④ 증거조사를 거치지 아니하고 피고인이 증거로 사용함에 동의를 한 바 없어 **증거능력이 없는 문서, 사진 등을 범죄사실에 부합하는 진술의 신빙성을 보강하는 사실인정의 자료로 사용한 것이 위법하다**(대판 2006.12.8, 2006도6356).

⑤ [1] 증거공통의 원칙이란 증거의 증명력은 그 제출자나 신청자의 입증취지에 구속되지 않는다는 것을 의미하고 증서의 증거능력이나 증거에 관한 조사절차를 불필요하게 할 수 있는 힘은 없으므로 [2] **피고인이나 변호인이 무죄에 관한 자료로 제출한 서증 가운데 도리어 유죄임을 뒷받침하는 내용이 있다 하여도 법원은 상대방의 원용(동의)이 없는 한** 그 서류의 진정성립 여부 등을 조사하고 아울러 그 서류에 대한 피고인이나 변호인의 의견과 변명의 기회를 준 다음이 아니면 **그 서증을 유죄인정의 증거로 쓸 수 없다**고 보아야 한다(대판 1989.10.10, 87도966).

2 피고인이 제출한 증거에 대한 조사방법

피고인이 무죄를 주장하면서 이를 입증하기 위하여 제출한 증거에 대하여는 **엄격한 증거조사를 거칠 필요가 없다**(대판 2001.12.24, 2001도5126).

(2) 증명의 유형

① 엄격한 증명과 자유로운 증명

㉠ **엄격한 증명**: 증거재판주의 원칙상 범죄사실 등 주요사실은 ⓐ 증거능력 있고, ⓑ 정식의 증거조사를 거친 증거에 의하여야 한다. 이것을 엄격한 증명이라고 한다.

㉡ **자유로운 증명**: 엄격한 증명에 대비되는 것으로 주요사실 이외의 기타 사실은 ⓐ 증거능력이 있는 증거에 의하지 않거나, ⓑ 정식의 증거조사에 의하지 아니하고 증명할 수 있다. 이것을 자유로운 증명이라고 한다.

② **증명의 의미**: 범죄사실의 인정은 합리적인 의심이 없는 정도의 증명에 이르러야 한다(제307조 제2항). 증명이란 '**합리적 의심의 여지가 없는 확신**(proof beyond a reasonable doubt)'을 말한다. 엄격한

증명과 자유로운 증명은 증거능력 유무와 증거조사방법의 차이만 있을 뿐 법관의 심증의 정도에는 차이가 없다. 즉, 엄격한 증명과 자유로운 증명 모두 '합리적 의심의 여지가 없는 확신'을 요구한다는 점에서는 같다.

판례 | 유죄인정을 위한 증거의 증명력의 정도(= 합리적인 의심의 여지가 없는 확신)

1 형사재판에서 공소된 범죄사실에 대한 증명책임은 검사에게 있고, **유죄의 인정은 법관으로 하여금 합리적인 의심을 할 여지가 없을 정도로 공소사실이 진실한 것이라는 확신을 가지게 하는 증명력을 가진 증거에 의하여야 하므로** 그와 같은 증거가 없다면 설령 피고인에게 유죄의 의심이 간다 하더라도 피고인의 이익으로 판단할 수밖에 없다(대판 2011.5.26, 2011도1902). 14. 경찰승진

2 형사재판에서 **범죄사실의 인정은 법관으로 하여금 합리적인 의심을 할 여지가 없을 정도의 확신을 가지게 하는 증명력을 가진 엄격한 증거에 의하여야 하는 것이므로** 검사의 입증이 위와 같은 확신을 가지게 하는 정도에 충분히 이르지 못한 경우에는 비록 피고인의 주장이나 변명이 모순되거나 석연치 않은 면이 있는 등 유죄의 의심이 간다 하더라도 피고인의 이익으로 판단하여야 한다(대판 2012.6.28, 2012도231). 14. 경찰승진, 16. 국가직 7급

3 **유죄의 인정**은 범행 동기, 범행수단의 선택, 범행에 이르는 과정, 범행 전후 피고인의 태도 등 **여러 간접사실로 보아 피고인이 범행한 것으로 보기에 충분할 만큼 압도적으로 우월한 증명이 있어야 하고**, 피고인이 고의적으로 범행한 것이라고 보기에 의심스러운 사정이 병존하고 증거관계 및 경험법칙상 고의적 범행이 아닐 여지를 확실하게 배제할 수 없다면 유죄로 인정할 수 없다. 피고인은 무죄로 추정된다는 것이 헌법상의 원칙이고, 그 추정의 번복은 직접증거가 존재할 경우에 버금가는 정도가 되어야 한다(대판 2017.5.30, 2017도1549 **95억 보험살인 의심 사건**).

(3) 증명(證明)과 소명(疏明)

① **소명의 의의**: 증명이란 합리적 의심의 여지가 없는 확신을 말하지만, 소명이란 법관이 대략 납득 또는 수긍할 정도의 입증을 말한다.

② **소명의 절차**: 소명절차는 엄격한 증명과 같은 형식과 방식에 의하지 않아도 족하다. 소명의 절차에 관하여는 법에 명문의 규정이 없기 때문에 법원이 적당하다고 인정하는 방법으로 하면 된다.

③ **소명의 대상**: 요증사실 중에서 어떠한 것을 소명대상으로 할 것인가는 입법정책에 속한다. 형사소송법상 소명의 대상은 기피사유(제19조 제2항), 증언거부사유(제150조), 증거보전청구사유(제184조 제3항), 증인신문청구사유(제221조의2 제3항), 상소권회복청구사유(제346조 제2항), 정식재판청구권회복청구사유(제458조) 등이 있다.

2. 엄격한 증명의 대상

(1) 범죄사실

공소장에 기재된 범죄사실은 엄격한 증명의 대상이 된다.

① 구성요건해당사실

㉠ **객관적 구성요건요소**: 주체, 객체, 행위, 결과, 인과관계, 수단, 방법 등은 엄격한 증명의 대상이 된다.

㉡ **주관적 구성요건요소**: 고의·과실, 목적, 불법영득의사 등도 엄격한 증명의 대상이 된다. 다만, 고의(범의)는 자유로운 증명으로 족하다는 판례도 있고, 엄격한 증명의 대상이라는 판례도 있다.

판례 |

1 (객관적 구성요건요소로써) 엄격한 증명의 대상이 되는 경우

① **'민간인이 군에 입대하여 군인신분을 취득하였는가의 여부'**를 판단함에는 엄격한 증명을 요한다(대판 1970.10.30, 70도1936).

② 횡령한 재물의 가액이 특정경제범죄법의 적용 기준이 되는 하한 금액(5억원)을 초과한다는 점도 다른 구성요건 요소와 마찬가지로 엄격한 증거에 의하여 증명되어야 한다(대판 2017.5.30, 2016도9027). 20. 경찰채용 · 경찰승진

③ **뇌물죄에서의 수뢰액**은 그 다과에 따라 범죄구성요건이 되므로 엄격한 증명의 대상이 된다(대판 2011.5.26, 2009도2453). 14. 경찰채용, 16. 국가직 9급, 17. 경찰승진, 19. 경찰간부

④ 교사범에 있어서의 **'교사사실'**은 범죄사실을 구성하는 것으로서 이를 인정하기 위하여는 엄격한 증명이 요구된다(대판 2000.2.25, 99도1252). 16. 경찰승진, 17. 경찰채용

⑤ 공동정범에서 있어서 **공모관계**를 인정하기 위해서는 엄격한 증명이 요구된다(대판 2013.3.28, 2012도16086). 16. 국가직 9급

⑥ 공모공동정범에 있어서 **'공모 또는 모의'**는 범죄될 사실의 주요부분에 해당하는 이상 엄격한 증명의 대상에 해당한다(대판 2007.4.27, 2007도236). 14. 경찰채용, 16. 경찰간부, 16 · 17. 경찰승진

⑦ 형법 제334조 제2항 소정의 합동범(특수강도)에 있어서의 **'공모나 모의'**는 그 범죄될 사실이라 할 것이므로 이를 인정하기 위하여는 엄격한 증명에 의하지 않으면 안된다(대판 2001.12.11, 2001도4013). 16 · 17 경찰채용

⑧ 공동정범이 성립하기 위하여는 주관적 요건인 공동가공의 의사와 객관적 요건인 공동의사에 의한 기능적 행위지배를 통한 범죄의 실행사실이 필요하고 이러한 **'공동가공의 의사'**를 인정하기 위하여는 엄격한 증명이 요구된다(대판 2008.9.11, 2007도6706).

⑨ 불법영득의사를 실현하는 행위로서의 **횡령행위**가 있다는 점은 검사가 입증하여야 하는 것으로서, 그 입증은 법관으로 하여금 합리적인 의심을 할 여지가 없을 정도의 확신을 생기게 하는 증명력을 가진 엄격한 증거에 의하여야 한다(대판 2013.6.27, 2012도4848). 16. 국가직 9급

⑩ 목적과 용도를 정하여 위탁한 금전을 수탁자가 임의로 소비하면 횡령죄를 구성할 수 있으나 이 경우 **피해자 등이 목적과 용도를 정하여 금전을 위탁한 사실 및 그 목적과 용도**가 무엇인지는 엄격한 증명의 대상이라고 보아야 한다(대판 2013.11.14, 2013도8121). 15 · 20. 법원직 9급, 16. 국가직 9급

⑪ **'범죄단체의 구성 · 가입행위'** 자체는 엄격한 증명을 요하는 범죄의 구성요건이다(대판 2005.9.9, 2005도3857).

⑫ 독점규제 및 공정거래에 관한 법률 제66조 제1항 제9호, 제19조 제1항 위반죄의 경우 **'부당한 공동행위의 합의'**에 대한 입증의 정도는 법관으로 하여금 합리적 의심을 할 여지가 없을 정도로 엄격한 증명을 요한다(대판 2008.5.29, 2006도6625).

⑬ (정당한 사유 없이 도로관리청의 적재량 측정요구에 불응한 도로법 위반죄에 있어) **'측정요구가 있었다는 점'**은 범죄사실을 구성하는 중요부분으로서 이를 인정하기 위하여는 엄격한 증명이 요구된다(대판 2005.6.24, 2004도7212). 16. 경찰승진

⑭ 엄격한 증명의 대상에는 검사가 **공소장에 기재한 구체적 범죄사실**이 모두 포함되고, 특히 **공소사실에 특정된 범죄의 일시**는 피고인의 방어권 행사의 주된 대상이 되므로 엄격한 증명을 통해 그 특정한 대로 범죄사실이 인정되어야 한다(대판 2011.4.28, 2010도14487). 15. 법원직 9급

⑮ 범죄구성요건에 해당하는 사실을 증명하기 위한 근거가 되는 **과학적인 연구 결과**는 적법한 증거조사를 거친 증거능력 있는 증거에 의하여 엄격한 증명으로 증명되어야 한다(대판 2010.2.11, 2009도2338)(同旨 대판 2008.8.21, 2008도5531). 19. 경찰간부

㉠ **위드마크 공식**의 적용을 위하여 필요한 전제사실(**섭취한 알코올의 양, 음주 시각, 체중 등**)의 인정(대판 2008.8.21, 2008도5531). 14. 국가직 7급, 15. 경찰간부, 16. 국가직 9급, 17. 경찰승진, 20. 해경채용

㉡ 겉보리에 관한 식품위생법 제4조 제4호 위반죄의 구성요건해당 사실로서 **'색소가 인체의 건강을 해할 우려가 있다는 점'**에 대한 판단(대판 2010.2.11, 2009도2338). 20. 국가직 7급

⑯ 형법 제6조 단서의 **'행위지의 법률에 의하여 범죄를 구성하는지 여부'**에 대해서는 엄격한 증명에 의하여 검사가 이를 입증하여야 할 것이다(대판 2011.8.25, 2011도6507). 14·18. 경찰채용, 16. 국가직 9급

⑰ **치료감호의 선고를 위하여는 그 요건**에 대한 엄격한 증명이 있어야 한다(대판 2001.6.15, 2001감도42).

⑱ **상습성의 유무**는 행위자의 연령·성격·직업·환경·전과, 범행의 동기·수단·방법 및 장소, 전에 범한 범죄와의 시간적 간격, 그 범행의 내용과 유사성 등 **여러 사정을 종합하여 판단**하여야 하는 것이다(대판 2007.8.23, 2007도3820).

2 (주관적 구성요건요소로써) 엄격한 증명의 대상이 되는 경우

① 뇌물수수죄에서 공무원의 직무에 관하여 수수하였다는 범의를 인정하기 위해서는 엄격한 증명이 요구되지만, 피고인이 금품 등을 수수한 사실을 인정하면서도 범의를 부인하는 경우에는 **범의와 상당한 관련성이 있는 간접사실을 증명하는 방법에 의하여 이를 입증할 수밖에 없다**(대판 2017.12.22, 2017도11616).

② 특정범죄가중법 제3조의 알선수재죄에 있어서 **공무원의 직무에 속한 사항의 알선에 관하여 금품이나 이익을 수수·요구 또는 약속하였다는 범의**는 범죄사실을 구성하는 것으로서 이를 인정하기 위해서는 **엄격한 증명이 요구된다**(대판 2013.9.12, 2013도6570)(同旨 대판 2013.2.15, 2011도13606; 대판 2011.6.30, 2010도10968; 대판 2006.10.27, 2006도4659; 대판 2005.6.24, 2004도8780; 대판 2005.1.28, 2004도7359; 대판 2002.3.12, 2001도2064). 17. 경찰채용

③ 특정경제범죄법 제7조의 알선수재죄에 있어서 금융기관 임직원의 직무에 속한 사항을 **알선한다는 명목으로 금품을 수수하였다는 범의**는 범죄사실을 구성하는 것으로서 이를 인정하기 위하여는 **엄격한 증명이 요구된다**(대판 2012.12.27, 2012도11200).

④ **국헌문란의 목적**은 범죄 성립을 위하여 고의 외에 요구되는 초과주관적 위법요소로서 **엄격한 증명 사항에 속하나**, 확정적 인식임을 요하지 아니하며, 다만 미필적 인식이 있으면 족하다[대판 2015.1.22, 2014도10978(전합)]. 20. 경찰채용·국가직 9급

⑤ 특정범죄가중법 제5조의9 제1항 위반의 죄의 **행위자에게 보복의 목적이 있었다는 점** 또한 검사가 증명하여야 하고 그러한 증명은 법관으로 하여금 합리적인 의심을 할 여지가 없을 정도의 확신을 생기게 하는 **엄격한 증명에 의하여야 한다**(대판 2014.9.26, 2014도9030). 15. 국가직 9급

② **위법성·책임에 관한 사실:** 구성요건해당사실이 증명되면 위법성과 책임은 추정되지만, 피고인이 위법성조각사유 또는 책임조각사유를 주장하는 경우 이러한 사유는 엄격한 증명의 대상이 된다. 다만, 책임능력과 관련되는 심신장애의 유무 및 정도는 자유로운 증명으로 족하다는 것이 판례의 입장이다.

판례 | 심신장애의 유무 및 정도의 증명방법

1 형법 제10조에 규정된 **심신장애의 유무 및 정도**의 판단은 법률적 판단으로서 반드시 전문감정인의 의견에 기속되어야 하는 것은 아니고, 정신질환의 종류와 정도, 범행의 동기, 경위, 수단과 태양, 범행 전후의 피고인의 행동, 반성의 정 등 여러 사정을 종합하여 **법원이 독자적으로 판단할 수 있다**(대판 2007.11.29, 2007도8333). 15. 법원행시·국가직 9급·경찰채용, 17. 경찰간부

2 피고인이 **범행 당시 심신장애의 상태에 있었는지 여부**를 판단함에 있어 반드시 전문가의 감정을 거쳐야 하는 것은 아니므로, **법원이** 범행의 경위와 수단, 범행 전후의 피고인의 행동 등 기록에 나타난 **여러 자료와 공판정에서의 피고인의 태도 등을 종합하여 피고인이 심신장애의 상태에 있지 아니하였다고 판단하여도 이것만 가지고 위법이라고 할 수는 없다**(대판 1987.10.13, 87도1240).

③ **처벌조건:** 처벌조건은 범죄사실 자체는 아니지만 형벌권 발생의 기초가 되는 사실이므로 엄격한 증명의 대상이 된다. 따라서 친족상도례가 적용되는 재산범죄에서 일정한 친족관계의 존부사실, 사전수뢰죄에서 공무원·중재인이 된 사실 또는 파산범죄에 있어 파산선고의 확정 등은 엄격한 증명의 대상이 된다.

(2) 형의 가중감면의 이유되는 사실

형의 가중·감면의 이유되는 사실은 범죄사실 그 자체는 아니지만 범죄사실에 준하여 엄격한 증명의 대상이 된다. **누범전과**, **중지미수**, **방조범**에 해당하는 사실 등은 **엄격한 증명의 대상**이 된다. 또한 몰수·추징은 부가형으로 형벌의 일종이므로 엄격한 증명의 대상이 된다. 다만, **몰수·추징에 관한 사실은 자유로운 증명**으로 족하다는 것이 **판례의 입장**이다.

판례 | 몰수·추징의 증명방법

1 **몰수·추징의 대상이 되는지 여부나 추징액**의 인정은 엄격한 증명을 필요로 하지 아니하다(대판 2008.1.17, 2006도455). 14·19. 국가직 7급, 16. 국가직 9급, 14·17·18·20. 경찰채용, 16·19. 경찰간부

2 몰수대상이 되는지 여부나 추징액의 인정 등 몰수·추징의 사유는 범죄구성요건 사실에 관한 것이 아니어서 엄격한 증명은 필요 없지만 역시 증거에 의하여 인정되어야 할 것임은 당연하다[대판 2006.4.7, 2005도9858(전합)].

3 **추징의 대상이 되는지 여부**는 엄격한 증명을 필요로 하는 것은 아니나, 그 대상이 되는 범죄수익을 특정할 수 없는 경우에는 추징할 수 없다(대판 2007.6.14, 2007도2451).

(3) 간접사실

간접사실이란 범죄성립에 관한 주요사실의 존부를 간접적으로 추인케 하는 사실을 말하는데 간접사실은 원칙적으로 엄격한 증명의 대상이 된다.

판례 | 엄격한 증명을 요하는 경우

1 구성요건에 해당하는 사실은 엄격한 증명에 의하여 이를 인정하여야 하고, **증거능력이 없는 증거**는 구성요건 사실을 추인하게 하는 **간접사실이나** 구성요건 사실을 입증하는 **직접증거의 증명력을 보강하는 보조사실의 인정자료로도 사용할 수 없다**(대판 2010.5.27, 2008도2344).

2 증거조사를 거치지 아니하고 피고인이 증거로 사용함에 동의를 한 바 없어 **증거능력이 없는 문서, 사진 등을 범죄사실에 부합하는 진술의 신빙성을 보강하는 사실인정의 자료로 사용한 것이 위법하다**(대판 2006.12.8, 2006도6356).

(4) 법규와 경험칙

법규의 존재와 그 내용은 법원의 직권조사사항이므로 원칙적으로 증명의 대상이 되지 아니한다. 다만, 외국법·관습법·자치법규와 같이 그 내용이 불분명한 경우에는 엄격한 증명의 대상이 된다. 경험칙이란 사실 자체는 아니고 사실판단의 전제가 되는 지식이다. 일반적인 경험법칙은 공지의 사실로서 증명을 요하지 아니하나, 특정한 사람에게만 알려진 특별한 경험법칙은 엄격한 증명의 대상이 된다.

3. 자유로운 증명의 대상

(1) 소송법적 사실

소송법적 사실은 범죄사실이 아니기 때문에 자유로운 증명으로 족하다. 따라서 친고죄에 있어 고소의 유무, 각종 소송조건의 존부, 피고인의 구속기간, 공소제기 등은 자유로운 증명으로 족하다. 자백의 임의성의 기초되는 사실도 소송법적 사실로서 자유로운 증명으로 족하다는 것이 다수설과 판례의 입장이다.

(2) 정상(양형)관계사실

양형의 기초가 되는 정상관계 사실은 복잡하고 비유형적이며 또한 양형은 법관의 재량에 해당하므로 이는 자유로운 증명의 대상이 된다. 따라서 형법 제51조의 범인의 연령 · 성행 · 지능 · 환경, 피해자에 대한 관계, 범행의 동기 · 수단 · 결과, 범행 후의 정황은 자유로운 증명으로 족하다. 또한 선고유예 · 집행유예의 사유가 되는 사실이나 작량감경의 기초가 되는 사실 등도 자유로운 증명으로 족하다.

판례 | 자유로운 증명의 대상이 되는 경우

1 친고죄에서 **적법한 고소가 있었는지**는 자유로운 증명의 대상이 된다(대판 2011.6.24, 2011도4451). 14 · 15 · 16 · 17. 경찰채용, 15. 국가직 7급, 15 · 17. 법원직 9급, 16. 국가직 9급, 16 · 17 · 18. 경찰승진, 16 · 19. 경찰간부

2 반의사불벌죄에서 **처벌을 희망하지 않는다는 의사표시 또는 처벌희망 의사표시 철회의 유무나 그 효력 여부**에 관한 사실은 자유로운 증명의 대상이다(대판 2010.10.14, 2010도5610). 17. 국가직 9급

3 피고인의 검찰 **진술의 임의성의 유무**가 다투어지는 경우에는 법원은 구체적인 사건에 따라 증거조사의 방법이나 증거능력의 제한을 받지 아니하고 제반 사정을 종합 참작하여 적당하다고 인정되는 방법에 의하여 자유로운 증명으로 그 임의성 유무를 판단하면 된다(대판 2004.3.26, 2003도8077). 14 · 16 · 17. 경찰채용, 15. 경찰승진

4 형사소송법 제312조 제4항 또는 제313조 단서에서 **'특히 신빙할 수 있는 상태'**는 증거능력의 요건에 해당하므로 검사가 그 존재에 대하여 구체적으로 주장 · 증명하여야 하지만 이는 소송상의 사실에 관한 것이므로 엄격한 증명을 요하지 아니하고 자유로운 증명으로 족하다(대판 2012.7.26, 2012도2937). 14 · 19. 국가직 7급, 15. 변호사, 16. 국가직 9급, 16 · 18 · 20. 경찰채용, 18. 경찰간부, 20. 법원직 9급 · 해경채용

5 [1] 법원은 범죄의 구성요건이나 법률상 규정된 형의 가중 · 감면의 사유가 되는 경우를 제외하고는, 법률이 규정한 증거로서의 자격이나 증거조사방식에 구애됨이 없이 상당한 방법으로 조사하여 **양형의 조건**이 되는 사항을 인정할 수 있다. 나아가 형의 양정에 관한 절차는 범죄사실을 인정하는 단계와 달리 취급하여야 하므로, 당사자가 직접 수집하여 제출하기 곤란하거나 필요하다고 인정되는 경우 등에는 직권으로 양형조건에 관한 형법 제51조의 사항을 수집 · 조사할 수 있다. [2] 제1심법원이 법원 소속 조사관에게 양형의 조건이 되는 사항을 수집 · 조사하여 제출하게 하고, 이를 피고인에 대한 정상관계 사실과 함께 참작하여 피고인에게 징역 3년 8월을 선고한 것은 법리오해 등의 잘못이 있다고 할 수 없다(대판 2010.4.29, 2010도750). 15 · 18. 국가직 7급

6 **재심의 청구를 받은 법원**은 재심청구 이유의 유무를 판단함에 필요한 경우에는 사실을 조사할 수 있으며, **공판절차에 적용되는 엄격한 증거조사 방식에 따라야만 하는 것은 아니다**[대결 2019.3.21. 2015모2229(전합) **여순반란 희생자 재심 사건**]. 20. 경찰간부 · 경찰채용

(3) 보조사실

보조사실은 증거의 증명력에 영향을 미치는 사실로서 여기에는 증거의 증명력을 탄핵하는 사실과 보강하는 사실이 있다. 증거의 증명력을 탄핵하는 사실은 자유로운 증명으로 족하지만, 증명력을 보강하는 사실은 원칙적으로 엄격한 증명의 대상이 된다.

4. 불요증사실(不要證事實)

불요증사실이란 성질에 비추어 증명이 필요 없는 사실을 말한다. 불요증사실은 엄격한 증명은 물론 자유로운 증명도 필요하지 않는 사실이다.

(1) 공지(公知)의 사실

공지의 사실이란 보통의 지식과 경험이 있는 사람이면 누구나 알고 있는 사실을 말한다. 88올림픽이 개최된 사실, 2002년 한일월드컵 등 역사상 명백한 사실이나 태평양의 존재, 태양의 존재 등 자연계에 현저한 사실이 이에 해당한다.

(2) 추정된 사실

① **법률상 추정된 사실:** 법률상 추정된 사실이란 예컨대 A사실이 있으면 '법률의 규정에 의하여' B사실이 추정되는 것을 말한다. 실체적 진실주의와 자유심증주의가 지배하는 형사소송법에는 이를 인정하지 않는 것이 통설의 입장이다.

② **사실상 추정된 사실:** 사실상 추정된 사실이란 예컨대 A사실이 있으면 '논리와 경험칙에 의하여 사실상' B사실이 추정되는 것을 말한다. 구성요건해당성이 인정되면 사실상 위법성과 책임이 추정되는 것이 이에 해당한다. 그러나 사실상 추정된 사실은 불요증사실이 아니라는 견해도 있다.

(3) 거증금지사실

거증금지사실이란 소송법적 이익보다 초소송법적 이익이 크기 때문에 증명이 금지된 사실을 말한다. 예컨대 공무원의 증인거부권이 이에 해당한다(제147조). 그러나 거증금지사실은 불요증사실이 아니라는 견해도 있다.

5. 거증책임(擧證責任)

(1) 거증책임의 의의

거증책임이란 요증사실의 존부가 증명되지 않을 경우 불이익을 받게 될 당사자의 법적 지위를 말한다. 법원은 당사자가 제출한 증거와 직권으로 조사한 증거에 의하여 심증을 형성하게 되는데, 이러한 입증으로도 요증사실의 존부에 대하여 확신을 갖지 못할 때에는 당사자 일방에게 불이익을 주지 않을 수 없는데 이것이 바로 거증책임이다. 이를 보통 실질적·객관적 거증책임이라고 한다.

(2) 거증책임의 분배

형사소송법에서는 무죄추정(無罪推定)의 원칙과 '의심스러울 때에는 피고인의 이익으로(in dubio pro reo)' 원칙이 지배하므로 **거증책임은 원칙적으로 검사가 부담한다.**

① **공소범죄사실:** 공소범죄사실에 대한 거증책임은 검사에게 있다. 검사는 구성요건해당사실 뿐만 아니라 위법성과 책임의 존재에 대하여도 거증책임을 부담한다. 물론 구성요건해당성이 인정되면 위법성과 책임은 추정되지만, 피고인이 위법성조각사유나 책임조각사유를 주장한 경우 그 부존재에 대한 검증책임은 검사에게 있다.

> **판례 | 공소사실에 대한 거증책임의 소재(= 검사)**
>
> 1 **형사재판에서 공소가 제기된 범죄사실에 대한 입증책임은 검사에게 있고,** 유죄의 인정은 법관으로 하여금 합리적인 의심을 할 여지가 없을 정도로 공소사실이 진실한 것이라는 확신을 가지게 하는 증명력을 가진 증거에 의하여야 하므로, 그와 같은 증거가 없다면 설령 피고인에게 유죄의 의심이 간다 하더라도 피고인의 이익으로 판단할 수밖에 없다(대판 2010.7.22, 2009도1151).

2 형사재판에 있어서 공소가 제기된 **범죄사실에 대한 입증책임은 검사에 있고,** 민사재판이었더라면 입증책임을 지게 되었을 피고인이 그 쟁점이 된 사항에 대하여 자신에게 유리한 입증을 하지 못하고 있다 하여 위와 같은 원칙이 달리 적용되는 것은 아니다(대판 2007.10.11, 2007도6406).

3 형사소송에 있어서는 입증책임의 분배를 엄격하게 따질 수는 없다고 할 것이나 당사자주의를 그 소송구조로 하고 있는 현행 형사소송법 체계에서는 소송범죄사실 또는 피고인의 변소사실이 증거가 없거나 불충분한 경우에 불이익을 받을 당사자는 바로 검사이거나 피고인이므로 **공소범죄사실에 대한 입증책임은 검사에게 있고 증거가 없거나 불충분하여 의심스러운 경우에는 피고인의 이익으로 판단**하여야 한다(대판 1984.6.12, 84도796).

② **처벌조건:** 인적처벌조각사유나 객관적 처벌조건에 관한 거증책임은 검사가 부담한다.

③ **형의 가중 · 감면의 이유되는 사실:** 형의 가중 · 감면의 이유되는 사실에 대한 거증책임은 검사가 부담한다.

④ **소송법적 사실**

㉠ **소송조건의 존재:** 소송조건은 직권조사사항으로 거증책임의 문제가 아니라는 견해가 있으나, 통설은 소송조건은 공소제기의 적법 · 유효요건으로 소송조건의 존부에 대한 거증책임은 검사가 부담한다는 입장이다.

㉡ **증거능력의 전제가 되는 사실:** 증거능력의 전제가 되는 사실에 대한 거증책임은 그 증거를 제출한 당사자가 부담한다는 것이 통설과 판례의 입장이다.

(3) 거증책임의 전환(轉換)

거증책임은 원칙적으로 검사가 부담하지만 예외적으로 피고인이 부담하는 경우가 있는데 이를 거증책임의 전환이라 한다.

① **상해죄에 있어 동시범의 특례:** 형법 제263조는 "독립행위가 경합하여 상해의 결과를 발생하게 한 경우에 있어서 원인된 행위가 판명되지 아니한 때에 공동정범의 예에 의한다."라고 규정하고 있다. 이는 행위자가 자기의 행위에 의하여 상해의 결과가 발생하지 않았다는 것을 증명해야 하고 그렇지 않으면 공동정범의 예에 의하여 처벌된다고 보아, **거증책임이 피고인에게 전환되는 규정이라는 것이 다수설의 입장이다.**

② **명예훼손죄에 있어 진실성과 공공성의 증명:** 형법 제310조는 "사실적시 명예훼손행위가 진실한 사실로서 오로지 공공의 이익에 관한 때에는 처벌하지 아니한다."라고 규정하고 있다. 이 조항이 거증책임이 피고인에게 전환되는 것인가에 관하여는 학설의 견해대립이 있다.

판례 | 명예훼손죄의 위법성조각사유(형법 제310조)에 대한 거증책임의 소재(= 피고인)

1 공연히 사실을 적시하여 사람의 명예를 훼손한 행위가 형법 제310조의 규정에 따라서 위법성이 조각되어 처벌대상이 되지 않기 위하여는 그것이 **진실한 사실로서 오로지 공공의 이익에 관한 때에 해당된다는 점을 행위자가 증명하여야 하는 것**이고, 법원이 적법하게 증거를 채택하여 조사한 다음 형법 제310조 소정의 위법성조각사유의 요건이 입증되지 않는다면 그 불이익은 피고인이 부담하는 것이다(대판 2004.5.28, 2004도1497). 17. 국가직 9급, 18. 경찰채용

2 공연히 사실을 적시하여 사람의 명예를 훼손한 행위가 형법 제310조의 규정에 따라서 위법성이 조각되어 처벌대상이 되지 않기 위하여는, **그것이 진실한 사실로서 오로지 공공의 이익에 관한 때에 해당된다는 점을 행위자가 증명하여야 하는 것**이나, 그 증명은 유죄의 인정에 있어 요구되는 것과 같이 법관으로 하여금 의심할 여지가 없을 정도의 확신을 가지게 하는 증명력을 가진 엄격한 증거에

의하여야 하는 것은 아니므로, 이때에는 전문증거에 대한 증거능력의 제한을 규정한 형사소송법 제310조의2는 적용될 여지가 없다(대판 1996.10.25, 95도1473). 14. 국가직 7급, 15. 경찰간부, 16. 변호사, 20. 국가직 9급·해경채용

02 자유심증주의(自由心證主義)

1. 의의

형사소송법 제308조는 "증거의 증명력은 법관의 자유판단에 의한다."라고 규정하고 있다. 이와 같이 증거의 증명력을 적극적 또는 소극적으로 법률로 규정하지 않고 법관의 자유로운 판단에 맡기는 것을 자유심증주의라고 한다. 자유심증주의는 증거의 증명력 평가를 법관의 자유판단에 맡김으로서 사실인정의 합리성을 도모하기 위한 것이다.

판례 | 자유심증주의의 의의

증거의 취사와 이를 근거로 한 사실의 인정은 그것이 경험칙에 위배된다는 등의 특단의 사정이 없는 한 **사실심 법원의 전권에 속한다**(대판 2010.2.25, 2009도5824).

2. 자유심증주의의 내용

(1) 자유판단의 주체

증거의 증명력은 법관의 자유판단에 의한다. 따라서 자유판단의 주체는 개개 법관이며 합의부의 경우에도 구성원인 법관이 각자 증거의 증명력을 판단한다.

(2) 자유판단의 대상

자유판단의 대상은 증거의 '**증명력**'이다. 증명력은 증거가 가지는 실질적인 가치로서 신용력과 협의의 증명력을 포함하는 개념이다. 신용력이란 그 자체가 진실일 가능성을 말하고, 협의의 증명력이란 증거의 진실성을 전제로 요증사실의 존부를 인정하게 하는 힘을 말한다. 두 가지 모두 자유판단의 대상이다.

(3) 자유판단의 의미

자유심증(自由心證)이란 법관이 증명력을 어떤 법적 제한을 받지 않고 자신의 주관적 확신으로 자유롭게 판단하는 것을 말한다. 구체적으로 살펴보면 아래와 같다.

① 인증

㉠ **자백**: 피고인이 자백한 경우라도 법관은 자백과 다른 사실을 인정할 수 있고 또한 피고인이 공판정에서 범죄사실을 부인해도 피고인의 검찰에서의 자백을 믿을 수도 있다(«주의 피고인의 자백에 법원은 기속된다. ×).

㉡ **증언**: 증언의 경우 **증인의 성년·미성년, 책임능력 유무, 선서 유무에 관계없이** 법관이 자유롭게 증언을 취사선택하여 증명력을 판단한다.

판례 |

1 자백의 신빙성 판단기준

자백의 신빙성 유무를 판단함에 있어서는 자백의 진술 내용 자체가 **객관적으로 합리성을 띠고 있는지**, 자백의 **동기나 이유가 무엇이며**, 자백에 이르게 된 **경위는 어떠한지** 그리고 자백 이외의 정황증거 중 **자백과 저촉되거나 모순되는 것이 없는지 하는 점 등**을 고려하여 피고인의 자백에 형사소송법 제309조에 정한 사유 또는 자백의 동기나 과정에 합리적인 의심을 갖게 할 상황이 있었는지를 판단하여야 한다(대판 2010.7.22, 2009도1151).

2 피고인의 진술이 번복되는 경우 증명력(= 법관의 자유판단)

① 피고인의 **제1심법정에서의 자백이 원심에서의 법정진술과 다르다**는 사유만으로는 그 자백의 증명력 내지 신빙성이 의심스럽다고 할 수는 없다(대판 2001.9.28, 2001도4091).

② **검찰에서의 피고인의 자백이 법정진술과 다르다**거나 피고인에게 지나치게 불리한 내용이라는 사유만으로는 그 자백의 신빙성이 의심스럽다고 할 수는 없다(대판 2010.7.22, 2009도1151). 19. 경찰채용

3 증인의 진술이 번복되는 경우 증명력(= 법관의 자유판단)

① **같은 사람의 검찰에서의 진술과 법정에서의 증언이 다를 경우** 반드시 후자를 믿어야 된다는 법칙은 없다고 할 것이므로 같은 사람의 법정에서의 증언과 다른 검찰에서의 진술을 믿고서 범죄사실을 인정하더라도 그것이 위법하게 진술된 것이 아닌 이상 자유심증에 속한다(대판 1988.6.28, 88도740). 17. 변호사

② **경찰에서의 진술조서의 기재와 당해 사건의 공판정에서의 같은 사람의 증인으로서의 진술이 상반되는 경우** 반드시 공판정에서의 증언에 따라야 한다는 법칙은 없고 그 중 어느 것을 채용하여 사실인정의 자료로 할 것인가는 오로지 사실심법원의 자유심증에 속하는 것이다(대판 1987.6.9, 87도691).

4 피해자 증언의 증명력(= 법관의 자유판단)

① **피해자의 증언이나 진술이 공소사실에 부합하는 유일한 직접증거**라 하더라도 그 증거가 합리적이고 이치에 맞는 내용이라면 이를 유죄의 증거로 한다하여 위법이라고 할 수는 없다(대판 1986.2.25, 85도2769).

② 피고인의 문서위조 내지 변조의 유죄 인정에 관하여 **피고인과 상반되는 이해관계를 갖고 있는 고소인의 증언이나 진술을 유력한 직접 증거로 채용**하고 있다 하더라도 그 진술내용이 합리적이고 이치에 맞는 것이라면 이러한 채증과정에 무슨 위법이 있다고 할 수 없다(대판 1995.2.24, 94도2092).

③ 강간죄에서 공소사실을 인정할 증거로 사실상 피해자의 진술이 유일한 경우에 피고인의 진술이 경험칙상 합리성이 없고 그 자체로 모순되어 믿을 수 없다고 하여 그것이 공소사실을 인정하는 직접증거가 되는 것은 아니지만, 이러한 사정은 **법관의 자유판단에 따라 피해자 진술의 신빙성을 뒷받침하거나 직접증거인 피해자 진술과 결합하여 공소사실을 뒷받침하는 간접정황이 될 수 있다**(대판 2018.10.25, 2018도7709 조폭 친구 와이프 강간사건). 20. 경찰채용

ⓒ **감정**: 감정인의 감정의 경우 법관은 감정인의 감정결과에 반드시 구속당하지는 않는다. 또한 감정의견이 상충되는 경우 **소수의견에 따를 수도 있고, 여러 의견 가운데 일부분만을 채택할 수도 있다.**

판례 | 감정의 증명력(= 법관의 자유판단)

1 **감정의견의 판단과 그 채부 여부는 법원의 자유심증에 따른다.** 물론 법원은 감정결과를 전문적으로 비판할 능력을 가지고 있지 못하는 경우에는 그 결과가 사실상 존중되어 소송의 승패가 결정되는 수가 많게 되는 수가 있으나 그렇다고 하여 감정의견은 법원이 가지고 있지 못한 경험칙 등을 보태준다는 이유로 항상 따라야 하는 것도 아니다(대판 1976.3.23, 75도2068).

2 **감정의견이 상충된 경우** 다수 의견을 안 따르고 소수 의견을 채용해도 되고 여러 의견 중에서 그 일부씩을 채용하여도 무방하며 여러 개의 감정의견이 일치되어 있어도 이를 배척하려면 특별한 이유를 밝히거나 또는 반대감정의견을 구하여야 된다는 법리도 없다(대판 1976.3.23, 75도2068).

3 법원이 다른 증거에 의하여 **의사의 상해진단서에 기재된 예정치료기간**과 다른 사실을 인정하였다 하여 위법이라 할 수 없다(대판 1961.7.31, 60도877).

② **물증과 서증:** 물증이나 서증의 경우에도 인증과 마찬가지로 법관이 자유롭게 증명력을 판단할 수 있다.

판례 |

1 각종 조서의 증명력(= 법관의 자유판단)

① **검사 작성 조서**의 기재가 **사법경찰관 작성 조서**의 기재보다 그 신빙성에 있어서 항상 우월하다고 단정할 수는 없는 것이니, 검사 작성 조서 기재의 증명력을 사법경찰관 작성 조서의 기재에 비추어 배척한 것이 채증법칙위반이라 할 수 없다(대판 1983.3.22, 82도2494).

② **진술조서의 기재 중 일부분**을 믿고 다른 부분을 믿지 아니하여도 그것이 곧 부당하다고 할 수 없다(대판 1980.3.11, 80도145).

③ 동일한 **사항에 관하여 두개의 서로 다른 내용이 기재된 공판조서가 병존하는 경우** 양자는 동일한 증명력을 가지는 것으로서 그 증명력에 우열이 있을 수 없다고 보아야 할 것이므로 그 중 어느 쪽이 진실한 것으로 볼 것인지는 공판조서의 증명력을 판단하는 문제로서 **법관의 자유로운 심증**에 따를 수밖에 없다(대판 1988.11.8, 86도1646). 20. 국가직 7급

④ **증거보전절차에서의 진술**이 법원의 관여하에 행하여지는 것으로서 **수사기관에서의 진술**보다 임의성이 더 보장되는 것이기는 하나 보전된 증거가 항상 진실이라고 단정지울 수는 없는 것이므로 법원이 그것을 믿지 않을 만한 사유가 있어서 믿지 않는 것에 자유심증주의의 남용이 있다고 볼 수 없다(대판 1980.4.8, 79도2125).

2 처분문서의 증명력(= 법관의 자유판단)

① **처분문서**라 할지라도 그 기재 내용과 다른 명시적·묵시적 약정이 있는 사실이 인정될 경우에는 그 기재 내용과 다른 사실을 인정할 수 있고, 작성자의 법률행위를 해석함에 있어서도 경험법칙과 논리법칙에 어긋나지 않는 범위 내에서 자유로운 심증으로 판단할 수 있다(대판 2008.2.29, 2007도11029).

② 형사재판에 있어서는 **처분문서**라 하여도 이를 배척하는 이유 설시를 하여야 한다는 법칙이 없으며 경험칙 내지는 논리칙에 위배되지 아니하는 한 그 증거취사는 사실심의 전권에 속한다(대판 2008.2.29, 2007도10414).

③ **간접증거 등:** 법관은 반드시 직접증거에 의해서가 아니라 간접증거 내지 정황증거에 의해서도 사실을 인정할 수 있다. 법관은 하나의 증거 중에서 일부분만을 믿을 수도 있고, 단독으로 증명력이 없는 여러 증거를 결합한 종합증거에 의해서도 사실을 인정할 수 있다.

판례 |

1 간접증거의 증명력 Ⅰ

형사재판에 유죄의 심증이 반드시 직접증거에 의하여 형성되어야만 하는 것은 아니고 경험칙과 논리법칙에 위반되지 아니하는 한 **간접증거에 의하여 형성되어도 무방**하며, 간접증거가 개별적으로는 범죄사실에 대한 완전한 증명력을 가지지 못하더라도 전체 증거를 상호 관련하에 종합적으로 고찰할 경우 그 단독으로는 가지지 못하는 종합적 증명력이 있는 것으로 판단되면 그에 의하여도 범죄사실을 인정할 수 있는 것이다(대판 2008.11.27, 2007도4977). 15·17. 경찰간부, 18. 국가직 9급

2 간접증거의 증명력 Ⅱ

① 살인죄와 같이 법정형이 무거운 범죄의 경우에도 직접증거 없이 간접증거만으로도 유죄를 인정할 수 있으나, 그 경우에도 주요사실의 전제가 되는 간접사실의 인정은 합리적 의심을 허용하지 않을 정도의 증명이 있어야 하고, **그 하나하나의 간접사실이 상호 모순, 저촉이 없어야 함은 물론 논리와 경험칙, 과학법칙에 의하여 뒷받침되어야 한다**(대판 2017.5.30, 2017도1549). 18. 국가직 9급

② **살인죄 등과 같이 법정형이 무거운 범죄의 경우에도 직접증거 없이 간접증거만에 의하여 유죄를 인정할 수 있고** 피해자의 시체가 발견되지 아니하였더라도 간접증거를 상호 관련하에서 종합적으로 고찰하여 살인죄의 공소사실을 인정할 수 있다 할 것이나, 그러한 유죄 인정에 있어서는 **공소사실에 대한 관련성이 깊은 간접증거들에 의하여 신중한 판단이 요구된다**(대판 2008.3.13, 2007도10754).

③ 공소사실을 인정할 수 있는 직접증거가 없고, **공소사실을 뒷받침할 수 있는 가장 중요한 간접증거의 증명력이 환송 뒤 원심에서 새로 현출된 증거에 의하여 크게 줄어들었으며** 그 밖에 나머지 간접증거를 모두 종합하여 보더라도 공소사실을 뒷받침할 수 있는 증명력이 부족한 경우 **공소사실을 유죄로 판단할 수 없다**(대판 2003.2.26, 2001도1314).

④ **목격자의 진술 등 직접증거가 전혀 없는 사건**에 있어서는 적법한 증거들에 의하여 인정되는 **간접사실들에 논리법칙과 경험칙을 적용하여 공소사실이 합리적인 의심을 할 여지가 없이 진실한 것이라는 확신을 가지게 할 정도로 추단될 수 있을 경우에만 이를 유죄로 인정할 수 있고,** 이러한 정도의 심증을 형성할 수 없다면 설령 피고인에게 유죄의 의심이 간다고 하더라도 피고인의 이익으로 판단할 수밖에 없다는 것이 형사소송의 대원칙이다(대판 2011.1.13, 2010도13226).

3 범죄의 동기 관련 판례

① 범인으로 지목된 자에게 **범행을 저지를 만한 뚜렷한 동기가 발견되지 않는 경우** 형사재판의 증거재판주의 이념에 비추어 간접증거나 정황사실을 통한 유죄의 인정에 더욱 신중을 기하지 않을 수 없으며, 그와 달리 피고인이 순간적인 격분상태에서 **보잘 것 없는 동기로 살인의 범행에까지 이르렀을 것이라고 쉽게 추인하여서는 아니 된다**(대판 2012.6.28, 2012도231).

② 범행에 관한 간접증거만이 존재하고 더구나 그 **간접증거의 증명력에 한계가 있는 경우**, 범인으로 지목되고 있는 자에게 범행을 저지를 만한 동기가 발견되지 않는다면, 만연히 **무엇인가 동기가 분명히 있는데도 이를 범인이 숨기고 있다고 단정할 것이 아니라** 반대로 간접증거의 증명력이 그만큼 떨어진다고 평가하는 것이 형사 증거법의 이념에 부합하는 것이다(대판 2006.3.9, 2005도8675).

3. 자유판단의 기준

(1) 의의

자유심증주의에 있어서 자유(自由)가 곧 자의(恣意)를 의미하는 것은 아니므로 사실인정이 법관의 전단이 되어서는 안된다. 사실인정은 일반인이면 어느 누구도 의심하지 않을 정도로 보편타당성을 가져야 한다. 이러한 보편타당성을 확보하기 위해서는 **법관의 사실인정은 논리(論理)와 경험칙(經驗則)에 합치**되어야 한다.

(2) 자유판단의 기준

① **논리:** 논리란 자명한 사고법칙 또는 수학적 공리(公理)를 의미한다. 법관의 심증은 모순 없는 논증에 의하여 형성되어야 한다. 따라서 계산착오 또는 판결이유의 모순은 논리에 반하여 허용되지 아니한다.

② **경험칙:** 경험칙이란 일반인이 경험을 통해서 알게 된 법규성을 띤 지식을 의미한다. 보편타당한 경험칙은 법관을 구속하게 된다.

판례 |

1 자유심증주의의 한계 내지 기준

[1] 형사재판에 있어 심증형성은 반드시 직접증거에 의하여 형성되어야만 하는 것은 아니고 간접증거에 의할 수도 있는 것이며, 간접증거는 이를 개별적 · 고립적으로 평가하여서는 아니 되고 모든 관점에서 빠짐없이 상호 관련시켜 종합적으로 평가하고, 치밀하고 모순 없는 논증을 거쳐야 한다. [2] 그리고 **증거의 증명력은 법관의 자유판단에 맡겨져 있으나 그 판단은 논리와 경험칙에 합치하여야 하고,** 형사재판에 있어서 유죄로 인정하기 위한 심증형성의 정도는 합리적인 의심을 할 여지가 없을 정도여야 하나, 이는 모든 가능한 의심을 배제할 정도에 이를 것까지 요구하는 것은 아니며, **증명력이 있는 것으로 인정되는 증거를 합리적인 근거가 없는 의심을 일으켜 이를 배척하는 것은 자유심증주의의 한계를 벗어나는 것으로 허용될 수 없다** 할 것인바, [3] 여기에서 말하는 '합리적 의심'이라 함은 모든 의문, 불신을 포함하는 것이 아니라 논리와 경험칙에 기하여 요증사실과 양립할 수 없는 사실의 개연성에 대한 합리성 있는 의문을 의미하는 것으로서, 피고인에게 유리한 정황을 사실인정과 관련하여 파악한 이성적 추론에 그 근거를 두어야 하는 것이므로 단순히 관념적인 의심이나 추상적인 가능성에 기초한 의심은 합리적 의심에 포함된다고 할 수 없다(대판 2009.3.12, 2008도8486).
17. 변호사 · 경찰간부, 18. 국가직 9급

2 자유심증주의의 한계 내지 기준

자유심증주의를 규정한 형사소송법 제308조가 증거의 증명력을 법관의 자유판단에 의하도록 한 것은 그것이 실체적 진실발견에 적합하기 때문이지 법관의 자의적인 판단을 인용한다는 것은 아니므로, 증거판단에 관한 전권을 가지고 있는 사실심 법관은 사실인정에 있어 공판절차에서 획득된 인식과 조사된 증거를 남김없이 고려하여야 한다. 그리고 **증거의 증명력은 법관의 자유판단에 맡겨져 있으나 그 판단은 논리와 경험법칙에 합치하여야 하고**, 형사재판에서 유죄로 인정하기 위한 심증형성의 정도는 합리적인 의심을 할 여지가 없을 정도여야 한다(대판 2010.3.11, 2009도5858).

3 증명력(신빙성)이 없거나 약한 경우 I

① (소매치기 범행에 있어) **압수조서 기재나 압수물의 현존만으로는 피고인이 범인임을 뒷받침할 증거가 되지 못한다**(대판 1991.11.12, 91도2172).

② 압수물(피해품)은 피고인에 대한 범죄의 증명이 없게 된 경우에는 **압수물의 존재만으로 그 유죄의 증거가 될 수 없다**(대판 1984.3.27, 83도3067). 14. 경찰간부, 18. 경찰승진

③ 매매계약서 중 일부기재가 위조되었다는 공소사실에 대하여 **위조된 매매계약서 자체만으로는 피고인이 문서명의인의 동의나 승낙 없이 문서를 작성하였는지 여부에 대한 증거로 되지 아니한다**(대판 1988.1.19, 87도1217).

④ 피해자는 71세의 노인으로 피고인이 구타하고 넘어뜨려 부상하였다고 경찰과 법정에서 진술하고 있으나 이는 폭행을 당했다는 **이해 상반하는 상대방의 일방적 진술**에 불과하여 피해자의 증언만으로는 상해사실을 인정할 수 없다(대판 1983.2.8, 82도2971).

4 증명력(신빙성)이 없거나 약한 경우 Ⅱ

① 피고인이 **"평소 투약량(0.05g)의 20배에 달하는 1g의 메스암페타민을 한꺼번에 물에 타서 마시는 방법으로 투약하였다."**고 자백한 경우(대판 2003.2.11, 2002도6766)

② 피고인이 과도를 들이대고 "소리치면 찔러 죽여버려"라고 위협하는 과정의 불과 10분 또는 3초 사이의 **당황한 상태에서 피고인의 인상착의 상태, 목소리를 확실히 기억하고 그것도 사건발생 후 약 18일이 지난 후까지 명백하게 기억**하는 경우(대판 1985.11.12, 85도1974)

③ **비가 오는 야간에 우연히 지나다가 20~30여명이 몰려 있던 싸움현장을 목격하였음에 불과한 사람**이 그로부터 1개월 여가 지난 뒤에 단순한 당시의 기억만으로 **"피해자를 때리려고 한 사람이 바로 피고인이었다."라고 지목**한 경우(대판 1984.12.11, 84도2058)

5 증명력(신빙성)이 없거나 약한 경우 Ⅲ

① **피고인의 자백진술의 수차에 걸친 변경**이 당초에 의도적으로 숨겼던 사실을 밝히거나 부정확한 기억을 되살린 것이라기보다는 피고인이 허위로 자백한 내용 중 객관적 상황에 맞지 않는 부분을 그 후 객관적 상황에 맞추어 수정한 것으로 보여지는 경우, 이와 같은 자백은 그 진술내용 자체가 객관적인 합리성이 결여된 것으로 신빙성이 없다(대판 1983.9.13, 83도712).

② 피해자의 진술은 그가 피고인과 상반되는 이해관계를 가지는 자이며, **진술을 번복하거나 일관성이 없는 부분이 많고 경찰 · 검찰 · 제1심법정에서 단계적으로 진술내용이 불어나면서 구체화, 합리화되어가고 있으며** 사람이 목격하거나 경험한 사실에 대한 기억은 시일이 경과함에 따라 흐려질 수는 있을지언정 오히려 처음보다 명료해진다는 것은 이례에 속하는 것임에 비추어보아 신빙성이 의심스럽다(대판 1993.3.9, 92도2884).

4. 각종증거의 증명력 판단

(1) 증인의 증언

판례 |

1 동일한 사람의 진술 일부만 믿어 공소사실 일부만 유죄로 인정할 수 있는지의 여부(= 원칙적 소극)

① [1] 일정기간 동안에 발생한 피해자의 일련의 강간 피해 주장 중 그에 부합하는 진술의 신빙성을 대부분 부정할 경우, **일부 사실에 대하여만 피해자의 진술을 믿어 유죄를 인정하려면** 그와 같이 **피해자 진술의 신빙성을 달리 볼 수 있는 특별한 사정이 인정되어야 할 것이다.** [2] 2009.10.20, 10.22, 10.28, 10.29. 총 4회의 강간 공소사실에 대하여 2009.10.20.과 10.22.자 강간의 점에 대하여 피해자의 진술을 믿기 어렵다는 이유로 무죄를 선고하고, 피해자 진술의 신빙성을 달리 볼 수 있는 특별한 사정이 없음에도 2009.10.28.과 10.29.자 강간의 점에 대하여는 유죄판결을 선고한 것에는 필요한 심리를 다하지 아니한 위법이 있다(대판 2010.11.11, 2010도9633).

② 여러 차례에 걸쳐 금원을 제공하였다고 주장하는 사람의 진술을 신뢰할 수 있는지에 관하여 그 중 **상당한 금원제공 진술 부분을 그대로 믿을 수 없는 객관적인 사정 등이 밝혀짐에 따라 그 부분 진술의 신빙성을 배척하는 경우라면**, 여러 차례에 걸쳐 금원을 제공하였다는 진술의 신빙성은 전체적으로 상당히 허물어졌다고 보아야 할 것이니, 비록 나머지 일부 금원제공 진술 부분에 대하

여는 이를 그대로 믿을 수 없는 객관적 사정 등이 직접 밝혀지지 않았다고 하더라도, 여러 차례에 걸쳐 금원을 제공하였다고 주장하는 사람의 진술만을 내세워 함부로 **나머지 일부 금원수수 사실을 인정하는 것은 원칙적으로 허용될 수 없다**(대판 2009.1.15, 2008도8137).

2 일관성 있는 증인의 증언을 함부로 배척할 수 있는지의 여부(= 원칙적 소극)

① **피해자를 비롯한 증인들의 진술이 대체로 일관되고 공소사실에 부합하는 경우** 객관적으로 보아 도저히 신빙성이 없다고 볼 만한 별도의 신빙성 있는 자료가 없는 한 이를 함부로 배척하여서는 안 된다(대판 2012.6.28, 2012도2631).

② **증인의 진술이 그 주요 부분에 있어서 일관성이 있는 경우에는** 그 밖의 사소한 사항에 관한 진술에 다소 일관성이 없다는 등의 사정만으로는 그 진술의 신빙성을 함부로 부정할 것은 아니다(대판 2012.6.14, 2012도534).

(2) 수뢰죄에 있어 "금품을 제공하였다."는 사람의 진술

금품수수죄에 있어 금품을 받은 자는 혐의를 부인하거나 "돈을 빌렸다."고 주장하고 있고, "금품을 제공하였다."는 사람의 진술이 사실상 유일한 증거인 경우가 상당수 있다. 이 경우 진술의 신빙성 판단기준을 대법원 판례는 아래와 같이 설시하고 있다.

판례 | 수뢰죄에 있어 "금품을 제공하였다." 또는 "돈을 빌린 것이다."라는 진술의 증명력

1 금원수수 여부가 쟁점이 된 사건에서 금원수수자로 지목된 피고인이 수수사실을 부인하고 있고 이를 뒷받침할 금융자료 등 객관적 물증이 없는 경우 **금원을 제공하였다는 사람의 진술만으로 유죄를 인정하기 위해서는 그 사람의 진술이 증거능력이 있어야 함은 물론 합리적인 의심을 배제할 만한 신빙성이 있어야 하고**, 신빙성이 있는지 여부를 판단할 때에는 그 진술 내용 자체의 합리성, 객관적 상당성, 전후의 일관성뿐만 아니라 그의 인간됨, 그 진술로 얻게 되는 이해관계 유무, 특히 그에게 어떤 범죄의 혐의가 있고 그 혐의에 대하여 수사가 개시될 가능성이 있거나 수사가 진행 중인 경우에는 이를 이용한 협박이나 회유 등의 의심이 있어 그 진술의 증거능력이 부정되는 정도에까지 이르지 않는 경우에도 그로 인한 궁박한 처지에서 벗어나려는 노력이 진술에 영향을 미칠 수 있는지 여부 등도 아울러 살펴보아야 한다(대판 2011.1.27, 2010도7947). 17. 변호사

2 뇌물죄에서 수뢰자가 증뢰자에게서 돈을 받은 사실은 시인하면서도 뇌물로 받은 것이 아니라 빌린 것이라고 주장하는 경우, **수뢰자가 그 돈을 실제로 빌린 것인지는** 수뢰자가 증뢰자에게서 돈을 수수한 동기, 전달 경위 및 방법, 수뢰자와 증뢰자의 관계, 양자의 직책이나 직업 및 경력, 수뢰자의 차용 필요성 및 증뢰자 외의 자에게서 차용 가능성, 차용금 액수 및 용처, 증뢰자의 경제적 상황 및 증뢰와 관련된 경제적 예상이익 규모, 담보제공 여부, 변제기 및 이자 약정 여부, 수뢰자의 원리금 변제 여부, 채무불이행 시 증뢰자의 독촉 및 강제집행 가능성 등 **증거에 의하여 나타나는 객관적인 사정을 모두 종합하여 판단하여야 한다**(대판 2011.11.10, 2011도7261).

(3) 확정판결

동일한 사실관계에 관하여 이미 확정된 형사판결은 원칙적으로 상당한 구속력을 가지지만, 민사판결은 그 구속력이 형사판결에 비하여 약하다. 형사재판은 실체적 진실발견주의가 지배하지만, 민사재판은 형식적 진실발견에 그치기 때문이다.

판례 | 확정판결의 증명력

1 **동일한 사실관계에 관하여 이미 확정된 형사판결이 인정한 사실**은 유력한 증거자료가 되므로 그 형사재판의 사실 판단을 채용하기 어렵다고 인정되는 특별한 사정이 없는 한 이와 배치되는 사실은 인정할 수 없다(대판 2009.12.24, 2009도11349).

2 **공동정범으로 기소된 피고인들이 제1심에서 모두 유죄판결을 받고 모두 항소**하여 항소심에서 피고인만 불출석으로 변론이 분리되고 **나머지 공동피고인들은 심리가 되어 유죄판결이 확정**된 후 항소심법원이 피고인에 대하여는 2회 이상 불출석으로 피고인의 출석 없이 공판을 진행하여 다른 증거조사를 함이 없이 다른 공동피고인에 있어서와 동일한 증거관계 하에서 **피고인에 대하여 공소사실을 인정할 수 없다 하여 무죄를 선고**한 조치는 채증법칙을 위반한 것이다(대판 1990.11.27, 90도1215).

3 형사재판에 있어서 **이와 관련된 다른 형사사건의 확정판결에서 인정된 사실**은 특별한 사정이 없는 한 유력한 증거자료가 되는 것이나, 당해 형사재판에서 제출된 다른 증거 내용에 비추어 관련 형사사건의 확정판결에서의 사실판단을 그대로 채택하기 어렵다고 인정될 경우에는 이를 배척할 수 있다(대판 2012.6.14, 2011도15653). 14. 경찰승진, 15. 국가직 9급, 17. 변호사

4 형사재판에 있어서 **관련된 민사사건의 판결에서 인정된 사실**은 공소사실에 대하여 유력한 인정자료가 된다고 할지라도 반드시 그 민사판결의 확정사실에 구속을 받는 것은 아니고, 형사법원은 증거에 의하여 민사판결에서 확정된 사실과 다른 사실을 인정할 수 있다(대판 2006.2.10, 2003도7487).

(4) 범인식별절차

범인식별절차(피해자와 용의자를 대면시켜 범인인지 여부를 확인하는 절차)의 경우 원칙적으로 다자대면(Line-up)에 의해야만 피해자의 진술에 높은 신빙성이 인정된다. 다만, 범죄발생 직후 그 현장이나 부근에서는 일대일대면(Show-up)에 의한 범인식별도 허용된다.

판례 |

1 범인식별 절차의 방식[원칙적으로 다자대면(Line-up), 예외적으로 일대일대면(Show-up)]

① 범인식별 절차에 있어 목격자의 진술의 신빙성을 높게 평가할 수 있게 하려면, **범인의 인상착의 등에 관한 목격자의 진술 내지 묘사를 사전에 상세히 기록**화한 다음, **용의자를 포함하여 그와 인상착의가 비슷한 여러 사람을 동시에 목격자와 대면시켜 범인을 지목하도록 하여야** 하고, **용의자와 목격자 및 비교대상자들이 상호 사전에 접촉하지 못하도록 하여야** 하며, **사후에 증거가치를 평가할 수 있도록 대질 과정과 결과를 문자와 사진 등으로 서면화하는 등의 조치를 취하여야 하고,** 사진제시에 의한 범인식별 절차에 있어서도 기본적으로 이러한 원칙에 따라야 한다. 그리고 이러한 원칙은 동영상제시·가두식별 등에 의한 범인식별 절차와 사진제시에 의한 범인식별 절차에서 목격자가 용의자를 범인으로 지목한 후에 이루어지는 동영상제시·가두식별·대면 등에 의한 범인식별 절차에도 적용되어야 한다(대판 2008.1.17, 2007도5201). 17. 경찰간부

② **범죄 발생 직후 목격자의 기억이 생생하게 살아있는 상황에서 현장이나 그 부근에서 범인식별 절차를 실시하는 경우**에는 목격자에 의한 생생하고 정확한 식별의 가능성이 열려 있고 범죄의 신속한 해결을 위한 즉각적인 대면의 필요성도 인정할 수 있으므로 **용의자와 목격자의 일대일 대면도 허용**된다(대판 2009.6.11, 2008도12111). 15·17·21. 경찰간부

2 범인식별 절차에 하자가 있는 경우(일대일 대면이 허용되지 않는 경우)

① 용의자의 인상착의 등에 의한 **범인식별 절차에서 용의자 한 사람을 단독으로 목격자와 대질시키거나 용의자의 사진 한 장만을 목격자에게 제시하여 범인 여부를 확인하게 하는 것**은 사람의 기억력의 한계 및 부정확성과 구체적인 상황하에서 용의자나 그 사진상의 인물이 범인으로 의심받고 있다는 무의식적 암시를 목격자에게 줄 수 있는 가능성으로 인하여, **그러한 방식에 의한 범인**

식별 절차에서의 목격자의 진술은, 그 용의자가 종전에 피해자와 안면이 있는 사람이라든가 피해자의 진술 외에도 그 용의자를 범인으로 의심할 만한 다른 정황이 존재한다든가 하는 등의 부가적인 사정이 없는 한 그 **신빙성이 낮다**(대판 2008.1.17, 2007도5201). 15. 경찰채용, 17. 경찰간부

② 피해자들이 가해자의 인상착의에 대한 정확한 기억을 갖고 있지 못한 상태에서 **피고인이 가해자인지 여부를 묻는 피해자의 모(母) 등의 반복된 질문에 의한 암시를 받아** 피고인을 가해자로 지목한 경우(대판 2008.7.10, 2006도2520) - 미성년자의제강제추행죄

③ 피해자가 수사기관이 제시한 47명의 사진 속에서 피고인을 범인으로 지목하자 이어진 범인식별 절차에서 수사기관이 **피해자에게 피고인 한 사람만을 촬영한 동영상을 보여주거나 피고인 한 사람만을 직접 보여주어** 피해자로부터 범인이 맞다는 진술을 받고, 다시 피고인을 포함한 3명을 동시에 피해자에게 대면시켜 피고인이 범인이라는 확인을 받은 경우(대판 2008.1.17, 2007도5201) - 성폭력처벌법 위반

④ **피해자에게 먼저 피고인만의 사진을 제시한 채** 범인인지를 물어본 다음, 인상착의가 비슷한 다른 비교대상자 없이 피고인만을 직접 대면하게 하여 피고인이 범인인지 여부를 확인하게 한 경우(대판 2007.5.10, 2007도1950) - 특수강간미수 및 특수강도죄

⑤ 피해자에게 범인이 검거되었으니 경찰서에 출석하라고 연락한 다음, **피고인만의 사진을 제시한 채 범인인지를 물어** 범인일 가능성이 70~80% 정도라는 대답을 들은 후, 피고인과 또 다른 한 사람만을 직접 대면하도록 한 상태에서 피고인이 범인인지 여부를 확인하도록 한 경우(대판 2007.5.10, 2007도1950) - 강도치상죄

⑥ 이미 **용의자로 지목된 피고인의 사진이 피해자에게 제시된 경우 또는 경찰서 사무실에서 용의자로서 피고인 한 사람만의 목소리를 단독으로 피해자들에게 들려주고** 범인 여부를 확인하게 하여 피해자들이 그 목소리가 '범인의 목소리가 맞다'고 진술한 경우(대판 2006.9.28, 2006도4587) - 특정범죄가중법 위반(강도)

⑦ 피고인을 강도·강간사건의 범인으로 긴급체포한 후 강도·강간, 특수절도사건 등의 **피해자들을 경찰서로 소환하여 피고인을 대면하게 하고** 범인인지 여부를 확인하게 한 경우(대판 2005.6.10, 2005도1461) - 강도강간죄 등

⑧ 피고인의 이름 끝 자가 '천'인 것으로 확인되자 **피고인의 사진이 첨부된 주민등록초본을 모사전송받아 그 사진을 메스암페타민 매수자에게 제시하였고**, 이에 매수자가 그 사진상의 인물이 메스암페타민을 판매한 '성불상 천'이 맞다고 진술한 경우(대판 2004.2.27, 2003도7033) - 마약류관리법 위반

⑨ 피고인을 범인으로 의심할 만한 아무런 단서 사실이 없음에도 **경찰이 잘못된 단서에 따라 피고인을 용의자로 지목하여 확인을 의뢰하자 피해자들이 생면부지의 피고인을 보고 '범인임에 틀림없다'고 확인**하였고 그 후 같은 진술을 반복한 경우(대판 2001.2.9, 2000도4946) - 강도상해죄 17. 경찰간부

3 범인식별 절차에 하자가 없는 경우(일대일 대면이 허용되는 경우)

피고인이 피해자를 강제로 추행하고 도주하자 피해자가 범인을 뒤쫓아 가다가 때마침 순찰활동 중이던 경찰차에 탑승하여 범인을 추적하게 되었고, 이후 경찰관들이 **피고인이 숨어 들어간 것으로 추측되는 주택 2층의 피고인 방에 피해자를 데려와 피고인과 대면을 시킨 다음** 범인이 맞는지 물어보아 맞다는 대답을 들은 경우(대판 2009.6.11, 2008도12111) - 강제추행치상죄

(5) 음주측정

음주측정의 경우 음주감지기 반응, 호흡측정기 또는 혈액검사의 의한 측정, 위드마크에 의한 측정 그리고 측정 전 준수사항 등과 관련하여 여러 판례가 판시되고 있다.

(6) 과학증거

과학적 증거방법(유전자, 혈액형, 모발·소변, 수질 등의 검사결과)은 일반적인 감정과는 달리 오류 가능성이 매우 적기 때문에 법관이 사실을 인정함에 있어 상당한 구속력을 가진다. 다만, 이를 위한 전제요건으로 시료의 채취·보관 및 측정의 정확성 등이 담보되어야 한다.

판례 |

1 과학적 증거방법의 증명력을 인정한 경우

① [1] **유전자검사나 혈액형검사 등 과학적 증거방법은** 그 전제로 하는 사실이 모두 진실임이 입증되고 그 추론의 방법이 과학적으로 정당하여 오류의 가능성이 전무하거나 무시할 정도로 극소한 것으로 인정되는 경우에는 법관이 사실인정을 함에 있어 **상당한 정도로 구속력을 가지므로**, 비록 사실의 인정이 사실심의 전권이라 하더라도 아무런 합리적 근거 없이 함부로 이를 배척하는 것은 자유심증주의의 한계를 벗어나는 것으로서 허용될 수 없다. [2] 유전자검사라는 과학적인 증거방법에 의하여 **주사기에서 마약성분과 함께 피고인의 혈흔이 확인**됨으로써 피고인이 주사기로 마약을 투약한 사정이 적극적으로 증명되는 경우에는 여러 가지 변수로 인하여 반증의 여지가 있는 소극적 사정에 관한 증거로써 **이를 쉽사리 뒤집을 수는 없다**(대판 2009.3.12, 2008도8486).

② **피고인 모발에서 메스암페타민 성분이 검출되었다는 국립과학수사연구소장의 감정의뢰회보가 있는 경우**, 그 회보의 기초가 된 감정에 있어서 실험물인 모발이 바뀌었다거나 착오나 오류가 있었다는 등의 구체적인 사정이 없는 한 피고인으로부터 채취한 모발에서 메스암페타민 성분이 검출되었다고 인정하여야 하고 따라서 논리와 경험의 법칙상 피고인은 감정의 대상이 된 모발을 채취하기 이전 언젠가에 **메스암페타민을 투약한 사실이 있다고 인정하여야 한다**(대판 1994.12.9, 94도1680).

③ [1] **DNA분석을 통한 유전자검사 결과**는 충분한 전문적인 지식과 경험을 지닌 감정인이 적절하게 관리·보존된 감정자료에 대하여 일반적으로 확립된 표준적인 검사기법을 활용하여 감정을 실행하고 그 결과의 분석이 적정한 절차를 통하여 수행되었음이 인정되는 이상 **높은 신뢰성을 지닌다** 할 것이고, [2] 특히 유전자형이 다르면 동일인이 아니라고 확신할 수 있다는 유전자감정 분야에서 일반적으로 승인된 전문지식에 비추어 볼 때 **피고인의 유전자형이 범인의 그것과 상이하다**는 감정결과는 피고인의 **무죄를 입증할 수 있는 유력한 증거에 해당한다**(대판 2007.5.10, 2007도1950).

④ **피고인 모발에서 메스암페타민 성분이 검출되지 않았다는 국립과학수사연구소장의 감정의뢰회보가 있는 경우**, 개인의 연령, 성별, 인종, 영양상태, 개체차 등에 따라 차이가 있으나 모발이 평균적으로 한 달에 1cm 정도 자란다고 볼 때 감정의뢰된 모발의 길이에 따라 필로폰 투약시기를 대략적으로 추정할 수 있으므로, 위 감정의뢰회보는 적어도 피고인은 모발채취일로부터 위 모발이 자라는 통상적 기간 내에는 **필로폰을 투약하지 않았다는 유력한 증거에 해당한다**(대판 2008.2.14, 2007도10937).

2 과학적 증거방법의 증명력을 인정하지 않은 경우

① **과학적 증거방법이 상당한 정도로 구속력을 가지기 위해서는** 그 증거방법이 전문적인 지식·기술·경험을 가진 감정인에 의하여 공인된 표준 검사기법으로 분석을 거쳐 법원에 제출된 것이어야 할 뿐만 아니라 **그 채취·보관·분석 등 모든 과정에서 자료의 동일성이 인정되고 인위적인 조작·훼손·첨가가 없었음이 담보되어야 한다**(대판 2011.5.26, 2011도1902).

② **폐수 수질검사와 같은 과학적 증거방법이 상당한 정도로 구속력을 갖기 위해서는** 감정인이 전문적인 지식·기술·경험을 가지고 공인된 표준 검사기법으로 분석을 거쳐 법원에 제출하였다는 것만으로는 부족하고, **시료의 채취·보관·분석 등 모든 과정에서 시료의 동일성이 인정되고 인위적인 조작·훼손·첨가가 없었음이 담보되어야 하며** 각 단계에서 시료에 대한 정확한 인수·인계 절차를 확인할 수 있는 기록이 유지되어야 한다(대판 2010.3.25, 2009도14772).

5. 자유심증주의의 합리성 도모방안

형사소송법은 자유심증주의를 규정하는 있는 한편 법관의 자의적인 사실인정을 배제하기 위하여 여러 가지 제도를 두고 있다.

(1) 상소

법관의 심증형성이 논리와 경험칙에 반하여 합리성을 잃은 경우 이유불비 · 이유모순 또는 판결에 영향을 미친 사실오인이 될 수 있어 항소이유가 될 뿐만 아니라, 채증법칙위반 또는 심리미진의 위법으로 상고이유가 될 수 있다.

(2) 판결이유의 명시

유죄판결의 이유에는 사실인정의 기초가 된 증거의 요지를 명시하도록 하고 있는데(제323조 제1항) 이는 법관의 증거판단에 대한 재고(再考)의 기회를 주고 소송관계인에게 증거평가의 오류를 시정할 수 있는 계기를 준다는 점에서 합리적인 자유심증주의를 위한 제도라고 할 수 있다.

(3) 증거능력 제한

형사소송법은 **임의성 없는 자백의 증거능력을 절대적으로 부정**하고 전문증거의 증거능력을 제한하고 있다. 이처럼 증거능력 없는 증거를 증거평가 대상에서 제외함으로써 간접적으로 합리적 자유심증주의를 도모하고 있다.

6. 자유심증주의의 예외

(1) 자백의 보강법칙

피고인의 자백이 그 피고인에게 불이익한 유일의 증거일 때에는 이를 유죄의 증거로 하지 못한다(제310조). 즉, 피고인의 자백에 의하여 법관이 유죄의 심증은 얻었다 하더라도 이에 대한 보강증거가 없으면 (법관의 심증에 반하여) 무죄판결을 선고할 수밖에 없다는 점에서 이는 **자유심증주의의 예외**에 해당한다.

(2) 공판조서의 증명력

공판기일의 소송절차로서 공판조서에 기재된 것은 그 조서만으로써 증명한다(제56조). 따라서 공판기일의 소송절차에 관한 사항은 법관의 심증 여하를 불문하고 공판조서에 기재된 내용대로 인정해야 하므로 이는 **자유심증주의의 예외**에 해당한다.

(3) 진술거부권의 행사

피고인이 진술거부권을 행사하여 진술을 거부한다고 하더라도 법관은 이를 근거로 그 피고인에게 불리하게 심증을 형성해서는 안 된다. 만약 진술거부권 행사를 이유로 유죄판결을 선고하거나 이를 피고인에게 불리한 간접증거로 사용한다면, 진술거부권을 인정한 취지가 몰각되기 때문이다. 이러한 의미에서 진술거부권의 행사는 **자유심증주의의 예외**에 해당한다.

제3절 자백배제법칙

01 의의

1. 개념

헌법 제12조 제7항과 형사소송법 제309조는 **"피고인의 자백이 고문 · 폭행 · 협박 · 신체구속의 부당한 장기화 또는 기망 기타의 방법으로 자의로(임의로) 진술한 것이 아니라고 의심할 만한 이유가 있는 때에는 이를 유죄의 증거로 하지 못한다."**라고 규정하고 있다. 이와 같이 고문 등 강제에 의하여 임의성이 의심스러운 자백의 증거능력을 부정하는 증거법칙을 자백배제법칙이라고 한다.

판례 | 임의성 없는 자백의 증거능력을 부정하는 취지(= 절충설)

임의성 없는 진술의 증거능력을 부정하는 취지는 허위진술을 유발 또는 강요할 위험성이 있는 상태에서 이루어진 진술은 그 자체가 **실체적 진실에 부합하지 아니하여 오판을 일으킬 소지가 있을 뿐만 아니라** 그 진위 여부를 떠나서 **진술자의 기본적 인권을 침해하는 위법 · 부당한 압박이 가하여지는 것을 사전에 막기 위한 것**이다(대판 2012.11.29, 2010도3029). 17. 경찰간부

2. 이론적 근거

① **허위배제설(虛僞排除說)**: 임의성이 없는 자백에는 허위가 숨어들 위험성이 크고 이를 증거로 사용하는 것은 진실발견을 저해하기 때문에 그 증거능력이 부정된다고 보는 견해이다.
② **인권옹호설(人權擁護說)**: 피고인의 진술거부권(묵비권) 기타 인권을 보호하기 위하여 임의성 없는 자백의 증거능력이 부정된다고 보는 견해이다.
③ **절충설(折衷說)**: 허위배제설과 인권옹호설의 절충에서 임의성 없는 자백은 허위일 위험성이 클 뿐만 아니라 자백강요의 방지를 통한 인권보장을 위해 그 증거능력이 부정된다고 보는 견해이다.
④ **위법배제설(違法排除說)**: 자백취득과정에 있어서 적법절차를 보장하기 위하여 임의성 없는 자백은 증거능력이 부정된다고 보는 견해이다. 이 견해에 의하면 자백의 진실성과 임의성에 상관없이 적법절차를 위반하여 위법하게 취득한 자백은 그 증거능력이 부정된다.

판례 | 임의성 없는 자백의 증거능력을 부정하는 취지(= 절충설)

임의성 없는 진술의 증거능력을 부정하는 취지는 허위진술을 유발 또는 강요할 위험성이 있는 상태에서 이루어진 진술은 그 자체가 **실체적 진실에 부합하지 아니하여 오판을 일으킬 소지가 있을 뿐만 아니라** 그 진위 여부를 떠나서 **진술자의 기본적 인권을 침해하는 위법 · 부당한 압박이 가하여지는 것을 사전에 막기 위한 것**이다(대판 2008.6.12, 2006도8568). 17. 경찰간부

3. 입증의 방법

자백의 임의성은 소송법적 사실이므로 **자유로운 증명**으로 족하다는 것이 통설과 판례의 입장이다. 피고인이 자백의 임의성을 의심케 하는 사유의 존재를 주장하는 경우 이에 대한 입증책임은 검사에게 있다는 것이 통설과 판례의 입장이다.

판례 | 진술(자백)의 임의성에 대한 입증책임의 소재(= 검사)

진술의 임의성에 다툼이 있을 때에는 그 임의성을 의심할 만한 합리적이고 구체적인 사실을 피고인이 증명할 것이 아니고 **검사가 그 임의성의 의문점을 없애는 증명을 하여야 할 것**이고, 검사가 그 임의성의 의문점을 없애는 증명을 하지 못한 경우에는 그 진술증거는 증거능력이 부정된다(대판 2012.11.29, 2010도3029).
14·15·17. 법원직 9급, 14·18. 경찰간부, 15. 국가직 9급, 15·16. 경찰승진, 16·18. 국가직 7급

4. 자백배제법칙의 효과

임의성의 의심이 있는 자백은 헌법 제12조 제7항과 형사소송법 제309조에 의하여 **절대적으로 증거능력이 부정**된다. 따라서 임의성 없는 자백은 **당사자가 증거로 함에 동의하더라도 증거능력이 인정되지 않는다**. 또한 그런 자백은 **본증은 물론 탄핵증거로도 사용할 수 없다**. 또한 정식의 공판절차에서는 물론 약식명령절차나 즉결심판절차에서도 증거로 사용될 수 없다.

판례 | 임의성이 인정되지 아니하여 증거능력이 없는 진술이 증거동의의 대상이 되는지의 여부(소극)

임의성이 인정되지 아니하여 증거능력이 없는 진술증거는 **피고인이 증거로 함에 동의하더라도 증거로 삼을 수 없다**(대판 2006.11.23, 2004도7900). 14·18. 경찰간부, 15. 변호사, 15·19 경찰승진, 16. 법원직 9급, 18. 경찰채용·국가직 9급

02 자백배제법칙의 구체적 적용범위

형사소송법 제309조는 "피고인의 자백이 고문·폭행·협박·신체구속의 부당한 장기화 또는 기망 기타의 방법으로 임의로 진술한 것이 아니라고 의심할 만한 이유가 있을 때에는 이를 유죄의 증거로 하지 못한다."라고 규정하고 있는바 위 법조에 규정된 진술의 자유를 침해하는 위법사유는 **원칙적으로 예시사유에 해당**한다(대판 1985.2.26, 82도2413).

판례 |

1 자백의 증거능력이 부정되는 경우 I

① **별건으로 수감 중인 자를** 약 1년 3개월의 기간 동안 무려 270회나 **검찰청으로 소환하여 밤늦은 시각 또는 그 다음날 새벽까지 조사를 하였거나, 국외로 출국하여야 하는 상황에 놓여있는 자를 심리적으로 압박하여 조사를 하였**을 가능성이 충분하다면 그들에 대한 진술조서는 임의성을 의심할 만한 사정이 있다(대판 2006.1.26, 2004도517).

② 알선수재사건의 공여자 등이 **별건으로 구속된 상태에서 10여 일 내지 수십여 일 동안 거의 매일 검사실로 소환되어 밤늦게까지 조사**를 받았다면 이들은 과도한 육체적 피로, 수면부족, 심리적 압박감 속에서 진술을 한 것으로 보여지므로 이들에 대한 진술조서는 그 임의성을 의심할 만한 사정이 있다(대판 2002.10.8, 2001도3931).

③ 피고인의 검찰에서의 자백이 **잠을 재우지 아니한 채 폭언과 강요, 회유**한 끝에 받아낸 것으로 임의로 진술한 것이 아니라고 의심할 만한 상당한 이유가 있는 때에 해당한다면 그 피의자신문조서는 증거능력이 없다(대판 1999.1.29, 98도3584).

④ 피고인의 검찰에서의 자백은 피고인이 검찰에 연행된 때로부터 **약 30시간 동안 잠을 재우지 아니한 채 검사 2명이 교대로 신문을 하면서 회유**한 끝에 받아낸 것으로 임의로 진술한 것이 아니라고 의심

할 만한 이유가 있는 때에 해당한다고 보아 그 피의자신문조서는 증거능력이 없다(대판 1997.6.27, 95도1964). 15. 경찰간부

⑤ 피고인의 자백이 심문에 참여한 검찰주사가 **'피의사실을 자백하면 피의사실부분은 가볍게 처리하고 보호감호의 청구를 하지 않겠다'는 각서를 작성하여 주면서 자백을 유도**한 것에 기인한 것이라면 위 자백은 기망에 의하여 임의로 진술한 것이 아니라고 의심할 만한 이유가 있는 때에 해당하여 증거로 할 수 없다(대판 1985.12.10, 85도2182). 15. 변호사, 15 · 18. 경찰승진, 19. 해경간부

⑥ **1981.8.4.부터 적법한 절차에 따른 법관의 구속영장이 발부 집행된 1981.8.17.까지 불법적으로 신체구속이 장기화**된 사실을 인정하기에 충분하므로 제1심판결에서 언급한 수사경찰관의 피고인에 대한 **고문이나 잠을 재우지 않는 등** 경합된 진술의 자유를 침해하는 위법사유를 아울러 고려한다면 피고인의 경찰에서의 자백진술은 피고인이 증거로 함에 동의유무를 불구하고 유죄의 증거로 할 수 없다(대판 1985.2.26, 82도2413).

⑦ 피고인이 **검사 이전의 수사기관에서 고문 등 가혹행위**로 인하여 임의성 없는 자백을 하고 그 후 **검사의 조사단계에서도 임의성 없는 심리상태가 계속되어 동일한 내용의 자백을 하였다**면 검사의 조사단계에서 고문 등 자백의 강요행위가 없었다고 하여도 검사 앞에서의 자백도 임의성 없는 자백이라고 볼 수밖에 없다(대판 2011.10.27, 2009도1603). 15. 국가직 9급, 18. 경찰승진 · 국가직 7급

⑧ 피고인이 **수사기관에서 가혹행위** 등으로 인하여 임의성 없는 자백을 하고 그 후 **법정에서도 임의성 없는 심리상태가 계속되어 동일한 내용의 자백을 하였다**면 법정에서의 자백도 임의성 없는 자백이라고 보아야 한다(대판 2012.11.29, 2010도3029). 15. 변호사 · 국가직 9급, 18. 경찰승진 · 경찰채용 · 국가직 7급

2 자백의 증거능력이 부정되는 경우 Ⅱ (원판결 당시에는 자백의 증거능력이 인정되었지만, 재심을 통하여 증거능력이 없는 것으로 확정되었음)

① 제1회 피의자신문조서가 사건의 송치를 받은 당일에 작성된 것이었다 하여 그와 같은 조서의 작성시기만으로 그 조서에 기재된 피고인의 자백진술이 임의성이 없거나 특히 신빙할 수 없는 상태에서 된 것이라 의심하여 증거능력을 부정할 수 없다(대판 1984.5.29, 84도378).

✎ 서울고등법원은 2005.7.15. **'고문기술자 이근안에 의한 불법체포와 가혹한 고문 등'**을 인정하여 피고인들의 재심을 받아들여 무죄를 선고한 바 있고, 이후에 이 판결이 확정되었다.

② 피고인이 수사기관에 영장 없이 연행되어 약 40일간 조사를 받다가 구속영장에 의하여 구속되고 검찰에 송치된 후 약 1개월간에 걸쳐 검사로부터 4회 신문을 받으면서 범죄사실을 자백한 경우라도 피고인이 1, 2심 법정에서 "검사로부터 폭행, 협박 등 부당한 대우를 받음이 없이 자유스러운 분위기에서 신문을 받았다."고 진술하고 있고 검찰에 송치된 후 4차의 신문을 받으면서 범행의 동기와 경위에 관하여 소상하게 진술을 하고 있고, 일부 신문에 대하여는 부인하고 변명한 부분도 있는 경우(대판 1984.10.23, 84도1846)

✎ 대법원은 2012.6.12. **'국군보안사령부가 영장 없이 불법감금, 고문 및 가혹행위 등을 자행하였다'**는 이유로 재심을 받아들여 피고인들에게 무죄를 선고한 서울고등법원의 판결을 확정시킨 바 있다.

③ 국가안전기획부에서 신체구속의 장기화와 진술을 강요한 사실이 있다고 하더라도 피고인이 검찰에서 피의자로서 1, 2차는 각 구치소에서, 3차에서 6차까지는 각 검사실에서 조사를 받았고, 각 공소사실별로 조리정연하게 소상하게 진술하고 또 잘못된 진술을 정정, 일부사실을 부인하는 등 그 자백진술의 임의성을 의심할 만한 사유가 보이지 않는 경우(대판 1983.11.8, 83도2436)

✎ 서울중앙지방법원은 2008.7.31. **'장기간 불법 구금과 강압적 상태에서 받은 자백'**임을 이유로 재심을 받아들여 피고인들에게 무죄를 선고하였고 이에 대한 검찰의 항소포기로 무죄가 확정된 바 있다.

④ 수사기관에서 다소 자백을 강요한 소행이 있었다 하더라도 피고인이 1심법정에서 검사 작성의 피의자신문조서의 진정성립과 임의성을 인정하였고 2심 법정에서도 "검사로부터는 폭행, 협박, 회유 등 부당한 대우를 받음이 없이 자유로운 분위기에서 신문받았다."고 진술하고 있으며, 검사로부터 약 20일간에 5차에 걸친 신문을 받으면서 범행의 동기와 경위 등에 관하여 소상하게 진술하였고 일부 신문내용에 대하여는 부인하고 변명한 경우(대판 1985.2.8, 84도2630)

✎ 이 사건 역시 위 ① ~ ③ 판례와 마찬가지로 **고문 등에 의한 허위자백** 때문에 유죄판결을 받은 것으로 추측이 된다.

⑤ 피고인의 자백이 임의성이 없다고 의심할 만한 사유가 있는 때에 해당한다 할지라도 그 임의성이 없다고 의심하게 된 사유들과 피고인의 자백과의 사이에 인과관계가 존재하지 않은 것이 명백한 때에는 그 자백은 임의성이 있는 것으로 인정된다(대판 1984.11.27, 84도2252). 20. 경찰채용

✎ 사건 당시 안기부가 유죄판결을 하도록 고등법원과 대법원 판사들에게 압력을 행사했다고 밝혀졌는데, 그 압력 때문에 고등법원과 대법원을 왔다 갔다하는 재판을 하였고(고등법원 판결 ➜ 상고 ➜ 대법원 1차 파기환송 ➜ 고등법원 1차 파기환송심 ➜ 재상고 ➜ 대법원 2차 파기환송 ➜ 고등법원 2차 파기환송심 ➜ 재재상고 ➜ 대법원 상고기각), 결국 유죄가 확정된 바 있었다. 그러나 서울고등법원은 2009.8.28. '**유일한 증거인 자백의 임의성을 의심할 사유가 충분하다**'고 하여 피고인들의 재심을 받아들여 무죄를 선고하였고, 서울고등법원도 2012.1.15. 피해자 송기준씨 등 피해자와 가족 39명에게 총 132억원의 국가배상을 명하는 판결을 선고하였다.

3 자백의 증명력이 부정되는 경우

① 피고인이 처음 검찰조사시에 범행을 부인하다가 뒤에 자백을 하는 과정에서 금 200만원을 뇌물로 받은 것으로 하면 특정범죄가중법 위반으로 중형을 받게 되니 금 200만원 중 금 30만원을 술값을 갚은 것으로 조서를 허위작성한 것이라면 이는 **단순 수뢰죄의 가벼운 형으로 처벌되도록 하겠다고 약속하고 자백을 유도**한 것으로 위와 같은 상황하에서 한 자백은 그 임의성에 의심이 가고 따라서 진실성이 없다는 취지에서 이를 배척하였다 하여 자유심증주의의 한계를 벗어난 위법이 있다고는 할 수 없다(대판 1984.5.9, 83도2782).

② 피고인은 검찰에서 자백하고 이어서 진술서를 작성·제출하고 그 다음날부터 연 3일간 자기의 잘못을 반성하고 자백하는 내용의 양심서, 반성문, 사실서를 작성·제출하고 경찰의 검증조서에도 피고인이 자백하는 기재가 있으나, **검찰에 송치되자마자 자백은 강요에 의한 것이라고 주장하면서 범행을 부인**할 뿐더러 **연 4일을 계속하여 매일 한 장씩 진술서 등을 작성**한다는 것은 부자연하다는 느낌이 드는 등 사정에 비추어 보면 자백은 신빙성이 희박하다(대판 1980.12.9, 80도2656).

4 자백의 증거능력이 부정되지 않는 경우

① 자백의 약속이 검사의 강요나 위계에 의하여 이루어졌다던가 또는 불기소나 경한 죄의 소추 등 이익과 교환조건으로 된 것이라고 인정되지 아니하므로 위와 같이 **일정한 증거가 발견되면 자백하겠다는 약속하에 된 자백**을 곧 임의성이 없는 자백이라고 단정할 수는 없다(대판 1983.9.13, 83도712). 14. 국가직 9급, 15. 변호사, 16. 국가직 7급, 18. 경찰승진, 18·19·20. 경찰채용

② 검사의 접견금지결정으로 피고인들의 **(비변호인간의) 접견이 제한된 상황하에서 피의자신문조서가 작성**되었다는 사실만으로 바로 그 조서가 임의성이 없는 것이라고는 볼 수 없다(대판 1984.7.10, 84도846). 14. 경찰채용, 15. 경찰승진, 18. 경찰간부

03 관련문제(인과관계 요부)

1. 문제점

고문, 폭행, 협박, 신체구속의 부당한 장기화와 임의성 없는 자백사이에 인과관계를 요구하는지 학설이 대립한다.

2. 학설

① 고문, 폭행, 협박, 신체구속의 부당한 장기화와 임의성 없는 자백사이에 인과관계를 요구한다는 적극설과 ② 인과관계를 요하지 않는다는 소극설이 대립한다.

3. 판례

판례는 임의성 없는 사유들과 자백사이에 인과관계가 있어야 한다고 판시하고 있다.

판례 | 임의성이 없다고 의심할 만한 사유가 있으나 그 사유와 자백간에 인과관계가 없는 경우, 자백의 임의성 여부(적극)

피고인의 자백이 임의성이 없다고 의심할 만한 사유가 있는 때에 해당한다 할지라도 그 임의성이 없다고 의심하게 된 사유들과 피고인의 자백과의 사이에 인과관계가 존재하지 않은 것이 명백한 때에는 그 자백은 임의성이 있는 것으로 인정된다(대판 1984.11.27, 84도2252). 14. 경찰채용 · 국가직 9급, 16. 변호사

제4절 위법수집증거배제법칙

01 의의

1. 개념

형사소송법 제308조의2는 "적법한 절차에 따르지 아니하고 수집한 증거는 증거로 할 수 없다."라고 규정하고 있다. 18. 국가직 9급 자백의 증거능력에 관해서는 제309조에서 별도로 규정하고 있으므로 위법수집증거배제법칙은 '자백 이외의 진술증거'와 '비진술증거'의 증거능력과 관련하여 문제가 된다.

2. 이론적 근거

(1) 적법절차의 보장(이념적 차원)

진실발견은 적법한 절차에 의하여 행하여질 것이 요구되므로 헌법상 허용될 수 없는 절차에 의하여 수집된 증거의 증거능력을 부정함으로써 적법절차를 실현해야 한다는 것이 이 법칙의 인정근거가 된다.

(2) 위법수사의 억제(정책적 차원)

위법수집증거의 증거능력 배제는 위법한 수사를 방지 · 억제하기 위한 가장 유효한 방법이므로 위법수사를 억제한다는 것이 이 법칙의 또 다른 인정근거가 된다.

02 위법수집증거배제법칙의 효과

위법수집증거배제법칙에 의하여 위법하게 수집된 증거의 증거능력은 부정된다. 위법하게 수집된 증거는 **당사자가 증거로 함에 동의하더라도 증거능력이 인정되지 않는다**. 또한 그런 증거는 **탄핵증거**로도 사용할 수 없고 **정식의 공판절차**에서는 물론 **약식명령절차**나 **즉결심판절차**에서도 **증거로 사용할 수 없다**는 것이 통설의 입장이다.

판례 |

1 위법하게 수집된 증거의 증거능력의 유무(= 원칙적으로 증거능력이 부정됨)

[1] 기본적 인권 보장을 위하여 압수 · 수색에 관한 적법절차와 영장주의의 근간을 선언한 헌법과 이를 이어받아 실체적 진실 규명과 개인의 권리보호 이념을 조화롭게 실현할 수 있도록 압수 · 수색절차에 관한 구체적 기준을 마련하고 있는 형사소송법의 규범력은 확고히 유지되어야 한다. 따라서 **헌법과 형사소송법이 정한 절차에 따르지 아니하고 수집한 증거는 물론, 이를 기초로 하여 획득한 2차적 증거 역시 기본적 인권 보장을 위해 마련된 적법한 절차에 따르지 않은 것으로서 원칙적으로 유죄 인정의 증거로 삼을 수 없다.** [2] 다만, 위법하게 수집한 압수물의 증거능력 인정 여부를 최종적으로 판단함에 있어서는 수사기관의 증거 수집 과정에서 이루어진 절차 위반행위와 관련된 모든 사정, 즉 절차조항의 취지와 그 위반의 내용 및 정도, 구체적인 위반 경위와 회피가능성, 절차조항이 보호하고자 하는 권리 또는 법익의 성질과 침해 정도 및 피고인과의 관련성, 절차 위반행위와 증거수집 사이의 인과관계 등 관련성의 정도, 수사기관의 인식과 의도 등을 전체적 · 종합적으로 살펴 볼 때, **수사기관의 절차 위반행위가 적법절차의 실질적인 내용을 침해하는 경우에 해당하지 아니하고 오히려 그 증거의 증거능력을 배제하는 것이 헌법과 형사소송법이 형사소송에 관한 절차조항을 마련하여 적법절차의 원칙과 실체적 진실 규명의 조화를 도모하고 이를 통하여 형사사법 정의를 실현하려고 한 취지에 반하는 결과를 초래하는 것으로 평가되는 예외적인 경우에 한해 그 증거를 유죄 인정의 증거로 사용할 수 있을 뿐이다**(대판 2009.5.14, 2008도10914)[同旨 대판 2007.11.15, 2007도3061(전합)]. 14 · 15. 법원직 9급, 15. 경찰간부, 15 · 21. 경찰채용, 16. 경찰승진, 18. 국가직 9급

✎ 이 판례에 의하여 "비진술증거인 압수물은 압수절차가 위법하다 하더라도 그 물건자체의 성질, 형태에 변경을 가져오는 것은 아니어서 그 형태 등에 관한 증거가치에는 변함이 없다 할 것이므로 증거능력이 있다(대판 1987.6.23. 87도705)"는 판례는 폐기되었다. 18. 경찰채용

2 위법하게 수집된 증거를 기초로 하여 획득한 2차적 증거의 증거능력의 유무(= 원칙적으로 증거능력이 부정됨)

① [1] 형사소송법 제308조의2는 '적법한 절차에 따르지 아니하고 수집한 증거는 증거로 할 수 없다'고 규정하고 있는바, 수사기관이 헌법과 형사소송법이 정한 절차에 따르지 아니하고 수집한 증거는 물론, 이를 기초로 하여 획득한 **2차적 증거 역시 유죄 인정의 증거로 삼을 수 없는 것이 원칙이다.** [2] 다만, 수사기관의 절차위반 행위가 적법절차의 실질적인 내용을 침해하는 경우에 해당하지 아니하고, 오히려 그 증거의 증거능력을 배제하는 것이 헌법과 형사소송법이 형사소송에 관한 절차조항을 마련하여 적법절차의 원칙과 실체적 진실 규명의 조화를 도모하고, 이를 통하여 형사사법 정의를 실현하려 한 취지에 반하는 결과를 초래하는 것으로 평가되는 예외적인 경우라면 법원은 그 증거를 유죄 인정의 증거로 사용할 수 있다. 따라서 법원이 **2차적 증거의 증거능력 인정 여부를 최종적으로 판단할 때에는 먼저 절차에 따르지 아니한 1차적 증거수집과 관련된 모든 사정들**, 즉 절차조항의 취지와 그 위반의 내용 및 정도, 구체적인 위반 경위와 회피가능성, 절차조항이 보호하고자 하는 권리 또는 법익의 성질과 침해 정도 및 피고인과의 관련성, 절차 위반행위와 증거수집 사이의 인과관계 등 관련성의 정도, 수사기관의 인식과 의도 등을 살피는 것은 물론, **나아가 1차적 증거를 기초로 하여 다시 2차적 증거를 수집하는 과정에서 추가로 발생한 모든 사정들까지 구체적인 사안에 따라 '주로 인과관계 희석 또는 단절 여부를 중심으로' 전체적 · 종합적으로 고려하여야 한다**(대판 2009.4.23, 2009도526). 15. 국가직 9급, 19. 경찰간부

② [1] 적법한 절차에 따르지 아니한 위법행위를 기초로 하여 증거가 수집된 경우에는 당해 증거뿐 아니라 그에 터잡아 획득한 2차적 증거에 대해서도 그 증거능력은 부정되어야 할 것이다. [2] 다만 위와 같은 위법수집증거배제의 원칙은 수사과정의 위법행위를 억지함으로써 국민의 기본적 인권을 보장하기 위한 것이므로 적법절차에 위배되는 행위의 영향이 차단되거나 소멸되었다고 볼 수 있는 상태에서 수집한 증거는 그 증거능력을 인정하더라도 적법절차의 실질적 내용에 대한 침해가 일어나지는 않는다 할 것이니 그 증거능력을 부정할 이유는 없다. 따라서 증거수집 과정에서 이루어진 적법절차 위반행위의 내용과 경위 및 그 관련 사정을 종합하여 볼 때 **당초의 적법절차 위반행위와 증거수집 행위의 중간에 그 행위의 위법 요소가 제거 내지 배제되었다고 볼 만한 다른 사정이 개입됨으로써 인과관계가 단절된 것으로 평가할 수 있는 예외적인 경우에는 이를 유죄 인정의 증거로 사용할 수 있다**(대판 2013.3.14, 2010도2094). 20. 경찰채용

3 위법하게 수집된 증거의 증거능력 인정을 위한 입증책임의 소재(= 검사)

법원이 수사기관의 절차 위반행위에도 불구하고 그 수집된 증거를 유죄 인정의 증거로 사용할 수 있는 예외적인 경우에 해당한다고 볼 수 있으려면, 그러한 예외적인 경우에 해당한다고 볼 만한 구체적이고 특별한 사정이 존재한다는 것을 **검사가 입증하여야 한다**(대판 2011.4.28, 2009도10412)(同旨 대판 2009.3.12, 2008도763).

4 위법하게 수집된 '진술증거'의 증거능력을 부정한 경우

① 통역인이 사건에 관하여 증인으로 증언한 때에는 직무집행에서 제척되고, **제척사유가 있는 통역인이 통역한 증인의 증인신문조서**는 유죄 인정의 증거로 사용할 수 없다(대판 2011.4.14, 2010도13583). 16. 변호사 · 국가직 9급, 17. 경찰간부

② 수사기관이 피의자를 신문함에 있어서 **피의자에게 미리 진술거부권을 고지하지 않은 때에는** 그 피의자의 진술은 위법하게 수집된 증거로서 진술의 임의성이 인정되는 경우라도 증거능력이 부인되어야 한다(대판 2011.11.10, 2010도8294). 14 · 15 · 16. 변호사, 14 · 15 · 17. 경찰채용, 14 · 17 · 18. 경찰간부, 14 · 18. 법원직 9급, 15 · 16 · 17 · 18. 경찰승진, 16. 국가직 9급

③ 검사직무대리자는 법원조직법에 규정된 합의부의 심판사건에 관하여서는 기소, 불기소 등의 최종적 결정을 할 수 없음은 물론 수사도 할 수 없으므로 **검사직무대리자가 작성한 합의부사건(살인죄)의 피고인에 대한 피의자신문조서**는 증거로 할 수 없다(대판 1978.2.28, 78도49).

④ **필요적 변호사건**의 공판절차가 **변호인 없이 피해자에 대한 증인신문 등 심리가 이루어진 경우** 그와 같은 위법한 공판절차에서 이루어진 피해자에 대한 증인신문 등 일체의 소송행위는 모두 무효이다(대판 2008.6.12, 2008도2621). 14. 국가직 9급, 15. 국가직 7급, 20. 경찰채용

⑤ **피고인의 공판조서에 대한 열람 또는 등사청구에 법원이 불응하여 피고인의 열람 또는 등사청구권이 침해된 경우에는 그 공판조서를 유죄의 증거로 할 수 없을 뿐만 아니라 공판조서에 기재된 당해 피고인이나 증인의 진술도 증거로 할 수 없다**(대판 2003.10.10, 2003도3282). 14. 경찰간부

⑥ 피의자가 동행을 거부하는 의사를 표시하였음에도 불구하고 경찰관들이 피의자를 강제로 연행한 행위는 수사상의 강제처분에 관한 형사소송법상의 절차를 무시한 채 이루어진 것으로 위법한 체포에 해당하고, 이와 같이 **위법한 체포상태에서 마약 투약 혐의를 확인하기 위한 채뇨 요구가 이루어진 경우** 그와 같은 위법한 채뇨 요구에 의하여 수집된 '소변검사시인서'는 유죄 인정의 증거로 삼을 수 없다(대판 2013.3.14, 2012도13611). 14. 국가직 7급, 19. 경찰채용, 20. 해경채용 · 변호사

⑦ 경찰이 피고인이 아닌 제3자들(유흥업소 손님과 그 여종업원)을 **사실상 강제연행하여 불법체포한 상태에서** 이들의 성매매행위나 피고인들의 유흥업소 영업행위를 처벌하기 위하여 **진술서를 받고 진술조서를 작성한 경우**, 각 진술서 및 진술조서는 위법수사로 얻은 진술증거에 해당하여 증거능력이 없으므로 피고인들의 식품위생법 위반 혐의에 대한 유죄 인정의 증거로 삼을 수 없다(대판 2011.6.30, 2009도6717). 18. 법원직 9급, 19. 경찰간부 · 해경채용, 20. 경찰채용

⑧ 피고인이 아닌 자가 수사과정에서 진술서를 작성하였지만 **수사기관이 그에 대한 조사과정을 기록하지 아니하여** 형사소송법 제244조의4 제3항, 제1항에서 정한 절차를 위반한 경우에는 특별한 사정이 없는 한 증거능력을 인정할 수 없다(대판 2015.4.23, 2013도3790). 16. 국가직 7급, 16 · 17 · 18. 변호사, 18. 국가직 9급 · 법원직 9급

⑨ 사법경찰관이 피의자에게 진술거부권을 행사할 수 있음을 알려 주고 그 행사 여부를 질문하였다 하더라도, 형사소송법 제244조의3 제2항에 규정한 방식에 위반하여 **진술거부권 행사 여부에 대한 피의자의 답변이 자필로 기재되어 있지 아니하거나 그 답변 부분에 피의자의 기명날인 또는 서명이 되어 있지 아니한 사법경찰관 작성의 피의자신문조서**는 특별한 사정이 없는 한 증거능력을 인정할 수 없다(대판 2014.4.10, 2014도1779). 14. 변호사, 15. 국가직 7급, 16 · 17 · 19 · 20. 국가직 9급, 18 · 20. 경찰채용, 19. 해경간부, 20. 법원직 9급 · 경찰승진

⑩ **피의자가 변호인의 참여를 원한다는 의사를 명백하게 표시하였음에도 수사기관이 정당한 사유 없이 변호인을 참여하게 하지 아니한 채 피의자를 신문하**여 작성한 피의자신문조서는 형사소송법 제312조에 정한 '적법한 절차와 방식'에 위반된 증거일 뿐만 아니라 제308조의2에서 정한 '적법한 절차에 따르지 아니하고 수집한 증거'에 해당하므로 이를 증거로 할 수 없다(대판 2013.3.28, 2010도3359). 14·15. 법원직 9급, 15·16·19. 경찰승진, 15. 국가직 7급, 16·17·18. 경찰채용, 17. 변호사

⑪ **선거관리위원회 위원·직원이 관계인에게 진술이 녹음된다는 사실을 미리 알려주지 아니한 채 진술을 녹음하였다면,** 그와 같은 조사절차에 의하여 수집한 녹음 파일 내지 그에 터잡아 작성된 녹취록은 형사소송법 제308조의2에서 정하는 '적법한 절차에 따르지 아니하고 수집한 증거'에 해당하여 **원칙적으로 유죄의 증거로 쓸 수 없다**(대판 2014.10.15, 2011도3509). 15·17. 경찰채용, 16. 국가직 9급, 17. 법원직 9급, 16·17·18. 경찰승진, 18. 경찰간부

⑫ **위법한 긴급체포에 의한 유치 중에 작성된 피의자신문조서**는 위법하게 수집된 증거로서 특별한 사정이 없는 한 이를 유죄의 증거로 할 수 없다(대판 2008.3.27, 2007도11400). 14. 법원직 9급, 14·15·16. 경찰승진, 14·17. 경찰간부, 20. 경찰채용

⑬ **변호인의 접견교통권 제한은 헌법이 보장하는 기본권을 침해**하는 것으로서 이러한 위법한 상태에서 얻어진 피의자의 자백은 그 증거능력을 부인하여 유죄의 증거에서 배제하여야 하며 이러한 위법증거의 배제는 실질적이고 완전하게 증거에서 제외함을 뜻하는 것이다(대판 2007.12.13, 2007도7257).

⑭ 검사 작성의 피의자신문조서가 검사에 의하여 피의자에 대한 변호인의 접견이 부당하게 제한되고 있는 동안에 작성된 경우에는 증거능력이 없다(대판 1990.8.24, 90도1285). 14. 경찰승진, 15. 변호사

⑮ 수사기관이 이메일에 대한 압수·수색영장을 집행할 당시 피압수자인 **네이버 주식회사에 팩스로 영장 사본을 송신했을 뿐 그 원본을 제시하지 않았고, 압수조서와 압수물 목록을 작성하여 피압수·수색 당사자에게 교부하였다고 볼 수 없는 경우**, 이러한 방법으로 압수된 이메일은 위법수집증거로 원칙적으로 유죄의 증거로 삼을 수 없다(대판 2017.9.7, 2015도10648).

⑯ 사법경찰관사무취급이 행한 검증이 사건발생 후 범행장소에서 긴급을 요하여 판사의 영장 없이 시행된 것이라면 이는 형사소송법 제216조 제3항에 의한 검증이라 할 것임에도 불구하고 **기록상 사후영장을 받은 흔적이 없다**면 이러한 검증조서는 유죄의 증거로 할 수 없다(대판 1984.3.13, 83도3006). 18. 경찰채용

⑰ 형사소송법 제184조에 의한 증거보전절차에서는 그 **증인신문시 그 일시와 장소를 피의자 및 변호인에게 미리 통지하지 아니하여** 증인신문에 참여할 기회를 주지 아니한 경우에는 그 증인신문조서는 증거능력이 없다(대판 1992.9.22, 92도1751). 15. 경찰승진·국가직 7급, 16. 경찰간부

⑱ 공판준비 또는 공판기일에서 **이미 증언을 마친 증인을 검사가 소환한 후 피고인에게 유리한 그 증언 내용을 추궁하여 이를 일방적으로 번복시키는 방식으로 작성한 진술조서**는 피고인이 증거로 할 수 있음에 동의하지 아니하는 한 그 증거능력이 없다[대판 2000.6.15, 99도1108(전합)]. 14. 경찰채용, 14·17. 변호사, 14·16·17. 경찰승진, 15. 법원직 9급, 16. 국가직 7급, 17. 변호사

⑲ 제1심법원이 **공개금지결정을 선고하지 않은 채 공개되지 않은 상태에서 증인에 대한 증인신문절차를 진행**한 경우, 그 증인에 대한 증인신문조서는 **유죄의 증거로 쓸 수 없다**(대판 2013.7.26, 2013도2511). 14. 법원행시, 15. 국가직 9급, 17. 변호사, 21. 경찰채용

⑳ 원심(제2심)이 증인신문절차의 공개금지사유로 삼은 사정이 '국가의 안녕질서를 방해할 우려가 있는 때'에 해당하지 아니하고 달리 헌법 제109조, 법원조직법 제57조 제1항이 정한 **공개금지사유를 찾아볼 수도 없는 경우 원심의 공개금지결정은 피고인의 공개재판을 받을 권리를 침해한 것으로서** 그 절차에 의하여 이루어진 증인의 증언은 증거능력이 없다(대판 2005.10.28, 2005도5854).

㉑ 피고인과 별개의 범죄사실로 기소되어 병합심리되고 있던 공동피고인은 피고인에 대한 관계에서는 증인의 지위에 있음에 불과하므로, **선서 없이 한 그 공동피고인의 법정 및 검찰진술**은 피고인에 대한 공소범죄사실을 인정하는 증거로 할 수 없다(대판 1982.6.22, 82도898). 14. 경찰채용, 15. 국가직 7급·국가직 9급, 17. 변호사·경찰간부

㉒ 피고인과 별개의 범죄사실로 기소되어 병합심리되고 있던 공동피고인은 피고인에 대한 관계에서는 증인의 지위에 있음에 불과하므로 선서 없이 한 그 공동피고인의 법정 및 검찰진술은 피고인에 대한 공소범죄사실을 인정하는 증거로 할 수 없다(대판 1982.6.22, 82도898).

5 위법하게 수집된 '비진술증거'의 증거능력을 부정한 경우

① 체포의 이유와 변호인 선임권의 고지 등 적법한 절차를 무시한 채 이루어진 강제연행은 전형적인 위법한 체포에 해당하고, **위법한 체포 상태에서 이루어진 호흡조사에 의한 음주측정 요구**는 주취운전의 범죄행위에 대한 증거수집을 목적으로 한 일련의 과정에서 이루어진 것이므로 그 측정결과는 물론 (호흡조사에 불복하여 피고인의 자발적인 요구에 의하여 이루어진) 혈액채취에 의한 혈중알콜농도 감정서 등도 증거능력을 인정할 수 없다(대판 2013.3.14, 2010도2094). 20. 변호사

② **검사가 공소제기 후 형사소송법 제215조에 따라 수소법원 이외의 지방법원판사에게 청구하여 발부받은 영장에 의하여 압수 · 수색을 하였다면,** 그와 같이 수집된 증거는 기본적 인권보장을 위해 마련된 적법한 절차에 따르지 않은 것으로서 **원칙적으로 유죄의 증거로 삼을 수 없다**(대판 2011.4.28, 2009도10412). 14 · 16. 변호사, 15 · 16 · 18. 경찰채용, 15 · 18. 법원직 9급, 16. 국가직 7급, 16 · 17 · 20. 경찰승진, 17 · 18 · 19 · 21. 경찰간부, 17. 국가직 9급, 19. 해경채용

③ 피고인이 국제항공특송화물 속에 필로폰을 숨겨 수입할 것이라는 정보를 입수한 검사가, 이른바 통제배달(controlled delivery: 적발한 금제품을 감시하에 배송함으로써 거래자를 밝혀 검거하는 수사기법)을 하기 위해 **세관공무원의 협조를 받아 특송화물을 통관절차를 거치지 않고 가져와 개봉하여 그 속의 필로폰을 취득한 것**은 구체적인 범죄사실에 대한 증거수집을 목적으로 한 **압수 · 수색이므로 사전 또는 사후에 영장을 받지 않았다면** 압수물 등의 증거능력이 부정된다(대판 2017.7.18, 2014도8719 **통제배달 사건Ⅱ**).

④ 형사소송법 규정에 위반하여 **수사기관이 법원으로부터 영장 또는 감정처분허가장을 발부받지 아니한 채 피의자의 동의 없이 피의자의 신체로부터 혈액을 채취하고 더구나 사후적으로도 지체 없이 이에 대한 영장을 발부받지 아니하고서** 위와 같이 강제채혈한 피의자의 혈액 중 알코올농도에 관한 감정이 이루어졌다면 이러한 감정결과보고서 등은 피고인이나 변호인의 증거동의 여부를 불문하고 유죄인정의 증거로 사용할 수 없다(대판 2012.11.15, 2011도15258). 14 · 17. 국가직 9급, 15 · 16 · 18 · 19. 경찰승진, 16. 경찰채용, 18. 변호사

⑤ 경찰이 (형사소송법 제215조 제2항에 위반하여) 피고인의 집에서 20m 떨어진 곳에서 피고인을 체포하여 수갑을 채운 후 피고인의 집으로 가서 집안을 수색하여 칼과 합의서를 압수하였을 뿐만 아니라 **적법한 시간 내에 압수 · 수색영장을 청구하여 발부받지도 않았음**을 알 수 있는바, 위 칼과 합의서는 임의제출물이 아니라 영장 없이 위법하게 압수된 것으로서 증거능력이 없고, 따라서 이를 기초로 한 2차 증거인 임의제출동의서, 압수조서 및 목록, 압수품 사진 역시 증거능력이 없다(대판 2010.7.22, 2009도14376). 15 · 16. 경찰간부, 16. 국가직 7급, 18 · 20. 법원직 9급, 19. 경찰승진, 20. 경찰채용

⑥ 형사소송법 제218조는 '사법경찰관은 소유자, 소지자 또는 보관자가 임의로 제출한 물건을 영장 없이 압수할 수 있다'고 규정하고 있는바, 위 규정에 위반하여 **소유자, 소지자 또는 보관자가 아닌 자로부터 제출받은 물건을 영장 없이 압수**한 경우 그 압수물 및 압수물을 찍은 사진은 이를 유죄 인정의 증거로 사용할 수 없는 것이고, 헌법과 형사소송법이 선언한 영장주의의 중요성에 비추어 볼 때 피고인이나 변호인이 이를 증거로 함에 동의하였다고 하더라도 달리 볼 것은 아니다(대판 2010.1.28, 2009도10092). 15 · 16 · 18. 경찰채용, 15 · 17. 경찰간부, 16 · 17 · 19. 경찰승진, 17. 국가직 9급, 18 · 20. 변호사

⑦ 수사관들이 (집행현장에서 혐의사실과 관련된 부분만을 문서로 출력하거나 수사기관이 휴대한 저장매체에 복사하는 것이 현저히 곤란한 상황이어서) **압수 · 수색영장 기재에 따라 외장 하드디스크 자체를 수사기관 사무실로 반출한 후**, 영장에 기재된 범죄혐의와 관련된 전자정보를 탐색하여 해당 전자정보만을 출력 또는 복사하는 것을 넘어, **위 범죄혐의와 자금 조성의 주체 · 목적 · 시기 · 방법 등이 전혀 다른 전자정보인 인센티브 보너스 추가지급 관련 전산자료까지 출력한 후, 이를 제시하면서 관련자들을 조사하여 진술을 받아낸 경우, 전산자료 출력물은 증거능력이 없는 위법수집증거에 해당하고,** 이러한 위법수집증거를 제시하여 수집된 관련자들의 진술 등도 위법수집증거에 기한 2차적 증거에 해당하므로 **증거능력이 부정된다**(대판 2014.2.27, 2013도12155). 20. 경찰승진 · 변호사

⑧ (사법경찰관이 피의자를 긴급체포하면서 그 체포현장에서 물건을 압수한 경우) **형사소송법 제217조 제2항, 제3항에 위반하여 압수·수색영장을 청구하여 이를 발부받지 아니하고도 즉시 반환하지 아니한 압수물**은 이를 유죄 인정의 증거로 사용할 수 없는 것이고, 헌법과 형사소송법이 선언한 영장주의의 중요성에 비추어 볼 때 피고인이나 변호인이 이를 증거로 함에 동의하였다고 하더라도 달리 볼 것은 아니다(대판 2009.12.24, 2009도11401). 14·16. 경찰채용, 17·20. 경찰승진, 19. 경찰간부

⑨ 정보통신망법상 음란물 유포의 범죄혐의를 이유로 압수·수색영장을 발부받은 사법경찰리가 피고인의 주거지를 수색하는 과정에서 대마를 발견하자, **피고인을 마약류관리법 위반죄의 현행범으로 체포하면서 대마를 압수**하였으나, 그 다음날 피고인을 석방하였음에도 **사후 압수·수색영장을 발부받지 않은 경우**, 위 압수물과 압수조서는 형사소송법상 영장주의를 위반하여 수집한 증거로서 증거능력이 부정된다(대판 2009.5.14, 2008도10914). 14. 변호사·경찰채용, 15·18. 경찰승진, 17. 국가직 9급

⑩ '피의자: 甲, 압수할 물건: 乙이 소지하고 있는 휴대전화 등, **범죄사실: 甲은 공천과 관련하여 새누리당 공천심사위원에게 돈 봉투를 제공하였다 등'이라고 기재된 압수·수색영장**에 의하여 검찰청 수사관이 乙의 주거지에서 그의 휴대전화를 압수하고 그 휴대전화에서 추출한 전자정보를 분석하던 중 피고인 乙, 丙 사이의 대화가 녹음된 녹음파일을 통하여 피고인들에 대한 공직선거법위반의 혐의점을 발견하고 수사를 개시하였으나, **피고인들로부터 녹음파일을 임의로 제출받거나 새로운 압수·수색영장을 발부받지 아니한 경우**, 그 녹음파일은 압수·수색영장에 의하여 압수할 수 있는 물건 내지 전자정보로 볼 수 없으므로(형사소송법 제215조 제1항에 규정된 '해당사건'과 관계가 있다고 인정할 수 있는 것에 해당한다고 할 수 없으므로) **피고인들의 공소사실(피고인 乙, 丙 사이의 정당 후보자 추천 및 선거운동 관련 대가제공 요구 및 약속 범행)에 대해서는 증거능력이 부정된다**(대판 2014.1.16, 2013도7101). 20. 경찰채용·변호사

⑪ **위법한 절차**(압수·수색영장에 기재된 수색장소를 벗어난 압수였고 또한 압수 당시 영장도 제시받지 못했고 압수목록도 압수 후 5개월이 경과한 이후에 교부되었음)를 **통해서 압수한 서류**는 증거능력이 부정된다(대판 2009.3.12, 2008도763)[同旨 대판 2007.11.15, 2007도3061(전합)].

6 적법절차의 실질적인 내용을 침해하지 않아 '비진술증거'의 증거능력을 인정한 경우

① 압수·수색·검증영장 법관의 서명·날인란에 **서명만 있고 날인이 없는 경우 형사소송법이 정한 요건을 갖추지 못하여 적법하게 발부되었다고 볼 수 없으나**, 위와 같은 결함은 피고인의 기본적 인권보장 등 법익침해 방지와 관련성이 적으므로 **절차조항 위반의 내용과 정도가 중대하지 않고 절차조항이 보호하고자 하는 권리나 법익을 본질적으로 침해하였다고 볼 수 없다.** 오히려 이러한 경우에까지 공소사실과 관련성이 높은 파일 출력물의 증거능력을 배제하는 것은 적법절차의 원칙과 실체적 진실 규명의 조화를 도모하고 이를 통하여 형사 사법 정의를 실현하려는 취지에 반하는 결과를 초래할 수 있다(대판 2019.7.11, 2018도20504 **판사 날인 누락 사건**). 20. 경찰승진

② **수사관들이 피고인들과 변호인에게 압수·수색 일시와 장소를 통지하지 아니한 것은** 형사소송법 제219조, 제122조 본문, 제121조에 **위배되나, 피고인들은 일부 현장 압수·수색과정에는 직접 참여하기도 하였고, 직접 참여하지 아니한 압수·수색절차에도 피고인들과 관련된 참여인들의 참여가 있었던 점**, 현장에서 압수된 디지털 저장매체들은 제3자의 서명하에 봉인되고 그 해쉬(Hash)값도 보존되어 있어 복호화과정 등에 대한 사전통지 누락이 증거수집에 영향을 미쳤다고 보이지 않으므로 압수·수색과정에서 수집된 디지털 관련 증거들은 유죄인정의 증거로 사용할 수 있는 예외적인 경우에 해당한다[대판 2015.1.22, 2014도10978(전합)].

③ 수사관들이 피고인의 거소지에 들어간 2013.8.28. 06:58경부터 피고인의 보좌관이자 거소지의 임차인인 甲이 수사관들로부터 연락을 받고 현장에 도착한 같은 날 08:19경까지 **주거주, 간수자 또는 이에 준하는 자의 참여가 없었고, 인거인 또는 지방공공단체 직원의 참여도 없어 압수·수색은** 형사소송법 제219조, 제123조 제2항, 제3항에 **위배되나**, 수사관들은 거소지에 진입한 이후 30분가량 참여인 없이 수색절차를 진행하다가 곧바로 **甲에게 연락하여 참여할 것을 고지하였고, 甲이 현장에 도착한 08:19경부터는 압수물 선별 과정, 디지털 포렌식 과정, 압수물 확인 과정에 甲과 변호인의 적극적이**

고 실질적인 참여가 있었으며, 압수 · 수색의 전 과정이 영상녹화되었다면 압수 · 수색과정에서 수집된 증거들은 유죄 인정의 증거로 사용할 수 있는 예외적인 경우에 해당한다[대판 2015.1.22, 2014도10978(전합)].

④ 수사관들이 하남평생교육원 건물을 압수 · 수색하면서 건물에 들어간 2013.8.28. 07:30경부터 하남시 신장2동 주민센터 직원 甲이 압수 · 수색에 참여한 같은 날 09:46경까지 **주거주 등이나 지방공공단체의 직원 등의 참여가 없어 압수 · 수색은** 형사소송법 제219조, 제123조 제2항, 제3항에 **위배되나, 수사관들은 건물에 진입한 이후 수색절차를 진행하지 않은 채 대기하다가 甲이 도착한 이후에야 본격적인 수색절차를 진행하였고**, 압수 · 수색과정을 영상녹화하는 등 절차의 적정성을 담보하기 위해 상당한 조치를 취하였다면 압수 · 수색과정에서 수집된 증거들은 유죄 인정의 증거로 사용할 수 있는 예외적인 경우에 해당한다[대판 2015.1.22, 2014도10978(전합)]. 21. 경찰간부

⑤ 유류물인 강판조각 및 임의제출물인 보강용 강판과 페인트를 **영장 없이 적법하게 압수**한 경우, 위 압수 후 **압수조서의 작성 및 압수목록의 작성 · 교부 절차가 제대로 이행되지 아니한 잘못이 있다 하더라도** 그것이 적법절차의 실질적인 내용을 침해하는 경우에 해당한다거나 그 증거능력의 배제가 요구되는 경우에 해당한다고 볼 수는 없다(대판 2011.5.26, 2011도1902). 19. 경찰채용, 20. 경찰간부

7 위법하게 수집된 증거를 기초로 하여 획득한 2차적 증거의 증거능력을 부정한 경우

① 체포의 이유와 변호인 선임권의 고지 등 적법한 절차를 무시한 채 이루어진 강제연행은 전형적인 위법한 체포에 해당하고, **위법한 체포 상태에서 이루어진 호흡조사에 의한 음주측정 요구는** 주취운전의 범죄행위에 대한 증거수집을 목적으로 한 일련의 과정에서 이루어진 것이므로 **그 측정결과는 물론(호흡조사에 불복하여 피고인의 자발적인 요구에 의하여 이루어진) 혈액채취에 의한 혈중알콜농도 감정서 등도 증거능력을 인정할 수 없다**(대판 2013.3.14, 2010도2094). 14 · 15. 변호사, 15. 경찰간부, 16. 국가직 9급, 17 · 18. 경찰승진

② 검찰청 수사관이 2009.2.6.자 압수 · 수색영장에 의하여 **甲으로부터 'PC 1대, 서류 23박스, 매입 · 매출 등 전산자료 저장 USB 1개 등'을 압수하였으나 그 압수물들이 영장 기재 혐의사실과 무관한 것임에도**(또한 압수목록을 작성 · 교부하지 않았고 압수조서도 작성하지 않았음), **검사는 甲에게 반환하는 등의 조치를 취하지 않고 보유하고 있다가** 2009.5.1.에 이르러 피고인 丙의 동생 乙을 검사실로 불러 '일시 보관 서류 등의 목록', '압수물건 수령서 및 승낙서'를 작성하게 한 다음(이 서류에는 USB는 기재되어 있지 않았음) 당시 검사실로 오게 한 세무공무원 丁에게 이를 제출하도록 한 경우, **설령 乙이 USB를 세무공무원에게 제출하였다고 하더라도 그 제출에 임의성이 있는지가 증명되었다고 할 수 없다면** 乙이 압수물건 수령서 및 승낙서를 제출하였다는 사정만으로 영장 기재 혐의사실과 무관한 USB가 압수되었다는 절차위반행위와 최종적인 증거수집 사이의 인과관계가 단절되었다고 보기 어려워 **USB 및 그에 저장되어 있던 영업실적표는 증거능력이 없다**(대판 2016.3.10, 2013도11233).

8 위법하게 수집된 증거를 기초로 하여 획득한 2차적 증거의 증거능력을 인정한 경우

① 피고인의 제1심 법정 자백은 (수사기관이 법관의 영장 없이 그 거래명의자에 관한 정보를 알아낸 후 그 정보에 기초하여 긴급체포함으로써 구금 상태에 있던 피고인으로부터 받아낸) **최초 자백 이후 약 3개월이 지난 시점에 공개된 법정에서 적법한 절차를 통하여 임의로 이루어진 것**이라는 점 등을 고려하여 볼 때 유죄 인정의 증거로 사용할 수 있는 경우에 해당한다. 나아가 **피해자들 작성의 진술서**는 제3자인 **피해자들이 범행일로부터 약 3개월, 11개월 이상 지난 시점에서 기존의 수사절차로부터 독립하여 자발적으로 자신들의 피해 사실을 임의로 진술한 것**이므로 역시 유죄 인정의 증거로 사용할 수 있는 경우에 해당한다(대판 2013.3.28, 2012도13607). 14. 국가직 7급, 15. 변호사, 18. 경찰승진

② 甲, 乙에 대한 각 검찰진술조서는 자금을 수수하였다는 피고인들의 정치자금법 위반 피의사실 뿐만 아니라 자금을 제공하였다는 甲, 乙의 정치자금법 위반 피의사실에 관한 것이기도 하여 그 실질은 피의자신문조서의 성격을 가지는데, 그들에게 진술거부권이 고지되지 않은 상태에서 진술이 이루어졌으므로 위 각 조서는 위법수집증거에 해당하여 증거능력이 없으나, 그들은 **최초 검찰 진술시로부터 수개월 또는 1년 이상 지난 시점에 법원의 적법한 소환에 따라 자발적으로 공개된 법정에 출석하여 위증**

의 벌을 경고받고 선서한 후 자신이 직접 경험한 사실을 임의로 진술하였으므로, 그들의 법정 증언은 예외적으로 유죄의 증거로 사용할 수 있는 2차적 증거에 해당하여 증거능력이 있다(대판 2011.3.10, 2010도9127).

③ 사전에 구속영장을 제시하지 아니한 채 구속영장을 집행하고, 그 구속 중 수집한 피고인의 진술증거 중 **피고인의 제1심 법정진술**은, 피고인이 구속집행절차의 위법성을 주장하면서 청구한 구속적부심사의 심문 당시 구속영장을 제시받은 바 있어 그 이후에는 구속영장에 기재된 범죄사실에 대하여 숙지하고 있었던 것으로 보이고, 구속 이후 원심에 이르기까지 구속적부심사와 보석의 청구를 통하여 구속집행절차의 위법성만을 다투었을 뿐, 그 **구속 중 이루어진 진술증거의 임의성이나 신빙성에 대하여는 전혀 다투지 않았을 뿐만 아니라, 변호인과의 충분한 상의를 거친 후 공소사실 전부에 대하여 자백한 것**이라면 유죄 인정의 증거로 삼을 수 있는 예외적인 경우에 해당한다(대판 2009.4.23, 2009도526). 14. 경찰간부, 16. 법원직 9급, 20. 해경채용

④ (강도 현행범으로 체포된 피고인에게 진술거부권을 고지하지 아니한 채 강도범행에 대한 자백을 받고, 이를 기초로 여죄에 대한 진술과 증거물을 확보한 후 진술거부권을 고지하여 피고인의 임의자백 및 피해자의 피해사실에 대한 진술을 수집한 사안에서) **제1심법정에서의 피고인의 자백은 진술거부권을 고지받지 않은 상태에서 이루어진 최초 자백 이후 40여 일이 지난 후에 변호인의 충분한 조력을 받으면서 공개된 법정에서 임의로 이루어진 것**이고, **피해자의 진술은 법원의 적법한 소환에 따라 자발적으로 출석하여 위증의 벌을 경고받고 선서한 후 공개된 법정에서 임의로 이루어진 것**이어서 예외적으로 유죄 인정의 증거로 사용할 수 있는 2차적 증거에 해당한다(대판 2009.3.12, 2008도11437). 14·20. 법원직 9급, 15. 경찰채용·국가직 7급, 16·20. 경찰승진, 17·19. 경찰간부

⑤ 수사기관의 연행이 위법한 체포에 해당하고 그에 이은 제1차 채뇨에 의한 증거수집이 위법하다고 하더라도, **피고인은 이후 법관이 발부한 구속영장에 의하여 적법하게 구금되었고 법관이 발부한 압수영장에 의하여 2차 채뇨 및 채모 절차가 적법하게 이루어진 이상**, 그와 같은 2차적 증거수집이 위법한 체포·구금절차에 의하여 형성된 상태를 직접 이용하여 행하여진 것으로는 쉽사리 평가할 수 없다. 메스암페타민 투약 범행과 같은 중대한 범행의 수사를 위하여 피고인을 경찰서로 동행하는 과정에서 위법이 있었다는 사유만으로 법원의 영장 발부에 기하여 수집된 2차적 증거의 증거능력마저 부인한다면, 이는 오히려 헌법과 형사소송법이 형사소송에 관한 절차조항을 마련하여 적법절차의 원칙과 실체적 진실 규명의 조화를 도모하고 이를 통하여 형사사법 정의를 실현하려 한 취지에 반하는 결과를 초래하게 될 것이라는 점도 아울러 참작하면 **법관이 발부한 압수영장에 의하여 이루어진 2차 채뇨 및 채모 절차를 통해 획득된 감정서는 모두 증거능력이 인정된다**(대판 2013.3.14, 2012도13611). 14. 국가직 7급, 15. 변호사·경찰간부

9 위법수집증거에 해당하지 않는 경우

① **(처벌기준치에 미달한 호흡측정 결과에 오류가 있다고 인정할 만한 객관적이고 합리적인 사정이 있어)** 교통사고 조사를 담당한 경찰관이 피고인의 음주운전 혐의를 제대로 밝히기 위하여 **피고인의 자발적인 동의를 얻어 혈액채취에 의한 측정방법으로 다시 음주측정을 한 조치를 위법하다고 할 수 없고**, 이를 통하여 획득한 혈액측정 결과 또한 위법한 절차에 따라 수집한 증거라고 할 수 없으므로 그 **증거능력을 부정할 수 없다**(대판 2015.7.9, 2014도16051).

② 피고인의 주소지와 거소지에 대한 압수·수색 당시 **피고인이 현장에 없었고**, 하남평생교육원에 대한 압수·수색 당시 **교육원 원장은 현장에 없었고** 이사장도 수사관들에게 자신의 신분을 밝히지 않은 채 건물 밖에서 지켜보기만 하였다면, 수사관들이 각 압수·수색 당시 피고인과 교육원 원장 또는 이사장 등에게 **영장을 제시하지 않았다고 하여 이를 위법하다고 볼 수 없다**[대판 2015.1.22, 2014도10978(전합)].

③ [1] **범죄의 피해자인 검사가 그 사건의 수사에 관여하거나 압수·수색영장의 집행에 참여한 검사가 다시 수사에 관여**하였다는 이유만으로 바로 그 수사가 **위법하다거나** 그에 따른 참고인이나 피의자의 **진술에 임의성이 없다고 볼 수는 없다**. [2] 압수·수색영장의 집행과정에서 폭행 등의 피해를 당한

검사 등이 수사에 관여하였다는 이유만으로 그 검사 등이 작성한 참고인진술조서 등의 증거능력이 부정될 수 없다(대판 2013.9.12, 2011도12918). 14. 경찰간부 · 국가직 7급, 14 · 17. 경찰채용, 16. 법원직 9급, 18. 경찰승진

④ **동영상의 촬영행위가** 증거수집을 위한 수사행위에 해당하고 그 촬영 장소가 **우리나라가 아닌 일본이나 중국의 영역에 속한다는 사정은 있으나** 촬영의 상대방이 우리나라 국민이고 앞서 공개된 장소에서 일반적으로 허용되는 상당한 방법으로 이루어진 촬영으로서 강제처분이라고 단정할 수 없는 점 등을 고려하여 보면, 위와 같은 사정은 그 촬영 행위에 의하여 취득된 **증거의 증거능력을 부정할 사유는 되지 못한다**(대판 2013.7.26, 2013도2511).

⑤ 검찰관이 피고인을 뇌물수수 혐의로 기소한 후 **형사사법공조절차를 거치지 아니한 채 과테말라공화국에 현지출장하여 그곳 호텔에서 뇌물공여자를 상대로 참고인 진술조서를 작성**한 경우 피고인에 대한 국내 형사소송절차에서 위와 같은 사유로 인하여 **위법수집증거배제법칙이 적용된다고 할 수 없다**(대판 2011.7.14, 2011도3809). 14 · 15. 경찰간부, 17. 국가직 9급, 19. 경찰승진, 20. 경찰채용

⑥ **범행 현장에서 지문채취 대상물에 대한 지문채취가 먼저 이루어진 이상**, 수사기관이 그 이후에 지문채취 대상물을 **적법한 절차에 의하지 아니한 채 압수하였다고 하더라도 위와 같이 채취된 지문은** 위법하게 압수한 지문채취 대상물로부터 획득한 **2차적 증거에 해당하지 아니함이 분명하여** 이를 가리켜 **위법수집증거라고 할 수 없다**(대판 2008.10.23, 2008도7471). 15. 변호사, 15 · 18 경찰채용, 15 · 18. 경찰승진, 17 · 20. 국가직 7급, 19. 국가직 9급, 20. 해경채용, 21. 법원직 9급

03 일반 사인의 위법수집증거

위법수집증거배제법칙은 국가기관(일반적으로 수사기관)이 위법하게 수집한 증거의 증거능력을 부정하는 법칙이다. 일반 사인이 불법적으로 수집한 증거에 대해서 이 법칙을 적용하자는 견해도 있을 수 있다. 그러나 판례는 일반 사인이 불법적으로 수집한 증거의 증거능력에 대해서는 위법수집증거배제법칙 대신에 공익(형사소추 및 형사소송에서의 진실발견)과 사익(개인의 인격적 이익 등)을 비교형량하여 결정하고 있다.

판례 |

1 일반 사인의 불법수집 증거의 증거능력 판단기준(= 비교형량설)

[1] 국민의 인간으로서의 존엄과 가치를 보장하는 것은 국가기관의 기본적인 의무에 속하는 것이고 이는 형사절차에서도 당연히 구현되어야 하는 것이지만, **국민의 사생활 영역에 관계된 모든 증거의 제출이 곧바로 금지되는 것으로 볼 수는 없으므로** 법원으로서는 효과적인 **형사소추 및 형사소송에서의 진실발견이라는 공익과 개인의 인격적 이익 등의 보호이익을 비교형량하여 그 허용 여부를 결정하여야 한다.**

[2] 이때 **법원이 그 비교형량을 함에 있어서는** 증거수집 절차와 관련된 모든 사정, 즉 사생활 내지 인격적 이익을 보호하여야 할 필요성 여부 및 그 정도, 증거수집 과정에서 사생활 기타 인격적 이익을 침해하게 된 경위와 그 침해의 내용 및 정도, 형사소추의 대상이 되는 범죄의 경중 및 성격, 피고인의 증거동의 여부 등을 **전체적 · 종합적으로 고려하여야 하고**, 단지 형사소추에 필요한 증거라는 사정만을 들어 곧바로 형사소송에서의 진실발견이라는 공익이 개인의 인격적 이익 등의 보호이익보다 우월한 것으로 섣불리 단정하여서는 아니된다(대판 2013.11.28, 2010도12244).

2 일반 사인의 불법수집 증거의 증거능력을 인정한 사례

① **甲이 乙과 통화를 마친 후 전화가 끊기지 않은 상태에서 휴대전화를 통하여 '우당탕', '악' 소리를 들었는데,** 甲의 청취행위가 乙 등의 사생활의 영역에 관계된 것이라 하더라도 甲이 그와 같은 소리를 들었다는 진술을 상해 부분에 관한 증거로 사용하는 것이 乙 등의 사생활의 비밀과 자유 또는 인격권을 위법하게 침해한다고 볼 수 없어 **그 증거의 제출은 허용된다**(대판 2017.3.15, 2016도19843). 19 국가직 9급

② 시청 소속 공무원인 제3자가 **권한 없이 전자우편에 대한 비밀 보호조치를 해제하는 방법을 통하여 전자우편을 수집**(정보통신망법 위반행위)했다고 하더라도, 공직선거법 위반죄(공무원의 지위를 이용한 선거운동행위)는 중대한 범죄에 해당할 뿐만 아니라 피고인이 전자우편을 증거로 함에 동의한 점 등을 종합하면, **전자우편을 증거로 제출하는 것은 허용되어야 할 것이고** 이로 말미암아 피고인의 사생활의 비밀이나 통신의 자유가 일정 정도 침해되는 결과를 초래한다 하더라도 이는 피고인이 수인하여야 할 기본권의 제한에 해당한다(대판 2013.11.28, 2010도12244).

③ 고소인 甲 측의 의뢰를 받은 乙이 피고인 주식회사 운영의 토토로사 사이트에 적용된 **검색제한 조치를 무력화하는 기술인 패치프로그램을 이용하여 '침해자료 목록 및 화면출력 자료'를 수집**하였는데, 위 자료는 피고인들에 대한 형사소추를 위하여 반드시 필요한 증거이므로 **공익의 실현을 위해서 위 자료를 증거로 제출하는 것이 허용**되어야 하며, 이로 말미암아 피고인들의 영업의 자유나 재산권적 기본권 등이 일정 정도 침해되는 결과를 초래한다 하더라도 이는 피고인들이 수인하여야 할 기본권의 제한에 해당된다(대판 2013.9.26, 2011도1435).

④ 피고인들 사이의 간통 범행을 고소한 **피고인 甲의 남편 乙이 甲의 주거에 침입하여 수집한 후 수사기관에 제출한 혈흔이 묻은 휴지들 및 침대시트를 목적물로 하여 이루어진 감정의뢰회보**에 대하여, 乙이 甲의 주거에 침입한 시점은 甲이 그 주거에서의 실제상 거주를 종료한 이후이고, 감정의뢰회보는 피고인들에 대한 형사소추를 위하여 반드시 필요한 증거라 할 것이므로 **공익의 실현을 위해서 감정의뢰회보를 증거로 제출하는 것이 허용되어야 하고,** 이로 말미암아 甲의 주거의 자유나 사생활의 비밀이 일정 정도 침해되는 결과를 초래한다 하더라도 이는 甲이 수인하여야 할 기본권의 제한에 해당된다(대판 2010.9.9, 2008도3990). 15. 변호사, 16 · 20. 법원직 9급, 19. 경찰간부

⑤ 사문서위조 · 위조사문서행사 및 소송사기로 이어지는 일련의 범행에 대하여 피고인을 형사소추하기 위해서는 **업무일지**가 반드시 필요한 증거로 보이므로 설령 그것이 **제3자에 의하여 절취된 것으로서 소송사기 등의 피해자측이 이를 수사기관에 증거자료로 제출하기 위하여 대가를 지급하였다 하더라도 공익의 실현을 위하여는 업무일지를 범죄의 증거로 제출하는 것이 허용**되어야 하고, 이로 말미암아 피고인의 사생활 영역을 침해하는 결과가 초래된다 하더라도 이는 피고인이 수인하여야 할 기본권의 제한에 해당된다(대판 2008.6.26, 2008도1584). 15 · 19. 경찰간부, 16 · 18. 국가직 9급, 20. 해경채용

⑥ **피고인의 동의하에 촬영된 나체사진**의 존재만으로 피고인의 인격권과 초상권을 침해하는 것으로 볼 수 없고 가사 **사진을 촬영한 제3자가 그 사진을 이용하여 피고인을 공갈할 의도였다고 하더라도** 사진의 촬영이 임의성이 배제된 상태에서 이루어진 것이라고 할 수는 없으며 그 사진은 범죄현장의 사진으로서 피고인에 대한 형사소추를 위하여 반드시 필요한 증거로 보이므로 **공익의 실현을 위하여는 그 사진을 범죄의 증거로 제출하는 것이 허용**되어야 하고, 이로 말미암아 피고인의 사생활의 비밀을 침해하는 결과를 초래한다 하더라도 이는 피고인이 수인하여야 할 기본권의 제한에 해당된다(대판 1997.9.30, 97도1230). 14. 국가직 9급, 15. 경찰승진

제5절 전문법칙(傳聞法則)

01 전문증거와 전문법칙

1. 전문법칙의 의의

형사소송법 제310조의2는 "제311조 내지 제316조에 규정한 것 이외에는 공판준비 또는 공판기일에서의 진술에 대신하여 진술을 기재한 서류(전문서류)나 공판준비 또는 공판기일 외에서의 타인의 진술을 내용으로 하는 진술(전문진술)은 이를 증거로 할 수 없다."라고 규정하고 있다. 이와 같이 전문증거의 증거능력을 부정하는 증거법칙을 전문법칙이라고 한다.

2. 전문증거의 의의

(1) 전문증거의 개념

사실인정의 기초가 되는 요증사실을 경험자 자신이 직접 법원에 진술하지 않고 다른 매체를 통해서 간접적으로 법원에 보고하는 경우 그러한 매체를 전문증거라고 한다. 전문증거에 대립하는 개념은 원본증거(原本證據) 또는 본래증거(本來證據)로서, 전문법칙에 의할 때 이러한 원본증거만 증거능력이 있다.

(2) 전문증거의 종류

① **전문진술(傳聞陳述)**: 요증사실을 경험한 자로부터 그 경험내용을 전해들은 자가 그 내용을 법원에 진술할 때 그 진술을 말한다.

② **전문서류(傳聞書類)**

㉠ **진술서(陳述書)**: 요증사실을 **경험자 자신이 서면에 기재**하여 법원에 제출할 때 그 서면을 말한다. 피의자나 피고인의 진술서 · 자술서 · 전말서 등이 이에 해당하지만 그 명칭은 불문한다.

㉡ **진술녹취서(陳述錄取書)**: 요증사실을 **경험자로부터 전해들은 자가 그 내용을 서면에 기재**하여 법원에 제출할 때 그 서면을 말한다. 피의자신문조서, 참고인진술조서, 증인신문조서 등이 이에 해당한다.

(3) 재전문증거

단순한 전문증거 이외에도 재전문증거도 생각할 수 있으나 이러한 전문증거는 당사자가 증거로 함에 동의한 경우를 제외하고는 증거능력이 없다는 것이 판례의 입장이다.

> **판례 | 재전문진술이나 재전문진술을 기재한 조서의 증거능력 유무(= 피고인이 증거로 함에 동의하지 않는 한 증거능력 없음)**
>
> 형사소송법은 전문진술에 대하여 제316조에서 실질상 단순한 전문의 형태를 취하는 경우에 한하여 예외적으로 그 증거능력을 인정하는 규정을 두고 있을 뿐 **재전문진술이나 재전문진술을 기재한 조서**에 대하여는 달리 그 증거능력을 인정하는 규정을 두고 있지 아니하고 있으므로, **피고인이 증거로 하는 데 동의하지 아니하는 한 형사소송법 제310조의2의 규정에 의하여 이를 증거로 할 수 없다**(대판 2000.3.10, 2000도159). 14 · 15 · 20. 경찰채용, 14 · 16 · 17 · 20. 경찰간부, 14 · 17. 경찰승진, 16 · 17. 변호사, 21. 법원직 9급

3. 전문법칙의 적용범위

(1) 진술증거(陳述證據)

전문증거는 요증사실을 직접 경험한 자의 진술을 내용으로 하는 진술증거이다. 따라서 진술증거가 아닌 흉기 · 장물 · 위조문서 또는 검증의 대상이 되는 물건 · 장소 등의 비진술증거는 전문증거가 아니다.

(2) 요증사실과의 관계

어떤 증거가 전문증거인지 원본증거인지 여부는 요증사실과의 관련성을 검토하여 결정이 된다. 즉, 원진술자의 진술이 요증사실의 진실성을 판단하는 증거로 사용되는 경우에만 전문증거가 되고, 그렇지 않은 경우에는 원본증거가 된다.

판례 |

1 전문증거의 범위

① 타인의 진술을 내용으로 하는 진술이 전문증거인지는 요증사실과 관계에서 정하여지는데, **원진술의 내용인 사실이 요증사실인 경우에는 전문증거**이나, **원진술의 존재 자체가 요증사실인 경우에는 본래증거**이지 전문증거가 아니다(대판 2014.2.27, 2013도12155). 14 · 18. 경찰간부, 18. 국가직 9급, 19. 해경채용, 21. 경찰채용

② 피고인 또는 피고인 아닌 사람의 진술을 녹음한 녹음파일은 실질에 있어서 피고인 또는 피고인 아닌 사람이 작성한 진술서나 그 진술을 기재한 서류와 크게 다를 바 없어 그 녹음파일에 담긴 **진술내용의 진실성이 증명의 대상이 되는 때에는 전문법칙이 적용된다**고 할 것이나, 녹음파일에 담긴 **진술 내용의 진실성이 아닌 그와 같은 진술이 존재하는 것 자체가 증명의 대상이 되는 경우에는 전문법칙이 적용되지 아니한다**[대판 2015.1.22, 2014도10978(전합)].

③ 정보저장매체에 기억된 문자정보의 내용의 **진실성이 아닌 그와 같은 내용의 문자정보의 존재 그 자체가 직접 증거로 되는 경우에는 전문법칙이 적용되지 아니한다**(대판 2013.7.26, 2013도2511). 19. 국가직 9급

④ **어떤 진술을 범죄사실에 대한 직접증거로 사용**할 때에는 그 진술이 **전문증거**가 된다고 하더라도 **그와 같은 진술을 하였다는 것 자체 또는 그 진술의 진실성과 관계없는 간접사실에 대한 정황증거로 사용**할 때에는 반드시 **전문증거가 되는 것은 아니다**[대판 2015.1.22, 2014도10978(전합)]. 14 · 16. 법원직 9급, 15. 국가직 7급

⑤ **어떤 진술이 기재된 서류가 그 내용의 진실성이 범죄사실에 대한 직접증거로 사용될 때는 전문증거가 된다**고 하더라도 **그와 같은 진술을 하였다는 것 자체 또는 그 진술의 진실성과 관계없는 간접사실에 대한 정황증거로 사용**될 때는 반드시 **전문증거가 되는 것은 아니다**(대판 2013.6.13, 2012도16001). 14. 경찰채용, 16. 국가직 9급, 17. 경찰간부, 18. 경찰승진

⑥ 어떤 진술이 기재된 서류가 어떠한 내용의 진술을 하였다는 사실 자체에 대한 정황증거로 사용될 것이라는 이유로 서류의 증거능력을 인정한 다음 그 사실을 **다시 진술 내용이나 그 진실성을 증명하는 간접사실로 사용하는 경우에 그 서류는 전문증거에 해당한다**(대판 2019.8.29, 2018도2738). 19. 변호사, 21. 경찰채용

2 원본증거(본래증거)에 해당하는 경우

① **피해자 A 등이 제1심법정에서 "피고인이 88체육관 부지를 공시지가로 매입하게 해 주고 KBS와의 시설이주 협의도 2개월 내로 완료하겠다고 말하였다."고 진술한 경우**, 피고인의 위와 같은 원진술의 존재 자체가 사기죄 또는 변호사법 위반죄에 있어서의 요증사실이므로 이를 직접 경험한 A 등이 피고인으로부터 위와 같은 말을 들었다고 하는 진술은 전문증거가 아니라 **본래증거에 해당한다**(대판 2012.7.26, 2012도2937). 17. 경찰간부

② A가 **"피고인으로부터 '건축허가 담당 공무원이 외국연수를 가므로 사례비를 주어야 한다'는 말과 '건축허가 담당 공무원이 4,000만원을 요구하는데 사례비로 2,000만원을 주어야 한다'는 말을 들었다."**는 취지로 진술한 경우, **피고인의 위와 같은 원진술의 존재 자체가 알선수재죄에 있어서의 요증사실이므로** 이를 직접 경험한 A가 피고인으로부터 위와 같은 말들을 들었다고 하는 진술들은 전문증거가 아니라 **본래증거에 해당된다**(대판 2008.11.13, 2008도8007). 18. 국가직 7급, 20. 변호사

③ A가 "甲으로부터 '1,500억원 네가 원하는 대로 다 얘기해라. 乙에게 얘기해 놨다. 선지급에 대해서도 다 말해 놨다'는 말을 들었다."는 취지로 진술한 경우, A의 진술로 증명하고자 하는 사실이 **'甲이 위와 같은 내용의 말을 하였다'는 것이라면 이는 본래증거에 해당하고**, A의 진술로 증명하고자 하는 사실이 **甲 진술의 진실성, 즉 '실제로 甲이 乙로부터 펀드 출자 및 선지급에 관하여 승낙을 받았는지 여부'라면 이는 전문증거에 해당한다**(대판 2014.2.27, 2013도12155).

3 비진술증거로서 전문법칙이 적용되지 않는 경우

① [1] 피고인이 수표를 발행하였으나 예금부족 또는 거래정지처분으로 지급되지 아니하게 하였다는 **부정수표단속법위반의 공소사실을 증명하기 위하여 제출되는 수표는 그 서류의 존재 또는 상태 자체가 증거가 되는 것이어서 증거물인 서면에 해당하**고 어떠한 사실을 직접 경험한 사람의 진술에 갈음

하는 대체물이 아니므로, 그 증거능력은 증거물의 예에 의하여 판단하여야 하고, 이에 대하여는 형사소송법 제310조의2에서 정한 **전문법칙이 적용될 여지가 없다**. [2] 이때 수표 원본이 아니라 전자복사기를 사용하여 복사한 사본이 증거로 제출되었고 피고인이 이를 증거로 하는 데 부동의한 경우 수표 사본을 증거로 사용하기 위해서는 수표 원본을 법정에 제출할 수 없거나 그 제출이 곤란한 사정이 있고 수표 원본이 존재하거나 존재하였으며 증거로 제출된 수표 사본이 이를 정확하게 전사한 것이라는 사실이 증명되어야 한다(대판 2015.4.23, 2015도2275). 16. 변호사, 16 · 17. 국가직 7급, 17. 경찰간부, 17 · 20. 법원직 9급

② [1] "정보통신망을 통하여 공포심이나 불안감을 유발하는 글을 반복적으로 상대방에게 도달하게 하는 행위를 하였다."는 공소사실에 대하여 휴대전화기에 저장된 문자정보가 그 증거가 되는 경우와 같이 그 **문자정보가 범행의 직접적인 수단이 될 뿐 경험자의 진술에 갈음하는 대체물에 해당하지 않는 경우에는** 형사소송법 제310조의2에서 정한 **전문법칙이 적용될 여지가 없다**. [2] 검사가 문자정보가 저장되어 있는 휴대전화기를 법정에 제출하는 경우 휴대전화기에 저장된 문자정보는 그 자체가 범행의 직접적인 수단으로서 이를 증거로 사용할 수 있다. 또한 검사는 휴대전화기 이용자가 그 문자정보를 읽을 수 있도록 한 휴대전화기의 화면을 촬영한 사진을 증거로 제출할 수도 있을 것인바, 이를 증거로 사용하기 위해서는 문자정보가 저장된 휴대전화기를 법정에 제출할 수 없거나 그 제출이 곤란한 사정이 있고, 그 사진의 영상이 휴대전화기의 화면에 표시된 문자정보와 정확하게 같다는 사실이 증명되어야 한다(대판 2008.11.13, 2006도2556). 14 · 16 · 20. 경찰채용, 14 · 18 · 20. 경찰승진, 16. 법원직 9급, 16 · 17. 국가직 7급, 17 · 18 · 19. 국가직 9급, 18 · 19 · 21. 경찰간부, 20. 변호사

③ 정보저장매체에 기억된 문자정보의 내용의 진실성이 아닌 그와 같은 내용의 **문자정보의 존재 그 자체가 직접 증거로 되는 경우에는 전문법칙이 적용되지 아니한다**(대판 2013.2.15, 2010도3504).

4. 전문법칙의 이론적 근거

제310조의2가 전문법칙을 선언한 규정이라는 데에는 이론이 없지만 전문법칙의 이론적 근거에 관하여 견해가 대립한다.

(1) 반대신문권 결여

전문증거는 원진술의 진실성을 당사자의 반대신문으로 음미할 수 없기 때문에 증거능력이 부정된다고 보는 견해이다.

(2) 신용성 결여

전문증거의 경우 선서가 결여되었고 또한 전달과정에서 오류나 와전의 가능성이 많기 때문에 신용성이 희박하여 증거능력이 부정된다고 보는 견해이다.

(3) 직접주의 요청

법관의 심증형성은 공판정에서 직접 조사한 '원본증거'에 의하여야 하는데, 전문증거는 이러한 직접주의에 반하기 때문에 증거능력이 부정된다고 보는 견해이다.

02 전문법칙의 예외

1. 예외인정의 필요성

전문법칙을 엄격히 적용하면 명백한 범인을 처벌하지 못하는 불합리한 결과가 발생한다. 또한 당사자의 반대신문이 없는 경우에도 정황에 비추어 진실성을 인정할 수 있는 경우 일일이 원진술자를 증인이나 감정인으로 소환하여 직접 증거조사를 하는 것은 소송경제에 반하게 된다. 따라서 실체진실의 발견과 소송경제를 위하여 일정한 조건하에 전문증거라도 증거능력이 인정된다.

2. 예외인정의 일반적 기준

(1) 신용성의 정황적 보장

원진술자의 진술당시 여러 정황에 비추어 보았을 때 진술의 진실성을 담보할 수 있는 경우를 말한다. 즉, 공판정에서 상대방에게 원진술자에 대한 반대신문의 기회를 주지 않더라도 진술 당시의 상황에 비추어 허위개입의 위험성이 없는 경우를 말한다.

(2) 필요성

원진술과 같은 가치의 증거를 얻는 것이 어렵기 때문에 진실발견을 위하여 어쩔 수 없이 전문증거라도 사용해야 할 필요가 있는 경우를 말한다.

(3) 양자의 관계

전문법칙의 예외가 인정되기 위해서는 이 두 가지 기준이 동시에 같은 정도로 충족될 필요는 없고, 어느 하나가 강하면 다른 것은 약하더라도 상관이 없다. 즉, 양자는 상호보완 내지는 반비례관계에 있다.

03 전문법칙의 예외의 구체적 고찰

SUMMARY | 전문법칙의 예외 ★★★

구분	적용 대상	증거능력 인정요건
제311조	법원·법관의 면전 조서	당연히 증거능력 인정
제312조 제1항	검사 작성 피고인이 된 피의자에 대한 피의자신문조서	적법성 + 성립의 진정 + 특신상태 ✎ '성립의 진정'은 피고인의 진술이나 기타 객관적 방법에 의해서 증명되어야 함
제312조 제3항	사법경찰관 작성 피의자신문조서	적법성 + 내용의 인정
제312조 제4항	① 검사 작성 피고인이 되지 않은 피의자에 대한 피의자신문조서 ② 검사 또는 사법경찰관 작성 참고인진술조서	적법성 + 성립의 진정 + 특신상태 + 반대신문권 기회보장 ✎ '성립의 진정'은 원진술자의 진술이나 영상녹화물 기타 객관적 방법에 의해서 증명되어야 함
제312조 제6항	검사 또는 사법경찰관 작성 검증조서	적법성 + 성립의 진정
제313조	사인 작성 진술서·진술녹취서·컴퓨터용디스크·기타 정보저장매체·감정서 ✎ 다만, 수사과정에서 작성한 진술서는 제312조 제1항 내지 제4항 적용(제312조 제5항)	성립의 진정(+ 특신상태 + 반대신문권 기회보장) ① '성립의 진정'은 작성자 또는 진술자의 진술에 의해서 증명되어야 함 ② 성립의 진정과 특신상태가 필요한 것은 피고인의 진술을 기재한 서류에 한정됨 ③ 성립의 진정을 부인하는 경우에는 디지털포렌식 자료, 감정 등 객관적 방법으로 증명 ④ 피고인 아닌 자가 작성한 진술서는 반대신문권 기회보장
제314조	제312조 및 제313조의 증거에 적용 ✎ 다만, 제312조 제3항의 증거에는 적용되지 않음(판례)	사망·질병·외국거주·소재불명 기타(필요성) + 특신상태
제315조	당연히 증거능력이 있는 서류	당연히 증거능력 인정
제316조 제1항	피고인의 진술을 그 내용으로 하는 전문진술	특신상태
제316조 제2항	피고인 아닌 타인의 진술을 그 내용으로 하는 전문진술	사망·질병·외국거주·소재불명 기타(필요성) + 특신상태

① **적법한 절차와 방식에 따라 작성**: 일차적으로 형식적 진정성립(기명날인·서명 등의 진정)을 의미하며, 나아가 제243조(피의자신문과 참여자), 제244조(피의자신문조서 작성), 제243조의2(변호인의 참여 등), 제244조의4(수사과정의 기록) 등 조서 작성의 절차와 방식에 따라 작성된 것으로 해석됨
② **성립의 진정**: 진술자가 진술한 내용과 동일하게 기재되어 있음(실질적 성립의 진정을 의미)
③ **특신상태**: 특히 신빙할 수 있는 상태
④ **내용의 인정**: 서류에 기재된 내용이 실제 객관적 사실과 부합함

1. 법원 또는 법관의 면전조서

> **형사소송법**
>
> **제311조 【법원 또는 법관의 조서】** 공판준비 또는 공판기일에 피고인이나 피고인 아닌 자의 진술을 기재한 조서와 법원 또는 법관의 검증의 결과를 기재한 조서는 증거로 할 수 있다. 제184조 및 제221조의2의 규정에 의하여 작성한 조서도 또한 같다.

법원 또는 법관의 면전조서는 그 성립이 진정하고 신용성의 정황적 보장이 높기 때문에 **당연히 증거능력이 인정**된다(제311조). 법원 또는 법관 작성 공판조서, 증인신문조서, 검증조서 그리고 증거보전절차나 증인신문절차에서 작성된 조서 등이 이에 해당한다. 14. 경찰채용, 18. 경찰승진·국가직 9급 '공판조서'는 당해 사건의 공판조서를 의미하므로 **다른 사건의 공판조서**는 제311조가 아니고 **제315조 제3호에 의하여 증거능력이 인정된다는 것이 통설과 판례의 입장**이다.

> **판례 |**
>
> **1 당해 사건의 공판조서의 증거능력(= 당연히 증거능력 인정)**
> 피고인이나 피고인 아닌 자의 진술을 기재한 **당해 사건의 공판조서**는 형사소송법 제311조 전문의 규정에 의하여 당연히 증거능력이 있다(대판 2003.10.10, 2003도3282).
>
> **2 법원 작성 검증조서의 증거능력(= 당연히 증거능력 인정)**
> **녹음된 진술자의 상태 등을 확인하기 위하여 법원이 녹음테이프에 대한 검증을 실시한 경우, 그 검증조서**는 당연히 증거능력이 인정된다(대판 2008.7.10, 2007도10755). 16. 국가직 9급, 18. 변호사·경찰간부

2. 피의자신문조서

> **형사소송법**
>
> **제312조 【검사 또는 사법경찰관의 조서 등】** ① 검사가 **피고인이 된 피의자의 진술을 기재한 조서**는 적법한 절차와 방식에 따라 작성된 것으로서 피고인이 진술한 내용과 동일하게 기재되어 있음이 공판준비 또는 공판기일에서의 피고인의 진술에 의하여 인정되고, 그 조서에 기재된 진술이 특히 신빙할 수 있는 상태하에서 행하여졌음이 증명된 때에 한하여 증거로 할 수 있다.
> ② 삭제 <2020.2.4.>
> ③ **검사 이외의 수사기관이 작성한 피의자신문조서**는 적법한 절차와 방식에 따라 작성된 것으로서 공판준비 또는 공판기일에 그 피의자였던 피고인 또는 변호인이 그 내용을 인정할 때에 한하여 증거로 할 수 있다.
> ④ 검사 또는 사법경찰관이 피고인이 아닌 자의 진술을 기재한 조서는 적법한 절차와 방식에 따라 작성된 것으로서 그 조서가 검사 또는 사법경찰관 앞에서 진술한 내용과 동일하게 기재되어 있음이 원진술자의 공판준비 또는 공판기일에서의 진술이나 영상녹화물 또는 그 밖의 객관적인 방법에 의하여 증명되고, 피고인 또는 변호인이 공판준비 또는 공판기일에 그 기재 내용에 관하여 원진술자를 신문할 수 있었던 때에는 증거로 할 수 있다. 다만, 그 조서에 기재된 진술이 특히 신빙할 수 있는 상태하에서 행하여졌음이 증명된 때에 한한다.
> ⑤ 제1항부터 제4항까지의 규정은 피고인 또는 피고인이 아닌 자가 수사과정에서 작성한 진술서에 관하여 준용한다.

(1) 의의

피의자신문조서는 수사기관이 피의자를 신문하고 작성한 조서를 말한다(제200조, 제244조 제1항). 수사기관이 피의자를 신문하고 피의자의 진술을 기재한 서류라면 그 명칭이 진술조서 · 진술서라고 하더라도 피의자신문조서라고 보아야 한다.

판례 |

1 수사기관에서의 조사과정에서 작성된 진술조서, 진술서, 자술서 등의 증거능력 판단

① **피의자의 진술을 녹취 내지 기재한 서류 또는 문서가 수사기관에서의 조사과정에서 작성된 것이라면** 그것이 '진술조서, 진술서, 자술서'라는 형식을 취하였다고 하더라도 피의자신문조서와 달리 볼 수 없다(대판 2010.5.27, 2010도1755). 14 · 16 · 18. 경찰채용, 15. 변호사 · 경찰승진, 16 · 17. 경찰간부

② **수사기관에서 피의자로 조사하는 과정을 녹화한 비디오테이프, CD 또는 이에 준하는 것들**은 실질적으로 피의자의 진술을 기재한 수사기관 작성의 **피의자신문조서와 다를 바 없다**(대판 2007.10.25, 2007도6129).

③ 공범으로서 별도로 공소제기된 다른 사건의 피고인에 대한 **수사과정에서 담당 검사가 피의자와 그 사건에 관하여 대화하는 내용과 장면을 녹화한 비디오테이프에 대한 법원의 검증조서**는 이러한 비디오테이프의 녹화내용이 피의자의 진술을 기재한 피의자신문조서와 실질적으로 같다고 볼 것이므로 **피의자신문조서에 준하여 그 증거능력을 가려야 한다**(대판 1992.6.23, 92도682). 14. 경찰승진

2 '검사 작성' 조서라고 할 수 있는 경우

검사가 피의사실에 관하여 전반적 핵심적 사항을 질문하고 이를 토대로 신문에 참여한 검찰주사보가 직접 문답하여 작성한 피의자신문조서(대판 1984.7.10, 84도846)

3 '검사 작성' 조서라고 할 수 없는 경우

① **검찰주사가 담당 검사가 임석하지 않은 상태에서 피의자였던 피고인을 신문**한 끝에 작성한 피의자신문조서. 다만, 검사는 그 당시 피의자와 검찰주사와의 언쟁에 대해서만 몇 마디 말을 했다고 진술하고 있음(대판 2007.7.13, 2007도3633)

② 검찰주사가 담당 검사의 지시에 따라 검사가 참석하지 않은 상태에서 피의자를 신문한 후 작성한 피의자신문조서. 다만, 검사는 검찰주사의 조사 직후 피의자에게 개괄적으로 질문한 사실이 있을 뿐임(대판 1990.9.28, 90도1483) 17. 경찰채용, 19. 경찰간부

(2) 검사 작성 피의자신문조서

① '피고인이 된 피의자에 대한' 피의자신문조서의 증거능력 인정요건

검사가 피고인이 된 피의자의 진술을 기재한 조서는 적법한 절차와 방식에 따라 작성된 것으로서 피고인이 진술한 내용과 동일하게 기재되어 있음이 공판준비 또는 공판기일에서의 피고인의 진술에 의하여 인정되고, 그 조서에 기재된 진술이 특히 신빙할 수 있는 상태하에서 행하여졌음이 증명된 때에 한하여 증거로 할 수 있다(제312조 제1항). 14. 경찰간부, 16. 경찰승진, 18. 경찰채용

판례 | 피의자신문조서의 실질적 진정성립 증명수단인 '영상녹화물이나 그 밖의 객관적인 방법'의 의미 및 조사관 또는 통역인 등의 증언이 이에 해당하는지의 여부(소극)

검사 작성의 피의자신문조서에 대한 실질적 진정성립을 증명할 수 있는 수단으로서 형사소송법 제312조 제2항에 규정된 **'영상녹화물이나 그 밖의 객관적인 방법'이라 함은** 형사소송법 및 형사소송규칙에 규정된 방식과 절차에 따라 제작된 **영상녹화물 또는 그러한 영상녹화물에 준할 정도로 피고인의 진술을 과학적 · 기계적 · 객관적으로 재현해 낼 수 있는 방법만을 의미한다고 봄이 타당하고, 그 외에 조사관 또는 조사과정에 참여한 통역인 등의 증언은 이에 해당한다고 볼 수 없다**(대판 2016.2.18, 2015도16586). 16 · 17. 국가직 7급, 17. 경찰간부 · 경찰채용, 17 · 18. 국가직 9급, 18. 변호사 · 경찰승진, 18 · 20. 법원직 9급, 19 · 20. 해경채용

다만, 개정 형사소송법에 의하면 영상녹화물에 의한 성립의 진정을 인정하는 부분이 삭제되었음

② **'피고인이 되지 않은 피의자에 대한' 피의자신문조서의 증거능력 인정요건:** 검사가 피고인이 아닌 자의 진술을 기재한 조서는 적법한 절차와 방식에 따라 작성된 것으로서 그 조서가 검사 앞에서 진술한 내용과 동일하게 기재되어 있음이 원진술자의 공판준비 또는 공판기일에서의 진술이나 영상녹화물 또는 그 밖의 객관적인 방법에 의하여 증명되고, 피고인 또는 변호인이 공판준비 또는 공판기일에 그 기재 내용에 관하여 원진술자를 신문할 수 있었던 때에는 증거로 할 수 있다. 다만, 그 조서에 기재된 진술이 특히 신빙할 수 있는 상태하에서 행하여졌음이 증명된 때에 한한다(**제312조 제4항**). 16. 경찰승진, 18. 변호사

판례 |

1 형사소송법 제312조에 규정된 '적법한 절차와 방식'의 의미

형사소송법 제312조 제4항에 규정된 **'적법한 절차와 방식'**이라 함은 피의자 또는 제3자에 대한 **조서 작성 과정에서 지켜야 할 진술거부권의 고지 등 형사소송법이 정한 제반절차를 준수하고 조서의 작성방식에도 어긋남이 없어야 한다는 것을 의미**한다(대판 2012.5.24, 2011도7757)(同旨 대판 2013.3.28, 2010도3359).

2 적법한 절차와 방식에 따라 작성되지 않아 증거능력이 부정되는 경우

① 조서말미에 피고인의 서명만이 있고, 그 **날인(무인 포함)이나 간인이 없는** 검사 작성의 피의자신문조서는 증거능력이 없다(대판 1999.4.13, 99도237). 16. 변호사, 18. 국가직 9급, 20. 경찰간부 · 경찰승진

② 피고인의 **서명 · 날인 및 간인이 없는** 검사 작성의 피고인에 대한 피의자신문조서는 증거능력이 없다(대판 1992.6.23, 92도954).

③ 피고인의 기명만이 있고 그 **날인이나 무인이 없는** 검사 작성의 피의자신문조서는 증거능력이 없다(대판 1981.10.27, 81도1370).

④ 검사 작성의 피의자신문조서에 작성자인 **검사의 서명 · 날인이 되어 있지 아니한** 경우 그 피의자신문조서는 공무원이 작성하는 서류로서의 요건을 갖추지 못한 것으로서 형사소송법 제57조 제1항에 위반되어 무효이고 따라서 이에 대하여 증거능력을 인정할 수 없다(대판 2001.9.28, 2001도4091). 16. 국가직 7급, 18. 경찰채용

3 검사 작성 피의자신문조서의 성립의 진정의 의미와 방법

[1] 검사가 피고인이 된 피의자의 진술을 기재한 조서는 그 작성절차와 방식의 적법성과 별도로 그 내용이 검사 앞에서 진술한 것과 동일하게 기재되어 있다는 점, 즉 **실질적 진정성립**이 인정되어야 증거로 사용할 수 있다. 여기서 기재내용이 동일하다는 것은 적극적으로 **진술한 내용이 그 진술대로 기재되어 있어야 한다는 것 뿐 아니라 진술하지 아니한 내용이 진술한 것처럼 기재되어 있지 아니할 것을 포함하는 의미이다.** [2] 피고인 본인의 진술에 의한 **실질적 진정성립의 인정은 공판준비 또는 공판기일에서 한 명시적인 진술에 의하여야 하고,** 단지 피고인이 실질적 진정성립에 대하여 이의

하지 않았다거나 조서 작성절차와 방식의 적법성을 인정하였다는 것만으로 실질적 진정성립까지 인정한 것으로 보아서는 아니될 것이다. 또한 특별한 사정이 없는 한 이른바 '입증취지 부인'이라고 진술한 것만으로 이를 조서의 진정성립을 인정하는 전제에서 그 증명력만을 다투는 것이라고 가볍게 단정해서도 안 된다(대판 2013.3.14, 2011도8325). 18. 법원직 9급, 19. 경찰간부, 20. 경찰승진

4 검사 작성의 피의자신문조서의 성립의 진정과 임의성을 인정하였다가 이를 번복한 경우, 그 조서의 증거능력 유무

① 피고인이나 그 변호인이 검사 작성의 당해 피고인에 대한 피의자신문조서의 **성립의 진정함을 인정하는 진술을 하였다 하더라도** 그 피의자신문조서에 대하여 구 형사소송법 제292조에서 정한 **증거조사가 완료되기 전에는 최초의 진술을 번복함으로써 그 피의자신문조서를 유죄 인정의 자료로 사용할 수 없도록 할 수 있으나,** 그 피의자신문조서에 대하여 위의 증거조사가 완료된 뒤에는 그와 같은 번복의 의사표시에 의하여 이미 인정된 조서의 증거능력이 당연히 상실되는 것은 아니다(대판 2008.7.10, 2007도7760). 16. 경찰간부, 18. 변호사, 20. 경찰승진

② 피고인이나 그 변호인이 검사 작성의 피고인에 대한 피의자신문조서의 **성립의 진정과 임의성을 인정하였다가 그 뒤 이를 부인하는 진술을 하거나 서면을 제출한 경우** 그 조서의 증거능력이 언제나 없다고 할 수는 없고, 법원이 그 조서의 기재 내용, 형식 등과 피고인의 법정에서의 범행에 관련한 진술 등 제반 사정에 비추어 **성립의 진정과 임의성을 인정한 최초의 진술이 신빙성이 있다고 보아, 그 성립의 진정을 인정하고 그 임의성에 관하여 심증을 얻은 때에는 그 피의자신문조서는 증거능력이 인정**된다(대판 2007.6.28, 2005도8317).

5 검사 작성 피의자신문조서의 증거능력 관련 판례

① 수사기관이 작성한 조서의 내용이 **원진술자가 진술한 대로 기재된 것**이라 함은 조서 작성 당시 원진술자의 진술대로 기재되었는지의 여부만을 의미하는 것으로 **그와 같이 진술하게 된 연유나 그 진술의 신빙성 여부는 고려할 것이 아니다**(대판 2008.3.27, 2007도11400).

② 피고인이 그 진술을 기재한 검사 작성의 **피의자신문조서 중 일부에 관하여만 실질적 진정성립을 인정하는 경우**에는 법원은 당해 조서 중 어느 부분이 그 진술대로 기재되어 있고 어느 부분이 달리 기재되어 있는지 여부를 구체적으로 심리한 다음 **진술한 대로 기재되어 있다고 하는 부분에 한하여 증거능력을 인정**하여야 하고, 그 밖에 실질적 진정성립이 인정되지 않는 부분에 대해서는 증거능력을 부정하여야 한다(대판 2013.3.14, 2011도8325). 15. 변호사, 16·17. 경찰채용, 16·18. 경찰간부

③ 甲은 검찰에서 자신에 대한 진술조서와 피의자신문조서에 대하여 그 조서들 중 자신의 진술과 달리 기재되었다는 부분을 특정하여 실질적 진정성립을 부인한 바가 없고, 오히려 "각 서류들의 작성시 검사가 자신에게 위 조서들을 읽어보라고 주었으나 몸이 아파 모두 읽어보지는 못했고 **각 10분 정도 쭉 읽어보니 자신의 진술과 크게 다름이 없어 서명·무인을 하였다.**"는 취지이므로 사정이 위와 같다면 검사 작성의 甲에 대한 진술조서 및 피의자신문조서는 甲의 공판기일에서의 진술에 의하여 **성립의 진정함이 인정되었다고 할 것**이다(대판 2005.1.14, 2004도6646).

④ 피고인이 당해 공판절차의 당사자로서 검사가 제출한 자신의 진술이 기재된 **조서의 진정성립을 부인함으로써 그 조서의 증거능력을 부정하는 취지의 진술을 한 이상**, 비록 그 공판 진행 중 피고인신문 또는 공동피고인에 대한 증언 과정에서 그 조서의 진정성립을 인정하는 취지의 진술을 하였다고 하더라도 이로써 그 조서의 증거능력에 관한 종전의 진술을 번복하는 것임이 분명하게 확인되는 예외적인 경우가 아니라면 조서의 진정성립이 인정되었다고 할 수는 없다(대판 2008.10.23, 2008도2826).

6 검찰송치 전 피의자로부터 받은 검사 작성 피의자신문조서의 증거능력(= 송치 후에 작성된 피의자신문조서와 같이 볼 수 없음)

검찰에 송치되기 전에 구속피의자로부터 받은 검사 작성의 피의자신문조서는 극히 이례에 속하는 것으로 그렇게 했어야 할 특별한 사정이 보이지 않는 한 **송치 후에 작성된 피의자신문조서와 마찬가지로 취급하기는 어렵다**(대판 1994.8.9, 94도1228). 15·18. 변호사, 16. 경찰간부

7 검사 작성 공동피고인(乙)에 대한 피의자신문조서를 그 공동피고인이 성립 및 임의성을 인정한 경우, 피고인(甲)에 대한 그 조서의 증거능력 유무(= 적극)

① 검사 작성의 공동피고인(乙)에 대한 피의자신문조서를 그 **공동피고인이 법정에서 성립 및 임의성을 인정한 경우에는 그 조서는 피고인(甲)의 공소사실에 대하여 증거능력이 있다**(대판 2004.4.23, 2004도805).

② 검사 작성의 공동피고인(乙)에 대한 피의자신문조서는 그 **공동피고인이 법정에서 진정성립을 인정**하고 그 임의성이 인정되는 경우에는 **다른 공동피고인(甲)이 이를 증거로 함에 부동의하였다고 하더라도 그 다른 공동피고인의 범죄사실에 대한 유죄의 증거로 삼을 수 있다**(대판 1998.12.22, 98도2890). 14 · 16. 변호사, 17. 경찰간부, 19. 국가직 9급

8 검사 작성 피의자신문조서의 등본 및 초본의 증거능력 관련 판례

① **공범이나 제3자에 대한 검사 작성의 피의자신문조서등본이 증거로 제출된 경우** 피고인이 위 공범 등에 대한 피의자신문조서를 증거로 함에 동의하지 않는 이상, 원진술자인 공범이나 제3자가 각기 자신에 대한 공판절차나 다른 공범에 대한 형사공판의 증인신문절차에서 위 수사서류의 진정성립을 인정해 놓은 것만으로는 증거능력을 부여할 수 없고, **반드시 공범이나 제3자가 현재의 사건에 증인으로 출석하여 그 서류의 성립의 진정을 인정하여야 증거능력이 인정된다**(대판 1999.10.8, 99도3063). 15. 국가직 7급

✎ 2021년 현재는 성립의 진정 이외에도 '특신상태'와 '반대신문권의 기회보장'이 인정되어야 증거능력이 인정된다.

② **피의자신문조서초본(抄本)은 피의자신문조서원본 중 가려진 부분의 내용이 가려지지 않은 부분과 분리 가능하고 당해 공소사실과 관련성이 없는 경우에만** 그 피의자신문조서의 원본이 존재하거나 존재하였을 것, 피의자신문조서의 원본 제출이 불능 또는 곤란한 사정이 있을 것, 원본을 정확하게 전사하였을 것 등 **3가지 요건을 전제로 피고인에 대한 검사 작성의 피의자신문조서원본과 동일하게 취급할 수 있다**(대판 2002.10.22, 2000도5461).

(3) 사법경찰관 작성 피의자신문조서

① **증거능력 인정요건:** 사법경찰관(검사 이외의 수사기관)이 작성한 피의자신문조서는 적법한 절차와 방식에 따라 작성된 것으로서 공판준비 또는 공판기일에 그 피의자였던 피고인 또는 변호인이 그 내용을 인정할 때에 한하여 증거로 할 수 있다(제312조 제3항). 14 · 16 · 17 · 18. 경찰승진, 17 · 18. 경찰채용, 18. 경찰간부 내용의 인정이란 조서의 성립의 진정은 물론 '조서의 기재내용이 객관적으로 진실하다'고 인정하는 것을 말한다. 따라서 피고인 또는 변호인이 피의자신문조서의 내용을 부인하거나 조서내용과 다른 진술을 할 때에는 그 조서는 증거능력이 부정된다.

② **관련 문제:** 판례는 제312조 제3항의 입법취지를 엄격히 실현하여 '공범인 다른 피고인(피의자)에 대한 사법경찰관 작성 피의자신문조서' 및 '별개 사건에서의 사법경찰관 작성 피의자신문조서'에 대하여도 제312조 제3항을 적용하여 그 증거능력 유무를 판단하고 있다. 그리고 사법경찰관 작성 피의자신문조서에 대해서 사망 등 사유로 인하여 법정에서 진술할 수 없는 때에 증거능력을 인정하는 규정인 제314조가 적용되지 않는다는 것이 판례의 입장이다.

판례 |

1 형사소송법 제312조 제3항의 '검사 이외의 수사기관'의 의미

[1] 형사소송법 제312조 제3항의 **'검사 이외의 수사기관'**에는 달리 특별한 사정이 없는 한 **외국의 권한 있는 수사기관도 포함된다**고 봄이 상당하다. [2] 미국 범죄수사대(CID), 연방수사국(FBI)의 수사관들이 작성한 수사보고서 및 피고인이 위 수사관들에 의한 조사를 받는 과정에서 작성하여 제출한 진술서는 피고인이 그 내용을 부인하는 이상 증거로 쓸 수 없다(대판 2006.1.13, 2003도6548). 15. 경찰승진, 17. 경찰채용

2 형사소송법 제312조 제3항 소정의 '내용을 인정할 때'의 의미(= 피의자신문조서의 기재 내용이 실제사실과 부합한다는 것을 인정)

형사소송법 제312조 제3항의 **'그 내용을 인정할 때'**라 함은 피의자신문조서의 기재 내용이 진술내용대로 기재되어 있다는 의미가 아니고 그와 같이 **진술한 내용이 실제사실과 부합한다는 것을 의미**한다(대판 2010.6.24, 2010도5040). 15 · 16 · 18. 경찰채용

3 '공소사실의 부인 또는 증거 부동의'가 내용을 인정하지 않는 것인지의 여부(적극)

① 공소사실이 최초로 심리된 공판기일부터 피고인이 **공소사실을 일관되게 부인**하여 경찰 작성 피의자신문조서의 진술내용을 인정하지 않는 경우, 공판기일에 피고인이 서증의 내용을 인정한 것으로 공판조서에 기재된 것은 착오 기재 등으로 보아 피의자신문조서의 증거능력을 부정하여야 한다(대판 2010.6.24, 2010도5040). 20. 경찰채용

② 피고인이 당해 **공소사실에 대하여 법정에서 부인**한 경우에는 사법경찰리 작성의 피의자신문조서의 내용을 인정하지 아니한 것이므로 그 피의자신문조서의 기재는 증거능력이 없고, 이러한 경우 피고인을 조사하였던 경찰관이 법정에 나와 "피고인의 진술대로 조서가 작성되었고, 작성 후 피고인이 조서를 읽어보고 내용을 확인한 후 서명 · 무인하였으며, 피고인이 내용의 정정을 요구한 일은 없었다."라고 증언하더라도 피의자신문조서가 증거능력을 가지게 되는 것도 아니다(대판 1997.10.28, 97도2211).

③ 사법경찰리 작성의 피의자신문조서등본은 피고인이나 그 변호인이 **증거로 함에 동의하지 아니한 서류**인 것이 분명한 바 이는 그 내용을 인정하지 않는다는 취지와 같은 것이다(대판 1996.7.12, 96도667). 18. 변호사

④ 피고인과 공범관계에 있는 甲, 乙에 대한 사법경찰관리 작성의 각 피의자신문조서와 乙 작성의 자술서(경찰 수사단계에서 작성된 것이다)는 피고인이나 그 변호인이 **증거로 함에 동의하지 아니하였는바** 이는 그 내용을 인정하지 않는다는 취지로 보아야 한다[대판 2004.7.15, 2003도7185(전합)].

⑤ 피고인이 검찰 이래 원심(제2심) 법정에 이르기까지 **사법경찰리 앞에서의 자백이 허위였다고 일관되게 진술**하고 있다면 결국 사법경찰리 작성의 피의자신문조서의 진술내용을 인정하지 않는 것이라고 보아야 한다(대판 1995.5.23, 94도1735).

4 형사소송법 제312조 제3항이 '다른 피고인에 대한 사법경찰관 작성 피의자신문조서'에도 적용되는지의 여부(적극)

① 피고인과 공범관계가 있는 다른 피의자에 대한 **검사 이외의 수사기관 작성의 피의자신문조서는** 그 피의자의 법정진술에 의하여 성립의 진정이 인정되더라도 **당해 피고인이 공판기일에서 그 조서의 내용을 부인하면 증거능력이 부정된다**(대판 2015.10.29, 2014도5939). 16 · 17. 변호사, 16 · 17 · 18. 국가직 9급, 16 · 18 · 20. 경찰채용, 17. 경찰간부, 20. 해경채용

② [1] **형사소송법 제312조 제3항**은 검사 이외의 수사기관이 작성한 당해 피고인에 대한 피의자신문조서를 유죄의 증거로 하는 경우뿐만 아니라 **검사 이외의 수사기관이 작성한 당해 피고인과 공범관계에 있는 다른 피고인이나 피의자에 대한 피의자신문조서를 당해 피고인에 대한 유죄의 증거로 채택할 경우에도 적용**된다. [2] 따라서 당해 피고인과 공범관계가 있는 다른 피의자에 대하여 검사 이외의 수사기관이 작성한 피의자신문조서는 그 피의자의 법정진술에 의하여 그 성립의 진정이 인정되는 등 형사소송법 제312조 제4항의 요건을 갖춘 경우라고 하더라도 당해 피고인

이 공판기일에서 그 조서의 내용을 부인한 이상 이를 유죄 인정의 증거로 사용할 수 없다(대판 2010.2.25, 2009도14409). 14. 법원직 9급, 14·15. 경찰승진, 14·18. 변호사, 15. 국가직 9급, 18. 경찰간부, 19. 해경채용

③ [1] 당해 피고인과 공범관계에 있는 공동피고인에 대해 **검사 이외의 수사기관이 작성한 피의자신문조서는** 그 공동피고인의 법정진술에 의하여 성립의 진정이 인정되더라도 **당해 피고인이 공판기일에서 그 조서의 내용을 부인하면 증거능력이 부정된다.** [2] 그리고 이러한 경우 그 **공동피고인이 법정에서 경찰 수사 도중 피의자신문조서에 기재된 것과 같은 내용으로 진술하였다는 취지로 증언하였다고 하더라도,** 이러한 증언은 원진술자인 공동피고인이 그 자신에 대한 경찰 작성의 피의자신문조서의 진정성립을 인정하는 취지에 불과하여 위 조서와 분리하여 독자적인 증거가치를 인정할 것은 아니므로, 위 조서의 증거능력이 부정되는 이상 위와 같은 **증언 역시 이를 유죄 인정의 증거로 쓸 수 없다**고 보아야 한다(대판 2009.10.15, 2009도1889). 17. 국가직 9급, 21. 법원직 9급

5 형사소송법 제312조 제3항이 '전혀 별개 사건에서의 사법경찰관 작성 피의자신문조서'에도 적용되는지의 여부(적극)

형사소송법 제312조 제2항(개정법 제312조 제3항)은 그 입법취지와 법조의 문언에 비추어 볼 때 당해 사건에서 피의자였던 피고인에 대한 검사 이외의 수사기관 작성의 피의자신문조서에만 적용되는 것은 아니고, **전혀 별개의 사건에서 피의자였던 피고인에 대한 검사 이외의 수사기관 작성의 피의자신문조서도 그 적용대상으로 하고 있는 것**이라고 보아야 한다(대판 1995.3.24, 94도2287).

6 형사소송법 제312조 제3항이 양벌규정에 따라 처벌되는 행위자와 행위자가 아닌 법인 또는 개인간의 관계에 적용되는지 여부(적극)

양벌규정에 따라 처벌되는 행위자와 행위자가 아닌 법인 또는 개인간의 관계는, 행위자가 저지른 법규위반행위가 사업주의 법규위반행위와 사실관계가 동일하거나 적어도 중요부분을 공유한다는 점에서 내용상 불가분적 관련성을 지니므로 형법총칙의 공범관계 등과 마찬가지로 인권보장적인 요청에 따라 **형사소송법 제312조 제3항이 이들 사이에서도 적용된다**(대판 2020.6.11, 2016도9367 병원 사무국장 사망 사건). 21. 경찰간부

7 사법경찰관 작성 피의자신문조서에 대하여 형사소송법 제314조가 적용되는지의 여부(소극)

당해 피고인과 공범관계가 있는 다른 피의자에 대한 검사 이외의 수사기관 작성의 피의자신문조서는 그 피의자의 법정진술에 의하여 그 성립의 진정이 인정되더라도 당해 피고인이 공판기일에서 그 조서의 내용을 부인하면 증거능력이 부정되므로 그 당연한 결과로 그 피의자신문조서에 대하여는 사망 등 사유로 인하여 법정에서 진술할 수 없는 때에 예외적으로 증거능력을 인정하는 규정인 **형사소송법 제314조가 적용되지 아니한다**(대판 2009.11.26, 2009도6602). 14·20. 경찰승진, 15·17·20. 변호사, 17. 국가직 7급, 17·18. 경찰채용, 21. 경찰간부

8 사법경찰관 작성 검증조서 관련 판례

① 사법경찰관이 작성한 검증조서 중 '피고인의 진술 부분을 제외한 기재 및 사진의 각 영상'에는 **피고인이 범행을 재연하는 사진**이 첨부되어 있으나, 피고인이 검증조서에 대하여 **증거로 함에 부동의하였고** 공판정에서 검증조서 중 범행을 재연한 부분에 대하여 **그 성립의 진정 및 내용을 인정한 흔적을 찾아 볼 수 없고 오히려 이를 부인**하고 있으므로 그 증거능력을 인정할 수 없다(대판 2007.4.26, 2007도1794).

② 사법경찰관이 작성한 검증조서에 피고인이 검사 이외의 수사기관 앞에서 **'자백한 범행내용을 현장에 따라 진술·재연한 내용이 기재되고 그 재연 과정을 촬영한 사진'**이 첨부되어 있다면, 그러한 기재나 사진은 피고인이 공판정에서 실황조사서에 기재된 **진술내용 및 범행재연의 상황을 모두 부인**하는 이상 증거능력이 없다(대판 2006.1.13, 2003도6548). 17·20. 경찰채용, 18. 변호사

③ 사법경찰관 작성의 검증조서 중 **'피고인의 진술기재 부분과 범행재연의 사진 영상'**에 관한 부분에 대하여 원진술자이며 행위자인 피고인에 의하여 **진술 및 범행 재연의 진정함이 인정되지 아니하는 경우** 그 부분은 증거능력이 없다(대판 1988.3.8, 87도2692).

3. 진술조서

형사소송법

제312조【검사 또는 사법경찰관의 조서 등】 ④ 검사 또는 사법경찰관이 피고인이 아닌 자의 진술을 기재한 조서는 적법한 절차와 방식에 따라 작성된 것으로서 그 조서가 검사 또는 사법경찰관 앞에서 진술한 내용과 동일하게 기재되어 있음이 원진술자의 공판준비 또는 공판기일에서의 진술이나 영상녹화물 또는 그 밖의 객관적인 방법에 의하여 증명되고, 피고인 또는 변호인이 공판준비 또는 공판기일에 그 기재 내용에 관하여 원진술자를 신문할 수 있었던 때에는 증거로 할 수 있다. 다만, 그 조서에 기재된 진술이 특히 신빙할 수 있는 상태하에서 행하여졌음이 증명된 때에 한한다.

(1) 의의

진술조서란 검사 또는 사법경찰관이 피의자 아닌 자의 진술을 기재한 조서, 즉 참고인진술조서를 말한다.

(2) 증거능력 인정요건

검사 또는 사법경찰관이 피고인이 아닌 자의 진술을 기재한 조서는 적법한 절차와 방식에 따라 작성된 것으로서 그 조서가 검사 또는 사법경찰관 앞에서 진술한 내용과 동일하게 기재되어 있음이 원진술자의 공판준비 또는 공판기일에서의 진술이나 영상녹화물 또는 그 밖의 객관적인 방법에 의하여 증명되고, 피고인 또는 변호인이 공판준비 또는 공판기일에 그 기재 내용에 관하여 원진술자를 신문할 수 있었던 때에는 증거로 할 수 있다. 다만, 그 조서에 기재된 진술이 특히 신빙할 수 있는 상태하에서 행하여졌음이 증명된 때에 한한다(**제312조 제4항**).

판례 |

1 진술조서의 증거능력이 인정되는 경우

① 진술자와 피고인의 관계, 범죄의 종류, 진술자 보호의 필요성 등 여러 사정으로 볼 때 **상당한 이유가 있는 경우에는 수사기관이 진술자의 성명을 가명으로 기재하여 조서를 작성**하였다고 해서 그 이유만으로 그 조서가 '적법한 절차와 방식'에 따라 작성되지 않았다고 할 것은 아니다. 그러한 조서라도 공판기일 등에 원진술자가 출석하여 자신의 진술을 기재한 조서임을 확인함과 아울러 그 조서의 실질적 진정성립을 인정하고 나아가 그에 대한 반대신문이 이루어지는 등 **형사소송법 제312조 제4항에서 규정한 요건이 모두 갖추어진 이상 그 증거능력을 부정할 것은 아니라고 할 것이다**(대판 2012.5.24, 2011도7757). 16. 변호사

② 검사 또는 사법경찰관이 피의자 아닌 자의 진술을 기재한 조서에 대하여 그 **원진술자가 공판기일에서 간인·서명·날인한 사실과 그 조서의 내용이 자기가 진술한 대로 작성된 것이라는 점을 인정하면** 그 조서는 원진술자의 공판기일에서의 진술에 의하여 성립의 진정함이 인정된 서류로서 **증거능력이 있다** 할 것이고, 원진술자가 공판기일에서 그 조서의 내용과 다른 진술을 하였다 하여 증거능력을 부정할 사유가 되지 못한다(대판 1985.10.8, 85도1843).

✎ 2021년 현재는 성립의 진정 이외에도 '특신상태' 및 '반대신문권의 기회보장'이 인정되어야 증거능력이 인정된다.

2 적법한 절차와 방식에 따라 작성되지 않아 진술조서의 증거능력이 부정되는 경우

① 수사보고서 중 피고인의 진술을 기재한 부분은 전문증거에 해당하는데 **진술자인 피고인의 자필이거나 서명 또는 날인이 없어** 전문증거의 증거능력에 대한 예외를 규정하고 있는 형사소송법 제313조 소정의 진술을 기재한 서류에 해당하지 아니하므로 증거능력이 없다(대판 2011.9.8, 2009도7419).

② 검사가 참고인인 피해자와의 전화통화 내용을 기재한 수사보고서는 형사소송법 제313조 제1항 본문에 정한 피고인 아닌 자의 진술을 기재한 서류인 전문증거에 해당하나, 그 진술자의 **서명 또는 날인이 없을 뿐만 아니라** 진술자의 진술에 의해 성립의 진정함이 증명되지도 않았으므로 증거능력이 없다(대판 2010.10.14, 2010도5610). 20. 변호사

③ 외국에 거주하는 참고인과의 전화 대화내용을 문답형식으로 기재한 검찰주사보 작성의 수사보고서에는 검찰주사보의 기명날인만 되어 있을 뿐 **원진술자인 A나 B의 서명 또는 기명날인이 없으므로** 각 수사보고서는 제313조에 정한 진술을 기재한 서류가 아니어서 제314조에 의한 증거능력의 유무를 따질 필요가 없다(대판 1999.2.26, 98도2742). 14. 변호사, 15. 국가직 7급, 18. 경찰채용

④ 사법경찰리 작성의 피해자에 대한 진술조서가 **피해자의 화상으로 인한 서명불능**을 이유로 입회하고 있던 피해자의 동생에게 대신 읽어 주고 그 **동생으로 하여금 서명 · 날인하게 하는 방법으로 작성된** 경우 이는 증거로 사용할 수 없다(대판 1997.4.11, 96도2865). 15 · 20. 경찰승진 · 경찰간부, 16. 국가직 9급

3 성립의 진정이 인정되지 않아 진술조서의 증거능력이 부정되는 경우 I

① 검사 작성의 甲, 乙에 대한 각 진술조서의 원진술자인 甲, 乙이 공판기일에서 "**수사관이 불러주는 내용을 그대로 기재한 것에 불과한 자신들의 각 진술서를 토대로 하여** 그 진술내용을 미리 기재한 각 진술조서에 서명 · 날인만을 하였다."는 취지로 진술한 경우 각 진술조서는 증거로 할 수 없다(대판 1993.1.19, 92도2636).

② 사법경찰리 작성의 甲 등에 대한 진술조서에 관하여 원진술자인 甲 등이 공판기일에서 "**수사관이 우리의 진술을 받아 기재한 것이 아니라**, 乙이 범죄사실에 관하여 진술한 내용을 미리 기재하여 놓은 다음 우리의 서명 · 무인만을 받은 것이다."라는 취지로 진술한 경우 그 진술조서는 증거능력이 없다(대판 1992.6.9, 92도737).

③ 진술자가 법정에서 진술조서의 진술기재 내용이 자기가 진술한 것과 다른데도 **검사 또는 사법경찰관리가 마음대로 공소사실에 부합되도록 기재한 다음 괜찮으니 서명날인하라고 요구하여서 할 수 없이 진술조서의 끝부분에 서명날인한 것**이라고 진술하였다면 진술조서는 증거능력이 없다(대판 1990.10.16, 90도1474). 15. 경찰승진

4 성립의 진정이 인정되지 않아 진술조서의 증거능력이 부정되는 경우 II

① 원진술자인 甲이 "수사기관에서 사실대로 진술하고 진술한 대로 기재되어 있는지 확인하고 서명무인하였다."라는 취지로 증언하였을 뿐이어서 그 진술이 진술조서의 진정성립을 인정하는 취지인지 분명하지 아니하고, 오히려 "피고인이 훔쳤다'는 부분은 진술한 사실이 없음에도 잘못 기재되었다."는 취지로 증언한 경우 그 진술조서는 증거능력이 없다(대판 2013.8.14, 2012도13665). 17. 변호사

② 검사 작성의 피해자 진술조서를 피고인이 증거로 함에 부동의하였고 **원진술자가 공판기일에 증인으로 나와 진술기재 내용을 열람하거나 고지받지 못한 채** 단지 검사의 신문에 대하여 **"수사기관에서 사실대로 진술하였다."는 취지의 증언만을 한 경우** 그 진술조서는 증거능력이 없다(대판 1994.9.9, 94도1384).

5 형사소송법 제312조 제4항에서 '특히 신빙할 수 있는 상태'의 의미

형사소송법 제312조 제4항에서 '특히 신빙할 수 있는 상태'란 진술 내용이나 조서 작성에 허위개입의 여지가 거의 없고, 진술 내용의 신빙성이나 임의성을 담보할 구체적이고 외부적인 정황이 있는 것을 말한다(대판 2012.7.26, 2012도2937).

4. 검증조서

> **형사소송법**
>
> **제311조 【법원 또는 법관의 조서】** 공판준비 또는 공판기일에 피고인이나 피고인 아닌 자의 진술을 기재한 조서와 법원 또는 법관의 검증의 결과를 기재한 조서는 증거로 할 수 있다. 제184조 및 제221조의2의 규정에 의하여 작성한 조서도 또한 같다.
>
> **제312조 【검사 또는 사법경찰관의 조서 등】** ⑥ 검사 또는 사법경찰관이 검증의 결과를 기재한 조서는 적법한 절차와 방식에 따라 작성된 것으로서 공판준비 또는 공판기일에서의 작성자의 진술에 따라 그 성립의 진정함이 증명된 때에는 증거로 할 수 있다.

(1) 법원 · 법관 작성 검증조서

공판준비 또는 공판기일에 법원 또는 법관의 검증의 결과를 기재한 조서는 당연히 증거능력이 있다(제311조).

> **판례 | 법원 작성 검증조서의 증거능력(= 당연히 증거능력 인정)**
>
> **녹음된 진술자의 상태 등을 확인하기 위하여 법원이 녹음테이프에 대한 검증을 실시한 경우, 그 검증조서**는 당연히 증거능력이 인정된다(대판 2008.7.10, 2007도10755).

(2) 수사기관 작성 검증조서

검사 또는 사법경찰관이 검증의 결과를 기재한 조서는 적법한 절차와 방식에 따라 작성된 것으로서 공판준비 또는 공판기일에서의 작성자의 진술에 따라 그 성립의 진정함이 증명된 때에는 증거로 할 수 있다(제312조 제6항). 18. 경찰승진 · 경찰채용 실황조사도 실질적으로 영장 없이 행하는 검증으로 실황조사서의 증거능력은 검증조서에 준하여 제312조 제6항에 의하여 결정하여야 한다.

> **판례 |**
>
> 1 검증조서 등이 증거능력이 인정되는 경우
>
> ① 사법경찰관사무취급 작성의 **실황조사서는 원작성자인 甲의 공판기일에서의 진술에 의하여 그 성립의 진정함이 인정**되었으므로 위 서류를 유죄 인정의 증거로 채택한 것은 적법하다(대판 1982.9.14, 82도1504).
>
> ② 검찰서기가 아닌 군사법경찰관이 참여한 **검찰관 작성의 검증조서는 그 형식적 참여자에 흠결이 있다 하더라도 피고인이 제1심법정에서 증거로 함에 동의한 이상 증거능력은 있다**고 보아야 한다(대판 1994.11.8, 94도1943).
>
> 2 검증조서 등이 증거능력이 인정되지 않는 경우
>
> ① **수사보고서에 검증의 결과에 해당하는 기재가 있는 경우**, 그 기재 부분은 검찰사건사무규칙 제17조에 의하여 검사가 범죄의 현장 기타 장소에서 실황조사를 한 후 작성하는 실황조서 또는 사법경찰관리집무규칙 제49조 제1항, 제2항에 의하여 사법경찰관이 수사상 필요하다고 인정하여 범죄 현장 또는 기타 장소에 임하여 실황을 조사할 때 작성하는 **실황조사서에 해당하지 아니하며**, 단지 수사의 경위 및 결과를 내부적으로 보고하기 위하여 작성된 서류에 불과하므로 그 안에 검증의 결과에 해당하는 기재가 있다고 하여 이를 형사소송법 제312조 제1항(개정법 제312조 제6항)의 '검사 또는 사법경찰관이 검증의 결과를 기재한 조서'라고 할 수 없을 뿐만 아니라 이를 같은 법 제313조 제1항의 '피고인 또는 피고인이 아닌 자가 작성한 진술서나 그 진술을 기재한 서류'라고

할 수도 없고, 같은 법 제311조, 제315조, 제316조의 적용대상이 되지 아니함이 분명하므로 그 기재 부분은 증거로 할 수 없다(대판 2001.5.29, 2000도2933). 16. 경찰채용

② 사법경찰리가 작성한 '피고인이 임의로 제출하는 별지 기재의 물건(공소장에 기재된 물건)을 압수하였다'는 내용의 **압수조서**는 **피고인이 공판정에서 증거로 함에 동의하지 아니하였고 원진술자의 공판기일에서의 증언에 의하여 그 성립의 진정함이 인정된 바도 없다**면 증거로 쓸 수 없다(대판 1995.1.24, 94도1476).

5. 진술서 및 감정서

형사소송법

제312조【검사 또는 사법경찰관의 조서 등】 ⑤ 제1항부터 제4항까지의 규정은 피고인 또는 피고인이 아닌 자가 수사과정에서 작성한 진술서에 관하여 준용한다.

제313조【진술서 등】 ① 전2조의 규정 이외에 피고인 또는 피고인이 아닌 자가 작성한 진술서나 그 진술을 기재한 서류로서 그 작성자 또는 진술자의 자필이거나 그 서명 또는 날인이 있는 것(피고인 또는 피고인 아닌 자가 작성하였거나 진술한 내용이 포함된 문자·사진·영상 등의 정보로서 컴퓨터용디스크, 그 밖에 이와 비슷한 정보저장매체에 저장된 것을 포함한다. 이하 이 조에서 같다)은 공판준비나 공판기일에서의 그 작성자 또는 진술자의 진술에 의하여 그 성립의 진정함이 증명된 때에는 증거로 할 수 있다. 단, 피고인의 진술을 기재한 서류는 공판준비 또는 공판기일에서의 그 작성자의 진술에 의하여 그 성립의 진정함이 증명되고 그 진술이 특히 신빙할 수 있는 상태하에서 행하여 진 때에 한하여 피고인의 공판준비 또는 공판기일에서의 진술에 불구하고 증거로 할 수 있다.
② 제1항 본문에도 불구하고 진술서의 작성자가 공판준비나 공판기일에서 그 성립의 진정을 부인하는 경우에는 과학적 분석결과에 기초한 디지털포렌식 자료, 감정 등 객관적 방법으로 성립의 진정함이 증명되는 때에는 증거로 할 수 있다. 다만, 피고인 아닌 자가 작성한 진술서는 피고인 또는 변호인이 공판준비 또는 공판기일에 그 기재 내용에 관하여 작성자를 신문할 수 있었을 것을 요한다.
③ 감정의 경과와 결과를 기재한 서류도 제1항 및 제2항과 같다.

(1) 진술서

① 의의: **진술서**란 법원이나 수사기관 이외의 **일반 사인이 스스로 자기의 의사·사상·관념 및 사실관계 등을 기재한 서면**을 말한다. 자술서, 전말서, 시말서 등 명칭 여하를 불문한다. 또한 당해 사건의 수사나 공판절차와 관계없이 작성한 메모·일기장·수첩 등도 진술서에 해당한다. 일반 사인의 진술을 기재한 일반 사인의 진술녹취서도 진술서에 준한다.

② 증거능력 인정요건

㉠ **수사과정에서 작성한 진술서**: 피고인 또는 피고인이 아닌 자가 수사과정에서 작성한 진술서는 검사 또는 사법경찰관 작성 피의자신문조서 또는 참고인진술조서에 준하여 증거능력 유무를 판단한다(제312조 제5항). 14 경찰채용

㉡ **수사과정 이외의 절차에서 작성한 진술서**: 진술서는 그 작성자 또는 진술자의 자필이거나 그 서명·날인이 있는 것은 공판준비나 공판기일에서의 그 작성자 또는 진술자의 진술에 의하여 그 성립의 진정함이 증명된 때에는 증거로 할 수 있다. 단, 피고인의 진술을 기재한 서류는 공판준비 또는 공판기일에서의 그 작성자의 진술에 의하여 그 성립의 진정함이 증명되고 그 진술이 특히 신빙할 수 있는 상태하에서 행하여 진 때에 한하여 피고인의 공판준비 또는 공판기일에서의 진술에 불구하고 증거로 할 수 있다(제313조 제1항).

③ 최근 전기통신기술의 비약적인 발전에 따라 컴퓨터 등 각종 정보저장매체를 이용한 정보저장이 일상화되었고, '진술서' 및 그에 준하는 '디지털 증거'의 진정성립은 '과학적 분석결과에 기초한 디지털포렌식 자료, 감정 등 객관적 방법'으로도 인정할 수 있다. 다만, 피고인이 아닌 자가 작성한 진술서는 피고인 또는 변호인이 공판준비 또는 공판기일에 그 기재 내용에 관하여 작성자를 신문할 수 있었을 것을 요한다. 17. 국가직 7급, 19. 경찰간부

판례 | 진술서 관련 판례

1 증거물로 제출된 타인의 성명, 계좌번호 등이 기재된 **메모지는 그 작성자 및 작성 · 보관의 경위, 그리고 그 기재 내용과 공소사실과의 관련성 등이 불분명하여** 형사소송법 제313조 제1항에 정한 전문증거로서 증거능력 인정을 위한 요건을 구비하지 못하였으므로 이는 **증거능력이 없다**(대판 2009.5.28, 2008도7769).

2 (피해자 A가 남동생 B에게 도움을 요청하면서 피고인이 협박한 말을 포함하여 공갈 등 피해를 입은 내용이 들어 있는) **문자메시지**의 내용을 촬영한 사진은 피해자의 진술서에 준하는 것으로 취급함이 상당할 것인바, 진술서에 관한 형사소송법 제313조에 따라 **문자메시지의 작성자인 A가 법정에 출석하여 자신이 문자메시지를 작성하여 동생에게 보낸 것과 같음을 확인**하고, **동생인 B도 법정에 출석하여 A가 보낸 문자메시지를 촬영한 사진이 맞다고 확인**한 이상, 문자메시지를 촬영한 사진은 그 성립의 진정함이 증명되었다고 볼 수 있으므로 이를 증거로 할 수 있다(대판 2010.11.25, 2010도8735). 15. 국가직 7급, 17. 변호사 · 국가직 9급, 18. 경찰채용, 19. 경찰간부

3 **수첩사본**은 그 **작성자인 甲의 진술에 의하여 그 진정성립이 인정**될 뿐 아니라 그 작성 경위와 내용 및 형식에 비추어 볼 때 특히 신용할 만한 정황에 의하여 작성된 것으로 보이므로 그 증거능력이 있다(대판 2011.1.27, 2010도11030).

4 휴대전화기에 대한 압수조서 중 '압수경위'란에 기재된 내용은 피고인이 공소사실과 같은 범행을 저지르는 현장을 직접 목격한 사람의 진술이 담긴 것으로서 형사소송법 제312조 제5항에서 정한 **'피고인이 아닌 자가 수사과정에서 작성한 진술서'**에 준하는 것으로 볼 수 있고, 이에 따라 **휴대전화기에 대한 임의제출절차가 적법하였는지 여부에 영향을 받지 않는 별개의 독립적인 증거에 해당한다**(대판 2019.11.14, 2019도13290 **지하철 몰카 사건 I**). 20. 경찰채용 · 국가직 9급

(2) 감정서

① **의의:** 감정서란 감정의 경과와 결과를 기재한 서류를 말한다. 법원 또는 법관의 명령에 의하여 감정인이 작성한 감정서 또는 수사기관의 위촉을 받은 수탁감정인이 작성한 감정서가 이에 해당한다. 일반 의사의 진단서는 감정서가 아니고 일종의 진술서이므로 이에 대하여는 제313조 제1항이 적용된다.

② **증거능력 인정요건:** 감정서는 공판기일에 감정인의 진술에 의하여 **성립의 진정함이 증명되면** 증거능력이 있다(제313조 제1항 · 제3항). 감정인이 성립의 진정을 부인하는 경우에는 과학적 분석결과에 기초한 디지털포렌식 자료, 감정 등 객관적 방법으로 **성립의 진정함이 증명되는 때**에는 증거로 할 수 있다. 다만, 피고인 또는 변호인이 그 기재 내용에 관하여 감정인을 신문할 수 있었을 것을 요한다(제313조 제2항 · 제3항)(《주의 감정서는 제311조에 의하여 당연히 증거능력이 있다. ×). 19. 경찰간부

판례 | 감정서의 증거능력이 인정되는 경우

감정서에는 감정인의 기명날인이 있고, 감정인이 공판기일에서 **작성명의가 진정하고 감정인의 관찰대로 기술되었다고 진술함으로써 그 성립의 진정함이 증명**되었다 할 것이므로 증거능력이 인정된다(대판 2011.5.26, 2011도1902).

6. 제314조의 적용

> **형사소송법**
>
> **제314조【증거능력에 대한 예외】** 제312조 또는 제313조의 경우에 공판준비 또는 공판기일에 진술을 요하는 자가 **사망 · 질병 · 외국거주 · 소재불명** 그 밖에 이에 준하는 사유로 인하여 진술할 수 없는 때에는 그 조서 및 그 밖의 서류(피고인 또는 피고인 아닌 자가 작성하였거나 진술한 내용이 포함된 문자 · 사진 · 영상 등의 정보로서 컴퓨터용디스크, 그 밖에 이와 비슷한 정보저장매체에 저장된 것을 포함한다)를 증거로 할 수 있다. 다만, 그 진술 또는 작성이 특히 신빙할 수 있는 상태하에서 행하여졌음이 증명된 때에 한한다.

(1) 의의

제312조 또는 제313조의 경우(다만, 판례에 의할 때 제312조 제3항은 제외)에 공판준비 또는 공판기일에 진술을 요할 자가 사망 · 질병 · 외국거주 · 소재불명 기타 이에 준하는 사유로 인하여 진술할 수 없는 때에는 그 조서 기타 서류를 증거로 할 수 있다. 다만, 그 조서 또는 서류는 그 진술 또는 작성이 특히 신빙할 수 있는 상태하에서 행하여진 때에 한한다. 최근 전기통신 기술의 비약적 발전에 따라 문자 · 사진 · 영상 등의 정보로서 컴퓨터용디스크, 그 밖에 이와 비슷한 정보저장매체에 저장된 것이 포함되었다.

> **판례 |**
>
> 1 제314조가 적용될 수 있는 서류
>
> 형사소송법 제312조 소정의 조서나 같은 법 제313조 소정의 서류를 반드시 우리나라의 권한 있는 수사기관 등이 작성한 조서 및 서류에만 한정하여 볼 것은 아니고 **외국의 권한 있는 수사기관 등이 작성한 조서나 서류도 같은 법 제314조 소정의 요건을 모두 갖춘 것이라면 이를 유죄의 증거로 삼을 수 있다**(대판 1997.7.25, 97도135). 17. 국가직 7급, 19. 경찰간부
>
> 2 제314조가 적용되지 않는 서류
>
> **당해 피고인과 공범관계가 있는 다른 피의자에 대한 검사 이외의 수사기관 작성의 피의자신문조서**는 그 피의자의 법정진술에 의하여 그 성립의 진정이 인정되더라도 당해 피고인이 공판기일에서 그 조서의 내용을 부인하면 증거능력이 부정되므로 그 당연한 결과로 그 피의자신문조서에 대하여는 사망 등 사유로 인하여 법정에서 진술할 수 없는 때에 예외적으로 증거능력을 인정하는 규정인 **형사소송법 제314조가 적용되지 아니한다**(대판 2009.11.26, 2009도6602). 14. 경찰승진, 15. 변호사

(2) 제314조의 취지

피의자신문조서 · 참고인진술조서 · 검증조서 · 진술서 · 감정서 등의 경우 공판준비 또는 공판기일에서 원진술자가 성립의 진정을 인정해야 증거능력이 부여된다. 그러나 원진술자가 공판정에 출석하여 진술할 수 없고(필요성) 특히 신빙할 수 있는 상태에 있는 경우에는(신용성의 정황적 보장) 예외적으로 증거능력을 인정하는 것이 제314조의 입법취지이다.

판례 | 형사소송법 제314조 관련 판례

1 형사소송법 제314조에 의하면 같은 법 제312조 소정의 조서나 같은 법 제313조 소정의 서류 등을 증거로 하기 위해서는, 첫째로 진술을 요할 자가 사망, 질병, 외국거주 기타 사유로 인하여 공판준비 또는 공판기일에 진술할 수 없는 경우이어야 하고(**필요성의 요건**), 둘째로 그 진술 또는 서류의 작성이 특히 신빙할 수 있는 상태하에서 행하여진 것이어야 한다(**신용성 정황적 보장의 요건**)(대판 2006.5.25, 2004도3619).

2 '**질병**'은 진술을 요할 자가 공판이 계속되는 동안 임상신문이나 출장신문도 불가능할 정도의 중병임을 요한다고 할 것이고, '**기타 사유**'는 사망 또는 질병에 준하여 증인으로 소환될 당시부터 기억력이나 분별력의 상실 상태에 있다거나 증인소환장을 송달받고 출석하지 아니하여 구인을 명하였으나 끝내 구인의 집행이 되지 아니하는 등으로 진술을 요할 자가 공판준비 또는 공판기일에 진술할 수 없는 예외적인 사유가 있어야 한다(대판 2006.5.25, 2004도3619).

3 '**외국거주**'는 진술을 하여야 할 사람이 단순히 외국에 있다는 것만으로는 부족하고, 가능하고 상당한 수단을 다하더라도 그 사람을 법정에 출석하게 할 수 없는 사정이 있어야 예외적으로 그 요건이 충족될 수 있다고 할 것인데, 통상적으로 그 요건이 충족되었는지는 소재의 확인, 소환장의 발송과 같은 절차를 거쳐 확정되는 것이기는 하지만 항상 그러한 절차를 거쳐야만 되는 것은 아니고, 경우에 따라서는 비록 그러한 절차를 거치지 않더라도 법원이 그 사람을 법정에서 신문하는 것을 기대하기 어려운 사정이 있다고 인정할 수 있다면 그 요건은 충족된다고 보아야 한다(대판 2013.7.26, 2013도2511). 16. 법원직 9급, 17. 국가직 9급

4 '**소재불명 그 밖에 이에 준하는 사유로 인하여 진술할 수 없는 때**'라고 함은 소환장이 주소불명 등으로 송달불능이 되어 소재탐지촉탁까지 하여 소재수사를 하였는데도 그 소재를 확인할 수 없는 경우라야 이에 해당하고, 단지 소환장이 주소불명 등으로 송달불능되었다는 것만으로는 이에 해당한다고 보기에 부족하다(대판 2010.9.9, 2010도2602). 18. 변호사

5 '**소재불명이거나 그 밖에 이에 준하는 사유로 인하여 진술할 수 없는 때**'에 해당한다고 인정할 수 있으려면, 증인의 법정 출석을 위한 가능하고도 충분한 노력을 다하였음에도 불구하고 부득이 증인의 법정 출석이 불가능하게 되었다는 사정을 검사가 입증한 경우여야 한다(대판 2013.4.11, 2013도1435). 17. 국가직 9급, 18. 변호사

(3) 증거능력 인정요건

① **필요성**: 원진술자가 사망, 질병, 외국거주, 소재불명 기타 이에 준하는 사유로 인하여 진술할 수 없어야 한다.

② **특신상태**: 필요성이 인정되는 경우라도 조서 또는 서류는 그 진술 또는 작성이 특히 신빙할 수 있는 상태하에서 행해진 경우에 증거능력이 인정된다.

판례 |

1 형사소송법 제314조에 해당하는 경우

① 진술을 요할 자가 **중풍 · 언어장애 등 장애등급 3급 5호의 장애**로 인하여 법정에 출석할 수 없었고, 그 후 신병을 치료하기 위하여 속초로 간 후에는 그에 대한 **소재탐지가 불가능**하게 된 경우(대판 1999.5.14, 99도202) 16 · 17. 경찰승진

② 피해자가 증인으로 소환당할 당시부터 **노인성 치매로 인한 기억력 장애, 분별력 상실** 등으로 인하여 진술할 수 없는 경우(대판 1992.3.13, 91도2281) 15. 국가직 9급, 16. 법원직 9급 · 경찰승진

③ 이메일의 작성자인 乙은 프랑스에 거주하고 있고, 코리아연대의 총책으로 피고인 甲 등에 대한 공소사실 중 코리아연대 구성에 의한 국가보안법 위반(이적단체의 구성 등) 부분의 공동정범에 해당하기 때문에 법원으로부터 소환장을 송달받는다고 하더라도 **법정에 증인으로 출석할 것을 기대하기 어려운 경우**(대판 2016.10.13, 2016도8137)

④ 진술을 요할 자가 **일본으로 이주**한 이래 전자우편에 의한 연락 이외에 그 주거지나 거소 등이 파악되지 않았고, 수사기관이 전자우편 주소로 증인 출석을 수차례 권유하였으나 자필진술서를 통하여 증언을 거부할 뜻을 명확히 표시한 경우(대판 2013.7.26, 2013도2511) 16. 경찰승진

⑤ 증인이 **미국으로 출국하여 그 곳에 거주**하고 있음이 밝혀지고 또한 증인이 제1심법원에 경위서를 제출하면서 장기간 귀국할 수 없음을 통보한 경우(대판 2007.6.14, 2004도5561) 14. 경찰채용, 15. 국가직 9급, 17. 경찰승진

⑥ 진술을 요할 자가 차량공급업체 선정과 관련한 특정범죄가중법 위반(알선수재) 혐의로 수사를 받던 중 **미국으로 불법도피하여 그 곳에 거주**하고 있는 경우(대판 2002.3.26, 2001도5666)

⑦ **일본에 거주**하는 사람을 증인으로 채택하여 환문코자 하였으나 외무부로부터 현재 일본측에서 형사사건에 대하여는 양국 형법체계상의 상이함을 이유로 송달에 응하지 않고 있어 그 송달이 불가능하다는 취지의 회신을 받은 경우(대판 1987.9.8, 87도1446)

⑧ 증인에 대한 **소환장이 송달불능되어 수회에 걸쳐 그 소재탐지촉탁을 하였으나 그 소재를 알지 못하게 된 경우**(대판 2004.3.11, 2003도171)

⑨ 진술을 요할 자가 일정한 주거를 가지고 있더라도 법원의 **소환에 계속 불응하고 구인하여도 구인장이 집행되지 않는 경우**(대판 2000.6.9, 2000도1765) 16. 법원직 9급

⑩ 법원이 증인으로 채택, 소환하였으나 계속 불출석하여 3회에 걸쳐 구인영장을 발부하였으나 **가출하여 소재불명**이라는 이유로 집행되지 않는 경우(대판 1986.2.5, 85도2788)

⑪ 원진술자가 공판정에서 진술을 한 경우라도 증인신문 당시 일정한 사항에 관하여 **"기억이 나지 않는다."는 취지로 진술하여 그 진술의 일부가 재현 불가능하게 된 경우**(대판 2006.4.14, 2005도9561)(同旨 대판 1999.11.26, 99도3786). 14. 변호사, 17. 국가직 9급, 17 · 18. 경찰승진

2 형사소송법 제314조에 해당하지 않는 경우

① 진술자가 만 5세 무렵에 당한 **성추행으로 인하여 외상 후 스트레스 증후군을 앓고 있다**는 등의 이유로 공판정에 출석하지 아니한 경우(대판 2006.5.25, 2004도3619) 14. 경찰채용, 16. 경찰승진

② 원진술자가 공판기일에 증인으로 소환받고도 **출산을 앞두고 있다**는 이유로 출석하지 아니한 경우(대판 1999.4.23, 99도915) 14. 경찰채용, 15. 경찰간부 · 국가직 9급

③ 증인으로 소환받은 자가 "현재 호주에 거주하고 있고, 비자조건이 외국 또는 대한민국으로 방문을 하였을 시 3년간 호주 입국을 할 수 없는 임시 체류 비자 'E'라는 조건으로 있어 증인으로 참석이 불가능하다."라는 이유로 불출석하자, (대한민국과 호주 양국간에 형사사법공조 양자조약이 체결되어 발효되어 있음에도) 법원이 증인에 대하여 **국제형사사법공조를 통한 증인소환이나 호주 법원에 대한 증인신문 요청 등의 조치를 전혀 시도해 보지 않고 증인채택을 취소한 경우**(대판 2016.2.18, 2015도17115)

④ (소재탐지촉탁 등으로 소재수사를 하지 않고) **단순히 소환장이 주소불명으로 송달불능된 경우**(대판 1985.2.26, 84도1697)

⑤ 단지 소환장이 주소불명 등으로 **송달불능되었다거나** 소재탐지촉탁을 하였으나 그 회보가 오지 않은 경우(대판 1996.5.14, 96도575)

⑥ **증인의 주소지가 아닌 곳으로 소환장을 보내 송달불능이 되고** 그곳을 중심으로 소재탐지를 하여 불능 회보를 받은 경우(대판 2006.12.22, 2006도7479) 18. 경찰승진

⑦ 피해자 등을 증인으로 채택하여 수회에 걸쳐 증인소환장의 송달을 실시하였으나 송달이 되지 아니하자, **증인에 대한 소재탐지촉탁을 하는 등 소재수사를 한 바 없이 증인 채택을 취소한 경우**(대판 2010.9.9, 2010도2602)

⑧ **소환장이 송달불능된 자에 대하여는 소재탐사도 한 바 없이** 또 소환을 받고도 2회나 출석하지 아니한 자에 대하여는 **구인신청도 하지 아니한 채** 검사가 도리어 양자의 소환신청을 철회한 경우(대판 1969.5.13, 69도364)

⑨ **경찰이 증인과 가족의 실거주지를 방문하지 않은 상태에서** 전화상으로 '증인의 모(母)로부터 법정에 출석케 할 의사가 없다'는 취지의 진술을 들었다는 내용의 구인장 집행불능보고서를 제출하고 있을 뿐이고, **검사가 증인의 법정 출석을 위하여 상당한 노력을 기울이지 않은 경우**(대판 2007.1.11, 2006도7228)

⑩ 증인에 대한 소환장이 송달불능되자 소재탐지를 촉탁하여 소재탐지 불능보고서를 제출받은 경우. 다만, 검사가 직접 또는 경찰을 통하여 기록에 나타난 증인의 전화번호로 연락하여 법정 출석의사가 있는지 확인하는 등의 방법으로 법정 출석을 위하여 상당한 노력을 기울이지 않았음(대판 2013.4.11, 2013도1435) 14. 변호사

⑪ 증인소환장이 송달되지 아니함에 따라 검사의 주소보정, 소재탐지촉탁 등을 거친 경우. 다만, **검사가** 직접 또는 경찰을 통하여 수사기록에 기재된 **증인의 휴대전화번호들로 연락하여 법정 출석 의사가 있는지를 확인하는 등의 방법으로 증인의 법정 출석을 위하여 상당한 노력을 기울였다는 자료가 보이지 않음**(대판 2013.10.17, 2013도5001)

⑫ 법정에 출석한 증인이 증언거부권을 행사하여 **증언을 거부한 경우**[대판 2012.5.17, 2009도6788(전합)] 14·15·16·19. 변호사, 14·15·16·17. 법원직 9급, 15·17. 국가직 9급, 17. 경찰승진·국가직 7급, 18. 경찰채용, 20. 변호사

⑬ 증거서류의 진정성립을 묻는 검사의 질문에 대하여 피고인이 진술거부권을 행사하여 **진술을 거부한 경우**(대판 2013.6.13, 2012도16001) 14. 변호사, 15. 국가직 7급, 16. 법원직 9급

⑭ 수사기관에서 진술한 참고인이 **법정에서 증언을 거부하여 피고인이 반대신문을 하지 못한 경우에는 정당하게 증언거부권을 행사한 것이 아니라도,** 피고인이 증인의 증언거부 상황을 초래하였다는 등의 특별한 사정이 없는 한 **형사소송법 제314조의 '그 밖에 이에 준하는 사유로 인하여 진술할 수 없는 때'에 해당하지 않으므로** 수사기관에서 그 증인의 진술을 기재한 서류는 증거능력이 없다[대판 2019.11.21, 2018도13945(전합) **필로폰 매수인 증언거부사건**]. 20. 경찰채용, 21. 법원직 9급

3 형사소송법 제314조의 '특히 신빙할 수 있는 상태하에서 행하여졌음'의 의미

① 형사소송법 제314조 단서에 규정된 진술 또는 작성이 **'특히 신빙할 수 있는 상태하에서 행하여진 때'**라 함은 **그 진술내용이나 조서 또는 서류의 작성에 허위개입의 여지가 거의 없고 그 진술내용의 신용성이나 임의성을 담보할 구체적이고 외부적인 정황이 있는 경우**를 가리킨다(대판 2014.4.30, 2012도725). 18. 경찰채용·국가직 9급

② 법원이 **형사소송법 제314조에 따라 증거능력을 인정하기 위하여는** 단순히 그 진술이나 조서의 작성과정에 뚜렷한 절차적 위법이 보이지 않는다거나 진술의 임의성을 의심할 만한 구체적 사정이 없다는 것만으로는 부족하고, 이를 넘어 **법정에서의 반대신문 등을 통한 검증을 굳이 거치지 않더라도 진술의 신빙성과 임의성을 충분히 담보할 수 있는 구체적이고 외부적인 정황이 있어** 그에 기초하여 법원이 유죄의 심증을 형성하더라도 증거재판주의의 원칙에 어긋나지 않는다고 평가할 수 있는 정도에 이르러야 한다(대판 2014.8.26, 2011도6035).

4 형사소송법 제314조의 '특히 신빙할 수 있는 상태하에서 행하여졌음'의 증명 방법

참고인의 소재불명 등의 경우 형사소송법 제314조의 의하여 그 참고인이 진술하거나 작성한 진술조서나 진술서에 대하여 증거능력을 인정하는 것은 (중략) 원진술자 등에 대한 반대신문의 기회조차 없이 증거능력을 부여할 수 있도록 한 것이므로, 그 경우 참고인의 진술 또는 작성이 **'특히 신빙할 수 있는 상태하에서 행하여졌음에 대한 증명'**은 단지 그러할 개연성이 있다는 정도로는 부족하고 **합리적인 의심의 여지를 배제할 정도에 이르러야 한다**(대판 2014.2.21, 2013도12652). 17. 법원직 9급, 18. 국가직 9급, 20. 경찰간부·경찰채용

7. 당연히 증거능력이 있는 서류

형사소송법

제315조【당연히 증거능력이 있는 서류】 다음에 게기한 서류는 증거로 할 수 있다.
1. 가족관계기록사항에 관한 증명서, 공정증서등본 기타 공무원 또는 외국공무원의 직무상 증명할 수 있는 사항에 관하여 작성한 문서
2. 상업장부, 항해일지 기타 업무상 필요로 작성한 통상문서
3. 기타 특히 신용할 만한 정황에 의하여 작성된 문서

(1) 의의

제315조의 서류는 진술서 또는 진술녹취서에 해당하나 특히 신용성이 높고 그 작성자인 공무원이나 업무자를 증인으로 신문하는 것이 부적당하고 실익이 없기 때문에 당연히 증거능력을 인정하는 것이다.

(2) 내용

① **공무원이 직무상 증명할 수 있는 사항에 관하여 작성한 문서(제1호):** 가족관계기록사항에 관한 증명서, 공정증서등본 기타 공무원 또는 외국공무원의 직무상 증명할 수 있는 사항에 관하여 작성한 문서는 당연히 증거능력이 있다. 14·15. 경찰승진 (예 부동산등기부, 상업등기부, 인감증명서, 신원증명서, 보건사회부장관의 시가보고서, 세관공무원의 시가감정서 등 19. 경찰간부)

② **업무상 필요로 작성한 통상문서(제2호):** 상업장부, 항해일지 기타 업무상 필요로 작성한 통상문서는 당연히 증거능력이 있다(예 금전출납부, 전표, 통계표, 의사의 진료부 등).

판례 | 형사소송법 제315조 제2호 관련 판례

상업장부나 항해일지, 진료일지 또는 이와 유사한 금전출납부 등과 같이 **범죄사실의 인정 여부와는 관계없이 자기에게 맡겨진 사무를 처리한 내역을 그때그때 계속적, 기계적으로 기재한 문서**는 사무처리 내역을 증명하기 위하여 존재하는 문서로서 **형사소송법 제315조 제2호에 의하여 당연히 증거능력이 인정된다**(대판 2017.12.5, 2017도12671). 18·19. 경찰승진, 20. 국가직 9급

③ **기타 특히 신용할 만한 정황에 의하여 작성된 문서(제3호):** 제1호 내지 제2호에 준하는 서류로 당연히 증거능력이 인정된다(예 공공기록, 역서, 정기간행물의 시장가격표, 스포츠기록, 공무소 작성의 통계·연표, 다른 사건의 공판조서 등).

판례 |

1 제315조 제1호에 의하여 당연히 증거능력이 인정되는 서류

① 시가감정 업무에 4~5년 종사해 온 **세관공무원**이 세관에 비치된 기준과 수입신고서에 기재된 가격을 참작하여 작성한 감정서(대판 1985.4.9, 85도225) 18. 법원직 9급, 20. 국가직 7급

② 일본 **하관(下關)세관서 통괄심리관** 작성의 범칙물건감정서등본과 분석의뢰서 및 분석회답서등본(대판 1984.2.28, 83도3145) 14. 국가직 9급, 15. 경찰채용, 16. 경찰승진

③ **국립과학수사연구소장** 작성의 감정의뢰회보서(대판 1982.9.14, 82도1504) 15. 경찰채용

④ **군의관이 작성한 진단서**(대판 1972.6.13, 72도922) 14. 경찰승진

⑤ **보건사회부장관**의 마약인 메사돈(Methadone)에 대한 시가조사보고서(대판 1967.6.13, 67도544)

2 제315조 제2호에 의하여 당연히 증거능력이 인정되는 서류

성매매업소에서 **영업에 참고하기 위하여 성매매 상대방에 관한 정보를 입력하여 작성한 메모리카드의 내용**(대판 2007.7.26, 2007도3219) 14·20. 국가직 9급, 14·15. 경찰승진, 15·17. 경찰채용, 18. 법원직 9급

3 제315조 제2호가 적용되지 않아 당연히 증거능력이 인정된다고 할 수 없는 서류

변호사가 피고인에 대한 **법률자문 과정에 작성하여 피고인에게 전송한 전자문서를 출력한 법률의견서**[대판 2012.5.17, 2009도6788(전합)] 20. 국가직 7급

4 제315조 제3호에 의하여 당연히 증거능력이 인정되는 서류

① **다른 피고사건의 공판조서**(대판 2005.1.14, 2004도6646) 14. 국가직 9급, 14·16. 변호사, 17. 법원직 9급

② **다른 피고인에 대한 형사사건의 공판조서 및 그 공판조서 중 일부인 증인신문조서**(대판 2005.4.28, 2004도4428) 17. 경찰채용, 20. 국가직 7급·변호사

③ 법원이 구속피의자를 심문하고 그 진술을 기재한 **구속적부심문조서**(대판 2004.1.16, 2003도5693) 18·19·20. 경찰채용, 19. 국가직 9급, 20. 경찰승진·변호사

④ **서울형사지방법원의 공판조서등본**(대판 1986.9.23, 86도1547) 14. 국가직 9급, 14·15. 경찰승진, 14·17. 경찰채용, 17. 경찰간부, 18. 법원직 9급

⑤ **군법회의 판결사본**(교도소장이 교도소에 보관 중인 판결등본을 사본한 것)(대판 1981.11.24, 81도2591)

⑥ 사법경찰관 작성의 **'새세대 16호'**에 대한 수사보고서(피고인이 검찰에서 소지 탐독사실을 인정하고 있는 '새세대 16호'라는 유인물의 내용을 분석하고 이를 기계적으로 복사하여 그 말미에 그대로 첨부한 문서)(대판 1992.8.14, 92도1211) 20. 국가직 9급

5 제315조가 적용되지 않아 당연히 증거능력이 인정된다고 할 수 없는 서류

① 보험사기사건에서 **건강보험심사평가원이 수사기관의 의뢰에 따라 그 보내온 자료를 토대로 입원진료의 적정성에 대한 의견을 제시하는 내용**의 '건강보험심사평가원의 입원진료 적정성 여부 등 검토의뢰에 대한 회신'(대판 2017.12.5, 2017도12671) 18. 법원직 9급, 19. 경찰승진·경찰채용, 20. 국가직 7급·변호사, 21. 경찰간부

② **425지논 파일**(국정원장의 업무 지시 사항에 따라 심리전단이 활동해야 할 주제와 그에 관련된 2~3줄의 짧은 설명을 담고 있는 구체적 활동 지침에 해당하는 이른바 '이슈와 논지', 심리전단 직원으로서 수행함에 있어 필요한 자료, 심리전단 활동의 수행 방법 등 업무와 관련한 내용을 주로 담고 있음) 및 **시큐리티 파일**(269개 트위터 계정을 포함하고 있는 심리전단 직원별 트위터 계정 정보, 트위터피드 계정에 관한 비밀번호 등 기본 정보, 직원들과 보수논객 등의 트위터 계정의 정보 및 구체적인 심리전 활동 내역 등 업무와 관련한 내용을 주로 담고 있음)[대판 2015.7.16, 2015도2625(전합)]

③ 유치장 근무자가 작성한 **체포·구속인접견부 사본**(대판 2012.10.25, 2011도5459) 16. 국가직 9급

④ 대한민국 주중국 대사관 영사가 작성한 **사실확인서 중 공인 부분을 제외한 나머지 부분**(공적인 증명보다는 상급자 등에 대한 보고를 목적으로 하는 것임)(대판 2007.12.13, 2007도7257) 20. 국가직 9급

⑤ **주민**들의 진정서사본(대판 1983.12.13, 83도2613)

⑥ 사법경찰관사무취급 작성 **실황조사서**(대판 1982.9.14, 82도1504)

⑦ **외국수사기관이 수사결과 얻은 정보를 회답하여 온 문서**들(미육군 범죄수사대 한국지구대 대구파견대장 甲, 乙이 작성한 수사협조의뢰에 대한 회신이나 미군 한국교역처 남부영업소 안전보안관 丙, 丁이 작성한 특별주문상품처리회신 등)(대판 1979.9.25, 79도1852) 14. 경찰승진

⑧ **육군과학수사연구소 실험분석관**이 작성한 감정서(대판 1976.10.12, 76도2960) 15. 경찰채용, 16. 경찰승진

⑨ **사인인 의사**가 작성한 진단서(대판 1976.4.13, 76도500) **cf) 의사의 진료부** 18. 국가직 9급, 20. 해경채용

⑩ **검사의 공소장**(대판 1978.5.23, 78도575)

⑪ 청와대 경제수석비서관이 **사무처리의 편의를 위하여 자신이 경험한 사실** 등을 기재한 업무수첩[대판 2019.8.29, 2018도14303(전합) **국정농단 박근혜 전대통령 사건**]

⑫ 대한민국 법원의 **형사사법공조요청에 따라** 미합중국 법원의 지명을 받은 수명자(미합중국 검사)가 작성한 피해자 및 공범에 대한 증언녹취서(deposition)(대판 1997.7.25, 97도1351) 19. 경찰채용

8. 전문진술

형사소송법

제316조 【전문의 진술】 ① 피고인이 아닌 자(공소제기 전에 피고인을 피의자로 조사하였거나 그 조사에 참여하였던 자를 포함한다. 이하 이 조에서 같다)의 공판준비 또는 공판기일에서의 진술이 피고인의 진술을 그 내용으로 하는 것인 때에는 그 진술이 특히 신빙할 수 있는 상태하에서 행하여졌음이 증명된 때에 한하여 이를 증거로 할 수 있다.

② 피고인 아닌 자의 공판준비 또는 공판기일에서의 진술이 피고인 아닌 타인의 진술을 그 내용으로 하는 것인 때에는 원진술자가 사망, 질병, 외국거주, 소재불명 그 밖에 이에 준하는 사유로 인하여 진술할 수 없고, 그 진술이 특히 신빙할 수 있는 상태하에서 행하여졌음이 증명된 때에 한하여 이를 증거로 할 수 있다.

(1) 피고인의 진술을 내용으로 하는 전문진술

피고인이 아닌 자(공소제기 전에 피고인을 피의자로 조사하였거나 그 조사에 참여하였던 자 포함)의 공판준비 또는 공판기일에서의 진술이 피고인의 진술을 그 내용으로 하는 것인 때에는 그 진술이 특히 신빙할 수 있는 상태하에서 행하여졌음이 증명된 때에 한하여 이를 증거로 할 수 있다(제316조 제1항). 14. 경찰승진 · 경찰채용

판례 |

1 피고인의 진술을 그 내용으로 하는 전문진술이 기재된 조서의 증거능력 인정 요건(= 제312조 내지 제314조의 요건과 제316조 제1항의 요건 충족)

피고인의 진술을 그 내용으로 하는 **전문진술이 기재된 조서**는 형사소송법 **제312조 내지 314조의 규정**에 의하여 그 증거능력이 인정될 수 있는 경우에 해당하여야 함은 물론, 나아가 형사소송법 **제316조 제1항의 규정**에 따른 위와 같은 조건을 갖춘 때에 예외적으로 증거능력을 인정하여야 할 것이다(대판 2005.11.25, 2005도5831). 14. 경찰간부

2 형사소송법 제316조 제1항에 규정된 '그 진술이 특히 신빙할 수 있는 상태하에서 행하여졌음이 증명된 때'의 의미

형사소송법 제316조 제1항의 규정된 '그 진술이 특히 신빙할 수 있는 상태하에서 행하여진 때'라 함은 **그 진술을 하였다는 것에 허위 개입의 여지가 거의 없고, 그 진술 내용의 신빙성이나 임의성을 담보할 구체적이고 외부적인 정황이 있는 경우**를 가리킨다(대판 2010.11.25, 2010도8735). 14 · 17. 경찰승진, 15. 경찰채용, 17. 경찰간부, 18. 국가직 9급

(2) 피고인 아닌 타인의 진술을 내용으로 하는 전문진술

피고인 아닌 자(공소제기 전에 피고인을 피의자로 조사하였거나 그 조사에 참여하였던 자 포함)의 공판준비 또는 공판기일에서의 진술이 피고인 아닌 타인의 진술을 그 내용으로 하는 것인 때에는 원진술자가 사망, 질병, 외국거주, 소재불명 그 밖에 이에 준하는 사유로 인하여 진술할 수 없고, 그 진술이 특히 신빙할 수 있는 상태하에서 행하여졌음이 증명된 때에 한하여 이를 증거로 할 수 있다(제316조 제2항). 18. 경찰승진

판례 |

1 형사소송법 제316조 제2항 소정의 '피고인 아닌 타인'의 의미(= 공동피고인이나 공범자를 모두 포함한 제3자)

형사소송법 제316조 제2항에 의하면, 피고인 아닌 자(甲)의 공판준비 또는 공판기일에서의 진술이 **피고인 아닌 타인(乙)**의 진술을 그 내용으로 하는 것인 때에는 원진술자가 사망, 질병, 외국거주, 소재불명 그 밖에 이에 준하는 사유로 인하여 진술할 수 없고 그 진술이 특히 신빙할 수 있는 상태하에서 행하여졌음이 증명된 때에 한하여 이를 증거로 할 수 있다고 규정하고 있고, 여기서 말하는 **'피고인 아닌 자(乙)'라고 함은 제3자는 말할 것도 없고 공동피고인이나 공범자를 모두 포함한다**고 해석된다(대판 2011.11.24, 2011도7173). 14. 경찰승진, 15. 경찰간부 · 경찰채용

2 전문진술에 있어 원진술자가 증언능력에 준하는 능력을 갖춘 상태에 있어야 하는지의 여부(적극)

전문의 진술을 증거로 함에 있어서는 전문진술자가 원진술자로부터 진술을 들을 당시 **원진술자가 증언능력에 준하는 능력을 갖춘 상태에 있어야 할 것**이다(대판 2006.4.14, 2005도9561). 15. 경찰채용, 17. 경찰간부, 17 · 18. 경찰승진

3 형사소송법 제316조 제2항에 의하여 증거능력이 인정되는 경우

① 증인 A가 'B도 저와 똑같은 방법으로 금품을 강취당하고 윤간을 당하였다고 하더라'라고 증언한 경우, **B가 소재불명으로 인하여 진술할 수 없고** 그 진술내용은 B가 범행을 당한 직후 같이 범행을 당한 A에게 한 그 범행 당한 경위와 내용에 관한 진술로서 **특히 신빙할 수 있는 상태하에서 행하여진 것으로 인정되므로** A의 진술은 증거능력이 있다(대판 1981.7.7, 81도1282).

② 증인 등의 진술내용이 주한미국대사관 경비근무 중이었던 미군인의 진술을 전문한 것이라고 하더라도 **동인이 한국근무를 마치고 귀국하여 진술할 수가 없고** 또 그 진술이 동인작성의 근무일지 사본의 기재 등에 비추어 **특히 신빙할 수 있는 상태하에서 행하여진 것**으로 보고 이를 증거로 채택하였음에 잘못이 없다(대판 1976.10.12, 76도2781).

4 형사소송법 제316조 제2항에 해당하지 않아 증거능력이 인정되지 않는 경우

① **피해자가 제1심법정에 출석하여 증언**을 한 사건에 있어서는 원진술자인 피해자가 질병, 외국거주, 소재불명 그 밖에 이에 준하는 사유로 인하여 진술할 수 없는 때에 해당되지 아니하므로 피해자의 진술을 그 내용으로 하는 증인의 증언은 전문증거로서 증거능력이 없다(대판 2011.11.24, 2011도7173).

② **원진술자가 법정에 출석하여 수사기관에서의 진술을 부인하는 취지로 증언**을 한 이상 원진술자의 진술을 내용으로 하는 조사자의 증언은 증거능력이 없다(대판 2008.9.25, 2008도6985). 14 · 17 · 20. 경찰승진, 17. 경찰간부

③ **원진술자가 제1심법원에 출석하여 진술**을 하였다가 항소심에 이르러 진술할 수 없게 된 경우를 형사소송법 제316조 제2항에서 정한 '원진술자가 진술할 수 없는 경우'에 해당한다고는 할 수 없다(대판 2001.9.28, 2001도3997).

④ 전문진술의 **원진술자가** 공동피고인이어서 형사소송법 제316조 제2항 소정의 '피고인 아닌 타인'에는 해당하나 **법정에서 공소사실을 부인**하고 있어서 '원진술자가 사망, 질병 기타 사유로 인하여 진술할 수 없는 때'에는 해당되지 않는다(대판 2000.12.27, 99도5679).

5 피고인 아닌 자의 진술을 그 내용으로 하는 전문진술이 기재된 조서의 증거능력 인정 요건(= 제312조 내지 제314조의 요건과 제316조 제2항의 요건 충족)

피고인 아닌 자의 진술을 그 내용으로 하는 **전문진술이 기재된 조서**는 형사소송법 **제312조 또는 제314조의 규정**에 따라 증거능력이 인정될 수 있는 경우에 해당하여야 함은 물론 형사소송법 **제316조 제2항의 규정**에 따른 요건을 갖추어야 예외적으로 증거능력이 있다(대판 2010.7.8, 2008도7546). 14. 경찰간부, 16 · 18. 변호사

6 **형사소송법 제316조 제2항에 규정된 '그 진술이 특히 신빙할 수 있는 상태하에서 행하여졌음이 증명된 때'의 의미**

형사소송법 제316조 제2항의 규정된 '그 진술이 특히 신빙할 수 있는 상태하에서 행하여진 때'라 함은 그 진술을 하였다는 것에 허위개입의 여지가 거의 없고, 그 진술내용의 신빙성이나 임의성을 담보할 구체적이고 외부적인 정황이 있는 경우를 가리킨다(대판 2000.3.10, 2000도159). 14·17. 경찰승진, 15. 경찰채용, 17. 경찰간부, 20. 변호사

7 **형사소송법 제316조 제2항의 '특히 신빙할 수 있는 상태하에서 행하여졌음'의 증명 방법**

형사소송법 제314조의 '특히 신빙할 수 있는 상태하에서 행하여졌음에 대한 증명'은 단지 그러할 개연성이 있다는 정도로는 부족하고 **합리적인 의심의 여지를 배제할 정도에 이르러야 하고**, 이러한 법리는 원진술자의 소재불명 등을 전제로 하고 있는 **형사소송법 제316조 제2항의 '특신상태'에 관한 해석에도 그대로 적용된다**(대판 2014.4.30, 2012도725). 18. 국가직 9급

04 전문법칙의 관련문제

1. 녹음테이프 등의 증거능력

(1) 녹음테이프 등의 특성과 법적규율

① **녹음테이프:** 녹음테이프는 기록과 재생의 측면에서 사람의 지각이나 기억보다 정확성이 뛰어나고 살아있는 음성을 법원에 제공한다는 점에서 높은 증거가치를 가진다. 그러나 녹음자에 의하여 조작될 가능성이 있다는 위험성도 내포하고 있다. 형사소송법은 녹음테이프의 증거능력에 관하여 명문의 규정이 없기 때문에 그 증거능력에 관하여 학설과 판례의 견해가 대립한다. 녹음테이프는 진술녹음과 현장녹음으로 구분하여 그 증거능력 유무를 검토하여야 한다.

② **비디오테이프와 컴퓨터디스켓 등:** 비디오테이프도 녹음테이프에 관한 증거능력 이론이 그대로 적용된다. 또한 컴퓨터디스켓에 들어있는 내용이 증거가 되는 경우에도 각종 전문서류와 같이 증거능력 유무를 검토하면 된다. 이는 새로운 매체인 CD, USB, MP3, PMP, Smart-Phone 등의 경우에도 동일하다.

(2) 진술녹음

① **의의:** 진술녹음이란 피고인이나 피고인 아닌 자의 진술이 녹음되어 있고 그 진술내용의 진실성이 증명의 대상이 되는 경우를 말한다. 법원 또는 수사기관의 녹음이 될 수도 있고 일반 사인의 녹음이 될 수도 있다.

② **진술녹음의 증거능력: 진술녹음**은 진술증거의 일종이므로 **전문법칙이 적용된다는 것이 통설과 판례의 입장**이다. 진술녹음의 경우 진술'서류'가 진술'테이프'로 대체된 것에 불과하기 때문이다. 진술녹음의 증거능력은 견해의 대립은 있으나 작성주체와 작성시기에 따라 제311조 내지 제315조를 유추적용하여 판단하여야 한다.

판례 |

1 **녹음테이프 등의 증거능력 인정요건('피고인'에 대한 진술녹취서 유사)**

① [1] 피고인과 상대방 사이의 대화내용에 관한 녹취서가 공소사실의 증거로 제출되어 그 녹취서의 기재내용과 녹음테이프의 녹음내용이 동일한지 여부에 대하여 법원이 검증을 실시한 경우에, 증거자료가 되는 것은 녹음테이프에 녹음된 대화내용 그 자체이고, 그 중 **피고인의 진술내용**은 실질적으로 형사소송법 제311조, 제312조의 규정 이외에 피고인의 진술을 기재한 서류와 다름없어

피고인이 그 녹음테이프를 증거로 할 수 있음에 동의하지 않은 이상 그 녹음테이프 검증조서의 기재 중 피고인의 진술내용을 증거로 사용하기 위해서는 [2] **형사소송법 제313조 제1항 단서에 따라** 공판준비 또는 공판기일에서 **그 작성자인 상대방의 진술에 의하여 녹음테이프에 녹음된 피고인의 진술내용이 피고인이 진술한 대로 녹음된 것임이 증명되고 나아가 그 진술이 특히 신빙할 수 있는 상태하에서 행하여진 것임이 인정되어야 하며,** [3] 또한 녹음테이프는 그 성질상 작성자나 진술자의 서명 혹은 날인이 없을 뿐만 아니라 녹음자의 의도나 특정한 기술에 의하여 그 내용이 편집, 조작될 위험성이 있음을 고려하여 그 **대화내용을 녹음한 원본이거나 혹은 원본으로부터 복사한 사본일 경우에는 복사과정에서 편집되는 등의 인위적 개작 없이 원본의 내용 그대로 복사된 사본임이 증명되어야만 한다**(대판 2008.3.13, 2007도1080). 16. 국가직 9급, 16·17·19. 국가직 7급, 17. 변호사, 19. 경찰간부

② [1] 녹음테이프에 대하여 실시한 검증의 내용은 녹음테이프에 녹음된 대화의 내용이 검증조서에 첨부된 녹취서에 기재된 내용과 같다는 것에 불과하여 증거자료가 되는 것은 여전히 녹음테이프에 녹음된 대화의 내용이라 할 것인바, 그 중 **피고인의 진술내용**은 실질적으로 형사소송법 제311조, 제312조 규정 이외에 피고인의 진술을 기재한 서류와 다를 바 없으므로, 피고인이 그 녹음테이프를 증거로 할 수 있음에 동의하지 않은 이상 그 녹음테이프 검증조서의 기재 중 피고인의 진술내용을 증거로 사용하기 위해서는 [2] **형사소송법 제313조 제1항 단서에 따라** 공판준비 또는 공판기일에서 **그 작성자인 고소인의 진술에 의하여 녹음테이프에 녹음된 피고인의 진술내용이 피고인이 진술한 대로 녹음된 것이라는 점이 증명되고 그 진술이 특히 신빙할 수 있는 상태하에서 행하여진 것으로 인정되어야 한다**(대판 2001.10.9, 2001도3106). 16. 변호사·국가직 9급, 19. 국가직 9급

2 녹음테이프 등의 증거능력 인정요건('피고인 아닌 자'에 대한 진술녹취서 유사)

[1] 수사기관이 아닌 **사인이 피고인 아닌 사람과의 대화내용을 녹음한 녹음테이프**는 형사소송법 제311조, 제312조 규정 이외의 피고인 아닌 자의 진술을 기재한 서류와 다를 바 없으므로, 피고인이 그 녹음테이프를 증거로 할 수 있음에 동의하지 아니하는 이상 그 증거능력을 부여하기 위해서는 [2] **첫째, 녹음테이프가 원본이거나 원본으로부터 복사한 사본일 경우에는 복사과정에서 편집되는 등의 인위적 개작 없이 원본의 내용 그대로 복사된 사본일 것,** [3] 둘째 **형사소송법 제313조 제1항에 따라** 공판준비나 공판기일에서 **원진술자의 진술에 의하여 그 녹음테이프에 녹음된 각자의 진술내용이 자신이 진술한 대로 녹음된 것이라는 점이 인정되어야 할 것이다**(대판 2011.9.8, 2010도7497). 14·15. 변호사, 14·18. 경찰채용, 16. 국가직 9급, 16·17. 경찰간부

3 녹음테이프 등의 증거능력 인정요건('진술서' 유사)

① [1] **컴퓨터디스켓에 담긴 문건이 증거로 사용되는 경우** 그 기재 내용의 진실성에 관하여는 전문법칙이 적용된다 할 것이고, 따라서 피고인 또는 피고인 아닌 자가 작성하거나 또는 그 진술을 기재한 문건의 경우 [2] 원칙적으로 **형사소송법 제313조 제1항 본문에 의하여 그 작성자 또는 진술자의 진술에 의하여 그 성립의 진정함이 인정된 때에 이를 증거로 사용할 수 있다**(대판 2001.3.23, 2000도486). 16. 경찰간부, 20. 해경채용

② [1] 압수물인 **디지털 저장매체로부터 출력한 문건을 증거로 사용하기 위해서는 디지털 저장매체 원본에 저장된 내용과 출력한 문건의 동일성이 인정되어야 하고, 이를 위해서는 디지털 저장매체 원본이 압수시부터 문건 출력시까지 변경되지 않았음이 담보되어야 한다.** [2] 그리고 압수된 **디지털 저장매체로부터 출력한 문건을 진술증거로 사용하는 경우** 그 기재 내용의 진실성에 관하여는 전문법칙이 적용되므로 [3] **형사소송법 제313조 제1항에 따라 그 작성자 또는 진술자의 진술에 의하여 그 성립의 진정함이 증명된 때에 한하여 이를 증거로 사용할 수 있다**(대판 2013.6.13, 2012도16001). 14·15. 경찰채용, 15. 변호사, 15·16·18. 국가직 7급, 16·19. 국가직 9급·경찰승진, 16·17. 법원직 9급, 17·19. 경찰간부

③ 압수물인 디지털 저장매체로부터 출력된 문건이 증거로 사용되기 위해서는 디지털 저장매체 원본에 저장된 내용과 출력된 문건의 **동일성이 인정되어야 하며,** 저장된 내용과 출력된 문건의 동일성을 확인하는 과정에서 이용된 **컴퓨터의 기계적 정확성, 프로그램의 신뢰성, 입력·처리·출력**

의 각 단계에서 조작자의 전문적인 기술능력과 정확성이 담보되어야 한다(대판 2013.7.26, 2013도2511). 20. 경찰채용

4 녹음테이프 등의 증거능력이 인정되는 경우

① **피고인과의 대화내용을 녹음한 보이스펜 자체에 대하여는 증거동의**가 있었지만 그 녹음내용을 재녹음한 녹음테이프, 녹음테이프의 음질을 개선한 후 재녹음한 CD 및 녹음테이프의 녹음내용을 풀어 쓴 녹취록 등에 대하여는 증거로 함에 부동의한 경우, **극히 일부의 청취가 불가능한 부분을 제외하고는 보이스펜, 녹음테이프 등에 녹음된 대화내용과 녹취록의 기재가 일치하는 것으로 확인되고 그 진술이 특히 신빙할 수 있는 상태하에서 행하여진 것으로 인정**되므로 이를 증거로 사용할 수 있다(대판 2008.3.13, 2007도10804). 14. 경찰채용, 20. 경찰간부

② 디지털 저장매체가 봉인된 상태에서 서울중앙지방검찰청에 송치된 후 피고인들이 입회한 상태에서 봉인을 풀고 세계적으로 인정받는 프로그램을 이용하여 이미징 작업을 하였는데, **디지털 저장매체 원본의 해쉬(Hash) 값과 이미징 작업을 통해 생성된 파일의 해쉬 값이 동일**한 사실, 제1심 법원은 피고인들 및 검사, 변호인이 모두 참여한 가운데 검증을 실시하여 **이미징 작업을 통해 생성된 파일의 내용과 출력된 문건에 기재된 내용이 동일**함을 확인한 사실을 알 수 있는바, 그렇다면 출력된 문건은 압수된 디지털 저장매체 원본에 저장되었던 내용과 동일한 것으로 인정할 수 있어 증거로 사용할 수 있다(대판 2007.12.13, 2007도7257). 20. 법원직 9급

③ **비디오테이프의 내용에 인위적인 조작이 가해지지 않은 것이 전제**된다면 비디오테이프에 촬영, 녹음된 내용을 재생기에 의해 시청을 마친 **원진술자가 비디오테이프의 피촬영자의 모습과 음성을 확인하고 자신과 동일인이라고 진술한 것은 비디오테이프에 녹음된 진술내용이 자신이 진술한 대로 녹음된 것이라는 취지의 진술을 한 것으로 보아야 할 것이다**(대판 2004.9.13, 2004도3161). 18. 경찰채용

5 녹음테이프 등의 증거능력이 인정되지 않는 경우

① (사인인 甲이 피고인이 아닌 乙과의 대화내용을 녹음한 녹음테이프 등을 기초로 작성된) 녹취록을 피고인이 증거로 함에 동의하지 않았고, 甲이 법정에서 "乙이 사건 당시 피고인의 말을 다 들었다. 그래서 지금 녹취도 해왔다."고 진술하였을 뿐, **검사는 녹취록 작성의 토대가 된 대화내용을 녹음한 원본 녹음테이프 등을 증거로 제출하지 아니하고**, 원진술자인 **甲과 乙의 진술에 의하여 자신들이 진술한 대로 기재된 것이라는 점이 인정되지 아니하는** 등 녹취록의 진정성립을 인정할 수 있는 요건이 전혀 갖추어지지 않았으므로 녹취록의 기재는 증거능력이 없다(대판 2011.9.8, 2010도7497).

② (피고인과 甲 및 乙의 대화에 관한 녹취록에 대하여 피고인이 부동의한 사건에서) 甲이 대화를 자신이 녹음하였고 녹취록의 내용이 다 맞다고 1심법정에서 진술하였을 뿐 그 이외에 **녹취록에 그 작성자가 기재되어 있지 않을 뿐만 아니라 검사는 녹취록 작성의 토대가 된 대화내용을 녹음한 원본 녹음테이프 등을 증거로 제출하지도 아니하는** 등 녹취록의 진정성립을 인정할 수 있는 요건이 전혀 갖추어지지 않았으므로 증거로 사용할 수 없다(대판 2010.3.11, 2009도14525).

③ 제1심이 검증을 실시한 **녹음테이프는 원본이 아니라 당초 디지털 녹음기에 녹음된 내용을 전자적 방법으로 테이프에 전사한 사본**임이 명백한 바, 피고인의 변호인은 원본을 사본한 녹음테이프의 녹음내용을 풀어쓴 녹취록에 대하여는 증거로 함에 부동의하였고 달리 녹음테이프를 증거로 함에 동의하였다고 볼 자료가 없으며, 나아가 **피고인은 검증기일에서 녹음테이프의 내용에 녹음 당일 피고인이 말하지 않은 부분이 녹음되어 있어 의도적으로 편집된 의심이 있다고 주장**한 사실, 그럼에도 불구하고 검증기일에는 녹음테이프에 수록된 대화내용이 녹취록의 기재와 일치하고 그 음성이 피고인의 음성임을 확인하는데 그치고, 녹음테이프가 인위적 개작 없이 원본의 내용 그대로 복사된 것인지 여부에 대하여 별도로 확인하거나 달리 증거조사를 실시하지 아니한 사실을 알 수 있다(대판 2008.12.24, 2008도9414). 16. 법원직 9급 · 국가직 9급, 18. 경찰승진

④ **甲은 디지털 녹음기로 피고인의 발언 내용을 녹음하였고, 그 내용이 콤팩트디스크에 다시 복사**되어 콤팩트디스크가 검찰에 압수되었으며, 콤팩트디스크에 녹음된 내용을 담은 녹취록이 증거로 제출되었고, **콤팩트디스크가 현장에서 피고인의 발언내용을 녹음하는 데 사용된 디지털 녹음기의 녹음내용 원본을 그대로 복사한 것이라는 입증이 없는 이상** 콤팩트디스크의 내용이나 이를 녹취한 녹취록의 기재는 증거능력이 없다(대판 2007.3.15, 2006도8869). 14. 경찰채용

⑤ 피해자가 피고인과의 **대화내용을 녹음한 디지털녹음기에 대한 증거조사절차를 거치지 아니한 채 그 녹음내용을 재녹음한 카세트테이프에 대한 제1심 검증조서 중 피고인의 진술부분을 유죄의 증거로 채택한 원심의 조치는 잘못된 것이다**(대판 2005.12.23, 2005도2945).

⑥ 사인인 乙이 피고인이 아닌 甲의 진술을 비밀 녹음한 테이프에 대한 녹취문 중 일부에 대하여 **甲이 녹음테이프가 편집된 것으로 보인다고 진술함으로써 녹취문의 진정성립을 부인**하고 있고, 나머지 녹취문에 대하여는 **법정에서 녹음내용이 자신이 진술한 대로 녹음된 것이라고 진술한 바** 없는 경우 증거능력이 인정되지 아니한다(대판 2005.2.18, 2004도6323).

⑦ (**고소인이 피고인과의 대화를 녹음한 녹음테이프**에 대한 증거조사에 있어) 녹음테이프의 녹음된 피고인의 진술내용이 **피고인이 진술한 대로 녹음된 것이라는 점에 관한 고소인의 공판준비 또는 공판기일에서의 아무런 진술이 없으므로 증거능력이 없다**(대판 2001.10.9, 2001도3106).

⑧ 디지털 저장매체를 원본으로 하여 출력한 문건인 **회계자료, 품의서목록 등은 디지털 저장매체 원본에 저장된 원래 내용과의 동일성이 인정되지 아니할 뿐만 아니라** 형사소송법의 규정에 따라 그 **성립의 진정함이 증명되지 않은 경우** 증거능력이 없다[대판 2012.5.17, 2009도6788(전합)].

⑨ **컴퓨터 디스켓에 수록된 문건들**(컴퓨터 디스켓에 대하여 실시한 검증결과는 단지 디스켓에 수록된 문건의 내용이 출력물에 기재된 것과 같다는 것에 불과하여 증거자료가 되는 것은 여전히 컴퓨터 디스켓에 보관된 문건의 내용이다)에 대하여는 **그 작성자 또는 진술자에 의하여 성립의 진정함이 증명된 바 없다**. 그럼에도 불구하고 원심이 컴퓨터 디스켓에 수록된 문건들의 증거능력을 인정하여 이를 유죄의 증거로 쓴 것은 위법하다(대판 1999.9.3, 99도2317).

⑩ 디지털 저장매체에 저장된 **로그파일의 원본이 아니라 그 복사본의 일부 내용을 요약·정리하는 방식으로 새로운 문서파일이 작성된 경우** 그 문서파일 또는 거기에서 출력한 문서를 **로그파일 원본의 내용을 증명하는 증거로 사용하기 위하여는** 피고인이 이를 증거로 하는 데 동의하지 아니하는 이상 그 문서파일의 기초가 된 **로그파일 복사본과 로그파일 원본의 동일성도 인정되어야 하고** 나아가 새로운 문서파일 또는 거기에서 출력한 문서를 진술증거로 사용하는 경우 그 기재 내용의 진실성에 관하여는 전문법칙이 적용되므로 형사소송법 **제313조 제1항**에 따라 공판준비기일이나 공판기일에서 그 작성자 또는 진술자의 진술에 의하여 성립의 진정함이 증명된 때에 한하여 이를 증거로 사용할 수 있다(대판 2015.8.27, 2015도3467 **구미 KEC 사건**). 19. 경찰채용·국가직 9급

(3) 현장녹음

① **의의**: 현장녹음이란 범죄현장에서 범행에 수반하여 발성된 말이나 음향을 녹음한 것으로 일정한 시간·장소에서의 음향상황이 증명의 대상이 되는 것을 말한다.

② **현장녹음의 증거능력**: 현장녹음에 대하여 ㉠ 진술증거가 아니어서 전문법칙이 적용되지 않는다는 비진술증거설과, ㉡ 현장녹음도 진술증거의 일종으로 전문법칙이 적용되어야 한다는 진술증거설 또는 검증조서유사설 있다. 진술증거설 또는 검증조서유사설이 다수설의 입장으로 현장녹음은 제312조 제6항 또는 제313조에 의하여 녹음자의 진술에 의하여 성립의 진정이 인정되면 증거능력이 있다.

2. 거짓말탐지기 검사결과의 증거능력

(1) 거짓말탐지기의 의의

거짓말탐지기란 사람이 진술할 때 나타나는 혈압·호흡·맥박 등의 생리적 반응을 기계적으로 기록하여 그 진술의 진위 여부를 판단하는데 사용되는 기계를 말한다.

(2) 거짓말탐지기 검사결과의 증거능력

① **학설: 거짓말탐지기 검사결과**의 증거능력에 대하여 ㉠ 피검사자의 동의가 있는 경우에는 인격권침해라고 할 수 없고, 검사결과는 감정서의 성질을 가지고 있으므로 동의가 있는 때에는 증거능력이 인정된다는 긍정설과, ㉡ 거짓말탐지기 검사결과는 최량(最良)의 조건하에서도 자연적 관련성이 없어 최소한의 증명력이나 신빙성이 없으므로 증거능력이 부정된다는 부정설이 있다. **부정설이 다수설의 입장**이다.

② **판례:** 판례는 거짓말탐지기 검사결과의 증거능력 인정요건을 부정한다고 볼 수 있다. 다만, 엄격한 요건을 모두 충족한 경우에 한하여, 그 검사결과는 검사를 받는 사람의 진술의 신빙성을 가늠하는 **정황증거로서 사용**할 수 있다는 것이 판례의 입장이다.

판례 |

1 거짓말탐지기 검사결과의 증거능력 유무(소극)

[1] 거짓말탐지기의 검사결과에 대하여 사실적 관련성을 가진 증거로서 증거능력을 인정할 수 있으려면, 첫째로 **거짓말을 하면 반드시 일정한 심리상태의 변동이 일어나고**, 둘째로 **그 심리상태의 변동은 반드시 일정한 생리적 반응을 일으키며**, 셋째로 **그 생리적 반응에 의하여 피검사자의 말이 거짓인지 아닌지가 정확히 판정될 수 있다는** 세 가지 전제요건이 충족되어야 할 것이며, [2] 특히 마지막 생리적 반응에 대한 거짓 여부 판정은 거짓말탐지기가 검사에 동의한 피검사자의 생리적 반응을 정확히 측정할 수 있는 장치이어야 하고, 질문사항의 작성과 검사의 기술 및 방법이 합리적이어야 하며, 검사자가 탐지기의 측정내용을 객관성 있고 정확하게 판독할 능력을 갖춘 경우라야만 그 정확성을 확보할 수 있는 것이므로 이상과 같은 여러 가지 요건이 충족되지 않는 한 거짓말탐지기 검사결과에 대하여 형사소송법상 증거능력을 부여할 수는 없다(대판 2005.5.26, 2005도130).

2 거짓말탐지기 검사결과의 증명력(= 검사를 받는 사람의 진술의 신빙성을 가늠하는 정황증거)

① **거짓말탐지기의 검사**는 그 기구의 성능, 조작기술 등에 있어 신뢰도가 극히 높다고 인정되고 그 검사자가 적격자이며, 검사를 받는 사람이 검사를 받음에 동의하였으며 검사서가 검사자 자신이 실시한 검사의 방법, 경과 및 그 결과를 충실하게 기재하였다는 등의 전제조건이 증거에 의하여 확인되었을 경우에만 **형사소송법 제313조 제2항(개정법 제313조 제3항)에 의하여 이를 증거로 할 수 있는 것이고**, 위와 같은 조건이 모두 충족되어 **증거능력이 있는 경우에도 그 검사결과는 '검사를 받는 사람의 진술의 신빙성을 가늠하는 정황증거'로서의 기능을 하는데 그치는 것이다** (대판 1987.7.21, 87도968). 14. 경찰채용

② 거짓말탐지기 검사결과 피고인 甲의 진술에 대하여는 거짓으로 진단할 수 있는 특이한 반응이 나타나지 않은 반면 乙의 진술에 대하여는 거짓으로 진단할 수 있는 현저한 반응이 나타났다. 그러나 거짓말탐지기 검사결과가 항상 진실에 부합한다고 단정할 수 없을 뿐 아니라 검사를 받는 사람의 진술의 신빙성을 가늠하는 정황증거로서 기능을 하는 데 그치므로 그와 같은 검사결과만으로 범행 당시의 상황이나 범행 이후 정황에 부합하는 乙 진술의 신빙성을 부정할 수 없다(대판 2017.1.25, 2016도15526).

제6절 증거동의

형사소송법

제318조 【당사자의 동의와 증거능력】 ① 검사와 피고인이 증거로 할 수 있음을 동의한 서류 또는 물건은 진정한 것으로 인정한 때에는 증거로 할 수 있다.
② 피고인의 출정 없이 증거조사를 할 수 있는 경우에 피고인이 출정하지 아니한 때에는 전항의 동의가 있는 것으로 간주한다. 단, 대리인 또는 변호인이 출정한 때에는 예외로 한다.

제318조의3 【간이공판절차에서의 증거능력에 관한 특례】 제286조의2의 결정이 있는 사건의 증거에 관하여는 제310조의2, 제312조 내지 제314조 및 제316조의 규정에 의한 증거에 대하여 제318조 제1항의 동의가 있는 것으로 간주한다. 단, 검사, 피고인 또는 변호인이 증거로 함에 이의가 있는 때에는 그러하지 아니하다.

01 증거동의의 의의

검사와 피고인이 증거로 할 수 있음을 동의한 서류 또는 물건은 진정한 것으로 인정한 때에는 증거로 할 수 있다(제318조 제1항). 15·18. 경찰채용, 16. 경찰승진 즉, **전문법칙에 의하여 증거능력이 없는 전문증거라도 당사자가 동의한 때에는 증거능력이 있다**.

판례 |

1 증거동의의 본질(= 반대신문권의 포기) 및 전문법칙과의 관계(= 전문법칙의 예외)

① 증거동의는 작성자 또는 진술자에 대한 **반대신문권을 포기한다는 의사표시**이다(대판 1997.9.30, 97도1230).

② 형사소송법 제318조 제1항은 **전문증거금지의 원칙에 대한 예외**로서 **반대신문권을 포기하겠다는 피고인의 의사표시**에 의하여 서류 또는 물건의 증거능력을 부여하려는 규정이다(대판 1983.3.8, 82도2873). 15. 경찰채용

2 증거동의가 있는 경우 법원이 '진정한 것으로 인정하는' 방법

형사소송법 제318조 제1항은 '검사와 피고인이 증거로 할 수 있음을 동의한 서류 또는 물건은 진정한 것으로 인정한 때에는 증거로 할 수 있다'고 규정하고 있을 뿐 **진정한 것으로 인정하는 방법을 제한하고 있지 아니하므로**, 증거동의가 있는 서류 또는 물건은 **법원이 제반 사정을 참작하여 진정한 것으로 인정하면 증거로 할 수 있다**(대판 2015.8.27, 2015도3467) 18. 국가직 7급·경찰채용

02 증거동의의 주체·상대방·대상

1. 동의의 주체

동의의 주체는 당사자인 검사와 피고인이다. 법원이 직권으로 수집한 증거는 양 당사자의 동의가 있어야 하지만, 당사자 일방이 신청한 증거는 반대당사자의 동의가 있으면 된다. 변호인도 피고인의 명시한 의사에 반하지 않는 한 피고인을 대리해서 증거동의를 할 수 있다는 것이 판례의 입장이다.

판례 |

1 변호인이 증거동의를 할 수 있는지의 여부(= 피고인의 명시한 의사에 반하지 않는 한 가능)

① 형사소송법 제318조에 규정된 증거동의의 주체는 소송주체인 검사와 피고인이고, **변호인은** 피고인을 대리하여 증거동의에 관한 의견을 낼 수 있을 뿐이므로 **피고인의 명시한 의사에 반하여 증거로 함에 동의할 수는 없다.** 따라서 **피고인이 출석한 공판기일에서 증거로 함에 부동의한다는 의견이 진술된** 경우에는 그 후 피고인이 출석하지 아니한 공판기일에 **변호인만이 출석하여 종전 의견을 번복하여 증거로 함에 동의하였다 하더라도** 이는 특별한 사정이 없는 한 **효력이 없다**(대판 2013.3.28, 2013도3). 14 · 16. 경찰채용, 15. 국가직 9급, 18. 변호사 · 국가직 7급, 19 법원직 9급

② 증거로 함에 대한 동의의 주체는 소송주체인 당사자라 할 것이지만 **변호인은 피고인의 명시한 의사에 반하지 아니하는 한 피고인을 대리하여 증거로 함에 동의할 수 있으므로** 피고인이 증거로 함에 동의하지 아니한다고 명시적인 의사표시를 한 경우 이외에는 변호인은 서류나 물건에 대하여 증거로 함에 동의할 수 있고, 이 경우 변호인의 동의에 대하여 피고인이 즉시 이의하지 아니하는 경우에는 변호인의 동의로 증거능력이 인정되어 증거조사 완료 전까지 그 동의가 취소 또는 철회하지 아니한 이상 일단 부여된 증거능력은 그대로 존속한다(대판 2005.4.28, 2004도4428). 16 · 18 · 20. 국가직 7급, 18. 경찰간부 · 법원직 9급, 18 · 20. 경찰채용

2 변호인 재정시에 한 피고인의 증거동의의 효력

피고인이 사법경찰관 작성의 피해자진술조서를 증거로 동의함에 있어서 그 동의가 법률적으로 어떠한 효과가 있는지를 모르고 한 것이었다고 주장하더라도 **변호인이 그 동의시 공판정에 재정하고 있으면서 피고인이 하는 동의에 대하여 아무런 이의나 취소를 한 사실이 없다면 그 동의에 무슨 하자가 있다고 할 수 없다**(대판 1983.6.28, 83도1019). 16. 경찰채용, 18. 변호사

3 증거동의의 방법

법원이 직권으로 증거조사를 할 때에는 양 당사자의 동의가 필요함은 물론이라 하겠으나 **당해 서류를 제출한 당사자는 그것을 증거로 함에 동의하고 있음은 명백한 것이므로 상대방의 동의만 얻으면 충분**하다(대판 1989.10.10, 87도966).

2. 동의의 상대방

증거동의의 본질은 반대신문권의 포기이고 증거능력 없는 전문증거에 대하여 증거능력을 부여하는 소송행위이므로 증거동의의 상대방은 법원이다.

3. 동의의 대상

(1) 동의의 대상이 되는 경우

증거동의의 대상은 증거능력 없는 전문증거에 한정이 된다. 제318조 제1항은 증거동의의 대상으로 서류 또는 물건을 규정하고 있으나, 전문증거인 이상 서류 이외에 '진술'도 증거동의의 대상이 된다는 점에 이설이 없다. 그에 비하여 **'물건'**은 규정되어 있으나 물건은 반대신문과 관계없는 증거방법으로 이는 **증거동의의 대상이 아니라는 것이 통설의 입장**이다.

(2) 동의의 대상이 되지 않는 경우

① 탄핵증거는 증거능력을 요하지 않으므로 어떤 진술증거가 탄핵증거로 사용되는 경우 이는 증거동의의 대상이 아니다.

② 증거능력이 있는 전문증거나 비진술증거는 증거동의의 대상이 아니다. 증거동의를 하지 않아도 증거능력이 있으므로 동의가 의미가 없기 때문이다. 또한 임의성 없는 자백이나 위법하게 수집된 증거도 증거동의의 대상이 될 수 없다.

판례 |

1 증거동의의 대상이 되는 경우

① **진단서**(대판 2008.4.24, 2007도10058)
② 피고인과의 대화내용을 녹음한 **보이스펜**(대판 2008.3.13, 2007도10804)
③ 피해자의 상해부위를 촬영한 **사진**(대판 1997.9.30, 97도1230)
④ 사법경찰리가 작성한 **진술조서, 압수조서, 검증조서 및 감정서 등**(대판 1999.10.22, 99도3273)
⑤ **문서(영수증, 영수필통지서, 등기신청서 등)의 사본**(대판 1996.1.26, 95도2526)
⑥ **문서(추정손익계산서, 총계정원장, 총관리장, 영업장부)의 사본**(대판 1991.5.10, 90도2601)
⑦ 일반 의사 작성의 **사체해부 결과통보와 감정서**(대판 1988.8.23, 88도1212)
⑧ 피해자에 대한 **사망증명서 사본**(대판 1986.7.8, 86도893)
⑨ 사법경찰관 및 검사 작성의 공동피고인에 대한 **피의자신문조서**(대판 1991.1.11, 90도2525)
⑩ 사법경찰리가 작성한 피해자에 대한 **진술조서나 압수조서**(대판 1990.6.26, 90도827)
⑪ 피고인 아닌 타인의 진술을 그 내용으로 하는 **전문진술**(대판 1983.9.27, 83도516) 등

2 유죄증거에 대한 반대증거도 동의의 대상이 되는지의 여부(소극)

① 검사가 지적하는 증거들은 유죄의 자료로 제출한 증거들로서 **그 진정성립이 인정되지 아니하고 이를 증거로 함에 상대방의 동의가 없었기는 하나**, 그러한 증거라고 하더라도 **유죄사실을 인정하는 증거로 사용하는 것이 아닌 이상 공소사실과 양립할 수 없는 사실을 인정하는 자료로 쓸 수 있다**(대판 1994.11.11, 94도1159).
② 유죄의 자료가 되는 것으로 제출된 증거의 반대증거 서류에 대하여는 그것이 유죄사실을 인정하는 증거가 되는 것이 아닌 이상 반드시 **그 진정성립이 증명되지 아니하거나 이를 증거로 함에 있어서의 상대방의 동의가 없다고 하더라도 증거판단의 자료로 할 수 있다**(대판 1981.12.22, 80도1547). 15. 국가직 7급, 16 · 18. 경찰간부, 17. 경찰승진

03 증거동의의 시기와 방식

1. 증거동의의 시기

동의는 원칙적으로 증거조사 전에 하여야 한다. 그러나 증거조사 도중 또는 증거조사 후에 전문증거임이 밝혀진 경우에는 사후동의도 가능하고 이러한 동의가 있으면 그 하자가 치유되어 증거능력이 소급하여 인정된다. 일반적으로 사후동의는 변론종결시까지 가능하다.

2. 증거동의의 방식

(1) 명시적 동의

증거동의는 증거능력을 부여하는 중요한 소송행위이므로 동의는 명시적 의사표시에 의해서만 가능하다는 것이 통설의 입장이다. 그러나 **판례는 '별 의견이 없다'는 정도의 묵시적 의사표시로도 족하다**는 입장이다.

판례 | 묵시적 증거동의도 가능한지의 여부(적극)

피고인이 신청한 증인의 증언이 피고인 아닌 타인의 진술을 그 내용으로 하는 전문진술이라고 하더라도 피고인이 그 증언에 대하여 "**별 의견이 없다.**"고 진술하였다면 그 증언을 증거로 함에 동의한 것으로 볼 수 있으므로 이는 증거능력 있다(대판 1983.9.27, 83도516). 16. 국가직 7급, 17. 경찰채용, 20. 경찰간부

(2) 개별적 동의

증거동의는 개개의 증거에 대하여 개별적으로 이루어져야 한다는 것이 통설의 입장이다. 그러나 판례는 '검사가 제시한 모든 증거에 대하여 증거로 함에 동의한다'는 **포괄적인 증거동의도 가능**하다는 입장이다.

판례 |

1 포괄적 증거동의도 가능한지의 여부(적극)

피고인들의 의사표시가 하나 하나의 증거에 대하여 형사소송법상의 증거조사방식을 거쳐 이루어진 것이 아니라 **"검사가 제시한 모든 증거에 대하여 증거로 함에 동의한다."**는 방식으로 이루어진 것이라 하여 그 효력을 부정할 이유가 되지 못한다(대판 1983.3.8, 82도2873). 16. 국가직 7급, 17 · 18 · 20. 경찰채용, 20. 변호사, 21. 경찰간부

2 '공판정 진술과 배치부분 부동의' 라는 피고인 진술의 취지

검사 작성의 피고인 아닌 자에 대한 진술조서에 관하여 피고인이 **"공판정 진술과 배치되는 부분은 부동의한다."**고 진술한 것은 조서내용의 특정부분에 대하여 증거로 함에 동의한다는 특별한 사정이 있는 때와는 달리 그 조서를 **증거로 함에 동의하지 아니한다는 취지로 해석하여야 한다**(대판 1984.10.10, 84도1552). 16. 경찰채용

04 동의의 의제

1. 피고인의 불출석

(1) 의의

피고인의 출정 없이 증거조사를 할 수 있는 경우에는 **피고인이 출정하지 아니한 때에는 증거동의가 있는 것으로 간주**한다. 단, **대리인 또는 변호인이 출정한 때에는 예외**로 한다(제318조 제2항). 16. 변호사, 16 · 19 · 법원직 9급, 17. 경찰승진 이는 피고인의 불출석으로 인하여 소송이 지연되는 것을 방지하려는데 목적이 있다.

(2) 퇴정과 증거동의의 의제

피고인이 퇴정명령은 받은 경우와 피고인이 재판장의 허가 없이 퇴정한 경우에 증거동의가 의제되는지에 관하여는 견해가 대립한다. 이에 대하여 ① 피고인이 무단 퇴정하거나 퇴정명령을 받은 경우에는 반대신문권을 포기한 것으로 볼 수 있어 증거동의가 의제된다는 긍정설과, ② 무단퇴정이나 퇴정명령을 받은 것 자체가 반대신문권의 포기라고는 할 수 없고, 동의의제가 이에 대한 제재의 성격을 가져서는 안 된다는 점을 근거로 이를 부정하는 부정설이 있다. 다수설은 부정설의 입장이지만 판례는 긍정설의 입장이다.

판례 | 피고인의 출정 없이 증거조사를 할 수 있어 증거동의가 간주되는 경우

1 (소송촉진법 제23조에 의하여) 피고인이 공시송달의 방법에 의한 공판기일의 소환을 2회 이상 받고도 출석하지 아니하여 법원이 **피고인의 출정 없이 증거조사를 하는 경우에는** 형사소송법 제318조 제2항에 따른 **피고인의 증거동의가 있는 것으로 간주**된다(대판 2011.3.10, 2010도15977). 15. 국가직 9급, 16·20. 법원직 9급, 17. 국가직 7급, 20. 변호사
2 약식명령에 불복하여 정식재판을 청구한 **피고인이 정식재판절차에서 2회 불출정하여 법원이 피고인의 출정 없이 증거조사를 하는 경우**에 형사소송법 제318조 제2항에 따른 피고인의 **증거동의가 간주된다**(대판 2010.7.15, 2007도5776). 14·17. 경찰채용, 17·18. 국가직 9급, 18·19·20. 법원직 9급, 20. 경찰승진
3 **필요적 변호사건이라 하여도 피고인이 재판거부의 의사를 표시하고 재판장의 허가 없이 퇴정하고 변호인마저 이에 동조하여 퇴정해 버린 것은 모두 피고인측의 방어권의 남용 내지 변호권의 포기로 볼 수밖에 없는 것이므로** 수소법원으로서는 형사소송법 제330조에 의하여 **피고인이나 변호인의 재정 없이도 심리판결 할 수 있다.** 위와 같이 피고인과 변호인들이 출석하지 않은 상태에서 증거조사를 할 수밖에 없는 경우에는 형사소송법 제318조 제2항의 규정상 피고인의 진의와는 관계없이 형사소송법 제318조 제1항의 **동의가 있는 것으로 간주**하게 되어 있다(대판 1991.6.28, 91도865). 14. 국가직 9급, 14·15·17. 경찰채용, 16. 국가직 7급, 16·18. 법원직 9급, 18. 경찰승진, 18·21. 경찰간부, 20. 변호사

2. 간이공판절차

간이공판절차의 결정이 있는 사건에 있어서는 전문증거에 대하여 당사자의 동의가 있는 것으로 간주한다. 단, 검사, 피고인 또는 변호인이 증거로 함에 이의가 있는 때에는 그러하지 아니하다(제318조의3). 14·16. 변호사·경찰채용, 15·16. 법원직 9급, 17. 국가직 9급, 18. 경찰간부 이와 같이 증거동의를 의제하는 것은 피고인이 공소사실에 관하여 자백했기 때문에 반대신문권을 포기하거나 직접주의에 의한 심리를 포기한 것으로 추정되기 때문이다.

05 증거동의의 효과

1. 증거능력의 인정

당사자가 동의한 서류 또는 물건은 법원이 진정한 것으로 인정하면 증거능력이 인정된다. 따라서 당사자가 동의하더라도 법원이 진정한 것으로 인정하지 않으면 증거능력이 인정되지 아니한다. 증거동의를 한 당사자도 그 증거의 증명력을 다툴 수 있으나, 반대신문 이외의 방법으로 증명력을 다투어야 한다. 왜냐하면 증거동의의 본질은 반대신문권의 포기이기 때문이다. 따라서 동의한 증거에 대하여 반대신문을 하기 위하여 원진술자를 증인으로 신청하는 것은 허용되지 아니한다.

판례 | 원진술자(증인)에 대한 반대신문이 이루어지지 못한 경우, 원진술자의 진술을 기재한 조서의 증명력

피고인이 공소사실 및 이를 뒷받침하는 수사기관이 원진술자의 진술을 기재한 조서 내용을 부인하였음에도 불구하고, **원진술자의 법정 출석과 피고인에 의한 반대신문이 이루어지지 못하였다면 그 조서는 진정한 증거가치를 가진 것으로 인정받을 수 없는 것이어서 이를 주된 증거로 하여 공소사실을 인정하는 것은 원칙적으로 허용될 수 없다.** 이는 원진술자의 사망이나 질병 등으로 인하여 원진술자의 법정 출석 및 반대신문이 이루어지지 못한 경우는 물론 수사기관의 조서를 증거로 함에 **피고인이 동의한 경우에도 마찬가지이다**(대판 2006.12.8, 2005도9730)(同旨 대판 2001.9.14, 2001도1550).

2. 증거동의의 효력범위

(1) 물적 범위

증거동의는 동의의 대상인 서류 또는 물건의 전체에 미치므로 일부에 대한 동의는 원칙적으로 허용되지 아니한다. 다만, 증거가 가분적인 경우에는 **일부동의도 가능**하다고 하지 않을 수 없다.

> **판례 | 수사보고에 대한 증거동의의 효력이 첨부된 고발장에도 당연히 미치는지 여부(소극)**
>
> 피검찰관이 공판기일에 제출한 증거 중 뇌물공여자 갑이 작성한 고발장에 대하여 피고인의 변호인이 증거 부동의 의견을 밝히고, 같은 고발장을 첨부문서로 포함하고 있는 검찰주사보 작성의 수사보고에 대하여는 증거에 동의하여 증거조사가 행하여졌는데, 피고인이나 변호인도 수사보고의 증명력을 위와 같은 취지로 이해하여 공소사실을 부인하면서도 수사보고의 증거능력을 다투지 않은 것으로 보이는 등의 제반 사정에 비추어, **위 고발장은 군사법원법에 따른 적법한 증거신청 · 증거결정 · 증거조사 절차를 거쳤다고 볼 수 없거나 공소사실을 뒷받침하는 증명력을 가진 증거가 아니므로 이를 유죄의 증거로 삼을 수 없다**(대판 2011.7.14, 2011도3809). 20. 경찰간부

(2) 인적 범위

증거동의는 동의한 피고인에 대해서만 그 효력이 미치고 다른 공동피고인에게는 미치지 않는다. 공동피고인이 각자 반대신문권을 가지고 있기 때문이다.

(3) 시간적 범위

증거동의의 효력은 **공판절차의 갱신이 있거나 심급을 달리하는 경우에도 소멸되지 아니한다.**

06 동의의 철회

증거동의는 절차형성행위이므로 절차의 안정성을 해하지 않는 범위에서 철회가 허용된다. 증거동의는 **증거조사 완료 전까지 철회할 수 있다**는 것이 다수설과 판례의 입장이다(《주의 구두변론 종결시까지 ×).

> **판례 | 증거동의의 철회 허용시기(= 증거조사 완료 전)**
>
> 1 형사소송법 제318조에 규정된 **증거동의의 의사표시는 증거조사가 완료되기 전까지 취소 또는 철회할 수 있으나**, 일단 증거조사가 완료된 뒤에는 취소 또는 철회가 인정되지 아니하므로 취소 또는 철회 이전에 이미 취득한 증거능력은 상실되지 않는다(대판 2010.7.8, 2008도7546). 14 · 15 · 16. 경찰채용, 14 · 16 · 18. 국가직 7급, 16. 경찰승진, 17. 변호사, 17 · 18. 법원직 9급, 18 · 20. 경찰간부
>
> 2 형사소송법 제318조에 규정된 **증거동의의 의사표시는 증거조사가 완료되기 전까지 취소 또는 철회할 수 있으나, 일단 증거조사가 완료된 뒤에는** 취소 또는 철회가 인정되지 아니하므로 제1심에서 한 증거동의를 **제2심에서 취소할 수 없다**(대판 2005.4.28, 2004도4428). 16 · 17. 경찰간부, 17. 경찰채용 · 국가직 9급, 18. 법원직 9급
>
> 3 피고인이 제1심법원에서 공소사실에 대하여 자백하여 제1심법원이 이에 대하여 간이공판절차에 의하여 심판할 것을 결정하고, 이에 따라 제1심법원이 제1심판결 명시의 **증거들을 증거로 함에 피고인 또는 변호인의 이의가 없어 형사소송법 제318조의3의 규정에 따라 증거능력이 있다고 보고 상당하다**고 인정하는 방법으로 증거조사를 한 이상, 가사 **항소심에 이르러 범행을 부인하였다고 하더라도 제1심법원에서 증거로 할 수 있었던 증거는 항소법원에서도 증거로 할 수 있는 것**이므로 제1심법원에서 이미 증거능력이 있었던 증거는 항소심에서도 증거능력이 그대로 유지되어 심판의 기초가 될 수 있고 다시 증거조사를 할 필요가 없다(대판 2005.3.11, 2004도8313). 16. 법원직 9급, 17. 경찰승진, 19. 국가직 9급

제3편 증거 3편

제7절 탄핵증거

형사소송법

제318조의2 【증명력을 다투기 위한 증거】 ① 제312조부터 제316조까지의 규정에 따라 증거로 할 수 없는 서류나 진술이라도 공판준비 또는 공판기일에서의 피고인 또는 피고인이 아닌 자(공소제기 전에 피고인을 피의자로 조사하였거나 그 조사에 참여하였던 자를 포함한다. 이하 이 조에서 같다)의 진술의 증명력을 다투기 위하여 증거로 할 수 있다. 21. 경찰채용

② 제1항에도 불구하고 피고인 또는 피고인이 아닌 자의 진술을 내용으로 하는 영상녹화물은 공판준비 또는 공판기일에 피고인 또는 피고인이 아닌 자가 진술함에 있어서 기억이 명백하지 아니한 사항에 관하여 기억을 환기시켜야 할 필요가 있다고 인정되는 때에 한하여 피고인 또는 피고인이 아닌 자에게 재생하여 시청하게 할 수 있다.

01 의의

1. 개념

제312조 내지 제316조의 규정에 의하여 증거로 할 수 없는 서류나 진술이라도(증거능력 없는 전문증거라도) 공판준비 또는 공판기일에서의 피고인 또는 피고인 아닌 자의 진술의 증명력을 다투기 위하여는 이를 증거로 할 수 있다(제318조의2 제1항). 17. 국가직 9급 전문법칙에 의하여 증거능력 없는 전문증거를 진술의 증명력을 다투기 위하여 사용되는 경우 이를 탄핵증거라고 한다.

2. 탄핵증거와 전문법칙

탄핵증거는 범죄사실을 인정하는 증거가 아니고 진술의 증명력을 다투기 위한 증거이므로 증거능력을 요하지 아니하므로 전문법칙에 의하여 증거능력이 없는 전문증거라도 증거로 사용될 수 있다. 증거재판주의에 의할 때 범죄사실이나 형의 가중감면사실을 증명할 때에만 증거능력을 요하기 때문이다. 따라서 탄핵증거는 전문법칙의 예외가 아니고 처음부터 전문법칙이 적용되지 않는 경우에 해당한다고 보는 것이 통설과 판례의 입장이다.

판례 | 탄핵증거도 엄격한 증거능력을 요하는지의 여부(소극)

탄핵증거는 **범죄사실을 인정하는 증거가 아니므로** 그것이 증거서류이던 진술이던간에 유죄증거에 관한 소송법상의 엄격한 증거능력을 **요하지 아니한다**(대판 1985.5.14, 85도441). 14 · 16 · 21. 경찰채용, 16. 법원직 9급, 18. 변호사, 20. 국가직 9급

02 탄핵증거의 허용범위

1. 탄핵증거 사용 제한

(1) 입증취지와의 관계

탄핵증거는 진술의 증명력을 다투기 위하여 사용되는 것이므로 적극적으로 범죄사실이나 그 간접사실을 인정하는 증거로 사용될 수 없다.

판례 | 탄핵증거를 범죄사실 또는 간접사실을 인정하기 위한 증거로 사용할 수 있는지의 여부(소극)

1 **탄핵증거**는 진술의 증명력을 감쇄하기 위하여 인정되는 것이고 **범죄사실 또는 그 간접사실의 인정의 증거로서는 허용되지 않는다**(대판 2012.10.25, 2011도5459). 16. 국가직 7급, 17. 변호사, 17·20. 국가직 9급, 18. 경찰간부, 18·20. 경찰채용

2 원심이 검사가 **탄핵증거로 신청한 체포·구속인접견부 사본은 피고인의 부인진술을 탄핵한다는 것이므로** 결국 검사에게 입증책임이 있는 **공소사실 자체를 입증하기 위한 것에 불과**하므로 피고인의 진술의 증명력을 다투기 위한 탄핵증거로 볼 수 없다는 이유로 그 **증거신청을 기각한 것은 정당하다**(대판 2012.10.25, 2011도5459). 15. 국가직 7급, 16. 법원직 9급, 20. 경찰채용

3 원심이 피고인이 **탄핵증거로 제출한 검사 작성의 A에 대한 진술조서 사본의 진술기재에 의하여 피해자 B의 상해 부위를 인정**하는 듯한 설시를 한 것은 **부적절하다**(대판 1996.9.6, 95도2945).

(2) 임의성 없는 자백

자백배제법칙에 의하여 증거능력이 부정되는 임의성 없는 자백은 탄핵증거로 사용될 수 없다. 임의성 없는 자백의 증거능력 부정은 절대적이기 때문이다.

(3) 성립의 진정이 인정되지 않는 증거

기명날인·서명이 없는, 즉 형식적 진정성립이 인정되지 아니하는 전문증거는 탄핵증거로 사용될 수 없다는 것이 통설의 입장이다. 그런 서류는 진술내용의 진실성과 정확성을 확보할 수 없기 때문이다. 그러나 **판례는 성립의 진정을 요하지 않는다**는 입장이다.

판례 | 탄핵증거도 성립의 진정을 요하는지의 여부(소극)

유죄의 자료가 되는 것으로 제출된 증거의 반대증거인 서류 및 진술에 대하여는 그것이 유죄사실을 인정하는 증거가 아니므로 **그 진정성립이 증명되지 아니하거나 전문증거로서 상대방이 증거로 함에 동의를 한 바 없었다고 하여도 증명력을 다투기 위한 자료로 삼을 수는 있다**(대판 1981.12.8, 81도370).

(4) 증거능력 없는 사법경찰관 작성 피의자신문조서

피고인이 내용을 부인하여 증거능력이 없는 사법경찰관 작성 피의자신문조서를 탄핵증거로 사용할 수 있는가에 관하여 학설의 견해는 대립하지만, **판례는 적극설**을 취하고 있다.

판례 | 피고인이 내용을 부인하는 사법경찰리 작성의 피의자신문조서 등을 탄핵증거로 사용할 수 있는지의 여부(적극)

사법경찰리 작성의 피고인에 대한 피의자신문조서와 피고인이 작성한 자술서들은 모두 검사가 유죄의 자료로 제출한 증거들로서 **피고인이 각 그 내용을 부인하는 이상 증거능력이 없으나**, 그러한 증거라 하더라도 **피고인의 법정에서의 진술을 탄핵하기 위한 반대증거로 사용할 수 있다**(대판 1998.2.27, 97도1770). 14·16·20·21. 경찰채용, 15·16. 국가직 7급, 16. 법원직 9급, 17·18. 변호사, 19. 해경채용

2. 영상녹화물의 탄핵증거 사용 제한

(1) 영상녹화물의 탄핵증거 사용 제한

영상녹화물은 탄핵증거로 사용할 수 없다. 14 · 18. 경찰간부, 18. 변호사 · 경찰채용 다만, 영상녹화물은 피고인 또는 피고인이 아닌 자가 진술함에 있어서 '기억이 명백하지 아니한 사항에 관하여 기억을 환기시켜야 할 필요가 있다고 인정되는 때에 한하여' 피고인 또는 피고인이 아닌 자에게 재생하여 시청하게 할 수 있다(제318조의2 제2항). 14 · 18. 경찰간부, 15 · 18. 변호사, 17. 경찰승진, 19. 해경채용 영상녹화물의 재생은 검사의 신청이 있는 경우에 한하고, 기억의 환기가 필요한 **피고인 또는 피고인 아닌 자에게만** 이를 재생하여 시청하게 하여야 한다(규칙 제134조의5 제1항)(≪주의 검사 또는 피고인 ×).

(2) 탄핵증거 사용 제한의 취지

영상녹화물을 탄핵증거로 사용할 수 없는 이유는 수사기관에서 만들어진 영상녹화물이 무분별하게 법정에 제출되고 또한 탄핵증거 등으로 사용된다면 공판중심주의는 퇴색하고 영상녹화물에 의한 재판이 이루어지는 폐단이 생기기 때문이다.

03 탄핵의 대상과 범위

1. 탄핵의 대상

탄핵의 대상은 진술의 증명력이다. 진술은 구두에 의한 진술뿐만 아니라 진술을 기재한 서류도 포함된다. 15. 경찰승진 피고인 아닌 자, 예컨대 증인의 증언은 물론 **피고인의 진술도 탄핵의 대상이 되고** 또한 **자기측 증인의 증언도 탄핵의 대상**이 된다.

2. 탄핵의 범위

형사소송법 제318조의2에 의하여 탄핵증거는 진술의 증명력을 다투기 위한 경우에만 허용된다. 따라서 **처음부터 증명력을 지지하거나 보강하는 것은 허용되지 아니한다**. 다만, 일단 감쇄된 증명력을 회복하는 경우도 '증명력을 다투기 위한' 것이므로 허용된다는 것이 다수설의 입장이다.

04 탄핵증거의 증거조사방법

1. 탄핵증거의 제출시기

탄핵증거는 성질상 그것에 의하여 증명력이 다투어질 진술이 행하여진 후가 아니면 이를 제출할 수 없다. 따라서 증인의 경우에는 원칙적으로 그 신문이 종료한 후에 탄핵증거를 제출하여야 한다.

2. 증거조사방법

탄핵증거는 범죄사실을 인정하는 증거가 아니므로 정식의 증거조사절차를 거칠 필요가 없다. 다만, 공판중심주의 원칙상 공판정에서 탄핵증거로서의 증거조사는 행하여질 것이 요구된다.

판례 | 탄핵증거의 증거조사방법

1 탄핵증거는 범죄사실을 인정하는 증거가 아니므로 엄격한 증거조사를 거쳐야 할 필요가 없음은 형사소송법 제318조의2의 규정에 따라 명백하다고 할 것이나, **법정에서 이에 대한 탄핵증거로서의 증거조사는 필요하다**(대판 1998.2.27, 97도1770) 14·18. 경찰간부, 15. 국가직 7급, 14·15·16·18·21. 경찰채용, 17. 변호사

2 탄핵증거의 제출에 있어서도 상대방에게 이에 대한 **공격방어의 수단을 강구할 기회를 사전에 부여하여야 한다**는 점에서 그 증거와 증명하고자 하는 사실과의 관계 및 입증취지 등을 미리 구체적으로 명시하여야 할 것이므로, **증명력을 다투고자 하는 증거의 어느 부분에 의하여 진술의 어느 부분을 다투려고 한다는 것을 사전에 상대방에게 알려야 한다**(대판 2005.8.19, 2005도2617). 14·15·16·18·20. 경찰채용, 15. 경찰승진, 17·18. 변호사, 17·20. 국가직 9급, 18·21. 경찰간부, 19. 해경채용, 20. 국가직 7급

3 피고인이 내용을 부인하여 증거능력이 없는 사법경찰리 작성의 피의자신문조서에 대하여 비록 당초 증거제출 당시 탄핵증거라는 입증취지를 명시하지 아니하였지만 **피고인의 법정 진술에 대한 탄핵증거로서의 증거조사절차가 대부분 이루어졌다고 볼 수 있는 점 등의 사정**에 비추어 위 피의자신문조서를 피고인의 법정 진술에 대한 탄핵증거로 사용할 수 있다(대판 2005.8.19, 2005도2617). 15. 경찰승진·경찰채용, 18. 변호사·경찰간부

4 비록 증거목록에 기재되지 않았고 증거결정이 있지 아니하였다 하더라도 **공판과정에서 그 입증취지가 구체적으로 명시되고 제시까지 된 이상** 각 서증들(신용카드 사용내역승인서 사본 및 현금서비스 취급내역서 사본)에 대하여 탄핵증거로서의 증거조사는 이루어졌다고 보아야 할 것이다(대판 2006.5.26, 2005도6271). 19. 해경채용, 21. 경찰채용

제8절 자백의 보강법칙

01 의의

1. 개념

피고인의 자백이 그 피고인에게 **불이익한 유일의 증거인 때에는 이를 유죄의 증거로 하지 못한다**(헌법 제12조 제7항, 형사소송법 제310조). 이렇게 피고인이 임의로 한 자백이 증거능력이 있고 신빙성이 있어서 법관이 유죄의 심증을 얻었다 하더라도 그에 대한 보강증거가 없으면, 유죄판결을 선고할 수 없다는 증거법칙이 자백의 보강법칙이다. 즉, 피고인의 자백이 그 피고인에게 불이익한 유일의 증거인 때에는 법원은 무죄판결을 선고해야 한다.

2. 자유심증주의의 예외

법관이 피고인의 자백에 의하여 유죄의 심증을 얻어다 하더라도 보강증거가 없으면 (법관의 심증에 반하여) 유죄판결을 선고할 수 없다는 점에는 이는 자유심증주의에 대한 예외에 해당한다.

3. 자백의 보강법칙의 취지

(1) 오판의 방지

자백은 전통적으로 '증거의 왕'이라 할 만큼 높은 증명력과 신빙성이 인정되어 왔다. 그러나 자백이 항상 진실하다는 보장은 없고 얼마든지 허위가 개입할 여지가 있다. 허위자백으로 인한 오판을 방지하기 위하여 자백에 대한 보강증거를 요구하는 것이 이 제도의 취지이다.

(2) 인권 침해의 방지(자백편중 수사의 억제)

자백만으로 유죄판결을 선고할 수 있도록 한다면 수사기관은 자백편중수사를 하게 되고 자백을 받아내기 위하여 고문 등 강압수사를 하게 될 가능성이 높아진다. 자백편중수사를 억제하여 피고인의 인권을 보장하기 위한 것이 이 제도의 또 하나의 취지이다.

02 적용되는 절차

1. 적용되는 절차

자백의 보강법칙은 정식의 형사사건에서 적용된다. 정식의 형사사건인 이상 통상의 공판절차는 물론 **간이공판절차** 또는 **약식명령절차**에서도 **적용**된다. 18. 경찰승진

2. 적용되지 않는 절차

정식의 형사사건이 아닌 **즉결심판절차**나 **소년법상 소년보호사건**에서는 **적용되지 않으므로 피고인의 자백만으로 유죄를 인정할 수 있다**(즉결심판법 제10조 등). 14 · 18. 경찰승진, 17. 법원직 9급, 18. 경찰채용 · 국가직 9급

> **판례 | 소년보호사건에 있어서 자백만으로 유죄를 인정할 수 있는지의 여부(적극)**
>
> **소년보호사건**에 있어서는 비행사실의 일부에 관하여 **자백 이외의 다른 증거가 없다 하더라도** 법령적용의 착오나 소송절차의 법령위반이 있다고 할 수 없다(대결 1982.10.15, 82모36). 17. 법원직 9급

03 보강이 필요한 자백

피고인의 자백이 그 피고인에게 불이익한 유일의 증거인 때에는 이를 유죄의 증거로 하지 못하는데 과연 '피고인의 자백'이 무엇을 의미하는지 문제가 된다.

1. 당해 피고인의 자백

당해 피고인의 자백이라면 공판정 외 자백이든 공판정 내 자백이든 자백의 보강법칙이 적용된다. 15 · 17. 법원직 9급

2. 공범자의 자백

(1) 문제의 제기

공범자의 자백을 제310조의 **'피고인의 자백'**으로 보게 되면 이에 대한 보강증거가 없으면 유죄판결을 선고할 수 없게 된다. 그에 비하여 공범자의 자백을 '피고인의 자백'으로 보지 않으면 이는 하나의 증언에 불과하므로 보강증거 없이도 유죄판결을 선고할 수 있게 된다. 이에 대하여 다음과 같이 견해가 대립한다.

(2) 학설과 판례

① **보강증거필요설**: 공범자의 자백을 피고인의 자백으로 보아 보강증거가 필요하다는 견해이다. 이 견해는 ㉠ 공범자는 다른 공범자에게 책임을 전가하는 경향이 많아 허위진술에 의한 오판의 염려가 많고, ㉡ 보강증거불요설에 의할 때 자백한 자는 무죄, 자백하지 않은 자는 유죄라는 불합리한 결과가 발생하며, ㉢ 보강증거불요설은 자백의 보강법칙의 근본취지에 모순된다는 점을 근거로 한다.

② **보강증거불요설(판례)**: 공범자의 자백은 피고인의 자백이 아니기 때문에 보강증거가 필요 없다는 견해이다. 이 견해는 ㉠ 자백의 보강법칙은 자유심증주의에 대한 예외이므로 엄격히 해석하여야 하고, ㉡ 공범자의 자백은 피고인에 대해서는 제3자의 진술이며, ㉢ 공범자에 대해서는 피고인의 반대신문이 가능하고 법관의 증거평가의 심증에도 차이가 있다는 점을 근거로 한다. 판례는 일관하여 보강증거불요설의 입장을 취하고 있다.

판례 | 형사소송법 제310조의 '피고인의 자백'에 공범인 공동피고인의 자백이 포함되는지의 여부 (소극)

1 **형사소송법 제310조의 '피고인의 자백'에는 공범인 공동피고인의 진술이 포함되지 아니하므로** 공범인 공동피고인의 진술은 다른 공동피고인에 대한 범죄사실을 인정하는 데 있어서 증거로 쓸 수 있고 그에 대한 보강증거의 여부는 법관의 자유심증에 맡긴다(대판 1985.3.9, 85도951). 14. 법원직 9급, 14·16·21. 경찰채용, 15. 경찰승진, 16. 국가직 9급, 16·19. 변호사, 17. 경찰간부, 15·18. 국가직 7급

2 형사소송법 제310조에 의하면 '피고인의 자백이 피고인에게 불이익한 유일의 증거인 때에는 이를 유죄의 증거로 하지 못한다'고 되어 있으나 여기서 말하는 **'피고인의'**이라 함은 문리해석상으로도 **다른 공동피고인(공범인 경우이건 아니건 가리지 않는다)의 자백을 포함하는 취지로 되어 있지 않다**(대판 1981.2.10, 80도2722).

04 보강증거의 자격

자백에 대한 보강증거는 증거능력이 있고, 자백과는 실질적으로 독립된 증거이어야 한다. 따라서 증거능력이 없다면 비록 독립된 증거라도 보강증거가 될 수 없고, 반대로 증거능력이 있더라도 그것이 자백이라면 보강증거가 될 수 없다.

1. 보강증거가 될 수 없는 증거방법

(1) 피고인의 자백

보강증거는 자백의 증명력을 보강하는 것이므로 자백을 자백으로 보강할 수는 없다. 따라서 **피고인의 공판정 외의 자백으로 공판정 자백을 보강할 수 없고 서면에 의한 자백으로 구두에 의한 자백을 보강할 수 없다.**

판례 | 자백을 자백으로 보강할 수 있는지의 여부(소극)

[1] **피고인의 법정에서의 진술**과 **피고인에 대한 검찰 피의자신문조서의 진술기재**들은 피고인의 법정 및 검찰에서의 자백으로서 형사소송법 제310조에서 규정하는 자백의 개념에 포함되어 그 자백만으로는 유죄의 증거로 삼을 수 없다. 16. 변호사

[2] **"피고인이 범행을 자인하는 것을 들었다."는 피고인 아닌 자의 진술 내용**은 형사소송법 제310조의 피고인의 자백에는 포함되지 아니하나 이는 **피고인의 자백의 보강증거로 될 수 없다**(대판 2008.2.14, 2007도10937). 14. 경찰간부, 14·15·16·18. 경찰채용, 14·15·17·21. 법원직 9급, 14·18. 국가직 9급, 16·20. 국가직 7급, 17. 변호사, 18. 경찰승진

(2) 독립된 증거이지만 보강증거가 될 수 없는 경우

비록 독립된 증거이지만 그 증거와 피고인의 자백을 합쳐 보아도 자백이 진실한 것이라고 인정하기에 부족한 경우 또는 자백한 사실과 직간접적으로 아무런 관계가 없는 경우에는 보강증거가 될 수 없다.

판례 | 보강증거가 될 수 없는 경우

1 "**필로폰 약 0.03g을 투약하였다.**"라는 자백에 대한 '피고인이 甲으로부터 **필로폰을 매수하면서 그 대금을 甲이 지정하는 은행계좌로 송금한 사실**'에 대한 압수수색검증영장 집행보고 및 필로폰 시가보고(대판 2008.2.14, 2007도10937) - 마약류관리법 위반

2 "**1994. 6. 중순, 7. 중순, 10. 중순, 11.20.에** 각 메스암페타민 0.03g을 **투약하였다.**"는 자백에 대한 '피고인이 검거된 **1995.1.18.에 채취한 소변에서 메스암페타민 양성반응이 나왔다**'는 내용의 감정회보의 회서와 '피고인으로부터 검거 당시 압수된 메스암페타민 7.94g'의 현존(대판 1996.2.13, 95도1794) - 마약류관리법 위반

3 "현대자동차 점거로 甲이 처벌받은 것은 학교측의 제보 때문이라 하여 **그 보복으로 학교총장실을 침입 · 점거했다.**"는 자백에 대한 '**피고인과 甲이 현대자동차 춘천영업소를 점거했다가 甲이 처벌받았다**'는 취지의 증거(대판 1990.12.7, 90도2010) - 주거침입죄 14. 국가직 7급

4 "봉고화물차 1대를 절취한 후 **甲과 합동하여 충주시 불상길가에** 지나는 성명불상인이 들고 가는 **손가방 1개를 낚아채어 절취하였다**"는 자백에 대한 '(봉고화물차 소유자) 乙은 1985.4.30. 22:00경 **성남시 태평동 자기집 앞에 세워 둔 봉고화물차 1대를 도난당하였다.**'는 내용의 사법경찰관사무취급 작성 乙에 대한 진술조서(대판 1986.2.25, 85도2656) - **(충주시에서의 손가방에 대한)** 절도죄

2. 보강증거가 될 수 있는 증거방법

(1) 증거능력 있고 독립된 증거

증거능력 있고 독립된 증거인 이상 인증 · 서증 · 물증, 직접증거 · 간접증거 등을 불문하고 자백에 대한 보강증거가 될 수 있다.

판례 |

1 보강증거가 될 수 있는 경우 I

① "내가 거주하던 다세대주택의 **여러 세대에서 7건의 절도행위를 하였다.**"는 자백에 대한 '각 **절취품의 압수조서 및 압수물 사진**'의 존재. 다만, 이 중 4건은 범행장소인 구체적 호수가 특정되지 않았지만 위 4건에 관한 피고인의 진술이 매우 사실적 · 구체적 · 합리적이고 그 진술의 신빙성을 의심할 만한 사유도 없었음(대판 2008.5.29, 2008도2343) - 절도죄 17. 경찰승진 · 경찰채용

② **야간주거침입절도** 자백에 대한 '**압수된 피해품**'의 현존(대판 1985.6.25, 85도848) - 야간주거침입절도죄

③ "**노루발못뽑이로 컨테이너 박스 출입문의 시정장치를 부수고 들어가 재물을 절취하려고 하였고**, 甲은 망을 보았다."는 자백에 대한 "노루발못뽑이로 **컨테이너 박스 출입문의 시정장치를 부수는 피고인을 현행범으로 체포하였다.**"는 피해자의 진술과 범행에 사용된 '**노루발못뽑이와 손괴된 쇠창살 사진**'이 첨부된 수사보고서(대판 2011.9.29, 2011도8015) - 특수절도미수죄 16. 변호사 · 국가직 7급, 17 · 20. 경찰채용, 20. 경찰간부

④ "1984.4. 중순경 甲으로부터 **금반지 1개를 편취한 후** 이를 1984.4.20.경 명금당의 **乙에게 11만원에 매도하였다.**"는 자백에 대한 '1984.4.20.경 **피고인으로부터 금반지 1개를 11만원에 매입하였다**'는 검사 작성 乙에 대한 진술조서(대판 1985.11.12, 85도1838) - 사기죄

⑤ "**공문서인 형사민원사무처리부의 기재 내용을 변조하였다.**"는 자백에 대한 '피고인이 **변조하였다는 내용이 기재되어 있는 형사민원사무처리부**'의 현존(대판 2001.9.28, 2001도4091) - 공문서변조죄

⑥ "**위조신분증을 제시행사하였다.**"는 자백에 대한 '**제시행사한 신분증'의 현존**(대판 1983.2.22, 82도3107) - 위조공문서행사죄 14. 국가직 7급, 15. 경찰승진, 18. 국가직 9급, 20. 경찰채용

⑦ 뇌물수수 자백에 대한 '(뇌물의 주요 사용처에 관하여) **친구인 甲과 함께 양평 소재의 토지 및 잠실 1단지 상가 구입자금으로 사용하였다'는 피고인의 진술과 일치하는 내용의 甲 작성 진술서**(대판 2010.4.29, 2010도2556) - 특정범죄가중법 위반(뇌물)

⑧ "국립식물검역소 지소사무과장으로 근무하던 甲에게 지소청사신축공사의 잔여 공사를 하도급받아 시공할 수 있도록 **편의를 제공한 데에 대한 사례금 명목으로 300만원을 교부하였다.**"는 자백에 대한 '甲은 자격도 없는 피고인으로 하여금 그 잔여 공사를 하도급받도록 알선하고 그 하도급 계약을 승인받을 수 있도록 하였으며 또한 그 공사대금도 하도급업자인 피고인측에게 직접 지불하는 등 **각종의 편의를 보아주었다.**'는 사실(대판 1998.12.22, 98도2890) - 증뢰죄 17. 경찰채용

⑨ "甲에게 1988.10. 중순 **200만원을** 슬롯머신 영업허가를 해 달라는 취지로 **교부하고**, 1990.3. **100만원**, 같은 해 11. **현금 200만원을** 각 자신이 경영하는 슬롯머신 업소들의 위법행위시 잘 보살펴 달라는 취지로 **각 교부하였다.**"는 자백에 대한 '**뇌물을 주고 받은 각 일시경에 피고인을 만났던 사실 및 슬롯머신 영업허가에 관한 청탁을 받기도 한 사실**'을 시인한 甲의 진술(대판 1995.6.30, 94도993) - 증뢰죄 14. 변호사, 16. 경찰채용, 20. 경찰승진

⑩ "부지를 낙찰 받을 수 있도록 도와달라는 부탁을 받고 공매업무 담당자 소개 및 공매관련 정보를 제공하겠다는 명목으로 **피해자로부터 2,500만원을 송금받아** 공무원이 취급하는 사건에 관하여 알선을 한다는 명목으로 금품을 받았다."는 자백에 대한 "피고인이 우선 5,000만원을 넣어두면 나중에 낙찰이 되었을 때 계약금으로 사용하겠으니 돈을 보내라고 하면서 쪽지에 계좌번호를 적어 주었습니다. 그래서 **돈이 되는 대로 2,500만원을 만들어 보낸 것입니다.**"라는 내용의 피해자의 진술(대판 2006.1.27, 2005도8704) - 변호사법 위반

⑪ 휴대전화기에 대한 압수조서 중 '압수경위'란에 기재된 내용("경찰관이 검정 재킷, 검정 바지, 흰색 운동화를 착용한 20대가량 남성이 짧은 치마를 입고 에스컬레이터를 올라가는 여성을 쫓아가 뒤에 밀착하여 치마 속으로 휴대폰을 집어넣는 등 해당 여성의 신체를 몰래 촬영하는 행동을 하였다"라는 내용)은, 피고인이 범행을 저지르는 현장을 직접 목격한 사람의 진술이 담긴 것으로서 형사소송법 제312조 제5항에서 정한 '피고인이 아닌 자가 수사과정에서 작성한 진술서'에 준하는 것으로 볼 수 있고, 피고인이 증거로 함에 동의한 이상 유죄를 인정하기 위한 증거로 사용할 수 있을 뿐 아니라 **피고인의 자백을 보강하는 증거가 된다고 볼 여지가 많다**(대판 2019.11.14, 2019도13290 **지하철 몰카 사건 Ⅰ**). 20. 경찰채용

2 보강증거가 될 수 있는 경우 Ⅱ (마약류관리법 위반)

① "乙로부터 러미라 약 1,000정을 건네받아 그 중 일부는 丙에게 제공하고, 남은 것은 내가 투약하였다."라는 피고인 甲의 자백에 대한 '甲의 최초 러미라 투약행위가 있었던 시점에 乙이 甲에게 50만원 상당의 채무변제에 갈음하여 러미라 약 1,000정이 들어있는 플라스틱 통 1개를 건네주었다', '丙은 乙에게 甲으로부터 **러미라를 건네받았다는 취지의 카카오톡 메시지를 보냈다'는 내용의 乙에 대한 검찰 진술조서 및 수사보고**(대판 2018.3.15, 2017도20247)

② "2015.12.28. 乙을 통하여 메트암페타민 0.7g을 수령하여 그 중 일부는 乙에게 무상으로 교부하였고 남은 것은 당일 모텔에서 투약하고 그 다음 날 이어서 투약하였다."라는 피고인 甲 자백에 대한 "乙은 2015.12.28. 甲의 지시에 따라 버스를 통하여 운송된 메트암페타민이 담긴 쇼핑백을 받아 甲에게 이를 전달하고 그 즉시 **메트암페타민의 일부를 무상으로 교부받았는데 甲과 함께 모텔에 갔다가 바로 집으로 돌아왔고 甲은 모텔에 그대로 남았다."라는 내용의 乙에 대한 경찰 피의자 신문조서사본과 검찰 진술조서**(대판 2017.6.8, 2017도4827)

③ **"甲으로부터 메스암페타민을 매수하여 그 중 일부를 투약하였다."**라는 자백에 대한 **"투약 전날 피고인으로부터 돈 100만원을 받고 메스암페타민이 든 주사기 2개를 건네주었다."**라는 甲에 대한 경찰 작성 피의자신문조서(대판 2008.11.27, 2008도7883)

④ "2006.3. 초순 대마 1주를 집으로 가지고 와서 잎을 따고 약 **0.5g을 놋쇠 담배파이프에 넣고 흡연하였다**. 피워보니 질이 안 좋은 것 같았고, **남은 대마는 보관하고 있었다.**"는 자백에 대한 '2006.4.6.경 피고인의 **주거지에서 압수된 대마 잎 약 14.32g 및 놋쇠 담배파이프**'의 현존(대판 2007.9.20, 2007도5845)

⑤ "히로뽕 **0.03g을 투약하였다.**"는 피고인 甲 자백에 대한 '피고인 甲이 체포될 때 **압수된 히로뽕 87g**'의 현존과 "**피고인 甲에게 히로뽕 87.03g을 교부하였다.**"는 공동피고인 乙의 법정 자백(대판 2004.5.14, 2004도106)

⑥ "**히로뽕 6g을 소지하고, 그 중 약 0.85g를 甲에게 금 50만원에 판매하였다**(피고인 등은 **소지하던 히로뽕 중에서 0.15g을 투약**하였음)"라는 자백에 대한 '피고인으로부터 지갑 속에 든 **히로뽕 3.6g, 10만원권 자기앞수표 44매, 캡슐 속에 든 히로뽕 1.2g** 등을 임의제출받았다.'는 내용의 압수조서(대판 1997.4.11, 97도470)

⑦ "**2000.10.13. 22:00경** 메스암페타민 약 0.03g을 **투약하고, 10.17. 23:00경** 메스암페타민 약 0.03g을 **투약하였다.**"는 자백에 대한 '**2000.10.19. 21:50경 피고인으로부터 채취한 소변을 검사한 결과 메스암페타민 성분이 검출되었다**'는 취지의 대구광역시 보건환경연구원장 작성의 시험성적서(대판 2002.1.8, 2001도1897)

⑧ "**1995.1.17.** 메스암페타민 0.03g을 **각 투약하고, 1995.1.18.** 메스암페타민 9.04g을 **매수하였다.**"는 자백에 대한 '피고인이 검거된 **1995.1.18.에 채취한 피고인의 소변에서 메스암페타민 양성반응이 나왔다.**'는 내용의 감정회보의뢰서와 '피고인으로부터 검거 당시 압수된 메스암페타민 7.94g'의 현존(대판 1996.2.13, 95도1794)

3 보강증거가 될 수 있는 경우 Ⅲ

① "2010.2.18. 02:00경 **필로폰 약 0.03g을 커피에 타 마신 후 스타렉스 차량을 1km 가량 운전하였다.**"라는 자백에 대한 "2010.2.18. 01:35경 스타렉스 차량을 타고 온 **피고인으로부터 필로폰 0.06g을 건네받은 후 피고인이 차량을 운전해 갔다.**"는 甲의 진술과 '**2010.2.20. 피고인으로부터 채취한 소변에서 필로폰 양성 반응이 나왔다.**'는 감정의뢰회보(대판 2010.12.23, 2010도11272) - 도로교통법 위반 17. 경찰채용, 18. 변호사

② "내가 운영하는 **게임장에서 미등급 게임기 60대를 판매 · 유통시켰다.**"라는 자백에 대한 '**미등급 게임기가 설치된 게임장 내부 사진 및 피고인 명의의 게임제공업자등록증 등**'의 증거(대판 2008.9.25, 2008도6045) - 게임산업진흥에 관한 법률 위반

③ **"면허 없이 내 차량을 운전하였다."**는 자백에 대한 **'차량이 피고인의 소유로 등록되어 있다'**는 내용의 자동차등록증(대판 2000.9.26, 2000도2365) - 도로교통법 위반 16. 경찰채용

④ "**면허 없이 절취한 오토바이를 타고** 경북 화원읍 소재 영남맨션 앞길까지 약 2km를 운전하였다."는 자백에 대한 '(오토바이를 절취당한) 甲으로부터 오토바이가 영남맨션 앞길에 옮겨져 세워 있다는 신고를 받고 그 곳에 출동한 경찰관이 잠복근무하다가 **피고인이 오토바이의 시동을 걸려는 것을 보고 그를 즉시 체포하면서 그로부터 오토바이를 압수하였다.**'는 내용의 압수조서(대판 1994.9.30, 94도1146) - 도로교통법 위반

⑤ "1988.6.29. 16:00경 일본 나리따(成田) 공항에서 **甲을 만났고 그로부터 성명이 '청수장'으로 된 그의 명함 1장을 받았다.**"는 자백에 대한 **'압수된 그 명함 1장'**의 현존(대판 1990.6.22, 90도741) - 국가보안법 위반 18. 변호사

판례 | 상업장부 · 항해일지 · 진료일지 · 금전출납부 등 사무 내역을 기재한 문서가 자백에 대한 보강증거가 될 수 있는지의 여부(적극)

피고인이 뇌물공여 혐의를 받기 전에 이와는 관계없이 준설공사에 필요한 각종 인 · 허가 등의 업무를 위임받아 이를 추진하는 과정에서 **그 업무수행에 필요한 자금을 지출하면서**, 스스로 그 지출한 자금내역을 자료로 남겨두기 위하여 뇌물자금과 기타 자금을 구별하지 아니하고 그 지출 일시, 금액, 상대방 등 내역을 그때그때 계속적, 기계적으로 기입한 수첩의 기재 내용은 피고인이 자신의 범죄사실을 시인하는 자백이라고 볼 수 없으므로 증거능력이 있는 한 피고인의 금전출납을 증명할 수 있는 별개의 증거라고 할 것인즉 **피고인의 검찰에서의 자백에 대한 보강증거가 될 수 있다**[대판 1996.10.17, 94도2865(전합)] 14 · 19. 변호사, 14 · 18. 경찰간부, 15 · 16 · 17. 경찰승진, 16. 국가직 9급, 18 · 20. 경찰채용, 18. 국가직 7급

(2) 공범자의 자백

공범자의 자백이 보강증거가 될 수 있는지 문제가 되는데, 보강증거불요설은 물론 필요설의 입장에서도 공범자 모두 자백한 경우에는 그들의 자백은 상호간의 보강증거가 될 수 있다는 입장을 취하고 있다. 판례도 같은 입장을 취하고 있다.

판례 |

1 **공동피고인의 자백**은 이에 대한 피고인의 반대신문권이 보장되어 있어 증인으로 신문한 경우와 다를 바 없으므로 **독립한 증거능력이 있다**(대판 2007.10.11, 2007도5577). 14 · 17 · 19 · 20. 변호사, 15. 국가직 7급, 17. 경찰간부, 18. 경찰승진, 18 · 20. 경찰채용, 20. 해경채용

2 **공동피고인의 자백**은 이에 대한 피고인의 반대신문권이 보장되어 있어 증인으로 신문한 경우와 다를 바 없으므로 **독립한 증거능력이 있고**, 이는 피고인들간에 이해관계가 상반된다고 하여도 마찬가지라 할 것이다(대판 2006.5.11, 2006도1944). 17. 국가직 7급 · 법원직 9급

3 공범인 공동피고인의 진술은 다른 공동피고인에 대한 범죄사실을 인정하는 증거로 할 수 있는 것일 뿐만 아니라 공범인 공동피고인들의 각 진술은 상호간에 서로 보강증거가 될 수 있다(대판 1997.1.21, 96도2715). 14. 경찰간부, 14 · 15. 법원직 9급, 15 · 16 · 19. 경찰채용, 16 · 17. 경찰승진 · 국가직 9급

4 **공동피고인 중의 한 사람이 자백하였고 피고인 역시 자백했다**면 다른 공동피고인 중의 한 사람이 부인한다 하여도 **공동피고인 중의 한 사람이 자백은 피고인의 자백에 대한 보강증거가 된다**(대판 1968.3.19, 68도43). 17. 변호사, 20. 해경채용

05 보강증거의 범위

1. 보강증거의 범위

이는 자백한 사실 중 어느 범위까지 보강증거가 필요한가의 문제이다. 이에 관하여 ① 객관적 범죄사실인 죄체(罪體)의 전부 또는 중요부분에 대한 보강증거가 필요하다는 죄체설(罪體說)과 ② 자백에 대한 보강증거는 자백의 진실성을 담보하는 정도면 족하다는 진실성담보설(眞實性擔保說)이 대립하나, **진실성담보설이 통설과 판례**의 입장이다.

판례 | 자백에 대한 보강증거의 정도

1 **자백에 대한 보강증거**는 범죄사실의 전부 또는 중요부분을 인정할 수 있는 정도가 되지 아니하더라도 피고인의 자백이 가공적인 것이 아닌 진실한 것임을 인정할 수 있는 정도만 되면 족할 뿐만 아니라, 직접증거가 아닌 간접증거나 정황증거도 보강증거가 될 수 있고, 또한 자백과 보강증거가 서로 어울려서 전체로서 범죄사실을 인정할 수 있으면 유죄의 증거로 충분하다(대판 2011.9.29, 2011도8015). 14 · 15 · 21. 법원직 9급, 14. 경찰간부, 15 · 18 · 20. 경찰채용, 16. 국가직 9급, 16 · 17 · 18. 경찰승진 · 국가직 7급, 19. 변호사

2 **자백과 보강증거 사이에 어느 정도의 차이가 있어도 중요부분이 일치하고 그로써 진실성이 담보되면 보강증거로서의 자격이 있다**고 보아야 할 것이다(대판 2008.5.29, 2008도2343).

3 **자백에 대한 보강증거는 피고인의 임의적인 자백사실이 가공적인 것이 아니고 진실하다고 인정될 정도의 증거이면 직접증거이거나 간접증거이거나 보강증거능력이 있다 할 것이고**, 반드시 그 증거만으로 객관적 구성요건에 해당하는 사실을 인정할 수 있는 정도의 것임을 요하는 것이 아니다(대판 1983.2.22, 82도3107). 16. 경찰채용

2. 보강증거의 필요 여부

(1) 보강범위의 일반적 기준

통설인 진실성담보설에 의할 때 자백한 사실 중 어느 부분이 보강되어야 하는지 일률적으로 정할 수 없다. 왜냐하면 자백과 보강증거가 종합하여 자백이 가공적인 것이 아닌 진실한 것임을 인정할 수 있으면 족하기 때문이다.

(2) 보강이 필요 없는 경우

고의나 목적 등 주관적 구성요건요소는 보강증거 없이 자백만으로 인정할 수 있다는 것이 다수설과 판례의 입장이다. 또한 처벌조건이나 전과 등의 사실은 보강증거 없이도 피고인의 자백만으로 이를 인정할 수 있다.

판례 | 범의나 전과 등을 피고인의 자백만으로 인정할 수 있는지의 여부(적극)

1 **범의**는 자백만으로 인정할 수 있다(대판 1961.8.16, 61도171). 17. 법원직 9급

2 **고의와 같은 주관적 구성요건도 자백의 대상이 된다**고 할 것이므로, 피고인이 필로폰 투약으로 인하여 정상적으로 운전하지 못할 우려가 있는 상태에 있었다는 구성요건도 자백의 대상이 된다(대판 2010.12.23 2010도11272).

3 (상습범에 있어) **확정판결**은 엄격한 의미의 범죄사실과는 구별되는 것이어서 피고인의 자백만으로서도 그 존부를 인정할 수 있다(대판 1983.8.23, 83도820).

4 (누범에 있어) **전과에 관한 사실**은 엄격한 의미에서의 범죄사실과는 구별되는 것으로서 피고인의 자백만으로서도 이를 인정할 수 있다(대판 1979.8.21, 79도1528). 14. 법원직 9급, 15. 경찰간부, 18. 변호사, 20. 경찰승진

(3) 죄수와 보강증거의 요부

① **실체적 경합범**: 실체적 경합범은 수죄이므로 각 범죄사실별로 보강증거를 요한다.

② **상상적 경합범**: 상상적 경합범의 경우 ㉠ 각 범죄사실별로 보강증거를 요한다는 견해와 ㉡ 어느 하나에만 보강증거가 있으면 족하다는 견해가 대립한다.

③ **포괄일죄**: 포괄일죄의 경우 ㉠ 포괄성 또는 집합성을 인정할 수 있는 범위 내에서 보강증거가 있으면 족하다는 견해와 ㉡ 각 범죄사실별로 보강증거를 요한다는 견해가 대립한다.

> **판례 |**
>
> 1 **실체적 경합범**은 실질적으로 수죄이므로 **각 범죄사실에 관하여 자백에 대한 보강증거가 있어야 한다**(대판 2008.2.14, 2007도10937). 16. 경찰승진, 18. 변호사, 20. 경찰채용·국가직 7급
>
> 2 피고인의 습벽을 범죄구성요건으로 하는 포괄일죄인 상습범에 있어서도 이를 구성하는 각 행위에 관하여 개별적으로 보강증거가 필요하다(대판 1996.2.13, 95도1794). 15. 경찰간부, 18. 변호사

06 자백의 보강법칙 위반의 효과

자백을 유일한 증거로 하여 유죄판결을 선고한 경우 이는 헌법위반이자 법률위반으로 상소의 이유가 되고 그 판결이 확정된 경우에는 판결의 법령위반으로 비상상고의 이유가 된다. 그러나 이는 무죄를 인정할 증거가 새로 발견된 경우가 아니므로 재심의 사유는 되지 아니한다.

> **판례 | 자백의 보강법칙 위반의 효과**
>
> [1] **보강증거가 없이 피고인의 자백만을 근거로 공소사실을 유죄로 판단**한 경우에는 **그 자체로 판결결과에 영향을 미친 위법이 있는 것으로 보아야 한다.** [2] **제1심법원이 증거의 요지에서 피고인의 자백을 뒷받침할 만한 보강증거를 거시하지 않았음에도, 항소심이** 적법하게 증거조사를 마쳐 채택한 증거들로 피고인의 자백을 뒷받침하기에 충분하므로 제1심법원의 잘못이 판결결과에 아무런 영향을 미치지 않았다고 하여 **이를 유지한 것은 위법하다**(대판 2007.11.29, 2007도7835). 15. 경찰채용

제9절 공판조서의 증명력

01 의의

1. 공판조서

공판기일의 소송절차를 기재한 조서를 공판조서라고 한다(제51조). 공판조서는 법원 면전 조서로서 절대적으로 증거능력이 인정될 뿐더러(제311조), 소송절차에 관한 사항에 대해서는 절대적 증명력도 인정된다(제56조).

2. 공판조서의 증명력

공판기일의 소송절차로서 공판조서에 기재된 것은 그 조서만으로써 증명한다(제56조). 여기에서 '조서만으로써 증명한다'라는 의미는 공판조서 이외의 증거를 참작하거나 반증을 허용하지 않는다는 의미이다. 이를 공판조서의 절대적 또는 배타적 증명력이라고 한다. 이는 법관의 심증 여하를 불문하고 공판기일의 소송절차는 공판조서에 기재된 대로 인정해야 하기 때문에 자유심증주의의 예외에 해당한다. 이는 국민참여재판에 있어 배심원 선정기일절차에서 작성된 선정기일조서의 경우에도 동일하다(국민의 형사재판 참여에 관한 규칙 제24조).

판례 |

1 공판조서의 증명력(= 명백한 오기인 경우를 제외하고는 절대적 증명력을 가짐)

① 공판조서의 기재가 명백한 오기나 착오에 의한 경우를 제외하고는 **공판기일의 소송절차로서 공판조서에 기재된 것은 조서만으로써 증명**하여야 하고, 그 증명력은 공판조서 이외의 자료에 의한 반증이 허용되지 않는 절대적인 것이다(대판 2010.12.9, 2007도10121). 17. 변호사, 18. 경찰승진·법원직 9급, 20. 국가직 7급

② 검사 제출의 증거서류에 대하여 공판기일에 공판정에서 증거조사가 실시된 것으로 증거목록에 기재된 경우에는 그 **증거목록의 기재는 공판조서의 일부**로서 명백한 오기가 아닌 이상 **절대적인 증명력을 가지게 된다**(대판 2010.7.22, 2007도3514). 18. 경찰승진·법원직 9급

2 공판조서의 기재가 명백한 오기인 경우 공판조서의 증명력(= 올바른 내용대로 증명력을 가짐)

공판조서의 **기재가 명백한 오기**인 경우에는 공판조서는 **그 올바른 내용에 따라 증명력을 가진다**(대판 1995.12.22, 95도1289). 14. 경찰간부, 19. 법원직 9급

3 공판조서의 기재가 명백한 오기인지 여부의 판단자료

공판조서의 기재가 명백한 오기인지 여부는 **원칙적으로는 공판조서만으로 판단**하여야 할 것이지만, **공판조서가 아니더라도 당해 공판절차에 제출되어 공판기록에 편철되거나 법원이 직무상 용이하게 확인할 수 있는 자료 중에서 신빙성 있는 객관적 자료**에 의하여 판단을 할 수 있다(대판 2010.7.22, 2007도3514).

3. 취지

공판조서에 배타적 증명력을 인정하는 취지는 상소심에서 공판절차 진행의 적법 여부를 둘러싼 분쟁 때문에 상소심의 심리가 지연되는 것을 방지하는데 그 목적이 있다. 즉, 상소심에서 원심 공판절차의 적법 여부에 대한 다툼이 있는 경우 원심 법관이나 법원사무관 등을 증인으로 소환하여 신문하는 것은 불합리하기 때문에 이를 미리 예방하고자 함에 있다.

02 배타적 증명력의 범위

배타적 증명력은 공판기일의 소송절차로서 공판조서에 기재된 것에 한정이 된다.

1. 공판기일의 절차

공판조서의 증명력은 '**공판기일의 절차**'에 한하여 인정이 된다. 따라서 공판기일의 절차가 아닌 공판준비절차 또는 공판기일 외의 절차를 기재한 조서는 배타적 증명력이 인정되지 아니한다. 또한 당해 사건이 아닌 다른 사건의 공판조서는 배타적 증명력이 인정되지 아니한다.

2. 소송절차

공판기일의 절차 중 특히 '**소송절차**'에 대해서만 배타적 증명력이 인정이 된다. 예컨대 공판을 행한 일시와 법원, 피고인 출석 여부, 공개의 여부, 판결선고 유무 및 일자 등이 이에 해당한다. 따라서 소송절차가 아닌 실체관련 사항(피고인의 유무죄를 판단하기 위한 사항) 예컨대 피고인의 자백, 증인의 증언, 감정인의 감정 등은 다른 증거에 의하여 얼마든지 그 증명력을 다툴 수 있다.

3. 공판조서에 기재된 것

배타적 증명력은 공판조서에 '기재'된 것에 한해서 인정이 된다. 공판조서에 기재되지 아니한 소송절차는 다른 자료에 의하여 증명할 수 있다. 물론 **공판조서에 기재되지 않았다고 하더라도 그 소송절차의 부존재가 추정되는 것은 아니다**. 다만, 공판조서에 **명백한 오기**가 있는 때에는 **정확한 내용대로 배타적 증명력이 인정**된다.

판례 | 공판기일의 소송절차의 증명방법(= 원칙적으로 공판조서만으로써 증명)

1 증거동의는 소송주체인 검사와 피고인이 하는 것이고, 변호인은 피고인을 대리하여 증거동의에 관한 의견을 낼 수 있을 뿐이므로 **피고인이 변호인과 함께 출석한 공판기일의 공판조서에 검사가 제출한 증거에 대하여 동의한다는 기재가 되어 있다면 이는 피고인이 증거동의를 한 것으로 보아야 하고**, 그 기재는 절대적인 증명력을 가진다(대판 2016.3.10, 2015도19139). 16 · 17 · 20. 국가직 7급, 20. 경찰간부

2 제1심 제26회 공판조서에 제1심법원이 **공개금지결정을 선고한 후 위 수사관들에 대하여 비공개 상태에서 증인신문절차를 진행한 것으로 기재**된 이상 그 공개금지결정 선고 여부에 대하여 공판조서 이외의 다른 방법에 의한 증명이나 반증은 허용되지 않는다(대판 2013.7.26, 2013도2511). 14. 경찰간부

3 검찰 피의자신문조서 중 피고인의 진술기재 부분에 관하여 제1심 작성의 **증거목록에 피고인이 그 진정성립 및 임의성을 인정한 것으로 기재되어 있음**이 분명하고 그 기재가 명백한 오기라고 볼 만한 아무런 자료가 없으므로, 제1심에서의 증거조사 당시 피고인이 위 피의자신문조서 중 자신의 진술기재 부분에 관하여 부동의하였음을 전제로 한 상고이유의 주장은 받아들일 수 없다(대판 2012.5.10, 2012도2496).

4 원심 공판기록에 의하면, 원심 제6회 공판기일에 **공판절차 갱신절차에 따른 재판장과 소송관계인의 진술, 검사의 항소이유서 진술, 피고인의 진술, 증거관계에 대한 진술 등이 있었던 것으로 기재되어 있음**을 알 수 있고, 그 기재가 명백한 오기라고 볼 만한 자료가 없으므로, 공판조서의 기재 내용을 다투는 상고이유는 받아들이지 아니한다(대판 2010.12.9, 2007도10121).

5 **공판조서에 재판장이 판결서에 의하여 판결을 선고하였음이 기재**되어 있다면 동 판결선고 절차는 적법하게 이루어졌음이 증명되었다고 할 것이며 여기에는 다른 자료에 의한 반증을 허용하지 못하는 바이니 검찰서기의 판결서 없이 판결선고되었다는 내용의 보고서로써 공판조서의 기재내용이 허위라고 판정할 수 없다(대판 1983.10.25, 82도571). 19. 법원직 9급, 20. 국가직 7급

해커스경찰
police.Hackers.com

부록 | 공수처법

부록/ 공수처법

고위공직자범죄 수사처 설치 및 운영에 관한 법률(2020.12.15. 법률 제17646호)

1. 목적

고위공직자범죄 수사처의 설치와 운영에 관하여 필요한 사항을 규정함을 목적으로 한다(제1조).

2. 용어정의

① '고위공직자'란 다음 어느 하나의 직(職)에 재직 중인 사람 또는 그 직에서 퇴직한 사람을 말한다. 다만, 장성급 장교는 현역을 면한 이후도 포함된다(제2조 제1호).

ⓐ 대통령
ⓑ 국회의장 및 국회의원
ⓒ **대법원장 및 대법관**
ⓓ 헌법재판소장 및 헌법재판관
ⓔ 국무총리와 국무총리비서실 소속의 정무직공무원

✎ '정무직공무원'이란 선거로 취임하거나 임명할 때 국회의 동의가 필요한 공무원 또는 고도의 정책결정 업무를 담당하거나 이러한 업무를 보조하는 공무원으로서 법률이나 대통령령(대통령비서실 및 국가안보실의 조직에 관한 대통령령만 해당한다)에서 정무직으로 지정하는 공무원을 말한다(국가공무원법 제2조 제3항 제1호).

ⓕ 중앙선거관리위원회의 정무직공무원
ⓖ 공공감사에 관한 법률 제2조 제2호에 따른 중앙행정기관의 정무직공무원

✎ '중앙행정기관'이란 정부조직법 제2조에 따른 부·처·청과 감사원, 국가인권위원회, 국민권익위원회, 공정거래위원회, 금융위원회, 방송통신위원회, 국무조정실, 원자력안전위원회 및 행정중심복합도시건설청을 말한다(공공감사에 관한 법률 제2조 제2호, 동법 시행령 제2조).

ⓗ 대통령비서실·국가안보실·대통령경호처·국가정보원 소속의 3급 이상 공무원
ⓘ 국회사무처, 국회도서관, 국회예산정책처, 국회입법조사처의 정무직공무원
ⓙ 대법원장비서실, 사법정책연구원, 법원공무원교육원, 헌법재판소 사무처의 정무직공무원
ⓚ **검찰총장**
ⓛ 특별시장·광역시장·특별자치시장·도지사·특별자치도지사 및 교육감
ⓜ **판사 및 검사**
ⓝ **경무관 이상 경찰공무원**
ⓞ 장성급 장교

✎ '장성(將星)급 장교'란 원수(元帥), 대장, 중장, 소장 및 준장을 말한다(군인사법 제3조 제1항 제1호).

ⓟ 금융감독원 원장·부원장·감사
ⓠ 감사원·국세청·공정거래위원회·금융위원회 소속의 3급 이상 공무원

✎ 강조 처리된 고위공직자의 경우 수사처검사(공수처 소속 검사)가 수사, 공소제기 및 유지를 담당하고, 나머지 고위공직자의 경우 수사처검사가 수사를 담당할 뿐, 공소제기 및 유지는 일반 검사가 담당한다.

② '가족'이란 배우자, 직계존비속을 말한다. 다만, 대통령의 경우에는 배우자와 4촌 이내의 친족을 말한다(제2조 제2호).

③ '고위공직자범죄'란 고위공직자로 **재직 중에 본인 또는 본인의 가족이 범한** 다음 어느 하나에 해당하는 죄를 말한다. 다만, 가족의 경우에는 고위공직자의 직무와 관련하여 범한 죄에 한정한다(제2조 제3호).

> ㉠ 형법 제122조부터 제133조(직무유기, 직권남용, 불법체포, 불법감금, 폭행, 가혹행위, 피의사실공표, 공무상 비밀누설, 선거방해, 수뢰, 사전수뢰, 제3자뇌물제공, 수뢰후부정처사, 사후수뢰, 알선수뢰, 뇌물공여 등)(다른 법률에 따라 가중처벌되는 경우를 포함한다)
> ㉡ 직무와 관련되는 형법 제141조(공용서류 등 무효, 공용물 파괴), 제225조(공문서 등 위조·변조), 제227조(허위공문서작성 등), 제227조의2(공전자기록위작·변작), 제229조(위조 등 공문서 행사)(제225조, 제227조 및 제227조의2의 행사죄에 한정한다), 제355조부터 제357조(횡령, 배임, 업무상 횡령과 배임, 배임수증재) 및 제359조(다른 법률에 따라 가중처벌되는 경우를 포함한다)
> ㉢ 특정범죄 가중처벌 등에 관한 법률 제3조(알선수재)
> ✎ 공무원의 직무에 속한 사항의 알선에 관하여 금품이나 이익을 수수·요구 또는 약속한 사람은 5년 이하의 징역 또는 1천만원 이하의 벌금에 처한다(특정범죄 가중처벌 등에 관한 법률 제3조).
> ㉣ 변호사법 제111조(알선수재)
> ✎ 공무원이 취급하는 사건 또는 사무에 관하여 청탁 또는 알선을 한다는 명목으로 금품·향응, 그 밖의 이익을 받거나 받을 것을 약속한 자 또는 제3자에게 이를 공여하게 하거나 공여하게 할 것을 약속한 자는 5년 이하의 징역 또는 1천만원 이하의 벌금에 처한다. 이 경우 벌금과 징역은 병과할 수 있다(변호사법 제111조 제1항).
> ㉤ 정치자금법 제45조(정치자금부정수수)
> ㉥ 국가정보원법 제21조(정치관여), 제22조(직권남용)
> ㉦ 국회에서의 증언·감정 등에 관한 법률 제14조 제1항(위증 등)
> ㉧ ㉠부터 ㉤까지의 죄에 해당하는 범죄행위로 인한 범죄수익은닉의 규제 및 처벌 등에 관한 법률 제2조 제4호의 범죄수익 등과 관련된 같은 법 제3조 및 제4조

④ '관련 범죄'란 다음 어느 하나에 해당하는 죄를 말한다(제2조 제4호).

> ㉠ 고위공직자와 형법 제30조부터 제32조(공동정범·교사범·종범)까지의 관계에 있는 자가 범한 제3호의 어느 하나에 해당하는 죄
> ㉡ 고위공직자를 상대로 한 자의 형법 제133조(뇌물공여 등), 제357조 제2항(배임수증재)
> ㉢ 고위공직자범죄와 관련된 형법 제151조 제1항(범인은닉 친족간 특례), 제152조(위증, 모해위증), 제154조부터 제156조(허위 감정·통역·번역, 증거인멸 등 친족간 특례, 무고) 및 국회에서의 증언·감정 등에 관한 법률 제14조 제1항(위증 등)
> ㉣ 고위공직자범죄 수사과정에서 인지한 그 고위공직자범죄와 직접 관련성이 있는 죄로서 해당 고위공직자가 범한 죄

⑤ '고위공직자범죄 등'이란 위 ③과 ④의 죄를 말한다(제2조 제5호).

SUMMARY | 고위공직자의 분류

A급 고위공직자	B급 고위공직자
① 대법원장 및 대법관 ② 검찰총장 ③ 판사 및 검사 ④ 경무관 이상 경찰공무원 ✎ 수사와 공소제기·유지를 공수처가 한다.	① 대통령 ② 국회의장 및 국회의원 ③ 헌법재판소장 및 헌법재판관 ④ 국무총리와 국무총리비서실 소속 정무직공무원 ⑤ 중앙선관위의 정무직공무원 ⑥ 중앙행정기관의 정무직공무원 ⑦ 대통령비서실 등 소속 3급 이상 공무원 ⑧ 국회사무처 등의 정무직공무원 ⑨ 대법원장비서실 등의 정무직공무원 ⑩ 시·도지사 및 교육감 ⑪ 장성급 장교 ⑫ 금융감독원 원장·부원장·감사 ⑬ 감사원·국세청·공정거래위원회·금융위원회 소속 3급 이상 공무원 ✎ 수사는 공수처가 하고, 공소제기·유지는 검찰이 한다.

SUMMARY | 고위공직자범죄 등 <부록 형법 범죄의 정리 참고>

구분		내용
고위공직자 범죄	형법	① 직무유기 ② 직권남용권리행사방해, 직권남용(체포·감금), 독직(폭행·가혹행위) ③ 피의사실공표 ④ 공무상비밀누설 ⑤ 선거방해 ⑥ 뇌물(수수·요구·약속), 사전뇌물(수수·요구·약속), 제3자뇌물(수수·요구·약속), 수뢰후부정처사, 부정처사후수뢰, 사후수뢰죄, 알선뇌물(수수·요구·약속), 뇌물(공여·공여약속·공여의사표시), 제3자뇌물(교부·취득) ⑦ 공용(서류·물건·전자기록 등)(손상·은닉·무효), 공용(건조물·선박·기차·항공기)파괴 ⑧ (공문서·공도화)(위조·변조), 허위(공문서·공도화)(작성·변개), 공전자기록 등(위작·변작), (위조·변조)(공문서·공도화)행사, 허위(작성·변개)(공문서·공도화)행사, (위작·변작)공전자기록 등 행사 ⑨ 횡령, 배임, 업무상(횡령·배임), 배임수재, 배임증재 ✎ ⑦부터 ⑨의 범죄는 직무와 관련되는 경우에 한하여 고위공직자범죄가 된다.
	특별법	① 알선수재(특정범죄 가중처벌 등에 관한 법률 제3조) ② 알선수재(변호사법 제111조) ③ 정치자금부정수수(정치자금법 제45조) ④ 정치관여(국가정보원법 제21조), 직권남용(동법 제22조) ⑤ 국회위증(국회에서의 증언·감정 등에 관한 법률 제14조 제1항)
관련범죄		① 고위공직자와 공동정범·교사범·방조범 관계에 있는 자가 범한 고위공직자범죄 해당 범죄 ② 고위공직자를 상대로 한 자의 뇌물(공여·공여약속·공여의사표시), 제3자뇌물(교부·취득), 배임증재 ③ 고위공직자범죄와 관련된 범인(은닉·도피), 위증, 모해위증, (허위·모해허위)(감정·통역·번역), 증거(인멸·은닉·위조·변조), (위조·변조)증거사용, 증인(은닉·도피), 무고, 국회위증 ④ 고위공직자범죄 수사과정에서 인지한 그 고위공직자범죄와 직접 관련성이 있는 죄로서 해당 고위공직자가 범한 죄

✎ 고위공직자범죄로 인한 범죄수익은닉의 규제 및 처벌 등에 관한 법률 제2조 제4호의 범죄수익 등과 관련된 같은 법 제3조(범죄수익 등의 은닉 및 가장) 및 제4조(범죄수익 등의 수수)의 죄도 고위공직자범죄가 된다.

✎ 고위공직자범죄와 관련 범죄를 합하여 '고위공직자범죄 등'이라고 한다.

3. 수사처의 설치와 조직 등

(1) 수사처의 설치와 독립성

① 고위공직자범죄 등에 관하여 아래 내용에 필요한 직무를 수행하기 위하여 고위공직자범죄 수사처(이하 '수사처'라 한다)를 둔다(제3조 제1항).

> ㉠ 고위공직자범죄 등에 관한 수사
> ㉡ **대법원장, 대법관, 검찰총장, 판사, 검사 및 경무관 이상 경찰공무원으로** 재직 중에 본인 또는 본인의 가족이 범한 고위공직자범죄 및 관련 범죄의 공소제기와 그 유지

② 수사처는 그 권한에 속하는 직무를 독립하여 수행한다(제3조 제2항).
③ 대통령, 대통령비서실의 공무원은 수사처의 사무에 관하여 업무보고나 자료제출 요구, 지시, 의견제시, 협의, 그 밖에 직무수행에 관여하는 일체의 행위를 하여서는 아니 된다(제3조 제3항).
④ 수사처 소속 공무원은 정치적 중립을 지켜야 하며, 그 직무를 수행함에 있어 외부로부터 어떠한 지시나 간섭을 받지 아니한다(제22조).

(2) 수사처의 조직

① 수사처에 **처장** 1명과 **차장** 1명을 두고, 각각 특정직공무원으로 보한다(제4조 제1항).
② 수사처에 **수사처검사**와 **수사처수사관** 및 그 밖에 **필요한 직원**을 둔다(제4조 제2항).

(3) 수사처장후보 추천위원회

① **처장후보자의 추천을 위하여** 국회에 고위공직자범죄 수사처장후보 추천위원회(이하 '추천위원회'라 한다)를 둔다(제6조 제1항).
② 추천위원회는 **위원장 1명을 포함하여 7명의 위원으로** 구성한다(제6조 제2항).
③ 위원장은 위원 중에서 호선한다(제6조 제3항).
④ 국회의장은 다음 내용의 사람을 위원으로 임명하거나 위촉한다(제6조 제4항).

> ㉠ 법무부장관
> ㉡ 법원행정처장
> ㉢ 대한변호사협회장
> ㉣ 대통령이 소속되거나 소속되었던 정당의 교섭단체가 추천한 2명
> ㉤ ㉣의 교섭단체 외 교섭단체가 추천한 2명

⑤ 국회의장은 교섭단체에 **10일** 이내의 기한을 정하여 위원의 추천을 서면으로 요청할 수 있고, 각 교섭단체는 요청받은 기한 내에 위원을 추천하여야 한다(제6조 제5항).
⑥ 요청받은 기한 내에 위원을 추천하지 아니한 교섭단체가 있는 경우, 국회의장은 해당 교섭단체의 추천에 갈음하여 다음 내용의 사람을 위원으로 위촉한다(제6조 제6항).

> ㉠ 사단법인 한국법학교수회 회장
> ㉡ 사단법인 법학전문대학원협의회 이사장

⑦ 추천위원회는 국회의장의 요청 또는 위원 3분의 1 이상의 요청이 있거나 위원장이 필요하다고 인정할 때 위원장이 소집하고, **재적위원 3분의 2** 이상의 찬성으로 의결한다(제6조 제7항).
⑧ 추천위원의 위원은 정치적 중립을 지키고 독립하여 직무를 수행한다(제6조 제8항).
⑨ 추천위원회가 처장후보자를 추천하면 해당 추천위원회는 해산된 것으로 본다(제6조 제9항).

(4) 인사위원회

① 처장과 차장을 제외한 **수사처검사의 임용, 전보, 그 밖에 인사에 관한 중요사항을** 심의 · 의결하기 위하여 수사처에 인사위원회를 둔다(제9조 제1항).

② 인사위원회는 **위원장 1명을 포함한 7명의 위원으로** 구성하고, 인사위원회의 위원장은 처장이 된다(제9조 제2항).

③ 인사위원회 위원 구성은 다음 내용과 같다(제9조 제3항).

> ㉠ 처장
> ㉡ 차장
> ㉢ 학식과 덕망이 있고 각계 전문 분야에서 경험이 풍부한 사람으로서 처장이 위촉한 사람 1명
> ㉣ 대통령이 소속되거나 소속되었던 정당의 교섭단체가 추천한 2명
> ㉤ 제4호의 교섭단체 외 교섭단체가 추천한 2명

④ ③의 ㉢부터 ㉤까지에 규정된 위원의 임기는 3년으로 한다(제9조 제4항).

⑤ 인사위원회는 **재적위원 과반수의 찬성으로** 의결한다(제9조 제5항).

(5) 수사처검사 징계위원회

① **수사처검사의 징계 사건을** 심의하기 위하여 수사처에 수사처검사 징계위원회(이하 '징계위원회'라 한다)를 둔다(제33조 제1항).

② 징계위원회는 **위원장 1명을 포함한 7명의 위원으로** 구성하고, 예비위원 3명을 둔다(제33조 제2항).

③ 징계위원회의 위원장은 차장이 된다. 다만, 차장이 징계혐의자인 경우에는 처장이 위원장이 되고, 처장과 차장이 모두 징계혐의자인 경우에는 수사처규칙으로 정하는 수사처검사가 위원장이 된다(제34조 제1항).

④ 위원은 다음 내용의 사람이 된다(제34조 제2항).

> ㉠ 위원장이 지명하는 수사처검사 2명
> ㉡ 변호사, 법학교수 및 학식과 경험이 풍부한 사람으로서 위원장이 위촉하는 4명

⑤ 예비위원은 수사처검사 중에서 위원장이 지명하는 사람이 된다(제34조 제3항).

⑥ ④의 ㉡에 해당하는 위원 임기는 3년으로 한다(제34조 제4항).

⑦ 위원장은 징계위원회의 업무를 총괄하고, 회의를 소집하며, 그 의장이 된다(제34조 제5항).

⑧ 징계위원회는 사건심의를 마치면 **재적위원 과반수의 찬성으로** 징계를 의결한다(제41조 제1항). 위원장은 의결에서 표결권을 가지며, 찬성과 반대가 같은 수인 경우에는 결정권을 가진다(제41조 제2항).

☑ SUMMARY | 수사처 관련 위원회

구분	추천위원회	인사위원회	징계위원회
목적 등	처장후보자 추천을 위하여 국회에 설치	처장과 차장을 제외한 수사처검사의 인사에 관한 중요 사항을 심의·의결하기 위하여 수사처에 설치	수사처검사의 징계 사건을 심의하기 위하여 수사처에 설치
구성	위원장 1명을 포함한 7명의 위원	위원장 1명을 포함한 7명의 위원	위원장 1명을 포함한 7명의 위원
위원	① 법무부장관 ② 법원행정처장 ③ 대한변호사협회장 ④ 여당이 추천한 2명 ⑤ 야당이 추천한 2명	① 처장 ② 차장 ③ 처장이 위촉한 1명 ④ 여당이 추천한 2명 ⑤ 야당이 추천한 2명	① 위원장이 지명한 수사처검사 2명 ② 위원장이 위촉한 4명
위원장	위원 중에서 호선	수사처 처장	수사처 차장
의결	재적위원 3분의 2 이상의 찬성으로 의결	재적위원 과반수의 찬성으로 의결	재적위원 과반수의 찬성으로 의결

4. 수사처의 기관

(1) 처장

① 처장은 다음 내용의 직위에 15년 이상 있던 사람 중에서 **추천위원회가 2명을 추천하고, 대통령이 그 중 1명을 지명한 후 인사청문회를 거쳐 임명한다**(제5조 제1항).

> ㉠ 판사, 검사 또는 변호사
> ㉡ 변호사 자격이 있는 사람으로서 국가기관, 지방자치단체, 공공기관의 운영에 관한 법률 제4조에 따른 공공기관 또는 그 밖의 법인에서 법률에 관한 사무에 종사한 사람
> ㉢ 변호사 자격이 있는 사람으로서 대학의 법률학 조교수 이상으로 재직하였던 사람

② 처장의 **임기는 3년으로 하고 중임할 수 없으며**, 정년은 65세로 한다(제5조 제3항).

③ 처장이 궐위된 때에는 60일 이내에 후임자를 임명하여야 한다. 이 경우 새로 임명된 처장의 임기는 새로이 개시된다(제5조 제4항).

(2) 차장

① 차장은 10년 이상 위 **(1)**의 ①에 해당하는 직위에 재직하였던 사람 중에서 **처장의 제청으로 대통령이 임명한다**(제7조 제1항).

② 차장의 **임기는 3년으로 하고 중임할 수 없으며**, 정년은 63세로 한다(제7조 제3항).

(3) 수사처검사

① 수사처검사는 변호사 자격을 7년 이상 변호사의 자격이 있는 사람 중에서 **인사위원회의 추천을 거쳐 대통령이 임명한다**. 이 경우 검사의 직에 있었던 사람은 수사처검사 정원의 2분의 1을 넘을 수 없다(제8조 제1항).

② 수사처검사는 특정직공무원으로 보하고, 처장과 차장을 포함하여 **25명 이내로 한다**(제8조 제2항).

③ 수사처검사의 **임기는 3년으로 하고, 3회에 한하여 연임할 수 있으며**, 정년은 63세로 한다(제8조 제3항).

④ 수사처검사는 직무를 수행함에 있어서 검찰청법 제4조에 따른 검사의 직무 및 군사법원법 제37조에 따른 군검사의 직무를 수행할 수 있다(제8조 제4항).

(4) 수사처수사관

① 수사처수사관은 다음 어느 하나에 해당하는 사람 중에서 **처장이 임명한다**(제10조 제1항).

> ㉠ 변호사 자격을 보유한 사람
> ㉡ 7급 이상 공무원으로서 조사, 수사업무에 종사하였던 사람
> ㉢ 수사처규칙으로 정하는 조사업무의 실무를 5년 이상 수행한 경력이 있는 사람

② 수사처수사관은 일반직공무원으로 하며, **40명 이내로 한다**. 다만, 검찰청으로부터 검찰수사관을 파견받은 경우에는 이를 수사처수사관의 정원에 포함한다(제10조 제2항).

③ 수사처수사관의 **임기는 6년으로 하고, 연임할 수 있으며**, 정년은 60세로 한다(제10조 제3항).

(5) 그 밖의 직원

① 수사처의 행정에 관한 사무처리를 위하여 필요한 직원을 둘 수 있다(제11조 제1항).

② 직원의 수는 **20명 이내로 한다**(제11조 제2항).

☑ SUMMARY | 수사처의 기관

구분	임명절차	인원	임기	정년
처장	추천위원회가 추천한 2명 중, 대통령이 1명을 지명한 후 인사청문회를 거쳐 임명	1인	3년, 중임 ×	65세
차장	처장의 제청으로 대통령이 임명	1인	3년, 중임 ×	63세
수사처검사	인사위원회의 추천을 거쳐 대통령이 임명	25명 이내 (처장과 차장 포함)	3년, 3회에 한하여 연임 ○	63세
수사처수사관	처장이 임명	40명 이내	6년, 연임 ○	60세
그 밖의 직원	-	20명 이내	-	

5. 수사처 기관의 보수, 결격사유, 신분보장 등

(1) 보수 등

① 처장의 보수와 대우는 차관의 예에 준한다(제12조 제1항).

② 차장의 보수와 대우는 고위공무원단 직위 중 가장 높은 직무등급의 예에 준한다(제12조 제2항).

③ 수사처검사의 보수와 대우는 검사의 예에 준한다(제12조 제3항).

④ 수사처수사관의 보수와 대우는 4급 이하 7급 이상의 검찰직공무원의 예에 준한다(제12조 제4항).

(2) 결격사유 등

① 다음 어느 하나에 해당하는 사람은 처장, 차장, 수사처검사, 수사처수사관으로 임명될 수 없다(제13조 제1항).

> ㉠ 대한민국 국민이 아닌 사람
> ㉡ 국가공무원법 제33조(결격사유) 각 호의 어느 하나에 해당하는 사람
> ㉢ 금고 이상의 형을 선고받은 사람
> ㉣ 탄핵결정에 의하여 파면된 후 5년이 지나지 아니한 사람
> ㉤ 대통령비서실 소속의 공무원으로서 퇴직 후 2년이 지나지 아니한 사람

② 검사의 경우 퇴직한 후 3년이 지나지 아니하면 처장이 될 수 없고, 퇴직한 후 1년이 지나지 아니하면 차장이 될 수 없다(제13조 제2항).

(3) 신분보장 및 퇴직

① 처장, 차장, 수사처검사는 탄핵이나 금고 이상의 형을 선고받은 경우를 제외하고는 파면되지 아니하며, 징계처분에 의하지 아니하고는 해임·면직·정직·감봉·견책 또는 퇴직의 처분을 받지 아니한다(제14조).

② 수사처검사가 중대한 심신상의 장애로 인하여 직무를 수행할 수 없을 때 대통령은 처장의 제청에 의하여 그 수사처검사에게 퇴직을 명할 수 있다(제15조).

(4) 공직임용 제한 등

① 처장과 차장은 퇴직 후 2년 이내에 헌법재판관(헌법 제111조 제3항에 따라 임명되는 헌법재판관은 제외한다), 검찰총장, 국무총리 및 중앙행정기관·대통령비서실·국가안보실·대통령경호처·국가정보원의 정무직공무원으로 임용될 수 없다(제16조 제1항).

② 처장, 차장, 수사처검사는 퇴직 후 2년이 지나지 아니하면 검사로 임용될 수 없다(제16조 제2항).

③ 수사처검사로서 퇴직 후 1년이 지나지 아니한 사람은 대통령비서실의 직위에 임용될 수 없다(제16조 제3항).

④ 수사처에 근무하였던 사람은 퇴직 후 1년 동안 수사처의 사건을 변호사로서 수임할 수 없다(제16조 제4항).

6. 수사처 기관의 직무와 권한

(1) 처장

① **처장은 수사처의 사무를 통할하고** 소속 직원을 지휘·감독한다(제17조 제1항).

② 처장은 국회에 출석하여 수사처의 소관 사무에 관하여 의견을 진술할 수 있고, 국회의 요구가 있을 때에는 수사나 재판에 영향을 미치지 않는 한 국회에 출석하여 보고하거나 답변하여야 한다(제17조 제2항).

③ 처장은 소관 사무와 관련된 안건이 상정될 경우 국무회의에 출석하여 발언할 수 있으며, 그 소관 사무에 관하여 법무부장관에게 의안의 제출을 건의할 수 있다(제17조 제3항).

④ 처장은 그 직무를 수행함에 있어서 필요한 경우 대검찰청, 경찰청 등 관계 기관의 장에게 고위공직자범죄 등과 관련된 사건의 수사기록 및 증거 등 자료의 제출과 수사활동의 지원 등 수사협조를 요청할 수 있다(제17조 제4항).

⑤ 처장은 **수사처검사의 직을 겸한다**(제17조 제5항).

⑥ 처장은 수사처검사로 하여금 그 권한에 속하는 직무의 일부를 처리하게 할 수 있다(제19조 제1항). 처장은 수사처검사의 직무를 자신이 처리하거나 다른 수사처검사로 하여금 처리하게 할 수 있다(제19조 제2항).

(2) 차장

① **차장은 처장을 보좌하며**, 처장이 부득이한 사유로 그 직무를 수행할 수 없는 때에는 그 직무를 대행한다(제18조 제1항).

② 차장은 **수사처검사의 직을 겸한다**(제18조 제2항).

(3) 수사처검사

① 수사처검사는 다음 내용에 따른 **수사와 공소의 제기 및 유지에 필요한 행위를 한다**(제20조 제1항).

> ㉠ 고위공직자범죄 등에 관한 수사
> ㉡ **대법원장, 대법관, 검찰총장, 판사, 검사 및 경무관 이상 경찰공무원으로 재직 중에 본인 또는 본인의 가족이 범한 고위공직자범죄 및 관련 범죄**의 공소제기와 그 유지

② 수사처검사는 처장의 지휘·감독에 따르며, 수사처수사관을 지휘·감독한다(제20조 제2항).

③ 수사처검사는 구체적 사건과 관련된 지휘·감독의 적법성 또는 정당성에 대하여 이견이 있을 때에는 이의를 제기할 수 있다(제20조 제3항).

(4) 수사처수사관

① 수사처수사관은 **수사처검사의 지휘·감독을 받아 직무를 수행한다**(제21조 제1항).

② 수사처수사관은 고위공직자범죄 등에 대한 수사에 관하여 형사소송법 제197조 제1항에 따른 사법경찰관의 직무를 수행한다(제21조 제2항).

7. 수사처의 수사, 공소제기와 유지 및 형집행

(1) 수사처검사의 수사

수사처검사는 **고위공직자범죄의 혐의가 있다고 사료하는 때에는** 범인, 범죄사실과 증거를 수사하여야 한다(제23조).

(2) 다른 수사기관과의 관계

① **수사처의 범죄수사와 중복되는 다른 수사기관의 범죄수사는** 처장이 수사의 진행정도 및 공정성 논란 등에 비추어 수사처에서 수사하는 것이 적절하다고 판단하여 **이첩을 요청하는 경우 해당 수사기관은 이를 응하여야 한다**(제24조 제1항).

② 다른 수사기관이 범죄를 수사하는 과정에서 **고위공직자범죄 등을 인지한 경우 그 사실을 즉시 수사처에 통보하여야 한다**(제24조 제2항).

③ 처장은 피의자, 피해자, 사건의 내용과 규모 등에 비추어 다른 수사기관이 고위공직자범죄 등을 수사하는 것이 적절하다고 판단될 때에는 **해당 수사기관에 사건을 이첩할 수 있다**(제24조 제3항).

④ 제2항에 따라 고위공직자범죄 등 사실의 통보를 받은 처장은 통보를 한 다른 수사기관의 장에게 수사처규칙으로 정한 기간과 방법으로 수사개시 여부를 회신하여야 한다(제24조 제4항).

(3) 수사처검사 및 검사 범죄에 대한 수사

① 처장은 **수사처검사의 범죄혐의를 발견한 경우에** 관련 자료와 함께 이를 **대검찰청에 통보하여야 한다**(제25조 제1항).

② 수사처 외의 다른 수사기관이 **검사의 고위공직자범죄 혐의를 발견한 경우** 그 수사기관의 장은 사건을 **수사처에 이첩하여야 한다**(제25조 제2항).

(4) 수사처검사의 관계 서류와 증거물 송부 등

① 수사처검사는 **'대법원장, 대법관, 검찰총장, 판사, 검사 및 경무관 이상 경찰공무원으로 재직 중에 본인 또는 본인의 가족이 범한 고위공직자범죄 및 관련 범죄' 사건을 제외한** 고위공직자범죄 등에 관한 수**사를 한 때에는** 관계 서류와 증거물을 지체 없이 **서울중앙지방검찰청 소속 검사에게 송부하여야 한다**(제26조 제1항).

② 관계 서류와 증거물을 송부받아 사건을 처리하는 검사는 처장에게 해당 사건의 공소제기 여부를 신속하게 통보하여야 한다(제26조 제2항).

(5) 관련인지 사건의 이첩

처장은 고위공직자범죄에 대하여 불기소결정을 하는 때에는 해당 범죄의 수사과정에서 알게 된 관련 범죄사건을 대검찰청에 이첩하여야 한다(제27조).

(6) 재판관할

수사처검사가 공소를 제기하는 고위공직자범죄 등 사건의 제1심 재판은 서울중앙지방법원의 관할로 한다. 다만, 범죄지, 증거의 소재지, 피고인의 특별한 사정 등을 고려하여 수사처검사는 형사소송법에 따른 관할법원에 공소를 제기할 수 있다(제31조).

(7) 형의 집행

① 수사처검사가 공소를 제기하는 고위공직자범죄 등 사건에 관한 재판이 확정된 경우 제1심 관할지방법원에 대응하는 검찰청 소속검사가 그 형을 집행한다(제28조 제1항).

② 처장은 원활한 형의 집행을 위하여 해당 사건 및 기록 일체를 관할 검찰청의 장에게 인계한다(제28조 제2항).

SUMMARY | 수사처검사의 사건처리 등

구분	A급 고위공직자범죄 등	B급 고위공직자범죄 등
수사	① 원칙적으로 수사처검사가 수사를 함 ㉠ 수사처의 범죄수사와 중복되는 다른 수사기관의 범죄수사는 처장이 수사처에서 수사하는 것이 적절하다고 판단하여 이첩을 요청하는 경우 해당 수사기관은 이를 응하여야 함 ㉡ 다른 수사기관이 범죄를 수사하는 과정에서 고위공직자범죄 등을 인지한 경우 그 사실을 즉시 수사처에 통보하여야 함 ② 예외적으로 처장은 다른 수사기관이 고위공직자범죄 등을 수사하는 것이 적절하다고 판단될 때에는 해당 수사기관에 사건을 이첩할 수 있음	
공소제기 및 유지 등	① 수사처검사가 공소제기 및 유지를 담당함 ② 수사처검사가 불기소결정을 함	① 서울중앙지방검찰청 소속검사가 공소제기 및 유지를 담당함(수사처검사는 서류와 증거물을 서울중앙지방검찰청 소속검사에게 송부하여야 함) ② 서울중앙지방검찰청 소속검사가 불기소결정을 함(검사는 처장에게 공소제기 여부를 신속하게 통보하여야 함)
재정신청	고소·고발인은 서울고등법원에 재정신청할 수 있음	
재판관할	제1심 재판은 원칙적으로 서울중앙지방법원의 관할로 함. 예외적으로 형사소송법에 따른 관할법원에 공소를 제기할 수 있음	형사소송법 규정에 따름
형집행	제1심 관할지방법원에 대응하는 검찰청 소속검사가 그 형을 집행함	〃

8. 재정신청에 대한 특례

① **고소 · 고발인은 수사처검사로부터 공소를 제기하지 아니한다는 통지를 받은 때에는** 서울고등법원에 그 당부에 관한 **재정을 신청할 수 있다**(제29조 제1항).

② 재정신청을 하려는 사람은 공소를 제기하지 아니한다는 통지를 받은 날부터 30일 이내에 처장에게 재정신청서를 제출하여야 한다(제29조 제2항).

③ 재정신청서에는 재정신청의 대상이 되는 사건의 범죄사실 및 증거 등 재정신청을 이유 있게 하는 사유를 기재하여야 한다(제29조 제3항).

④ 재정신청서를 제출받은 처장은 재정신청서를 제출받은 날부터 7일 이내에 재정신청서 · 의견서 · 수사 관계 서류 및 증거물을 서울고등법원에 송부하여야 한다. 다만, 신청이 이유 있는 것으로 인정하는 때에는 즉시 공소를 제기하고 그 취지를 서울고등법원과 재정신청인에게 통지한다(제29조 제4항).

⑤ 이 법에서 정한 사항 외에 재정신청에 관하여는 형사소송법 제262조 및 제262조의2부터 제262조의4까지의 규정을 준용한다. 이 경우 관할법원은 서울고등법원으로 하고, '지방검찰청검사장 또는 지청장'은 '처장', '검사'는 '수사처검사'로 본다(제29조 제5항).

9. 징계

(1) 징계사유

수사처검사가 다음 어느 하나에 해당하면 그 수사처검사를 징계한다(제32조).

> ① 재직 중 다음 어느 하나에 해당하는 행위를 한 때
> ㉠ 정치운동에 관여하는 일
> ㉡ 금전상의 이익을 목적으로 하는 업무에 종사하는 일
> ㉢ 처장의 허가 없이 보수를 받는 직무에 종사하는 일
> ② 직무상의 의무를 위반하거나 직무를 게을리하였을 때
> ③ 직무 관련 여부에 상관 없이 수사처검사로서의 체면이나 위신을 손상하는 행위를 하였을 때

(2) 징계의 청구와 개시

① 징계위원회의 징계심의는 처장(처장이 징계혐의자인 경우에는 차장을, 처장 및 차장이 모두 징계혐의자인 경우에는 수사처규칙으로 정하는 수사처검사를 말한다)의 청구에 의하여 시작한다(제36조 제1항).

② **처장은** 수사처검사가 징계사유에 해당하는 행위를 하였다고 인정할 때에는 **징계의 청구를 하여야 한다**(제36조 제2항).

③ 징계의 청구는 징계위원회에 서면으로 제출하여야 한다(제36조 제3항).

(3) 징계부가금

① 처장이 수사처검사에 대하여 징계를 청구하는 경우 그 징계사유가 금품 및 향응수수, 공금의 횡령 · 유용인 경우에는 해당 징계 외에 금품 및 향응수수액, 공금의 횡령액 · 유용액의 5배 내의 징계부가금 부과 의결을 징계위원회에 청구하여야 한다(제37조 제1항).

② 징계부가금의 조정, 감면 및 징수에 관하여는 국가공무원법 제78조의2 제2항 및 제3항을 준용한다(제37조 제2항).

(4) 재징계 등의 청구

① 처장은 다음 어느 하나에 해당하는 사유로 법원에서 징계 및 징계부가금 부과(이하 '징계 등'이라 한다) 처분의 무효 또는 취소 판결을 받은 경우에는 다시 징계 등을 청구하여야 한다. 다만, ㉢의 사유로 무효 또는 취소 판결을 받은 감봉 · 견책 처분에 대해서는 징계 등을 청구하지 아니할 수 있다(제38조 제1항).

㉠ 법령의 적용, 증거 및 사실 조사에 명백한 흠이 있는 경우 ㉡ 징계위원회의 구성 또는 징계 등 의결, 그 밖에 절차상의 흠이 있는 경우 ㉢ 징계양정 및 징계부가금이 과다한 경우

② 처장은 징계 등을 청구하는 경우에는 법원의 판결이 확정된 날부터 3개월 이내에 징계위원회에 징계 등을 청구하여야 하며, 징계위원회에서는 다른 징계사건에 우선하여 징계 등을 의결하여야 한다(제38조 제2항).

(5) 퇴직 희망 수사처검사의 징계사유 확인 등

① 처장은 수사처검사가 퇴직을 희망하는 경우에는 징계사유가 있는지 여부를 감사원과 검찰 · 경찰, 그 밖의 수사기관에 확인하여야 한다(제39조 제1항).
② 확인결과 해임, 면직 또는 정직에 해당하는 징계사유가 있는 경우 처장은 지체 없이 징계 등을 청구하여야 하며, 징계위원회는 다른 징계사건에 우선하여 징계 등을 의결하여야 한다(제39조 제2항).

(6) 징계혐의자에 대한 부본 송달과 직무정지

① 징계위원회는 징계청구서의 부본을 징계혐의자에게 송달하여야 한다(제40조 제1항).
② 처장은 필요하다고 인정할 때에는 징계혐의자에게 직무집행의 정지를 명할 수 있다(제40조 제2항).

(7) 징계의결

① 징계위원회는 사건심의를 마치면 **재적위원 과반수의 찬성으로** 징계를 의결한다(제41조 제1항).
② 위원장은 의결에서 표결권을 가지며, 찬성과 반대가 같은 수인 경우에는 결정권을 가진다(제41조 제2항).

(8) 징계의 집행

① 징계의 집행은 **견책의 경우에는 처장이 하고, 해임 · 면직 · 정직 · 감봉의 경우에는 처장의 제청으로 대통령이 한다**(제42조 제1항).
② 수사처검사에 대한 징계처분을 한 때에는 그 사실을 관보에 게재하여야 한다(제42조 제2항).

(9) 다른 법률의 준용

9. 징계에서 정하지 아니한 사항에 대하여는 검사징계법 제3조, 제9조부터 제17조, 제19조부터 제21조, 제22조(다만 제2항의 '제23조'는 '제41조'로 본다), 제24조부터 제26조를 각 준용한다. 이 경우 '검사'는 '수사처검사'로 본다(제43조).

10. 보칙

(1) 파견공무원

수사처 직무의 내용과 특수성 등을 고려하여 필요한 경우에는 타 행정기관으로부터 공무원을 파견받을 수 있다(제44조).

(2) 조직 및 운영

이 법에 규정된 사항 외에 수사처의 조직 및 운영에 관하여 필요한 사항은 수사처규칙으로 정한다(제45조).

(3) 정보제공자의 보호

① 누구든지 고위공직자범죄 등에 대하여 알게 된 때에는 이에 대한 정보를 수사처에 제공할 수 있으며, 이를 이유로 불이익한 조치를 받지 아니한다(제46조 제1항).
② 수사처는 내부고발자에게 공익신고자 보호법에서 정하는 보호조치 및 지원행위를 할 수 있다. 내부고발자 보호에 관한 세부적인 사항은 대통령령으로 정한다(제46조 제2항).

(4) 다른 법률의 준용

그 밖에 수사처검사 및 수사처수사관의 이 법에 따른 직무와 권한 등에 관하여는 이 법의 규정에 반하지 아니하는 한 검찰청법(다만, 제4조 제1항 제2호, 제4호, 제5호는 제외한다), 형사소송법을 준용한다(제47조).

SUMMARY | 공수처 vs 검찰 vs 경찰

구분	공수처	검찰	경찰
수사대상	고위공직자범죄 등	원칙적으로 아래의 사건(고위공직자범죄 등을 제외) ① 부패범죄, 경제범죄, 공직자범죄, 선거범죄, 방위사업범죄, 대형참사 등 대통령령으로 정하는 중요범죄 ② 경찰공무원이 범한 범죄 ③ 위 ①, ② 범죄 및 경찰이 송치한 범죄와 관련하여 인지한 각 해당 범죄와 직접 관련성이 있는 범죄	원칙적으로 제한이 없음(고위공직자범죄 등을 제외)
수사의 경합 등	고위공직자범죄 등의 통보를 받은 공수처장은 통보를 한 검찰·경찰에게 수사개시 여부를 회신하여함	고위공직자범죄 등을 인지한 경우 즉시 공수처에 통보하여야 함	
	공수처 검사의 범죄혐의를 발견한 경우 공수처장은 대검찰청에 통보하여야 함	(공수처 검사를 제외한) 검사의 고위공직자범죄 혐의를 발견한 경우 사건을 공수처에 이첩하여야 함	
	공수처 범죄수사와 중복되는 검찰·경찰의 범죄수사가 있는 경우 공수처장은 검찰·경찰에 사건의 이첩을 요청할 수 있음	공수처 범죄수사와 중복되는 범죄수사의 경우 공수처장의 요청이 있으면 사건을 공수처에 이첩하여야 함	
	공수처장은 검찰·경찰이 고위공직자범죄 등을 수사하는 것이 적절하다고 판단될 때에는 검찰·경찰에 사건을 이첩할 수 있음		

		검찰 범죄수사와 중복되는 경찰의 범죄수사가 있는 경우 검찰은 경찰에 사건의 송치를 요구할 수 있음	검찰 범죄수사와 중복되는 범죄수사의 경우 검찰의 요구가 있으면 사건을 검찰에 송치하여야 함. 다만, 검사의 영장청구 전에 동일한 범죄사실에 관하여 경찰이 영장을 신청한 경우 영장에 기재된 범죄사실을 계속 수사할 수 있음
영장의 청구	지방법원판사에게 영장청구		검사에게 영장신청
수사의 종결	① A급 고위공직자범죄 등의 경우 서울중앙지법에 공소를 제기하고 유지함 ② B급 고위공직자범죄 등의 경우 관계 서류와 증거물을 서울중앙지검 검사에게 송부하여야 함	(A급 고위공직자범죄 등의 경우를 제외하고) 법원에 공소를 제기하고 유지함	① 범죄혐의가 있다고 인정되는 경우 검사에게 사건을 송치하여야 함(송치) ② 범죄혐의가 없다고 인정되는 경우 관계 서류와 증거물을 검사에게 송부하여야 함(불송치)

해커스경찰 교재 시리즈

기출문제집 시리즈

해커스경찰
10개년
기출문제집
영어

해커스경찰
10개년
기출문제집
한국사

해커스경찰
10개년
기출문제집
경찰학개론

해커스공무원
7개년
기출문제집
국어

해커스공무원
8개년
기출문제집
사회

영역별 문제집

해커스공무원
국어 비문학
독해 333

적중문제집 시리즈

해커스경찰
적중 700제
한국사

해커스공무원
단원별 적중 700제
영어

해커스공무원
단원별 적중 700제
국어

해커스공무원
기출+적중 1000제
과학

해커스공무원
기출+적중 1000제
수학

실전동형모의고사 시리즈

해커스경찰
실전동형모의고사
영어 1, 2

해커스경찰
실전동형모의고사
한국사 1, 2

해커스공무원
실전동형모의고사
국어 1, 2

해커스공무원
실전동형모의고사
사회 1, 2

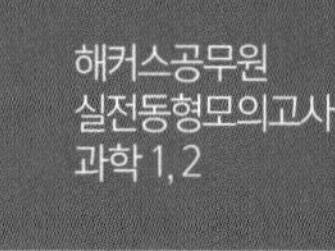

해커스공무원
실전동형모의고사
과학 1, 2

해커스공무원
실전동형모의고사
수학 1, 2

면접마스터

해커스공무원
면접마스터